D1030608

Le chat noir

VIRGINIA C. ANDREWS®

Les jumeaux - 2
Le chat noir

Traduit de l'américain
par Françoise Jamoul

ÉDITIONS FRANCE LOISIRS

Titre original : *Black Cat*
An original publication of POCKET BOOKS

Édition du Club France Loisirs,
avec l'autorisation des Éditions J'ai lu.

Éditions France Loisirs,
123, boulevard de Grenelle, Paris.
www.franceloisirs.com

ISBN : 978-2-298-00576-9

Prologue

L'histoire de notre famille

Je n'ai jamais douté que le jour où M. Calhoun, l'associé de papa, vint nous annoncer sa mort, maman connaissait déjà l'affreuse nouvelle. Un peu plus tôt ce jour-là, elle s'était évanouie. Et elle était restée assez longtemps sans connaissance pour nous causer une grande frayeur à tous les deux, mon frère Lionel et moi. Plus tard, elle me confia que le fantôme d'un chat, aussi noir que la mort elle-même, lui avait traversé le cœur.

Quand elle parlait de ces choses-là ses yeux s'ouvraient tout grands, pleins d'une telle stupeur que mon cœur s'arrêtait de battre, ou presque. Je retenais mon souffle, parfois au point de suffoquer, mais je n'osais pas risquer de l'interrompre en respirant.

— Je l'ai vu surgir d'un coin du plafond, où il était tapi dans l'ombre et me guettait avidement. Quand il est venu vers moi, j'ai tendu le bras pour le frapper mais sans parvenir à le repousser, et en quelques secondes il avait accompli son œuvre ténébreuse, raconta maman.

Puis ses yeux s'étrécirent et elle me révéla que

sa grand-mère avait connu le même genre d'expérience, quand son frère était mort accidentellement. Il avait fait une chute de cheval et sa tête avait heurté une grosse pierre.

Elle avait entendu un bruit de sabots de cheval résonner sous son crâne et, quand elle avait levé les yeux, un chat noir avait bondi sur elle à travers les airs, les pattes en avant et toutes griffes dehors, prêtes à lui lacérer la poitrine. Elle s'était évanouie sur place et, quand elle avait repris conscience, ses premières paroles avaient été : « Warren est mort. » On n'avait toujours pas retrouvé son corps, mais tout le monde savait qu'un jour ou l'autre quelqu'un le retrouverait, ajoutait maman dans un soupir. Un de ces soupirs qui vous traversent le cœur, tout comme le chat noir qu'elle décrivait.

L'histoire de notre famille, du côté maternel, fourmillait d'exemples de gens capables de lire l'avenir, de prévoir les événements dramatiques, d'annoncer une maladie ou un décès. Elle croyait que ce don de prophétie nous serait transmis, à Lionel et à moi, mais plus vraisemblablement à Lionel. D'où lui venait cette conviction, je l'ignore, mais je sais bien que c'était la raison essentielle pour laquelle, à ses yeux, il n'avait pas le droit de mourir.

Souvent, le soir, depuis la naissance de Bébé Céleste, maman s'asseyait dans le rocking-chair de Grandpa Jordan en la tenant dans ses bras, et la berçait pour l'endormir tout en me racontant ces histoires de famille. Il me semblait qu'elle balayait, telles des toiles d'araignées, les traces du passé tapies, dans l'ombre, dans les moindres coins et recoins de la maison. Elle regardait dehors, fixant l'obscurité qui enveloppait la maison comme un voile soyeux et lourd, et parlait du jour terrible où papa était mort, ainsi que de bien d'autres jours anciens. Elle évoquait le passé d'une façon si frappante qu'elle en faisait revivre les moindres détails, à croire qu'elle disposait d'un microscope temporel. Quand elle parlait ainsi, c'était moins pour moi que pour elle-même et pour les esprits qui, affirmait-elle, se tenaient tout près de nous. Les oncles, les tantes, les cousins, tous présents parmi nous pour s'associer à ce qui, maintenant, me semblait n'avoir été qu'une longue veillée funèbre.

Il est vrai que nous avions de nombreuses raisons d'être en deuil. Sans être prophétesse, je pouvais déjà prévoir bien d'autres épreuves à venir, avant que ce voile sombre cesse de peser sur notre maison et sur nos vies.

1

La supplique de Lionel

— Lionel, appela maman d'une voix pressante.

Je me retournai, et la vis en train de me faire de grands signes, du haut des marches de la galerie.

Ses cheveux d'un brun mordoré tombaient tout droit le long de ses joues, jusqu'à ses épaules. Noué autour du front, elle portait un bandana rose vif qui, disait-elle, la préservait des mauvais sorts qu'on lui jetait. Je compris qu'aujourd'hui quelque chose lui avait fait très peur.

Bébé Céleste se tenait à ses côtés, ce qui était tout à fait inhabituel. Maman ne la sortait jamais dans la journée, de crainte qu'on ne l'aperçoive de loin, même d'une voiture passant sur la route, et qu'on ne découvre ainsi son existence. Un secret que nous gardions depuis l'instant de sa venue au monde, il y avait maintenant un peu plus de deux ans et demi.

Aujourd'hui, une de ces chaudes journées de juillet où les nuages semblaient vissés à l'horizon, pas le moindre flocon de vapeur n'occultait le disque cuivré du soleil qui, dans le ciel cristallin, s'abaissait doucement vers les montagnes. À quatre pattes dans le jardin de simples – les plantes médicinales de maman –, j'en arrachais les mauvaises herbes. L'odeur pénétrante d'un sol humide et riche m'emplissait les narines. Les vers de terre, encore tout luisants de la pluie tombée pendant la nuit, glissaient entre mes doigts boueux. Un soupçon de brise semblait me taquiner, promettant sans cesse un soulagement qui tardait à venir. J'étais déjà très hâlée, « le hâle du fermier » comme aurait dit papa. Mes bras étaient tannés jusqu'aux bords de mes manches, et mon cou jusqu'au col de ma chemise ouverte, ce qui ne se voyait que lorsque j'étais nue.

Maman descendit les marches avec Bébé Céleste et s'avança d'un pas pour m'appeler encore. La maison paraissait vibrer dans l'air chaud qui montait entre elles et moi et les enveloppait d'un voile ondoyant, comme pour les dérober à la vue des rares conducteurs passant sur la route. La maison nous protégerait toujours, tous les trois, maman le croyait fermement. À ses yeux, elle était aussi sacrée qu'une église.

Quiconque la regardait, en effet, pouvait aisément convenir qu'elle détenait certains pouvoirs. C'était une vaste demeure, unique en son genre dans ce coin reculé des Catskills, au nord de l'État de New York. Son toit pentu, ses deux pignons, sa galerie et sa tourelle, à l'angle ouest, composaient un exemple assez peu banal du style XVIIIe anglais.

La chambre de la tourelle était une pièce

spacieuse, avec deux fenêtres en façade. D'après maman, son grand-père s'en était souvent servi comme lieu de retraite. Il y passait des heures en solitaire, à lire, quand il ne se contentait pas d'y fumer sa pipe en contemplant les montagnes. À cause de cela, sans doute, ou simplement parce qu'elle était si retirée, si bien cachée en haut de son petit escalier, j'en avais fait mon refuge moi aussi, mon coin secret.

Parfois, le soir, quand Bébé Céleste dormait et que maman était occupée, je parvenais à me glisser en cachette jusqu'à la chambre de la tour, où maman avait relégué tous les miroirs de la maison, hormis ceux qui surmontaient les lavabos. Toutes sortes de vieilleries étaient entassées là. Maman y avait monté les miroirs parce que les esprits bienveillants de la famille les évitaient, surtout les plus antiques d'entre eux. Ceux dans lesquels on pouvait se voir en entier, comme la vieille glace ovale au cadre doré couronné d'une rose.

— Malgré la joie sans fin qu'ils partagent dans l'autre monde, ils n'aiment pas ce qui leur rappelle qu'ils ont quitté leur corps, ce corps qui n'est plus que poussière. Ils ne se voient plus que sous l'apparence d'une volute de fumée, expliquait maman.

Ce que je trouvais très vraisemblable. Tant que nous étions en ce monde, rien n'était plus important pour nous que nos corps. Qui d'entre nous ne regardait pas le sien plusieurs fois par jour, que ce soit dans une vitrine ou un miroir, sur des photos, ou même dans les yeux de quelqu'un d'autre ? Qu'y avait-t-il de plus intrigant à nos yeux que nous-mêmes ?

Privée des occasions habituelles de le faire, je montais dans la tour, me campais devant le miroir ovale et me déshabillais. Je contemplais mon corps de femme, révélé dans sa nudité, tournant sur moi-même pour m'examiner sous tous les angles comme si j'essayais une robe. Souvent, j'avais l'impression de regarder quelqu'un d'autre par une fenêtre, et non mon propre reflet. Cela conférait au miroir un aspect magique, et faisait de la chambre de la tour un endroit très spécial. Non seulement la pièce gardait, dans ses tiroirs et ses cartons, les secrets de notre passé, mais elle m'offrait un chemin pour m'évader. C'était un lieu où tous les rêves étaient permis, et c'était seulement en rêve, après tout, que je pouvais être moi-même.

Depuis près de dix ans, maintenant, j'avais dû nier l'existence de celle qui se tenait devant moi. Jamais, j'en étais sûre, aucune nuit ne serait plus traumatisante pour moi que celle où maman m'avait conduite dans le vieux petit cimetière familial, pour dire un dernier adieu à mon frère. Des funérailles privées, si secrètes que les étoiles elles-mêmes s'étaient cachées derrière les nuages.

Dans la fosse fraîchement creusée, les mains croisées sur la poitrine, gisait mon frère jumeau Lionel, portant l'une de mes robes et même mon amulette, l'étoile mystique à sept branches. Je ne m'étais pas rendu compte que maman me l'avait ôtée pendant la nuit. Les yeux de Lionel étaient fermés, les paupières si serrées qu'elles semblaient collées. J'avais déçu maman, si profondément que je croyais sentir son âme se replier sur elle-même. Je n'avais pas su protéger mon frère, c'était donc moi qui aurais dû être morte et enterrée. Telle une magicienne agitant sa baguette, elle m'avait transformée en Lionel et raconté à tout le monde que j'avais été kidnappée. Les gens l'avaient plainte, des équipes de recherche avaient battu la forêt, en vain, et quand les chercheurs avaient retrouvé une de mes chaussures dans les bois, on s'était apitoyé encore davantage sur notre sort. Puis tout le monde avait admis la version de maman : j'avais été enlevée.

Des dizaines de personnes avaient parcouru la propriété, puis étaient passées chez notre plus proche voisin, Gerson Bauer, un vieux monsieur qui vivait seul. À cause de cette solitude et de ce proche voisinage, il fut quelque temps soupçonné. Il eut la sagesse de laisser fouiller sa maison de fond en comble, et la police finit par le laisser en paix, mais maman prédit qu'il y aurait toujours des gens bêtes et méchants pour le soupçonner. Elle paraissait sincèrement désolée pour lui, mais elle reconnut que cela jouerait en notre faveur.

Au bout d'une semaine, les journaux cessèrent de s'intéresser à l'histoire. De temps à autre, l'un des officiers de police faisait une apparition chez nous. Le détective aussi passa nous voir et revint sur les événements. Maman avait une mine épouvantable. Elle ne mangeait plus, se négligeait, ne se souciait plus du tout de son apparence.

Certains anciens amis de papa, comme son associé M. Calhoun, venaient de temps en temps nous rendre visite, nous réconforter, nous apporter des fleurs ou des douceurs. Le détective proposa de demander l'aide des familles du voisinage, mais maman refusa et le remercia, en affirmant que tout allait bien. Il promit de nous tenir au courant de tout fait nouveau qui pourrait survenir.

Au début, quand j'entendais les gens évoquer ma mémoire d'un ton affligé, j'avais vraiment l'impression d'être invisible. Tel un fantôme, j'écoutais les gens parler de moi, la Céleste d'avant, du temps où elle était en vie. Maman disait des choses aimables à mon sujet, des choses qui me donnaient une envie folle de revenir et d'être à nouveau cette fille responsable, intelligente et brillante. Les visiteurs, venus nous exprimer leur sympathie, me regardaient avec tristesse en secouant la tête.

— Je suis sûr que ta sœur te manque beaucoup, disait l'un.

Et d'autres s'apitoyaient :

— Comme tu dois te sentir seul, maintenant !

Maman approuvait, rappelait que nous avions été inséparables et partagions jusqu'à nos pensées. Les yeux humides, elle semblait sur le point de perdre le souffle, et les visiteurs lui prodiguaient leurs paroles de réconfort.

Il me fallait hocher la tête, ou essuyer une larme furtive sur ma joue, car en tant que garçon, Lionel ne devait pas laisser voir son chagrin. Il devait se montrer fort. Tout doucement, par toutes petites touches au début, maman m'avait appris à imiter mon frère, et même à prendre ses mauvaises habitudes. Rien ne la fâchait davantage que de me voir lui résister, ou me tromper dans cette comédie mensongère.

Je désirais ardemment la satisfaire. Mais pour moi, chaque geste, chaque singularité, chaque habitude que je parvenais à simuler était comme une pelletée d'ordures jetée sur ma propre tombe. Quelquefois, la nuit, je m'éveillais en sursaut avec la sensation de suffoquer. J'étais en sueur, oppressée par l'odeur de la terre froide et noire qui m'entourait. Je croyais même la sentir sur mes joues et je les frottais avec frénésie, avant de me calmer et d'essayer de retrouver le sommeil.

Chaque soir, je m'endormais en pensant que je ne me réveillerais jamais, ou alors que je m'éveillerais dans une tombe. Et il n'y avait qu'un seul moyen d'éviter cela, de ne pas me retrouver sous terre, de rester en vie.

Maman avait toujours aimé Lionel plus que moi. Et à présent, en tant que Lionel, j'avais tout cet amour pour moi, aussi me donnais-je beaucoup de mal pour devenir mon frère. Je me chargeais de travaux qu'aucune fille de mon âge n'aurait jamais pu faire, comme couper et fendre du bois de chauffage, changer des pneus, graisser les tondeuses et les autres machines. Je réparai le toit d'une remise, martelai, sciai, peignis et vernis. Mes paumes se couvrirent de cals. Peu à peu, mes avant-bras musclés ressemblèrent davantage à ceux d'un garçon qu'à ceux d'une fille. Et j'adoptai une démarche nettement masculine, qui me surprit moi-même quand je m'en rendis compte. Ce furent les sourires satisfaits de maman qui m'en firent prendre conscience. Son sourire approbateur triomphait de toute hésitation, gêne ou timidité que je pouvais éprouver.

Endurcie, amincie, étudiant chez nous et ne voyant que très rarement d'autres filles de mon âge, mes efforts aboutirent si bien que j'en vins à avoir les mêmes rêves que Lionel, à voir les esprits que je supposais qu'il verrait. Des cousins de son âge qui avaient eu, comme lui, une fin tragique, méchants petits garçons qui tourmentaient leurs sœurs et caracolaient en hurlant à travers d'imaginaires champs de bataille ; ou encore de robustes oncles aux muscles vigoureux, développés par les durs travaux de la ferme ou la charpenterie. Du côté féminin, les esprits délicats de la famille paraissaient m'éviter comme ils avaient évité Lionel. Tout se passait comme s'ils entraient bel et bien dans les plans de maman, ou du moins craignaient de s'y opposer.

D'aussi loin que je me souvienne, maman avait communiqué avec sa famille de l'au-delà. Elle nous avait promis à tous deux, Lionel et moi, que nous y parviendrions aussi. Et bien que papa ne crût en rien de tout cela, il n'avait jamais sérieusement tenté de l'empêcher d'y croire. Ce qu'elle n'aurait d'ailleurs fait en aucun cas, j'en étais convaincue. Cette croyance était une part essentielle d'elle-même, de sa personnalité. Elle disait à papa qu'il ne pouvait pas l'aimer s'il n'aimait pas aussi cela en elle. Toute enfant déjà, je voyais qu'il le savait et qu'il l'acceptait. Comme il l'aimait ! J'en avais conscience et, comme toutes les petites filles, je rêvais de trouver un homme aussi merveilleux que mon papa, qui m'aimerait ainsi. Et pourtant j'avais très peur, peur de n'être pas aussi bonne ni aussi belle que maman et de ne jamais trouver quelqu'un qui soit comme papa.

Maman pensait que Lionel verrait les esprits avant moi, qu'il « traverserait » comme elle disait pour désigner ce passage d'un monde à l'autre. Mais Lionel n'avait jamais été aussi passionné que moi par les esprits de la famille, ni par l'au-delà. Maman en éprouvait une vraie frustration. Elle essayait par mille moyens de l'y aider, jusqu'à lui apprendre à méditer ; mais rien n'aboutissait, et elle en conclut que quelque chose de maléfique lui barrait la route. C'est pour cela qu'elle fit de moi la gardienne attitrée de mon frère, et qu'elle eut tant de chagrin lorsque, par accident, Lionel se noya dans la rivière. Il tomba du rocher sur lequel il s'était installé pour pêcher. Je voulais qu'il rentre, mais il ne m'écoutait pas et il s'ensuivit une lutte entre nous, chacun des deux tirant sur une extrémité de la canne à pêche comme dans une partie de tir à la corde. Maman avait-elle raison ? Était-ce par ma faute que c'était arrivé ?

Il ne pouvait pas mourir ; il ne voulait pas mourir. Son esprit pénétra en moi afin d'y demeurer pour toujours. Mais ni maman ni moi ne comprirent à quel point la femme qui était en moi deviendrait puissante. Plus tard, dans la solitude qui était la mienne, il me fut impossible de la dominer. Je fus incapable de l'empêcher de ressurgir. Un jour, dans le coin secret que je m'étais choisi dans la forêt, j'ôtai mes vêtements de garçon, délaçai le corset qui m'écrasait les seins et m'étendis, nue, offerte à la caresse de la brise. J'étais à nouveau Céleste, et j'y pris tant de plaisir que je recommençai l'expérience. C'est ainsi qu'Elliot Fletcher, le fils de notre nouveau voisin, me surprit et me fit subir un odieux chantage. Il me menaça de trahir mon secret si je lui refusais mon corps.

À présent, quand je m'autorise à évoquer nos rendez-vous secrets, une voix intérieure me souffle que je n'agis pas alors, pas autant que j'aimerais le croire, sous la contrainte du chantage. Je voulais que ce qui était arrivé se produise. C'était une façon de nier ce que j'étais devenue, et de redevenir ce que j'étais, qui j'étais.

C'est ainsi que naquit Bébé Céleste, mais je dissimulai ma grossesse aussi longtemps que ce fut possible, sachant trop bien que maman serait anéantie par la nouvelle. Je ne pouvais même pas dire aux gens que j'avais vu Elliot se noyer en traversant la rivière pour rentrer chez lui, après notre dernier rendez-vous, parce qu'il avait fumé de l'herbe et perdu le contrôle de lui-même. J'étais désolée pour son père, pharmacien dans un bourg voisin, qui élevait seul Elliot et sa sœur Betsy depuis que sa femme l'avait quitté. Betsy, une fille légère qui faisait les quatre cents coups, lui rendait la vie impossible ; et maintenant que son fils était mort il ne saurait sans doute jamais qu'il avait une petite-fille.

Quand il me fut impossible de cacher mon état, je fus épouvantée. Comment réagirait maman ? Elle fit simplement comme si rien ne s'était passé. Elle garda le secret, et accueillit la naissance du bébé comme un miracle. Elle me dit, et se persuada elle-même que c'était une véritable création d'ordre spirituel : le retour de Céleste. Elle nomma la petite fille Céleste, et j'éprouvai un choc quand elle teignit les cheveux du bébé de la même couleur que les miens. Les siens étaient du même roux flamboyant que ceux d'Elliot, et il fallait qu'elle soit châtain clair comme moi, pour le moment du moins sinon pour toujours.

En cet instant, et même à cette distance, à voir ma petite fille tenir la main de maman et me regarder, je me revis moi-même quand j'étais petite. Parfois, c'était plus fort que moi, il m'arrivait de croire que maman avait raison. Céleste était ma résurrection, mon retour en ce monde, ma renaissance : un vrai miracle. Elle avait mes gestes, mon rire, ma façon de dormir avec une petite moue, la main gauche plaquée sur la joue.

Toutes ces pensées, ces souvenirs, ces impressions me traversaient l'esprit comme la rivière courait dans la propriété, en un flot inégal tour à tour montant et descendant. Mais à la différence de notre rivière, ce n'étaient ni la pluie ni la fonte des neiges qui causaient en moi l'agitation de ce flux incessant. C'étaient les changements soudains et les orages qui s'abattaient sur notre petit univers.

Comme c'était à nouveau le cas aujourd'hui.

— Dépêche-toi ! me cria maman quand je déposai mes outils et m'avançai vers la maison.

Elle souleva Céleste dans ses bras, pivota sur elle-même et s'engouffra à l'intérieur, à croire que la lumière du soleil était devenue mortelle. Je hâtai le pas et, avant d'entrer, j'ôtai mes chaussures boueuses. Maman m'attendait dans le hall.

— Qu'y a-t-il ? questionnai-je, alarmée par son air tendu.

Avait-elle senti un mauvais sort rôder autour de nous, autour de moi ? Était-ce la raison de sa hâte à me voir rentrer ? Ce ne serait pas la première fois que ce genre de choses arriverait. Trop souvent, du vivant même de Lionel, sa voix pressante avait retenti jusqu'à nous sur un ton d'urgence et d'alerte, pour nous rappeler vers la sécurité de la maison ; pour nous éviter d'être pris dans une rafale de ce vent mauvais qu'elle appelait « le souffle glacé de la mort en personne ». Comment n'aurions-nous pas tremblé, et couru nous réfugier dans son étreinte chaleureuse ?

Le pouce à la bouche, Bébé Céleste ne me quittait pas des yeux. En cet instant même elle ressemblait davantage à maman qu'à moi, comme c'était souvent le cas quand elle avait passé un long moment avec elle. Maman répondit simplement :

— Mme Paris va venir tout de suite chercher du Nufem.

— Ah bon ! fis-je avec soulagement.

Maman avait baptisé « Nufem » sa potion de simples qui soulageait les femmes des malaises de la ménopause. Elle contenait diverses herbes médicinales et des extraits de fruits sauvages, auxquels je crois qu'elle avait ajouté quelques vitamines. Elle en avait donné à la femme du maire, qui en avait entendu parler par Mme Zalkin, la femme du marchand d'œufs qui demeurait à quelques kilomètres de chez nous. Et voilà que la femme du maire, apparemment, en avait parlé à son tour à Mme Paris, l'épouse de l'un des plus grands propriétaires terriens de la région de Sandburg.

Au cours des derniers dix-huit mois, la clientèle de maman s'était étendue, et elle avait même obtenu pour ses remèdes un nouveau débouché : un magasin de produits diététiques à Middletown, une ville déjà très importante. C'est sur le conseil d'un ami, M. Bogart, que maman s'était lancée dans ce petit commerce. M. Bogart était bijoutier. Il vendait aussi des pierres possédant certains pouvoirs et des talismans, et maman lui avait autrefois acheté des amulettes pour Lionel et moi. Cette petite entreprise d'herboristerie nous occupait beaucoup, surtout moi. Cultiver les plantes de maman, les soigner, désherber ; l'aider à moudre les graines et mélanger les ingrédients... C'était tout un travail.

Mais maman ne se contentait pas de vendre ses remèdes. Aux gens qu'elle appelait ses clients, elle proposait des séances d'initiation à la méditation. Elle leur donnait des conseils pour parvenir à un état de coexistence paisible avec la nature, et à entrer en harmonie avec son essence spirituelle. De plus en plus de gens s'intéressaient à ce genre de choses. Et maman et moi, que le voisinage avait longtemps jugées un peu étranges, sinon carrément bizarres, étions au moins considérées de façon positive par certaines personnes. Je savais que cela rendait maman plus heureuse.

— Emmène Bébé Céleste dans la chambre de la tour, m'ordonna-t-elle, et fais-la tenir tranquille.

C'était ce que je devais toujours faire, quand quelqu'un venait à la maison : cacher Bébé Céleste, l'occuper pour qu'elle ne fasse pas de bruit et n'attire l'attention de personne. Rien n'était plus important que de garder le secret sur son existence.

Et comme si elle comprenait elle-même cette importance, elle ne se plaignait jamais quand je devais l'emmener pour la cacher, au contraire. Aller dans la tourelle semblait l'amuser, et elle se tenait relativement tranquille. Elle regardait avec amour les vieux meubles et les antiquités, comme d'autres contemplent les icônes dans une église. Tout autre enfant se serait ennuyé, j'en étais sûre, mais pas Bébé Céleste. Sa patience me stupéfiait. Sa conduite, bien sûr, n'étonnait pas du tout maman. Elle voyait en ma petite Céleste l'héritière de tous les pouvoirs surnaturels de la famille.

— Un jour elle sera plus forte que moi, m'avait-elle prédit.

Mais pour l'instant, elle perdait patience.

— Ne reste pas planté là comme un idiot,

Lionel ! Cette femme est en route pour venir ici, je viens de le dire. Elle débouchera dans le chemin d'une seconde à l'autre.

Je pris Bébé Céleste dans mes bras.

— J'y vais, maman.

Chaque fois qu'elle m'ordonnait de cacher Bébé Céleste, son ton grave et sévère m'effrayait. Je faisais des cauchemars, dans lesquels on découvrait ma petite fille et nous l'enlevait, pour une raison ou pour une autre. Après tout, quelle sorte d'individus faut-il être pour garder ainsi un enfant caché aux yeux du monde ? s'étonnaient les gens. Et d'ailleurs, d'où venait ce Bébé ? Pourquoi avait-il les cheveux teints ? Quand je faisais part de mes craintes à maman, elle me regardait d'un air apitoyé, comme si j'étais trop bête pour deviner quoi que ce soit toute seule.

— Tu ne comprends pas qu'ils ne laisseraient jamais une telle chose arriver, Lionel ? Je pensais que tu le saurais, depuis le temps.

Ce « *Ils* », dans le contexte de notre vie, désignait les membres de notre famille spirituelle, ceux qui rôdaient autour de nous dans la maison et alentour, dedans et dehors, en veillant sans arrêt sur nous. Je ne mettais pas en doute les paroles de maman. J'avais vu de quelle manière ils nous observaient et nous protégeaient, en lui adressant parfois des avertissements. La façon dont Bébé Céleste regardait dans la direction d'un esprit familial, en plissant les yeux, l'intérêt que je lisais dans son regard, tout cela m'avait convaincue qu'elle avait déjà « traversé ». Peut-être maman avait-elle vu juste à son sujet.

Peut-être venait-elle directement du monde surnaturel, et n'avait-elle pas besoin de franchir la frontière. Elle n'était jamais séparée des esprits. La naissance n'avait été pour elle qu'une autre porte ouverte, un point de passage. Et non, comme pour la plupart d'entre nous, l'accès à un monde inférieur, qui nous contraignait à chercher notre propre chemin de retour.

— Allons-y ! dis-je en m'engageant dans l'escalier.

Bébé Céleste me sourit et posa la tête sur mon épaule. Je repoussai ses cheveux en arrière et l'embrassai sur le front. Si quelqu'un nous avait vues ensemble, comment n'aurait-il pas compris instantanément qu'elle était ma fille ? C'était peut-être cela que maman redoutait plus que tout, et la raison qui la faisait grimacer à chaque fois que je me montrais trop affectueuse envers Bébé Céleste.

— Tu peux l'aimer, mais comme un frère aimerait sa sœur, me rappelait-elle constamment.

Bébé Céleste était bel et bien séquestrée dans le monde qu'envisageait maman pour nous. Quel effet pouvait produire sur elle ce confinement, cet isolement ? Combien de temps durerait-il ? Quand finirait-il, si seulement il finissait un jour ?

Sentir si rarement le soleil baigner son visage, savourer tout aussi rarement le parfum des fleurs, ou la caresse de la brise, cela aurait forcément des effets néfastes sur Bébé Céleste, mais lesquels ? Je n'arrivais pas à l'imaginer.

Et pourtant, quand je fus assise avec elle dans

la chambre de la tour, et que les voix assourdies de maman et de sa cliente me parvinrent d'en bas, je m'avisai que ma situation n'était pas meilleure que celle de ma fille. N'étais-je pas séquestrée moi aussi, prisonnière de l'identité de Lionel ? Je m'intéressais bien moins à la vie extérieure que s'il m'avait été permis d'être moi-même. L'univers féminin m'était tout aussi interdit que les sorties et les jeux en plein jour l'étaient à Bébé Céleste.

— Nous avons beaucoup de points communs, Céleste, lui murmurai-je tandis que nous attendions dans la chambre de la tourelle.

Elle me jeta un coup d'œil, serra ses lèvres délicates et la minuscule fossette de sa joue se creusa. Souvent, quand elle me regardait ou m'écoutait, elle paraissait plus âgée qu'elle ne l'était. Elle avait l'air de comprendre des choses bien au-dessus de son âge. Puis, un instant plus tard, elle gloussait de rire pour une chose absolument insignifiante.

Un rayon de soleil capta la poussière qui flottait, dans l'air, et elle s'extasia devant les petites particules scintillantes. Elle tendit la main pour les toucher, et me dévisagea pour voir si je partageais son émerveillement.

Je souris.

Tant de choses me paraissaient merveilleuses, autrefois ! À présent, reléguée dans l'ombre, je marchais lourdement, la tête basse et les yeux mi-clos, redoutant de faire un seul pas de trop vers la droite ou vers la gauche. Ma plus grande peur était de décevoir maman. Plus que jamais, ces temps-ci, elle me donnait l'impression que nous étions toutes les trois seules au monde, dérivant sur un radeau dans une mer démontée. Nous avions besoin les unes des autres. Nous devions maintenir notre univers à l'abri, étroitement gardé derrière l'épaisseur de ses hauts murs protecteurs. C'était la seule façon d'assurer notre sécurité.

Pendant que nous attendions, Bébé Céleste jouait tranquillement à la poupée. Peu après sa naissance, maman avait fait disparaître toutes les poupées que m'avait données M. Kotes, un ami de papa installé dans la communauté locale. À la tête d'une grosse compagnie de bois de charpente, M. Kotes était veuf depuis deux ans. Après la mort de papa il avait fait la cour à maman, et j'avais fini par penser qu'il serait notre nouveau papa. Mais un soir où il rentrait tardivement chez lui, après avoir dîné à la maison, une camionnette conduite par un adolescent ivre avait percuté sa voiture, le tuant sur le coup. J'avais commencé à l'aimer, lui aussi. Et Lionel lui-même, qui ne se remettait pas de la mort de papa et se montrait hostile et agressif, commençait à l'accepter.

Sa mort renforça certaines des rumeurs qui couraient sur maman, largement répandues par la sœur de M. Kotes. Elle parvint à faire croire aux gens que toute personne qui nous fréquentait était plus ou moins en danger. Maman était belle, et sa beauté n'avait rien perdu de son éclat. Elle aurait pu avoir une vraie cour de soupirants, mais notre isolement ne semblait pas lui peser.

En fait, elle l'appréciait, surtout depuis mon soi-disant enlèvement. Jadis professeur des écoles, elle poursuivit mon éducation scolaire à la maison. À cette époque-là, je pouvais compter sur les doigts d'une seule main les gens qui nous rendaient visite... à l'exception de nos visiteurs surnaturels, bien sûr.

Maman jouait du piano le soir, cultivait ses herbes et ses légumes, et parcourait la propriété en compagnie des esprits de ses ancêtres. Avant d'avoir traversé moi-même et d'être capable de les voir, bien que très rarement, je l'observais quand elle déambulait ainsi. La tête légèrement penchée, elle faisait des signes approbateurs, s'arrêtait, gesticulait en s'adressant à quelqu'un qui se tenait à côté d'elle. Je me souviens d'avoir fait des efforts inouïs, scruté l'air, recherché désespérément une vision. J'aurais tant voulu être comme elle, voir ce qu'elle voyait, entendre ce qu'elle entendait.

Au dîner, elle me racontait ce qu'on lui avait dit, des histoires de notre passé relatives à des maladies, des accidents, des romans d'amour et des conflits, toute une anthologie de notre héritage. Il était question de jeunes femmes au cœur brisé, d'autres fauchées en pleine jeunesse, d'hommes tués à la guerre ou victimes d'accidents mortels. Nombre de ces récits concernaient mes arrière-grands-parents, enterrés dans le cimetière de la propriété auprès de leur enfant mort-né. Ce petit enclos de pierres renfermait trois tombes, et bien sûr celle de Lionel, en principe la mienne, sans nom et depuis longtemps recouverte d'herbe nouvelle. Personne, sauf maman et moi, ne connaissait son existence.

Quelquefois, je m'asseyais sur l'herbe dans le petit cimetière et pensais à Lionel, qui gisait là, sous terre, et à notre vie à tous les deux avant le tragique accident. Il débordait d'imagination et, tout comme maman, ne semblait jamais seul. Ses dragons et ses chevaliers l'occupaient toute la journée, et je l'enviais pour cela. Je croyais que grâce à ce don, il traverserait avant moi, ce que maman ne cessait d'espérer. Mais les personnages fantasmatiques qu'il voyait sortaient tout droit de sa cervelle, et non de l'autre monde.

Mes visites à la tombe sans nom n'auraient pas plu à maman, supposais-je, aussi faisais-je en sorte de n'y aller que lorsque je la savais trop occupée, ou partie faire des courses. Ce devait être affreux pour mon frère d'être ainsi enterré et oublié, j'y pensais bien souvent. Dernièrement, je l'avais entendu me supplier de l'au-delà pour qu'on le reconnaisse comme Lionel. Tant qu'il ne le sera pas, il demeurera prisonnier d'une zone intermédiaire, semblable aux limbes. Il ne peut ni rejoindre papa, ni revenir parmi nous.

Et pourtant, la seule pensée d'en parler à maman me terrifie. Je sais qu'elle y verra une sorte de trahison ; et chaque fois qu'elle pense cela, elle suppose que quelque chose de mauvais est entré dans la maison, ou bien en moi. Elle m'enfermerait, me ferait jeûner, me ferait boire une de ses potions secrètes qui me rendrait malade. Pour elle, c'était sans importance : cela me purgerait du mal, c'était tout ce qui comptait.

Mon seul espoir est qu'un jour elle entende elle-même les supplications de Lionel, mais cela n'est toujours pas arrivé. Pas encore.

Un des premiers mots que maman apprit à Bébé Céleste est le prénom de Lionel. C'est ainsi que ma petite fille m'appelle toujours. Quand nous sommes seules, je meurs d'envie de me faire appeler maman. Mais j'ai bien trop peur de ce que ferait maman à ma petite Céleste, si elle m'appelait ainsi en sa présence. Elle penserait sûrement que le mal est entré en elle. Peut-être qu'elle l'enfermerait, lui ferait avaler un de ses élixirs pour la purger de son démon, elle aussi. Comme elle souffrirait ! Je ne pourrais pas le supporter, et je me garde bien de lui mettre pareille idée en tête. Je n'ose pas.

Et pourtant, surtout quand nous sommes seules ensemble, comme aujourd'hui dans la tourelle, je la surprends à m'observer d'une autre façon qu'à l'ordinaire. C'est peut-être mal de ma part de penser cela, mais il me semble qu'elle me regarde avec amour, comme un enfant regarde tendrement sa mère. Elle adore jeter ses petits bras autour de mon cou et se serrer contre moi. Elle peut rester allongée près de moi pendant des heures sans s'agiter, et elle aime beaucoup s'endormir avec moi dans mon lit, quand maman lui permet de venir dans ma chambre et de le faire.

L'esprit de Lionel en moi essaie désespérément de me tenir à l'écart de Bébé Céleste, mais il est bien vite refoulé. Je caresse les cheveux de ma fille, je l'embrasse sur les joues, sur le front, je fredonne une berceuse. Je la serre tout contre moi et, les yeux fermés, je la berce.

C'est alors que j'entends Lionel discuter, supplier.

— Tu vois bien que tu ne dois pas continuer à être moi. Ce n'est pas juste pour le bébé. Arrange-toi pour que maman te le permette. J'ai froid, ici, c'est tout noir et j'ai peur. Je t'en prie, Céleste. Aide-moi.

Et rien que de penser à cela, je me mets à pleurer.

Les larmes ruissellent sur mes joues, sur mon menton, mais je ne fais pas le moindre bruit. Je mords ma lèvre inférieure et retiens mon souffle. Chaque jour, la souffrance qui m'étreint le cœur est plus vive et dure plus longtemps, mais comment y mettre fin ? Que faire, et comment oser ?

En bas, la porte d'entrée s'ouvre et se referme. J'entends une voiture qui démarre, je me lève et jette un coup d'œil par la fenêtre. Mme Paris s'éloigne dans le chemin d'accès, avec sa provision d'herbes médicinales et de nouvelle sagesse. Elle la répandra autour d'elle et cela nous vaudra des clients supplémentaires. De nouveau, il me faudra monter ici avec Bébé Céleste, encore et encore et encore.

À peine la voiture de Mme Paris a-t-elle disparu dans le tournant que maman monte l'escalier, ouvre la porte et s'écrie :

— Comment vont mes enfants ?

Bébé Céleste lui sourit. Je ravale mes dernières larmes et respire un grand coup.

— Tout va bien, maman.

Elle prend Bébé Céleste dans ses bras et nous descendons avec elle, en l'écoutant décrire avec quelle fascination Mme Paris avait bu ses paroles. Ses propos confirment ce que j'avais deviné.

— Elle sera très contente, le dira autour d'elle et nous aurons sûrement de nouveaux clients, Lionel. Nous avons du pain sur la planche. On commence à m'apprécier, dans le coin, observe maman avec fierté.

Puis elle regarde par la fenêtre et ajoute en riant :

— Ton père n'aurait jamais cru ça possible.

Je suis sûre qu'elle a raison, et je m'en réjouis pour elle, même si je suis moins sûre de m'en réjouir pour nous. Cela ne se produira sans doute jamais. Il m'arrive de me sentir complètement désorientée, mais je ne peux pas le dire, elle ne comprendrait pas. Elle en serait même probablement fâchée.

Je retourne travailler au jardin. Le soleil décline, à présent, il a presque atteint le sommet des montagnes et ses rayons traversent la forêt, jetant sur les feuillages des reflets d'émeraude. Je peux presque entendre les ombres, noires comme la suie, frémir et se déployer dans les coins les plus sombres.

Quelque chose est en train de prendre forme, et je vois déjà les deux cousines – qui vivaient il y a presque deux cents ans de cela – sortir des bois et se diriger vers la maison. Elles sont pieds nus, mais cela ne fait rien car leurs pieds effleurent à peine le sol. Je peux voir qu'elles bavardent avec animation. Elles ont quelque chose de nouveau à raconter à maman, ou alors un détail qu'elles ont oublié de mentionner la dernière fois qu'elles lui ont parlé. Je suis sûre que je saurai ce qu'il en est ce soir à table. Elles ne regardent pas de mon côté jusqu'à ce qu'elles arrivent à la maison, et une fois là elles se retournent et me font signe. Je leur fais signe à mon tour. Je murmure dans un souffle :

— S'il vous plaît, dites-lui de laisser partir Lionel. Si c'est vous qui le lui dites, elle vous écoutera.

Elles ne m'entendent pas, ou si elles m'entendent, cette idée les effraie. Elles entrent dans la maison, et pendant un moment il règne un silence de mort. Puis le cri d'un grand corbeau me fait brusquement tourner la tête. Il surgit des bois comme s'il était pourchassé, vire sur l'aile en direction du soleil couchant et disparaît dans sa lumière.

Je me cache vivement les yeux avant qu'ils ne soient brûlés par son halo flamboyant. Ces derniers temps, l'obscurité me paraît un peu trop souvent la bienvenue. Mon esprit est en plein chaos, des images confuses y tourbillonnent en tous sens. Lionel basculant du rocher ; Elliot emporté par le courant, gesticulant comme un fou dans l'eau pour me faire des signaux, et son rire qui meurt au loin ; papa revenant du travail, nous soulevant dans ses bras en criant : « Mes jumeaux, mon bras gauche et mon bras droit ! » ; M. Calhoun devant notre porte, tête basse et tenant son chapeau à deux mains ; maman sortant dans le noir pour parler avec ses esprits ; et Lionel, étouffant dans son oreiller sa colère et ses larmes.

Quelque chose nous avait amenés là, quelque chose, comme le dit souvent maman, de beaucoup plus grand que nous-mêmes. Nous ne pouvons pas nous y opposer ni le défier. Nous devons être ce que nous sommes, c'est notre destin. Il coule comme la rivière, et je le vois en rêve. Je vois notre sang couler, nos visages flotter à la surface de l'eau, telles des photos qu'on a jetées.

Le son du piano de maman, sortant par toutes les fenêtres ouvertes, m'arrache à ma rêverie. Je ferme les yeux et j'écoute. La plupart du temps, ses mélodies sont tristes et oppressantes, mais parfois elle joue des airs joyeux et légers. Il lui arrive même de les accompagner en chantant, comme ce soir. Elle a une voix délicieuse, angélique comme disait papa. Une voix capable de vous combler de joie et d'espoir, de vous rendre extraordinairement contents les uns des autres, et aussi de vous-même.

À mon avis, ces cousines sont sûrement venues lui annoncer quelque chose d'agréable, de merveilleux. Elle sera heureuse, ce soir. Elle bavardera pendant tout le dîner, et rira de tout ce que Bébé Céleste fera ou dira. Toutes les ombres seront balayées. Ce sera comme si tout allait vraiment pour le mieux.

De telles soirées, de tels moments ne sont-ils pas des cadeaux sans prix ? Ne devons-nous pas être reconnaissants pour chacun d'eux, chaque heure, chaque minute ?

Je me pose la question, sans grand enthousiasme.

Je n'y réponds pas. Autour de moi, tout n'est que silence. Les oiseaux eux-mêmes se taisent et la petite brise a cessé. Le monde entier marque une pause.

Je respire à fond et me remets au travail, jusqu'à ce qu'il soit l'heure de rentrer, de faire ma toilette pour le dîner et d'aider maman à s'occuper de Bébé Céleste. Les appels de Lionel s'éteignent derrière moi, emportés par la brise vers le sous-bois ténébreux.

Je ne peux pas l'aider, bien que cela me poigne le cœur. Une fois de plus, une nuit de plus, je l'abandonne dans sa tombe anonyme avec mon nom sur les lèvres, et le sien marqué d'une invisible empreinte sur mon front.

2

La voix de maman

Rien qu'à la façon dont maman prépare le dîner, je devine qu'elle va annoncer quelque chose d'important ce soir. Comme je l'avais pressenti, les esprits ont parlé. Elle travaille calmement, me parle à peine, jette de temps à autre un regard vers une chaise ou une porte et hoche légèrement la tête. Je ne vois rien mais cela ne me surprend pas.

Maman m'a expliqué un jour qu'il existait plusieurs niveaux de conscience et d'existence, dans la vie surnaturelle, et qu'il fallait des années de foi et de dévotion pour les atteindre tous. C'était sa façon d'expliquer pourquoi je ne voyais pas, et n'entendais pas, les esprits qu'elle voyait et entendait, et pourquoi je ne savais pas ce qu'elle savait.

Toute petite, déjà, je me suis rendu compte que maman vivait sur plusieurs plans à la fois. Quand elle joue du piano, la musique la transporte hors d'elle-même. Je le lis sur son visage : elle peut avoir les yeux fixés sur moi, mais elle ne me voit pas. Elle joue mais elle a l'air d'être en transe, et quand elle s'arrête, elle a souvent une nouvelle à m'annoncer. En fait, elle revient d'un voyage. Elle est allée en des lieux habités par des esprits pleins de sagesse.

C'est souvent le cas lorsqu'elle travaille dans le plus profond silence, comme en ce moment. Elle est là, dans la même pièce que moi, mais j'ai l'impression qu'elle ne s'y trouve pas vraiment. Elle est aussi lointaine que si elle avait quitté son corps pour aller je ne sais où. Je n'interviens pas, je n'essaie pas d'attirer son attention. J'attends et je tiens Bébé Céleste occupée, pour qu'elle ne dérange pas maman.

Bébé Céleste m'aide à mettre la table et je la regarde s'activer. Avec quelle concentration et quel soin elle s'applique à bien faire, plie les serviettes et dispose les couverts. Je crois me revoir au même âge et ne peux m'empêcher de sourire. Je lui ressemblais tellement, j'étais si sérieuse et si perfectionniste... Je me souviens que cela exaspérait Lionel, qui ne prenait pas ses tâches domestiques au sérieux. Il se serait contenté de manger à même la table. Combien de fois n'était-il pas venu dîner sans s'être lavé les mains, et n'avait-il pas été renvoyé pour le faire ? Plutôt cent fois qu'une. Maman avait bien tenté de l'envoyer se coucher sans manger, mais rien n'y faisait. Il s'entêtait et se montrait insupportable.

À présent, bien sûr, j'essaie de ne plus m'intéresser autant à ce que Lionel appelait « des trucs de fille ». Mais c'est plus fort que moi, j'adore manipuler notre porcelaine ancienne, caresser du doigt ses bordures dorées. C'était le service de Grandma Jordan, l'arrière-grand-mère de maman, et l'argenterie avait appartenu à sa trisaïeule. Cet héritage familial est très respecté, chez nous, car maman croit que de tels objets restent reliés à leurs anciens possesseurs. Quand nous nous en servions, quand nous nous asseyions dans le rocking-chair de Grandpa Jordan ou dormions dans les lits où nos ancêtres avaient dormi, nous étions plus étroitement reliés à eux.

— Toute chose a une valeur spirituelle, affirmait maman. Pense à cela comme à de l'encre, indélébile. En touchant ces objets, nos ancêtres y ont laissé une empreinte ineffaçable, grâce à laquelle nous pouvons mieux sentir leur présence et les voir.

J'étais très jeune quand maman m'avait dit ces choses, qui avaient produit sur moi une impression profonde : elles avaient implanté en moi la croyance que notre maison était vivante. Pour moi, tout ce qu'elle contenait voyait, entendait, ressentait. La maison entière respirait, elle était sacrée. Les murs étaient comme des éponges, absorbant et retenant les rires, les pleurs, les paroles de tous ceux qui y vivaient ou y venaient en visiteurs. Rien n'était perdu, rien n'était oublié.

— Si vous collez l'oreille contre le mur, nous dit un jour maman quand nous étions petits, vous pouvez les entendre.

Lionel essaya plusieurs fois, n'entendit rien et décida que ce n'était qu'une histoire idiote. Je le fis aussi et entendis bel et bien des voix, étouffées, certes, mais des voix. Parfois, un rire ou même un cri me réveillait la nuit et mon cœur d'enfant battait à tout rompre. Je regardais Lionel pour voir s'il avait entendu quelque chose, mais il dormait profondément, paisiblement. J'attendais, j'écoutais, reposais la tête sur mon oreiller mais il n'était pas facile de retrouver le sommeil. Le matin, quand je racontais à maman que je croyais avoir entendu quelque chose, elle hochait la tête et disait :

— Bien sûr que tu l'as entendu !

Les pas légers au-dessus de nos têtes, les ombres glissant sur les murs, les soupirs traversant nos chambres comme des oiseaux, tout cela nous semblait normal et ne nous effrayait jamais.

— Nous sommes aimés, affirmait maman. Nous baignons dans un immense amour.

Maintenant, il arrivait que Bébé Céleste s'arrête de jouer à la poupée ou à la dînette, installée sur le tapis du salon, et regarde fixement un meuble, en général un fauteuil ou le canapé. Maman l'observait un moment, souriait et lui demandait :

— Qu'y a-t-il, Céleste ? Tu as vu ou entendu quelque chose ?

Je retenais mon souffle et guettais la réponse, car je n'avais rien vu ni entendu. Bébé Céleste se contentait de sourire et retournait à ses jeux. Maman me jetait un regard sagace, hochait la tête, et je contemplais pensivement ma fille. Avait-elle vraiment le don de voir ces choses, et si elle l'avait, serait-ce une protection pour nous ? En serions-nous plus heureux ? Que nous réservait l'avenir, à toutes les trois ? Quelles vues les esprits avaient-ils sur nous ?

Ce soir, peut-être, allais-je le savoir, et commencer vraiment à comprendre qui nous étions.

Nous passâmes à table et attaquâmes le dîner. Assise dans sa chaise haute, Bébé Céleste mangeait tranquillement, avec une concentration bien au-dessus de son âge. J'étais nerveuse, tout en m'efforçant de le cacher. Dans le hall, le carillon de l'horloge de parquet retentit. La brise avait forci et la maison commençait à craquer, en particulier juste au-dessus de nous. On aurait dit ce bruit de pas sur le toit que j'entendais souvent. J'observai Bébé Céleste et je vis son regard se lever vers le plafond, puis se fixer à nouveau sur son assiette. Étais-je ainsi quand j'avais son âge ? Acceptais-je l'étrange avec autant de naturel ?

Maman mangeait sans hâte, avec à nouveau cet air lointain, comme si elle était ailleurs.

Vers la fin du repas, elle posa couteau et fourchette et se pencha légèrement en avant. Je sentais ses yeux fixés sur moi. Quand elle était ainsi, il n'était pas prudent de lui retourner son regard ou de demander carrément : « Qu'est-ce qui ne va pas ? » Mieux valait attendre. Je finis de manger et reposai ma fourchette. Bébé Céleste battit des mains, et son expression d'attente joyeuse m'arracha un sourire.

— Comme tu le sais, Lionel, commença maman, nous ne pouvons pas cacher éternellement l'existence de Bébé Céleste. C'est très éprouvant pour nous, et j'apprécie la façon dont tu as assumé ta part de responsabilités. Je sais à quel point il t'en coûte de ne jamais pouvoir sortir avec moi, parce que tu dois rester ici pour garder Bébé Céleste.

« Notre grande famille, poursuivit-elle – ce qui était une autre façon de désigner les esprits de nos ancêtres –, croit que le jour approche où nous ne pourrons plus, et ne devrons plus la tenir à l'écart du monde extérieur. »

Elle sourit à Bébé Céleste, qui inclina la tête comme pour approuver ses propos. Puis maman se leva, dégagea la fillette de sa chaise haute et la posa par terre. Elle se mit aussitôt à courir autour de la table, vint jusqu'à moi et grimpa sur mes genoux. Je la maintins contre moi et maman retourna s'asseoir.

— Naturellement, reprit-elle, les gens s'étonneront et se demanderont comment elle a pu subitement tomber du ciel. Il y a tellement de fouineurs, tellement de curieux qui adorent fourrer leur nez partout ! Cela pourrait attirer sur nous une attention indésirable. Il faut donc nous préparer pour ce moment-là, anticiper les questions et la curiosité, surtout quand les gens verront combien cette enfant est extraordinaire.

Bébé Céleste se renversa contre moi et écouta la suite avec une attention extrême.

— Au début, les mauvaises langues de la communauté, tous ces gens qui n'ont pas de vie personnelle, dirais-je, s'empresseront de conclure qu'elle est ma fille ; le fruit d'une liaison illicite, en somme. Des regards accusateurs se braqueront sur tous les mâles qui pourraient être son père. Nous serons le centre de tous les ragots. Les femmes mariées pourraient même soupçonner leurs maris, surtout ceux qui sont venus ici pour une raison ou pour une autre. Ce ne serait pas très agréable pour nous, je suis sûre que tu t'en rends compte.

— Qu'est-ce que tu comptes faire, maman ?

J'aurais tellement voulu qu'elle réponde : « Eh bien, leur dire que c'est ta fille, révéler ton identité, te permettre d'être qui tu es. De revenir. »

Mais pour cela, il aurait fallu qu'elle admette que Lionel était mort et elle aurait dû l'enterrer à nouveau, pour de bon, cette fois.

— On m'a dit ce qu'il fallait faire, fut sa réponse. Je veux que tu comprennes que, quoi que je fasse maintenant, je le fais pour nous trois, et je te demande de te montrer coopératif.

J'acquiesçai d'un signe et attendis en retenant mon souffle. Que souhaitait-elle me voir faire ?

Elle se leva en souriant.

— Emmène Bébé Céleste au salon, Lionel. C'est moi qui ferai la vaisselle, ce soir.

J'étais stupéfaite. Je n'arrivais pas à croire qu'elle en reste là et ne m'en dise pas plus. Je questionnai tout à, trac :

— Et quand est-ce que tout ça se passera ?

— Tu verras bien ! lança-t-elle en se dirigeant vers la cuisine.

— Mais...

Elle se retourna et me jeta un regard sombre, scrutateur. Je savais depuis longtemps que lorsque je lui tenais tête, ou la contredisais à propos de quoi que ce soit, elle concluait tout de suite qu'un esprit mauvais s'était emparé de moi. Quelque part, une brèche s'était ouverte dans notre rempart protecteur, et cela par ma faute. Je voulais me défendre sur ce point, mais j'avais peur. Et encore plus qu'avant maintenant que j'avais à prendre soin de Bébé Céleste autant que de moi-même. Je l'enlevai rapidement dans mes bras et quittai la pièce. Pendant toute l'heure qui suivit, je restai tranquillement assise à la regarder jouer, puis j'entendis le pas de maman qui montait. Qu'est-ce qui avait pu la retenir en bas si longtemps ? Il était bientôt l'heure de coucher Bébé Céleste, de toute façon. Je lui fis ranger ses jouets et la montai à l'étage. En entendant maman aller et venir dans sa chambre, je m'avançai sur le seuil.

Elle était en train de déballer des cartons et des sacs. Elle en tirait certains de ses plus jolis vêtements et chaussures, qu'il me semblait ne plus lui avoir vu porter depuis un temps infini. Je remarquai aussi que sa coiffeuse, sur laquelle ne se trouvaient d'habitude que ses crèmes aux herbes, était chargée de produits de beauté. Boîtes et flacons de maquillage, tubes de rouge à lèvres, brosses et pinceaux de toute sorte... et elle avait également descendu le grand miroir en pied de la tourelle. Je ne pus m'empêcher de demander :

— Qu'est-ce que tu fais, maman ?

Elle s'interrompit et battit des paupières, comme si elle venait juste de se rappeler notre existence.

— Oh, il est déjà si tard ? s'étonna-t-elle en

jetant un coup d'œil au réveil. En effet. Prépare Bébé Céleste pour la nuit, je viendrai la mettre au lit.

— Mais pourquoi as-tu sorti tous ces cartons, maman ? Qu'est-ce que tu fais avec tout ça ?

— Je ressors ce qui est encore mettable.

— Et le maquillage ? Et le miroir ?

— Ne reste pas planté là, Lionel. J'ai l'impression de subir un interrogatoire. Contente-toi de faire ce que je te demande.

— Ce n'est pas un interrogatoire, maman. Je me posais des questions, c'est tout.

Je croyais que les grands miroirs mettaient nos esprits familiaux mal à l'aise ? Pourquoi avait-elle ressorti celui-là, pour le mettre justement dans sa chambre, l'endroit de la maison le plus fréquenté par nos ancêtres ?

— Quand ce sera le moment de te poser des questions, je te préviendrai, répliqua-t-elle, en reprenant l'inspection de sa garde-robe.

Il y avait des toilettes qu'elle n'avait pas portées depuis la mort de papa, même pas pour M. Kotes. Elle tendit une robe à bout de bras et l'examina comme si elle était sur un mannequin.

— « C'est tellement vieux que ça paraît nouveau »... cette expression convient parfaitement à mes vêtements, marmonna-t-elle en faisant tournoyer la robe. D'ailleurs, une femme qui porte du classique se distingue des autres. Elle attire les regards qu'elle veut attirer, exactement comme un pêcheur ferre le poisson qu'il recherche.

Était-ce à moi qu'elle s'adressait, ou à quelqu'un que je ne pouvais pas voir ? Elle se tut et je m'empressai de la quitter, pour aller m'occuper de Bébé Céleste. Peu après, elle vint dans notre chambre et la mit au lit. J'attendis, dans l'espoir d'obtenir des explications, de plus amples détails sur ce qu'il allait falloir faire. Maman sourit, m'embrassa sur le front... et me dit bonsoir.

Je ne pouvais pas m'empêcher d'être inquiète. Quoi qu'elle ait entrepris de faire, cela aurait un impact déterminant sur Bébé Céleste. De quoi pouvait-il s'agir, et pourquoi ne m'en avait-elle rien dit ? Et si c'était une grave erreur, et qu'à cause de cela nous perdions Bébé Céleste ? Le réconfort des esprits me manquait, j'avais besoin d'entendre leur voix. Il y avait si longtemps que je n'avais pas vu papa, ni senti sa présence près de nous. Son absence avait-elle quelque chose à voir avec Lionel et sa triste situation ?

Je trouvais que maman devenait cachottière, et je redoutais les secrets : ils pouvaient conduire à la trahison. Il n'était pas facile de cacher quelque chose à maman, et s'il m'arrivait de le faire, je n'avais pas confiance. Je croyais pour de bon qu'elle avait le pouvoir de lire en moi. La seule chose que j'avais gardée pour moi, ces temps-ci, c'était ce que je croyais comprendre à la situation de Lionel ; à sa souffrance, à son besoin de retrouver son nom. Mais je savais aussi que si je l'écoutais, si je l'aidais, toute notre vie changerait. Et avant tout, maman serait obligée d'accepter sa mort.

Nous faudrait-il un jour le déterrer, lui retirer mes vêtements et mon amulette ?

Dans mes cauchemars, je nous voyais toutes les deux dans le cimetière, la nuit. Je creusais et maman pleurait à fendre l'âme. Quand la fosse était ouverte et que nous pouvions le voir, Lionel ouvrait les yeux et tendait les bras vers nous. Maman hurlait et je basculais en avant dans la tombe.

Ce cauchemar récurrent m'éveillait toujours en sursaut. Je me dressais sur mon séant, toute en sueur, et laissais mon cœur affolé se calmer, tout en prêtant l'oreille aux moindres bruits de la maison. Je désirais tellement entendre la voix de papa, sentir le contact de sa main. Si je le souhaitais assez fort, j'étais sûre qu'il viendrait me rassurer. « Tout ira bien, me dirait-il. Rendors-toi. »

Allait-il venir, cette nuit ? Était-il au courant des projets secrets de maman ?

En bas, la grande horloge sonna. Son carillon me fit l'effet d'un compte à rebours annonçant notre malheur. Je me laissai retomber en arrière et, l'oreille aux aguets, j'attendis.

Mais je ne perçus que le silence. La grande maison elle-même retenait son souffle. Demain, pensai-je, demain m'apportera les réponses attendues, et non pas, je l'espère, de nouvelles questions.

Toutefois, maman ne révéla rien de plus le lendemain, et chacune de nous suivit sa routine quotidienne. Maman partit en ville tard dans la matinée, et je dus rentrer pour m'occuper de Bébé Céleste jusqu'à son retour. Cette fois-ci, quand elle revint, elle ne ramenait pas seulement de l'épicerie. Elle était allée dans un grand magasin et rapportait des cartons de vêtements et de chaussures, mais elle ne déballa rien devant moi. Elle monta le tout dans sa chambre et s'y enferma.

Plus inquiète que jamais, j'eus le plus grand mal à travailler au jardin. Sans arrêt, je m'arrêtais pour regarder vers la maison en me demandant ce qu'il se passait. En fin d'après-midi, à l'heure à laquelle d'habitude maman m'appelait pour faire un brin de toilette avant le dîner, j'entendis la porte d'entrée s'ouvrir et se fermer. Je levai la tête et vis maman descendre les marches. Vêtue d'une robe sans bretelles d'un bleu éclatant, elle avait noué ses cheveux en arrière avec un ruban rose et blanc. Je fus stupéfaite de voir avec quelle rapidité elle changeait d'apparence, quand elle voulait paraître plus jeune que son âge. Elle regarda dans ma direction. Je rassemblai aussitôt mes outils et me hâtai vers la maison.

En m'approchant, je remarquai qu'elle portait des boucles d'oreilles, ainsi qu'un collier de perles que je ne lui avais jamais vu. Elle s'était également mis du rouge à lèvres et du rose aux pommettes.

— Je vais faire une petite promenade, annonça-t-elle. Bébé Céleste fait toujours la sieste. Quand elle s'éveillera, tu mettras la table. J'ai préparé une tourte à la viande.

— Où vas-tu, maman ?

— Je viens de te le dire, Lionel. Je vais faire un tour.

— Mais…

— Mais quoi ? renvoya-t-elle en me dévisageant d'un œil inquisiteur.

— Il est tard, et il fera bientôt nuit.

— Et après ? Tu crois que je ne le sais pas ?

— Si, mais…

— Mais quoi encore ? s'emporta-t-elle.

Je ravalai ma question. Pourquoi s'était-elle mise sur son trente et un, juste pour aller se promener ? Elle ne se maquillait jamais quand elle allait en ville.

— Très bien, acquiesçai-je.

Elle eut un signe de tête approbateur et s'engagea dans le long chemin carrossable. De la galerie, je la suivis des yeux jusqu'à ce qu'elle eût atteint la route et tourné à gauche.

Où pouvait-elle bien aller ? Et pour quoi faire ?

Un mouvement sur ma gauche attira mon attention. Je tournai la tête et vis une silhouette familière pénétrer dans la forêt. Papa ! Je voulus l'appeler, mais aussi vite qu'il était apparu, il avait disparu.

Quelque chose l'avait rappelé vers les ombres. Cela avait-il un lien avec maman, avec ses projets ? Sur la plus basse branche de l'arbre qu'il venait de dépasser, se tenait le grand corbeau que j'avais vu souvent. Il me fixait, tellement immobile qu'il semblait empaillé. Une intense atmosphère d'attente planait sur toutes choses, comme un pressentiment. Cela me donnait l'impression de me trouver dans l'œil d'un cyclone. Je me précipitai vers la maison, pour m'assurer que Bébé Céleste allait bien et attendre maman.

À ma grande surprise, elle resta très longtemps absente, et je commençai vraiment à redouter qu'il lui soit arrivé quelque chose. Que pouvais-je faire ? Il n'était pas question de laisser mon bébé tout seul pour aller à sa recherche. Je mis la table avec Bébé Céleste, et finalement il fallut bien servir la tourte, les légumes et la purée. Bien que nous n'ayons jamais dîné sans maman, Bébé Céleste mangea très bien, et fut loin de se montrer aussi nerveuse que moi. J'étais sur le qui-vive, guettant le bruit des pas de maman sur la galerie, ou celui de la porte d'entrée. Je chipotais ma nourriture. J'avais l'estomac si serré que je ne pouvais rien avaler.

Où était maman ? Il faisait de plus en plus noir, avec ça, comme je l'avais prévu. Je regardai Bébé Céleste, qui me sourit et tapa sur la table avec sa fourchette. Je fronçai les sourcils et elle s'arrêta. Pourquoi ne semblait-elle pas s'inquiéter de l'absence de maman ?

— Mange, Céleste, dis-je aussi calmement que possible.

Finalement, j'entendis le bruit d'une voiture qui s'approchait de la maison. Qu'est-ce qu'une voiture venait faire chez nous ? Personne ne venait jamais ici sans s'être annoncé d'abord par téléphone, et maman n'avait pas mentionné la visite d'un client. Si on sonnait, je ne pourrais pas aller ouvrir, pas sans qu'elle soit là. Mais où était-elle, à la fin ?

Je me levai soudain et gagnai la porte d'entrée. Je l'entrouvris légèrement, risquai un coup d'œil au-dehors… et je vis maman s'extraire d'une voiture ! Quand elle en fut sortie, elle se retourna et je l'entendis rire. Ce rire aussi m'étonna. Ce n'était pas celui qu'elle avait quand elle s'amusait de ce qu'avait dit ou fait Bébé Céleste. C'était le rire léger, provocant, d'une jeune fille qui flirte. Je m'efforçai de voir qui était au volant, mais il n'y avait pas de lune ce soir-là. Je ne distinguai qu'une silhouette d'homme, dont l'obscurité masquait l'identité. Une silhouette tellement sombre qu'elle aurait pu être celle d'un de nos esprits. Une telle chose était-elle possible ?

Je vis maman se pencher vers cet homme avant de refermer la porte. Je ne discernais pas ses paroles, mais je sais qu'elle dit quelque chose, et ce quelque chose fut suivi d'un autre rire avant qu'elle ne ferme la porte. Elle resta là quand le conducteur fit marche arrière et tourna dans le chemin. Puis elle lui fit signe de la main, baissa la tête et se dirigea vers la maison.

Sans bruit, mais vivement, je refermai la porte d'entrée, soulevai Bébé Céleste qui m'avait suivie et regagnai la salle à manger.

— Finissons de manger, lui dis-je en la reposant dans sa chaise, au moment où maman rentrait dans le hall.

Je coulai un bref regard derrière moi quand elle atteignit la porte de la salle à manger.

— Tout va bien ? s'enquit-elle. Notre bébé a de l'appétit ?

— Oui, maman. Mais où es-tu allée ?

— Je reviens tout de suite, répliqua-t-elle en guise de réponse, en se dirigeant vers l'escalier.

Je m'assis et attendis son retour. Bébé Céleste termina son repas et se dégagea toute seule de sa chaise haute. Elle m'avait rejointe quand maman redescendit, en robe de chambre cette fois. Elle prit aussitôt place à table et se servit. Bébé Céleste et moi l'observions tranquillement, patiemment.

— Ça doit être froid maintenant, maman, la mis-je en garde. Tu ne veux pas que j'aille te faire réchauffer tout ça ?

— Et pourquoi ça ? Depuis quand fais-tu réchauffer les plats pour moi ?

— Je me disais juste que...

— C'est très bien comme ça, m'interrompit-elle.

Pendant un moment elle mangea sans hâte, les yeux fixés sur nous. Bébé Céleste était si calme et si sage, sur mes genoux, qu'on l'aurait prise pour une poupée grandeur nature.

— Qu'est-ce que vous avez à me regarder comme ça, tous les deux ? finit par questionner maman. On dirait que je suis partie depuis des semaines, sinon des mois !

— Je m'inquiétais pour toi, maman. Il faisait noir et tu n'as jamais manqué un dîner. Je ne savais pas quoi faire, avouai-je, incapable d'empêcher la panique de percer dans ma voix.

Maman fit la grimace.

— J'aimerais que tu aies un peu plus de cran,

Lionel. Un homme doit avoir du nerf et du courage. Je ne veux pas te voir devenir une de ces chiffes molles dont j'entends toujours mes clientes se plaindre. Dorénavant, il se peut que je m'absente plus souvent, et tu auras de plus en plus de choses à assumer. J'ai besoin d'être sûre que tu peux te montrer fort et responsable.

— Je ne comprends pas. Pourquoi serais-tu plus souvent absente, maman ?

— Oh...

Elle eut un geste évasif, tourna la tête, et adressa un signe à quelqu'un d'invisible qui écoutait notre conversation. Au même instant, Bébé Céleste leva sa menotte et, du bout de son index, dessina le contour de mon oreille.

— Pose-la par terre, ordonna maman d'un ton bourru.

Je la soulevai de mes genoux et la déposai sur le tapis. Un instant désorientée, elle s'assit juste à mes pieds. Maman libéra un soupir excédé. De toute évidence, elle était mécontente, et je me demandais ce que j'avais pu faire pour la contrarier. Elle mangea un peu de tourte, marqua une pause et, comme si rien de désagréable n'avait été dit, elle sourit.

— Tu ne devineras jamais qui j'ai rencontré tout à l'heure pendant ma promenade, commença-t-elle.

— Qui ça ?

— M. Fletcher.

Sur le moment, je crus que j'avais mal entendu. Ce nom, cette famille et son existence même avaient été rayés de notre mémoire, aussi résolument qu'un blasphème. Une fois – il y avait plus de deux ans de cela – j'avais vu Betsy Fletcher avec un garçon garés au bout de notre chemin, et je l'avais raconté à maman. Elle était entrée dans une rage folle, et m'avait interdit ne serait-ce que de penser à cette famille. Je ne devais jamais non plus m'approcher de la limite séparant nos deux propriétés.

Sans mot dire, j'attendis en retenant mon souffle.

— Il lisait son journal sur sa véranda quand je suis passée devant chez lui, reprit maman. Je l'ai entendu me saluer, je me suis arrêtée et j'ai regardé dans sa direction. Instantanément, il a dégringolé les marches comme s'il n'avait pas vu âme qui vive depuis une éternité. Devant un enthousiasme aussi juvénile, j'ai carrément éclaté de rire.

— Qu'est-ce qu'il voulait ? m'enquis-je d'une voix qui s'enrouait.

— Oh, il a été très aimable. Il a demandé de nos nouvelles et m'a bombardée de questions. Il parlait si vite que je n'avais pas le temps de placer une réponse. Il m'a dit que mes remèdes avaient très bonne réputation, et que bien qu'il soit pharmacien, il croyait à ces vieilles recettes. Il paraît que sa mère en avait une qu'on se transmettait dans la famille de génération en génération.

Je n'en revenais pas.

— Mais pourquoi s'est-il montré si amical, maman ? Je le croyais fâché parce que je n'avais pas dit tout de suite à la police que j'avais vu

Elliot, le jour de l'accident. Les policiers n'étaient pas contents du tout, tu te souviens ?

— Non, me rassura maman. Aucun sujet désagréable n'a été mentionné dans la conversation, à part ses problèmes avec cette gamine épouvantable, bien sûr.

— De qui parles-tu ?

— De sa fille, Betsy. Tu sais quelle coureuse elle est devenue, et qu'elle n'apporte à son père que des ennuis ; le pauvre homme en est malade. Franchement, j'en étais navrée pour lui. Un homme a besoin de l'oreille bienveillante d'une femme, quand il a des problèmes avec ses enfants et désire se confier à quelqu'un. S'il n'a pas de compagne, comme M. Fletcher, il se tournera vers la première femme qui lui montrera un peu de sympathie.

« D'autre part, fit valoir maman, nous pouvons nous réconforter l'un l'autre, lui et moi. Nous avons tous les deux perdu un enfant. »

Mais c'était de M. Fletcher qu'elle parlait, du père d'Elliot ! Tu m'as tellement répété que cette famille vivait dans l'ombre du mal, fus-je sur le point de riposter. Tu m'avais interdit de leur parler, de les approcher. C'est l'homme dont tu as dit à la police qu'il était responsable des problèmes de ses enfants.

Comment pouvait-elle avoir cru et soutenu si longtemps une opinion, et en changer aussi subitement ? Et, plus important encore : pourquoi ?

— Ne me regarde pas comme ça, Lionel. C'est un péché de ne pas se montrer charitable envers ceux qui souffrent. D'ailleurs, je ne le connaissais pas vraiment. Je ne lui avais jamais parlé assez longtemps pour apprécier son intelligence et ses qualités.

Je coulai un regard vers Bébé Céleste. Que devenait-elle, dans tout ça ? N'était-elle pas la petite-fille de M. Fletcher, une petite-fille dont il ignorait l'existence et que nous lui cachions en la gardant pour nous ?

— C'est un homme très courtois, poursuivit maman. Il était inquiet à l'idée que je rentre seule dans le noir, et il a insisté pour me raccompagner. J'ai eu beau protester, il m'a pratiquement suppliée de le lui permettre.

« Je ne m'explique pas pourquoi sa femme l'a quitté. On aurait pu croire qu'un homme comme lui l'aurait déjà remplacée, non ? »

Maman se pencha vers moi, le regard scrutateur.

— Pour quelle raison penses-tu qu'il ne l'a pas fait, Lionel ?

J'essayai d'avaler ma salive, sans y parvenir.

— Je n'en sais rien, maman.

Elle eut un sourire entendu et se renversa sur sa chaise.

— Moi, je le sais.

— Qu'est-ce que tu veux dire, maman ?

— Qu'est-ce que tu veux dire, maman ? singea-t-elle. La première Céleste était beaucoup plus éveillée que toi, Lionel. Sa perspicacité, en particulier sa vivacité d'esprit me surprenaient toujours, en comparaison avec toi, mais cela ne m'étonne plus. Tu ne te concentres pas assez, tu poses trop de questions.

Les larmes me montèrent aux yeux, sans que je sache moi-même exactement pourquoi. Pleurais-je en tant que Lionel, blessé par la comparaison ? Ou pour moi-même, perdue pour toujours dans l'esprit de maman, enterrée pour toujours dans cette tombe ?

— Je ne pose pas trop de questions, maman. C'est juste que… je ne comprends pas.

— Tu n'as pas besoin de comprendre, rétorqua-t-elle vertement. Contente-toi de faire ce que je te dis de faire, et d'accepter ce que je te demande d'accepter. Emmène la petite au salon, j'ai besoin d'être seule, ajouta-t-elle en se levant.

Et elle se mit à débarrasser la table.

Je me levai à mon tour, pris Bébé Céleste dans mes bras et me hâtai de quitter la pièce. Tandis qu'elle jouait, je tendais l'oreille et j'entendis maman murmurer. À un moment, elle rit, puis elle ne dit plus rien. Quand elle eut fini son travail à la cuisine, elle monta sans même venir jeter un coup d'œil sur nous, ce qui était très inhabituel. Bébé Céleste elle-même se rendit compte que quelque chose différait de l'ordinaire. Elle cessa de jouer, vint poser sa tête sur mes genoux, puis la releva et me regarda dans les yeux.

J'attendis que maman revienne, mais comme elle ne redescendait pas, je pris Bébé Céleste dans mes bras et montai. Maman était retournée dans sa chambre, mais cette fois-ci la porte était fermée. Je m'arrêtai pour écouter : elle parlait à voix basse. Je frappai discrètement et elle s'arrêta.

— Qu'est-ce qu'il y a ?

— Dois-je mettre Céleste au lit, maman ?

— Oui, répondit-elle impatiemment, et n'oublie pas de lui laver la figure.

Elle ne précisa pas si elle viendrait la border, comme elle le faisait chaque soir. Je la préparai pour la nuit, la bordai moi-même et l'embrassai. Elle étreignit sa poupée favorite et me sourit.

— Céleste, gazouilla-t-elle.

Mon cœur manqua un battement.

— Qu'est-ce que tu as dit ?

— Céleste.

Elle avait prononcé mon nom ! Elle avait percé un nuage obscur, épais, impénétrable à tout le monde. Quelle chose merveilleuse ! Un vrai message de l'au-delà. Mon cœur se dilata de joie, puis elle éleva la poupée à bout de bras et répéta :

— Céleste.

Ce n'était pas moi qu'elle désignait, finalement. Elle avait donné à sa poupée son propre nom.

— Oh ! fis-je d'une voix éteinte.

J'étais vraiment déçue, mais je parvins à sourire.

— Oui, Céleste, dis-je en caressant tendrement la poupée, qu'elle serra de nouveau tout contre elle. Je déposai un baiser sur son front, remontai sa couverture, murmurai un dernier bonsoir et la quittai. Pendant quelques instants je m'attardai dans le couloir, ne sachant trop où aller ni que faire, puis je retournai frapper à la porte de maman.

Cette fois, elle ouvrit.

— Eh bien, quoi encore ?

Je restai sans voix. Elle portait un corsage vert d'eau, très léger, assorti à une jupe tout aussi légère, bien plus courte que tout ce qu'elle avait porté depuis la mort de papa. Je remarquai aussi qu'elle ne portait pas de soutien-gorge, et que son décolleté en V était vraiment très audacieux. Ses cheveux, rejetés en arrière, laissaient voir les petits rubis sertis d'or qui ornaient ses oreilles, dont je savais qu'ils lui venaient de sa mère. Elle s'était maquillé les yeux, rosi les joues, et portait un rouge à lèvres éclatant.

— Eh bien ? répéta-t-elle. Ne reste pas bouche bée devant moi quand je te pose une question, Lionel. Qu'y a-t-il ?

— Bébé Céleste est couchée, maman.

— Ah ! C'est très bien, Lionel, dit-elle en commençant à repousser la porte.

— Pourquoi t'es-tu faite si belle, maman ?

Un instant, elle eut l'air de se demander si elle devait prendre la peine de me répondre, et dit enfin :

— Je sors.

— Quoi ? Où ? Maintenant ?

Son regard furibond me mit mal à l'aise, mais je ne fis pas mine de partir et son expression se radoucit un peu.

— J'ai décidé d'accepter une invitation. Il me l'a demandé tout à l'heure. Il voulait m'emmener au Lodge, un petit hôtel au bord d'un lac, à Greenfield Park. Nous y sommes allés autrefois, ton père et moi, et je me souviens que le restaurant et le bar ont vue sur le lac. Un soir comme celui-ci, ce devrait être très agréable. Je viens juste de l'appeler pour lui dire oui.

— Qui ça, lui ?

Mes pensées s'emballaient. De qui parlait-elle ? De papa ? Qui lui avait demandé de sortir, tout à l'heure ?

— M. Fletcher. Dave. Il n'a vraiment pas le moral, ce soir. Cette fille qui lui crée tant de problèmes, Betsy, a encore fait une fugue. Il vaudrait mieux pour lui qu'elle ne revienne pas, bien sûr, mais elle sait ce qu'elle fait. Elle part avec n'importe quel bon à rien, et revient quand il ne l'intéresse plus ou qu'elle est à court d'argent.

Maman s'interrompit, le temps d'un sourire.

— Je savais que ça arriverait aujourd'hui, bien sûr. C'est ce que j'appellerais un moment opportun.

Je gardai le silence. J'avais l'impression d'avoir reçu un coup sur le crâne.

— Opportun pour quoi faire ? finis-je par demander.

Maman secoua lentement la tête.

— Va te coucher, Lionel, répliqua-t-elle abruptement.

Et sans me laisser le temps de placer un mot, elle me ferma la porte au nez.

Je gagnai ma chambre et m'assis au bord du lit, stupéfaite et perplexe. Dix minutes plus tard, maman sortit de chez elle et descendit. Plutôt que de la suivre, je m'approchai de la fenêtre et, comme prévu, je vis une voiture s'avancer dans l'allée. En bas, la porte d'entrée s'ouvrit, se referma et maman apparut. Dès qu'elle s'approcha de la voiture, Dave Fletcher en sortit, la contourna vivement et ouvrit la porte du côté passager. Maman monta, la voiture repartit presque aussitôt, et je suivis des yeux les feux arrière qui s'éloignaient.

Je ne sais pour quelle raison, j'eus soudain l'impression que mes côtes s'étaient muées en une cage de glace. En moi, des voix poussaient des clameurs, et l'une d'elles en particulier se plaignait à grands cris. J'eus le sentiment que c'était celle de Lionel.

— Elle ne pense même pas à moi, ni à personne. À personne, se lamentait-il.

À moins que ce ne fût ma propre voix ?

Après tout, nous étions tous deux morts et enterrés. Il était dans une tombe, au-dehors.

Et j'étais dans un corps qui n'avait plus le droit de m'appartenir.

Elle ne pensait plus à aucun de nous deux.

3

Le don de Bébé Céleste

J'attendis maman aussi longtemps que possible, mais le sommeil me gagnait, et je finis par m'endormir si profondément que je ne l'entendis pas rentrer. Un peu avant l'aube, je m'éveillai en sursaut, me dressai sur mon séant et découvris que j'avais dormi tout habillée. Jc m'étonnai que maman ne soit passée jeter un coup d'œil dans ma chambre, et ne m'ait pas réveillée pour me demander pourquoi. Se pouvait-il qu'elle ne soit pas encore rentrée ?

À pas feutrés, je sortis dans le couloir : la porte de sa chambre était ouverte. C'était presque toujours le cas, la nuit, afin que maman puisse entendre Bébé Céleste si par hasard elle appelait, ce qui n'arrivait pratiquement jamais. Je l'avais rarement vue pleurer ou entendue se plaindre. C'était une nature heureuse, comme disait maman.

Presque sur la pointe des pieds, je m'approchai de la porte de maman, jetai un coup d'œil dans sa chambre, et vis avec soulagement qu'elle était dans son lit. Toutefois, ses vêtements étaient jetés n'importe comment sur une chaise ; et on aurait dit qu'elle s'était contentée d'envoyer promener ses chaussures, sans s'inquiéter de l'endroit où elles retombaient, ce qui était tout à fait contraire à ses habitudes. Elle détestait que chaque chose ne soit pas à sa place dans la maison, car selon elle, cela détruisait l'équilibre de l'énergie. Comme elle semblait profondément endormie, je regagnai ma chambre et tâchai de me rendormir moi-même. Je me tournai et retournai sans fin, dans un sommeil entrecoupé de rêves peuplés d'une foule de gens inconnus. Notre maison était-elle un havre pour tous les esprits errants ? Maman ne mentionnait jamais que ceux de la famille ; et ceux qui voulaient bien se révéler à moi, je les connaissais par les portraits et les photos que nous avions d'eux.

Aussi brusquement qu'une cloche sonnant à mon oreille, la lumière du matin m'éveilla. Je me levai au moment précis où Bébé Céleste appela, et m'étonnai que maman ne soit pas déjà debout. J'allai jusqu'à sa chambre, avec Bébé Céleste dans les bras, pour découvrir qu'elle dormait profondément.

Bébé Céleste trouva cela très drôle. Elle rit et maman remua, mais elle ne s'éveilla pas. Elle n'était toujours pas levée quand Bébé Céleste fut lavée et habillée. Je descendis avec elle, préparai le petit-déjeuner pour nous deux, et nous étions à table dans la salle à manger quand maman descendit à son tour.

— Je ne comprends pas comment j'ai pu dormir si tard, observa-t-elle. Il y avait si longtemps que je n'étais pas sortie le soir ! Dave a tenu à me faire goûter un cosmopolitan, son cocktail favori, et cela m'a un peu étourdie. Je n'avais pas ri comme ça depuis des années, ou du moins depuis le temps où je vivais avec ton père.

Maman ne buvait jamais d'alcool, si ce n'est un peu de vin de sureau. Pourquoi en avait-elle bu maintenant, et pourquoi semblait-elle trouver cela sans importance ? Si c'était moi qui avais fait la même chose ! Elle m'aurait enfermée plusieurs jours dans la tourelle, aucun doute là-dessus.

Elle embrassa Bébé Céleste et me jeta un curieux regard.

— Et à propos de ton père, Lionel. Tu fais exactement la même tête que lui quand il était en colère. On dirait que tu as trouvé un masque dans le grenier et que tu te l'es collé sur la figure.

Je baissai les yeux, puis les relevai lentement sur elle.

— Pourquoi fais-tu ça, maman ? Pourquoi maintenant et, avec cet homme-là ? m'informai-je timidement.

Elle libéra un soupir appuyé, réfléchit un instant et fixa longuement un coin de la pièce.

— Ne t'ai-je pas dit et répété que rien ne nous arrive sans raison, sans objectif précis, Lionel ?

— Si, mais quel rapport avec tout ça ?

— Il faut parfois du temps pour comprendre, mais nous finissons toujours par comprendre. Nous pouvons avoir besoin d'être aidés par la famille, ce qui a été le cas cette fois-ci.

— Qu'est-ce qu'on t'a dit ? questionnai-je avec rudesse, comme un inspecteur de police menant un interrogatoire.

— On m'a dit, puisque tu le demandes si poliment, que les Fletcher ont été envoyés ici dans un but particulier.

— Les Fletcher ? Dans quel but ?

Maman pensait-elle à la naissance de Bébé Céleste ? Elle me regardait si fixement que je ne m'attendais pas à ce qu'elle me réponde, mais elle le fit.

— Pour nous protéger.

Je secouai la tête, incrédule. Comment maman pouvait-elle envisager une chose pareille, compte tenu de ce qui s'était passé entre Elliot Fletcher et moi ?

— Nous protéger ? Je ne comprends pas, maman.

— Tu comprendras, promit-elle. Sois patient, coopératif et tu comprendras. Bon, je vais me faire cuire quelques œufs à la coque et je commencerai une tarte à la rhubarbe. C'est celle que Dave préfère. Je t'ai souvent dit que c'était aussi la préférée de mon grand-père, tu dois t'en souvenir ?

— Non.

J'étais certaine qu'elle ne m'avait jamais rien dit de tel, et je ne voulais pas me laisser entraîner loin du sujet.

— Eh bien, c'était le cas. Alors tu vois bien que tout a une signification, Lionel. Rien n'arrive par coïncidence. Je t'ai appris ça dès que tu as su parler, je suppose. À présent…

Maman reprit son rôle de professeur, qu'elle endossait et quittait aussi facilement qu'on enfile et enlève un manteau.

— Essaie d'imaginer que le monde est plein de liens, de fils invisibles qui s'entrecroisent, se connectent, courent parallèlement sur une certaine distance, avant de se toucher. Chaque action, chaque mot prononcé, chaque naissance, chaque mort est une autre ligne, et même chaque pensée. Quand tu pourras comprendre cela, quand tu parviendras à le voir, tu sauras ce que tu dois chercher, comme je le sais moi-même. Il suffit que tu aies davantage confiance en moi et en toi-même, que tu essaies avec plus de force. Alors tu auras la révélation, comme je l'ai eue moi-même. Je me rappelle exactement à quel moment je l'ai reçue.

Maman se tut, ferma les yeux, plaqua les mains sur sa poitrine. Puis elle respira profondément, comme si elle savourait un parfum de fleurs sauvages. Quand elle se rendit compte que je la fixais, elle se raidit, à croire que je l'avais surprise en train de penser à des choses interdites.

— On dirait qu'il va pleuvoir cet après-midi, Lionel. Dépêche-toi de te mettre au travail ordonna-t-elle, en tournant les talons pour se rendre à la cuisine.

Toute la matinée je fus en proie à l'inquiétude, persuadée que la conduite actuelle de maman ne pouvait que nous conduire au désastre, et tout particulièrement Bébé Céleste. Toutes les cinq minutes j'interrompais mon travail et fouillais du regard les passages obscurs de la forêt, dans l'espoir d'une vision, d'un message de papa, de sa voix réconfortante qui m'offrirait une solution ; ou, tout au moins, me fournirait une explication qui calmerait mes nerfs à vif.

Le moindre geste que je faisais vibrait en moi, comme si une invisible main raclait mes nerfs déjà si tendus. De temps à autre, je m'apercevais que je retenais mon souffle, si longtemps que les poumons me faisaient mal.

— Papa, où es-tu ? soupirais-je.

Mais j'avais beau fouiller du regard les poches d'ombre de notre forêt, je ne voyais rien, je ne percevais aucune présence auprès de moi. Finalement, juste avant le déjeuner, j'entendis la porte d'entrée s'ouvrir et l'écran moustiquaire claquer. Maman dévala les marches et courut à sa voiture. Elle portait sa fameuse tarte. Quand elle ouvrit la portière, elle la posa vivement sur le siège du passager pour me crier :

— Je dois m'absenter un moment, Lionel. Je veux porter cette tarte à M. Fletcher avant qu'il ne prenne son tour de garde au drugstore. Va t'occuper de Bébé Céleste, elle est au salon. Fais-la déjeuner, tu trouveras tout ce qu'il vous faut sur le plan de travail de la cuisine. Et ne me laisse pas tout un gâchis à nettoyer quand je rentrerai, surtout ! conclut-elle d'un ton sévère.

Sur quoi, elle monta dans la voiture et démarra.

Le ciel s'était couvert de gros nuages annonçaient la pluie, comme maman l'avait prédit. Un petit vent froid, tout à fait inattendu, me fit courir un frisson sur la nuque. Avec la disparition du soleil, les ombres de la forêt s'étaient épaissies. Les oiseaux se taisaient, un calme étrange m'entourait. Tout était si tranquille que je pouvais entendre les pulsations de mon propre cœur. Ma vision se brouilla. Et je crus voir un visage, celui d'Elliot Fletcher, prendre forme sous les branches d'un jeune arbre. Un visage que j'avais vu maintes fois dans mes rêves, au cours des deux dernières années. Il apparut, s'effaça, se reforma, comme s'il plongeait dans l'eau et refaisait surface, exactement comme j'imaginais qu'il l'avait fait par cet après-midi fatal.

Au début, c'est à peine si je l'entendais, mais son murmure imitait le rythme des pulsations qui montaient en moi, pour venir se loger dans ma tête. Sa voix se fit plus distincte, plus forte. Il m'appelait. J'aurais voulu tourner les talons et courir à la maison, mais j'étais hypnotisée par le son de cette voix, cette plainte qui s'enflait et diminuait avec celle du vent.

— Tu n'as jamais dit la vérité, me reprochait-il. Tu n'as jamais dit à personne ce que tu as vu, ce que tu savais qu'il m'était arrivé.

Je reculai en secouant la tête.

Était-ce lui qui me parlait, ou ma propre conscience qui s'adressait à moi, surgie des profondeurs de mon âme inquiète ?

— Tu te noieras dans le mensonge, tout comme moi dans la rivière. Ces tromperies pèsent trop lourd, elles vous entraîneront toutes les deux vers le fond. J'y veillerai, sois-en sûre… J'y veillerai…

— Non ! hurlai-je, ou du moins je crus l'avoir fait.

Le son résonnait dans mes os avec la force d'une implosion.

Maman est trop puissante, pensai-je avec confiance. Notre famille est trop puissante. L'esprit d'Elliot ne peut pas venir ici et nous faire du mal. Il ne pourra jamais nous atteindre. Nous ne lui en donnerons jamais l'occasion. Rien n'affaiblira la forteresse de notre foi.

— Tu oublies les mensonges, chuchota-t-il comme s'il avait épié mes pensées. Ils sont comme des fissures dans votre rempart protecteur. Si elle ne laisse pas mon père en paix, je viendrai, menaça-t-il. Je viendrai.

Dès la première fois où maman avait mentionné M. Fletcher, j'avais redouté qu'une telle chose arrive.

Je fis volte-face et courus jusqu'à la maison, escaladai les marches et, à la porte, je m'arrêtai pour regarder derrière moi. Il avait commencé à pleuvoir, un petit crachin d'abord presque invisible qui forcissait de minute en minute. L'image d'Elliot avait disparu de l'arbrisseau, j'avais dû trop lâcher la bride à mon imagination. J'avais honte, à présent, de cet accès de peur et de ma lâcheté.

D'ailleurs, me rassurai-je, maman était trop fine pour laisser se produire quoi que ce soit de sérieux entre elle et M. Fletcher. Comme elle le disait, elle ne faisait que se montrer compatissante envers quelqu'un qui avait connu les mêmes souffrances qu'elle, et qui avait besoin d'une oreille amie. Il n'y avait, il ne pouvait rien y avoir de plus. Nos protecteurs spirituels la mettraient certainement en garde, et la dissuaderaient d'aller plus loin. Mes craintes étaient égoïstes et stupides.

Je me hâtai de rentrer, pour découvrir que Bébé Céleste avait grimpé sur le fauteuil de Grandpa Jordan. Sa poupée Céleste dans les bras, elle levait sur moi un visage qui paraissait vieillir sous mes yeux. On aurait dit l'une des tantes d'autrefois, dont les portraits couleur sépia étaient conservés dans l'album de famille.

Aussitôt apparue, cette vision s'effaça. Une fois de plus, je me reprochai d'avoir ainsi laissé s'emballer mon imagination.

— Viens, dis-je à Bébé Céleste, allons préparer le déjeuner.

Elle glissa prestement du fauteuil et trotta à mon côté comme un petit chiot, une main dans la mienne et l'autre serrant sa poupée. Penser à un chiot fit remonter en moi mille souvenirs de Cléo, le golden retriever que j'avais eu. C'était un animal superbe, loyal, qui ne me quittait jamais. Maman avait fini par le donner, croyant qu'une force mauvaise était entrée chez nous par son intermédiaire, en l'utilisant comme cheval de Troie. Cela m'avait brisé le cœur, mais je n'avais absolument rien pu y faire. Quand maman décrétait une chose au nom des esprits, il n'était pas question de s'opposer à sa décision ou de la contredire.

— Un jour, je te parlerai de mon chien, Céleste. Il t'aurait tellement aimée, il aurait adoré être ton protecteur. S'il était encore avec nous, il t'accompagnerait partout, j'en suis sûre.

— Chien, dit Céleste.

— C'est ça, mon chien. Cléo.

— Cléo, répéta-t-elle.

Et, lâchant ma main, elle courut devant moi dans le hall.

— Mais qu'est-ce que tu fais ? m'écriai-je.

Elle s'arrêta devant la grande armoire et batailla avec la porte pour l'ouvrir. Je l'y aidai. Sitôt la porte ouverte, elle tomba à quatre pattes et tira vers elle un carton rangé au bas de l'armoire. Derrière lui, j'aperçus l'écuelle de Cléo, qu'elle prit en main pour me la montrer. J'en restai pantoise. C'était maman qui avait acheté cette écuelle, où le nom de Cléo était inscrit des deux côtés.

— Mais comment pouvais-tu savoir...

Je me baissai pour prendre l'écuelle avec précaution, comme s'il s'agissait d'un objet fragile et précieux. Bébé Céleste leva les yeux et me sourit.

— J'avais complètement oublié ça, dis-je en lui rendant son sourire. Je parie que tu as vu cette écuelle quand maman a fait du rangement et qu'elle t'a dit ce que c'était.

Je ne m'étonnai pas qu'elle s'en soit souvenue. Elle avait une mémoire phénoménale. Il suffisait que maman ou moi lui disions quelque chose une fois, et elle ne l'oubliait jamais.

— Peut-être qu'un jour maman nous permettra d'avoir un autre chien, murmurai-je, en caressant tendrement l'écuelle comme s'il s'agissait de Cléo lui-même.

Je la remis en place, repoussai le carton et refermai l'armoire, puis j'allai préparer notre déjeuner.

Maman ne rentra qu'en fin d'après-midi. Il avait plu beaucoup, par averses intermittentes, et il n'y avait pas grand-chose que je puisse faire dehors, de toute façon. Je m'occupai de Bébé Céleste. Maman avait décidé qu'elle était bien trop précoce pour passer tout son temps à ne faire que jouer. Elle avait donc acheté des livres qu'elle estimait adaptés à l'éducation des petits, et consacrait des heures entières à les passer en revue avec Bébé Céleste. À ma grande surprise, elle était même parvenue à lui inculquer quelques notions de lecture. Elle avait été enseignante, c'était elle qui avait fait notre éducation scolaire, à Lionel et à moi, et elle avait beaucoup de patience et de concentration. Lionel n'avait jamais été bon élève, mais il avait quand même passé avec succès les tests de niveau, exigés par l'Académie pour les enfants éduqués à domicile. De toute évidence, maman préparait Bébé Céleste au même type d'éducation.

J'imagine que je n'aurais pas dû être étonnée par les capacités de la petite Céleste. Excellente élève moi-même, j'avais passé l'équivalence du baccalauréat à quatorze ans. J'adorais lire, et j'avais lu pratiquement tous les livres de la maison, presque tous dans les vieilles éditions classiques à reliure de cuir. Cette aptitude à lire de Bébé Céleste, à mon avis, ne faisait que renforcer chez maman la certitude que ma fille était la réincarnation d'un esprit. La regarder travailler avec mon bébé faisait revivre en moi des souvenirs d'enfance, ceux de notre propre éducation à la maison. C'était comme si, remontant le temps, je me revoyais autrefois.

Nous levâmes toutes les deux la tête quand maman revint. Elle franchit la porte du salon et secoua ses cheveux mouillés.

— Comment va-t-elle ? Vous avez déjeuné ?

— Oui, maman.

— Elle devrait faire un somme.

— Elle n'est pas fatiguée. C'est plutôt moi qui le suis, marmonnai-je. Elle n'arrête pas de poser des questions.

— C'est comme ça qu'on apprend, Lionel, en posant des questions. Pas des questions idiotes, évidemment.

Bébé Céleste se leva et pointa le doigt vers le hall.

— Écuelle, articula-t-elle.

Maman se tourna vivement vers moi.

— Qu'est-ce qu'elle raconte ?

— Oh, ça... Je lui ai dit que j'avais eu un chien qui s'appelait Cléo, et elle m'a montré son écuelle dans l'armoire. Elle a dû te voir ranger des affaires dedans, et elle ne l'a pas oublié.

Maman eut ce petit sourire très doux qui rendait si lumineux ses beaux yeux bruns.

— Elle ne m'a jamais rien vue mettre dans cette armoire, Lionel. Je ne m'en sers jamais.

— Mais alors... comment a-t-elle pu savoir, maman ?

— Elle sait, voilà tout. Elle connaît tous les coins et recoins de cette vieille maison. Elle a le don, je te l'ai dit cent fois. Peut-être commenceras-tu à me croire, maintenant, au lieu de jouer les saint Thomas comme tu l'as fait tous ces temps-ci. On dirait que tu doutes de tout.

— Mais non, maman, je t'assure.

— Parfois, je vois plus clair en toi que toi-même, Lionel. En ce moment, j'ai besoin que ta foi grandisse, et non le contraire. Allez viens, Céleste, appela-t-elle avec un signe du doigt. Il est temps de faire un petit dodo.

Docilement, Céleste se dirigea vers elle et maman la souleva, puis la cala au creux de son bras droit.

— Range-moi tout ça, Lionel. Je pense à renouveler la décoration de cette maison, ajouta-t-elle en parcourant la pièce du regard. Nous avons besoin de rafraîchir un peu tout ça. De changer les tapis, par exemple, de faire quelques travaux de peinture et de tout nettoyer à fond.

— Mais je croyais que nous ne devions jamais déranger les choses, maman ?

— Nous ne les dérangeons pas du tout, Lionel. Tu vois ce que je voulais dire ? Depuis quelque temps, chaque fois que je fais une suggestion tu me contredis avec une de tes stupides remarques. Tu ne crois pas que je sais ce que je fais et que j'ai des raisons de le faire ? Eh bien, réponds !

— Si, maman.

— Si, maman, singea-t-elle avec ironie, en me fixant d'un regard si dur que je dus baisser les yeux. Du vivant de ton père, rien n'était jamais négligé longtemps. J'espérais que tu tiendrais de lui, pour ce genre de choses. Et que je n'aurais pas à courir après toi sans arrêt pour arranger ceci ou réparer cela. Tu devrais montrer un peu d'initiative, Lionel. Tu passes trop de temps avec le bébé, et pas assez à t'occuper de la maison ou de la propriété.

— Mais... chaque fois que j'ai suggéré de changer quelque chose, tu t'es fâchée contre moi, maman.

— Je ne te parle pas de changements, je te parle d'entretien ! s'emporta-t-elle. Ce n'est pas le moment de me contrarier, Lionel, je n'ai pas besoin de ça. Je veux avoir l'air aussi fraîche, heureuse et séduisante que possible. Je passe des heures à expliquer à mes clientes à quel point le stress peut vous vieillir. Il n'est pas question que je leur donne le mauvais exemple, sinon qui pourrait me croire ?

Elle respira bien à fond et parut soudain plus calme.

— La force et la beauté viennent de là, reprit-elle en plaquant la main gauche sur son cœur. Toute l'herboristerie du monde, toutes les crèmes et les lotions qu'on voudra n'y changeront rien. L'harmonie, voilà ce qu'il faut s'efforcer d'atteindre pour réussir. L'harmonie, tu comprends ça ?

— Oui, maman.

— Parfait. Maintenant, fais ce que je t'ai demandé. Je redescends dans un moment, et nous commencerons par inspecter la maison de fond en comble, en vue de dresser la liste détaillée des choses à faire.

Je brûlais de lui demander si ces changements avaient un rapport avec Dave Fletcher, mais j'avais trop peur des conséquences que risquait d'entraîner une telle question. En général, maman lisait mes craintes sur mon visage. Mais cette fois-ci, soit elle ne les vit pas, soit elle préféra les ignorer.

Elle emmena Bébé Céleste et je commençai à ranger les livres et les jouets. Quand elle redescendit, munie d'un stylo à bille et d'un bloc-notes, elle décida aussitôt qu'il fallait changer les rideaux et les tentures du salon. D'innombrables années de soleil avaient fané leurs couleurs. Pourquoi, depuis tout ce temps, n'y avait-elle pas pris garde et trouvait-elle soudain la chose urgente ? Cela me dépassait. Mais tandis que nous parcourions le salon, en examinant tout en détail, elle me fournit un sérieux indice.

— J'ai vu toutes les améliorations qu'a apportées Dave à cette vieille maison, depuis qu'il y habite. Il a du goût. On ne croirait jamais qu'un homme dans sa situation, qui vit en célibataire avec une fille, soit si sensible à la beauté du décor, mais c'est le cas. Il a même un certain sens des proportions, des rapports entre les choses. Il ne va pas jusqu'à percevoir l'équilibre des énergies, bien sûr, mais il a de l'instinct. Il s'en est vraiment bien tiré.

« En tout cas, cela m'a fait réfléchir à la maison, Lionel, et à la façon dont nous la négligeons depuis une douzaine d'années. Je sais que tu t'es bien débrouillé dans tes réparations, dehors comme dedans, observa-t-elle, contredisant ses propos précédents. Mais l'intérieur d'une maison, c'est comme celui d'une personne. Il doit être net et sain, lui aussi.

« D'ailleurs, quand Dave viendra ici, je ne veux pas qu'il s'imagine que nous vivons enfermés dans le passé. On juge souvent les gens d'après ce qu'ils possèdent. Je sais que c'est un peu comme juger un livre d'après sa couverture, mais c'est ainsi et nous ne pouvons pas l'ignorer.

— M. Fletcher va venir ici, m'informai-je avec précaution, de peur d'avoir l'air de critiquer maman.

— Bien sûr qu'il va venir, et pourquoi ne viendrait-il pas ? Je ne t'ai pas appris à fuir le contact des gens, Lionel.

— Et quand viendra-t-il ?

— Quand je serai prête à le recevoir. »

Je crus entendre le son d'un rire et me retournai vivement. C'était la pluie que j'avais entendue, pianotant sur les vitres comme des doigts aux longs ongles pointus. Ça ne va pas du tout, pensai-je. Maman commet une grave erreur en prenant ce chemin-là.

Mais comment pouvais-je le lui dire sans provoquer sa colère ? Je serais sans doute obligée de tout lui raconter, surtout la vision que je venais d'avoir et les menaces qui l'avaient suivie. Toutefois, l'expérience m'avait appris à ne pas annoncer de but en blanc ce genre de nouvelles. Il faudrait que je me montre prudente, très prudente.

— Tu sais que c'est vraiment ridicule de notre part de ne pas avoir de four à micro-ondes, déclara tout à coup maman. Ça nous fait paraître complètement rétrogrades et coupés de tout. Il y a d'autres choses que j'aimerais faire dans cette cuisine, d'ailleurs. Ce n'est pas une question d'argent, nous avons les moyens. C'est juste que j'ai été accaparée par d'autres choses, mais nous devons faire certaines modifications, Lionel. Il faut préparer l'avenir.

— Quel avenir ?

— Quel avenir ? Le nôtre, voyons ! Mais surtout, ce qui est plus important, celui de Bébé Céleste. Tu vois bien toi-même qui elle est, ce qu'elle est capable de faire et qu'elle fera. Rien ne doit lui barrer la route, et surtout pas de stupides préjugés. Je tiens à ce qu'elle ait toutes les chances de s'épanouir pleinement. Comme tu les as eues toi-même, ajouta maman, le regard cinglant. Des chances dont je n'ai pas l'impression que tu aies su tirer le meilleur parti, ni que tu aies su les apprécier.

— Je les apprécie, maman.

— Admettons. Le temps nous le dira. Bon, allons voir le cabinet de travail. Je compte y mettre de la moquette, de nouvelles lampes, et aussi rénover les boiseries. Tu t'occuperas de ça. Nous essaierons de faire le plus de choses par nous-mêmes, pour éviter d'avoir du monde qui déambule dans la maison toute la journée. Demain, j'aimerais que tu commences à décaper l'encadrement des fenêtres. Nous allons les repeindre toutes, et donner un coup de neuf à l'extérieur aussi bien qu'à l'intérieur.

« Je veux qu'en regardant notre maison de loin, n'importe qui voie toute la beauté qui est en elle et se dise : "J'aimerais bien habiter ici, moi aussi !" Tu comprends ? »

J'étais incapable de proférer un mot. Incapable de déglutir. *N'importe qui ?* Mais à qui pensaitelle ? Vers quoi nous entraînait-elle ? Je parvins à hocher la tête, et elle continua sa promenade à travers la maison, en débitant la liste des aménagements qu'elle prévoyait, y compris pour sa propre chambre.

La pluie se calmait. Sur les vitres, le martèlement des gouttes se changeait en larmes, et sur l'une d'elles l'eau semblait dessiner une tête : celle d'Elliot. Je m'en éloignai en hâte.

Je pensais que maman n'avait fait que parler, qu'elle n'envisageait pas vraiment tous ces changements, mais au cours des jours suivants elle s'obstina dans ses nouveaux projets de rénovation. Très souvent, elle passait une bonne part de la journée dehors, à courir les magasins ou à rencontrer des décorateurs. Le soir, elle étalait ses échantillons de moquette, de papier peint et ses nuanciers de peinture sur le plancher du salon. Et elle analysait non seulement les combinaisons de couleurs, mais ce qu'elle nommait leur aura. Le blanc, par exemple, possédait une grande énergie spirituelle. Avec le rose elle éprouvait un sentiment d'amour pur, et elle retrouvait dans le brun la nature et ses forces vives.

— Comment sais-tu tout ça, maman ? m'étonnai-je.

— Je ne le vois pas avec mes yeux, mais avec mon esprit. Je peux voir des couleurs autour d'une personne, et elles me révèlent ses émotions et ses pensées. Que nous la recevions ou la diffusions, l'énergie circule en nous tous les jours en un perpétuel va-et-vient, Lionel. Et tout ce que nous contenons, absorbons ou renvoyons en dit long sur ce que nous sommes.

« Chaque couleur a sa propre vibration. Un jour, tu sauras les percevoir, toi aussi. »

Maman s'interrompit et regarda Céleste, qui semblait fascinée par les roses et les blancs.

— Comme le fait déjà Bébé Céleste, si je ne me trompe, acheva-t-elle dans un soupir attendri.

— Quand serai-je capable de le faire, maman ?

— Quand tu ne te laisseras plus distraire par des choses bien plus insignifiantes, rétorqua-t-elle d'un ton incisif. Quand tu sauras méditer, et prendras le temps d'expérimenter ces choses avec la concentration nécessaire.

Quelles distractions, quelles choses bien plus insignifiantes ? Qu'entendait-elle par là ? Qu'avais-je pu dire ou faire pour mériter ces accusations ? Voyait-elle en moi quelque chose que je n'y voyais pas moi-même ?

— Laisse-moi me concentrer, m'ordonna-t-elle avant que j'aie pu lui poser la question. Il faut que je prenne les bonnes décisions. Voir tout ce que M. Fletcher a si bien réussi chez lui m'a inspirée.

Malgré cette déclaration, et à la façon dont elle parlait de ses propres choix et de ceux de M. Fletcher, je commençai à me dire qu'elle était en train de tendre un piège d'un genre spécial. Une sorte de piège spirituel.

Mais surtout, à l'idée de voir des gens venir travailler chez nous dans un proche avenir, je sentis la panique me gagner. Puis une autre pensée m'assaillit. Et Bébé Céleste, dans tout ça ? Maman avait-elle l'intention de révéler son existence, finalement ? Après tout, ce ne serait peut-être pas plus mal...

La veille du jour où un artisan devait venir mesurer les fenêtres, en vue de changer les rideaux, j'osai enfin poser la question tout haut.

— Que ferons-nous de Bébé Céleste quand il viendra, maman ? Et quand il en viendra d'autres ?

Elle eut un sourire sagace.

— Tu te souviens de ce livre que Céleste te lisait, celui qui te dérangeait tant ?

J'avais lu très peu de livres à Lionel. Il ne voulait jamais rester tranquille pour écouter, mais maman l'y obligeait, espérant qu'il prendrait intérêt à l'étude et deviendrait meilleur élève. Il ne le devint pas, mais le seul livre qui le fascina tout en le troublant beaucoup fut le *Journal d'Anne Frank*, et pour une seule raison. Il ne pouvait pas imaginer qu'on puisse rester si longtemps enfermé, contraint à l'immobilité et au silence.

Lionel devenait un vrai petit sauvage, dès qu'il était dehors. Il détestait rentrer pour manger, étudier ou dormir, et quand il était malade et devait rester à l'intérieur, il était malheureux. Il s'asseyait près d'une fenêtre et regardait au-dehors, comme un prisonnier dans sa tour. Ni la pluie, ni le grésil, pas même une tempête de neige ne l'empêchaient de sortir. Maman croyait qu'il était en harmonie avec les énergies naturelles, bien plus que je l'étais moi-même. Mais, à sa vive déception, les faits prouvèrent qu'il n'en était rien.

Le temps infini qu'Anne Frank et sa famille vécurent en reclus et l'existence qu'ils menaient terrifiaient Lionel et l'intriguaient tout autant. Comment faisait-on pour s'empêcher de tousser, d'éternuer, de crier ? Il avait tellement de questions à poser !

— Oui, répondis-je à maman. Je me souviens.

— Eh bien, ce sera comme ça quand les ouvriers seront là, Lionel. Évidemment, ça durera plus longtemps que lorsque je reçois une cliente. Il se pourrait que tu restes dans la tourelle avec Bébé Céleste toute la journée.

— Toute la journée ?

— Je vous monterai le déjeuner, mais tu devras la faire tenir absolument tranquille, surtout quand on travaillera dans ma chambre. Je fais faire quelques changements, y compris poser de la moquette. Je te dirais bien de descendre quand elle fera la sieste, mais si elle s'éveille et que tu n'es pas là, elle risque de s'inquiéter. C'est un petit sacrifice que je te demande là.

Je m'abstins de répondre.

— Eh bien, Lionel ? Je vois tes pensées tourbillonner dans ta tête comme des feuilles dans un remous.

— Tu m'as dit qu'ils t'avaient conseillé de ne plus garder trop longtemps Bébé Céleste à l'écart du monde ?

— Je sais très bien ce que j'ai dit ! vociféra maman. Tu crois que je ne me rappelle pas mes propres paroles ?

— Je ne voulais pas dire ça. Je pensais que nous pourrions peut-être la laisser voir aux gens, finalement.

Le sang lui monta au visage, mais elle ferma les yeux et, de toute sa volonté, elle le contraignit à refluer.

— En temps voulu, quand ce sera le bon moment, nous le ferons, dit-elle en détachant lentement les syllabes. Le temps n'est pas encore venu.

— Je pensais simplement que ce serait plus facile pour tout le monde et que...

— Eh bien ne pense plus ! aboya-t-elle. Contente-toi d'écouter et de faire ce qu'on te dit. Tu comprends, oui ou non ? Parce que si tu ne comprends pas, si tu sens qu'une force mauvaise te bouche les oreilles et te brouille la cervelle, je veux le savoir tout de suite. Je ne tiens pas à exposer inutilement Bébé Céleste au danger.

La menace implicite ne fut pas perdue pour moi.

— Je comprends, maman. Je comprends.

— Alors tant mieux, rétorqua-t-elle.

Un peu plus tard, elle se mit au piano et joua un morceau que je ne lui avais jamais entendu jouer. Maman avait très peu de partitions, elle m'avait dit un jour que la musique, les notes, les mélodies, étaient déjà dans le piano. Quand elle s'asseyait sur le tabouret et posait les mains sur le clavier, elle n'avait aucune idée de ce qu'elle allait jouer, jusqu'à ce qu'elle entende la première note. Et puis, disait-elle, tout venait à elle à travers ses doigts, ses bras et son cœur.

Toutes les femmes qui avaient vécu dans notre maison avaient joué sur ce piano, et les cousines aussi quand elles venaient en visite. Je me souviens que maman me parlait d'elles quand j'étais petite, et disait que le piano n'oubliait jamais. À l'entendre c'était quelque chose de magique, un canal qui lui permettait de remonter le temps. C'était sans doute pourquoi, après avoir joué, elle avait souvent des idées et des révélations nouvelles à annoncer.

Enfant, je m'éveillais souvent la nuit en entendant le piano. Lionel, lui, n'entendait jamais rien et continuait à dormir. Je me levais et, sur la pointe des pieds, je m'avançais jusqu'à l'escalier pour écouter. Je savais que maman se serait fâchée si j'étais descendue l'épier. Papa disait toujours qu'elle jouait dans son sommeil. Quand elle avait fini elle remontait, se recouchait, et quand on lui en parlait elle niait l'avoir fait.

— Ce n'était pas moi, Arthur Madison Atwell, affirmait-elle en prononçant son nom en entier, comme toujours quand elle voulait souligner quelque chose ou qu'elle était fâchée.

Et, comme toujours aussi, papa plaisantait.

— D'accord, Sarah. C'était ton arrière-grand-tante Mabel.

— Je n'ai aucune tante Mabel et n'en ai jamais eu, tu le sais très bien, ripostait-elle.

Papa secouait la tête. Si j'étais présente, il me faisait un clin d'œil et montrait du doigt son oreille. Il m'avait dit que lorsque maman parlait des esprits de sa famille, mieux valait ne l'écouter que d'une oreille.

Certaines fois, après avoir joué, elle paraissait épuisée, à bout de forces. Et à d'autres, au contraire, elle semblait toute revigorée, comme rajeunie.

Ce soir-là, son jeu fut d'une exceptionnelle intensité. Ses cheveux lui tombaient sur le visage, elle avait le feu aux joues, les yeux brillants. Bébé Céleste elle-même s'interrompit dans ses occupations et la regarda, bouche bée.

Quand maman eut fini elle inclina la tête vers le piano, resta longtemps penchée ainsi, puis se redressa et nous sourit.

— Tout ira bien, Lionel. Maintenant, j'ai confiance. J'ai vu Bébé Céleste.

Mon regard se posa sur Céleste et revint vers maman.

— Tu l'as vue ? Qu'est-ce que tu veux dire ? Elle est restée tout le temps à côté de moi.

— Je l'ai vue plus âgée, bien plus âgée, et elle était tout ce que j'ai rêvé qu'elle soit. Demain, déclara maman en se levant, demain tout recommencera.

Là-dessus, elle prit Bébé Céleste dans ses bras et se dirigea vers l'escalier. Après avoir lancé un regard ébahi au piano, je sortis derrière elle. Nous couchâmes Bébé Céleste avant d'aller nous mettre au lit nous-mêmes.

Je dormais depuis des heures lorsque, tout comme autrefois, je m'éveillai en entendant de la musique en bas : la même mélodie qu'avait jouée maman dans la soirée. Je me levai, troublée et intriguée, en me demandant pourquoi elle s'était relevée pour retourner au piano. Toutefois, quand je sortis dans le couloir, la musique cessa et je pus voir, par la porte ouverte de sa chambre, que maman était dans son lit. Mais j'avais entendu cette musique, je le jurerais jusqu'à mon dernier jour. Je souhaitai que papa m'apparaisse pour le confirmer, mais il ne vint pas.

Il y a quelque chose qui ne va pas, pensai-je. Il y a une raison pour qu'il ne vienne plus me voir. Une raison pour qu'il se soit enfui dans les bois et s'y cache parmi les ombres. Et cela, j'en étais sûre, avait quelque chose à voir avec la transformation spectaculaire de maman. J'avais tellement besoin de lui, maintenant...

Je me rendormis en espérant le retrouver, tout au moins dans mes rêves.

Mais je ne trouvai que d'épaisses ténèbres.

4

Ne jamais ressusciter

Juste après le petit-déjeuner, le lendemain, maman me dit d'emmener Bébé Céleste dans la chambre de la tourelle.

— Je viendrai vous chercher dès que le tapissier sera parti, promit-clle. Il va bientôt arriver.

Cette première fois, nous ne restâmes pas enfermées longtemps : l'homme ne venait que pour prendre les mesures des fenêtres. Mais deux jours plus tard, ce fut le tour des poseurs de moquette, et ils devaient rester presque toute la journée parce qu'ils avaient trois pièces à faire. Le salon, la chambre de maman et la mienne, qu'elle avait décidé de rénover aussi. Elle avait choisi pour l'ensemble un vert amande somptueux.

Bébé Céleste avait toujours bien supporté les courts séjours là-haut, mais cette journée qui n'en finissait pas nous fut pénible à toutes les deux. Pour commencer, personne n'avait pris garde au fait que nous ne pourrions pas aller aux toilettes. La chambre de la tour n'avait pas de salle de bains, et il nous faudrait descendre à l'étage inférieur, où les ouvriers risquaient de nous voir. Dès que je pris conscience de cet oubli, la panique me gagna.

Bébé Céleste, précoce en toutes choses, n'avait pas encore deux ans qu'elle était déjà propre, et régulière dans ses habitudes. Avant le déjeuner, elle demanda à aller aux toilettes. J'ouvris la porte et me postai en haut du petit escalier, en attendant que maman nous monte le repas. Dès qu'elle m'aperçut, ses yeux flamboyèrent de colère.

— Qu'est-ce que tu fabriques ? Où crois-tu aller ? Je t'ai dit de ne pas sortir de là jusqu'à ce que je vienne vous chercher. Ils sont encore là ! siffla-t-elle en étouffant sa voix.

— Bébé Céleste a besoin d'aller aux toilettes, maman. Nous n'avions pas pensé à ça. Il faut que je la descende en cachette.

Prise de court, maman réfléchit un moment et décida :

— Pas question, nous nous servirons d'un des vieux pots de chambre. Je m'en occupe.

— Un pot de chambre ?

Maman me mit le plateau dans les mains, entra dans la pièce et se dirigea tout droit vers une grande malle. Il ne lui fallut pas longtemps pour trouver l'objet qu'elle cherchait, et elle me le tendit.

— Prends ça, Lionel. Nos ancêtres s'en servaient avant l'installation de l'eau courante, vous pouvez bien en faire autant.

— Et le papier de toilette, maman ?

— Utilisez les serviettes que j'ai mises sur le plateau.

Je coulai un regard dubitatif vers Bébé Céleste, qui attendait impatiemment qu'on l'emmène à la salle de bains.

— Elle ne comprendra pas, fis-je observer.

— Alors arrange-toi pour qu'elle comprenne, et fais-la tenir tranquille. Obéis, au lieu de me contredire sans arrêt. Et surtout, ne vous approchez pas des fenêtres. Les ouvriers déjeunent dehors. Je ne tiens pas à ce qu'ils vous voient, le nez collé aux carreaux, et me posent des tas de questions.

Sur ce, maman me repoussa carrément dans la chambre et, cette fois-ci, prit soin de la fermer à clef.

— Pipi, dit Bébé Céleste.

Je posai le pot de chambre à terre et le lui désignai.

— Tu dois faire là-dedans.

À ma grande surprise, elle baissa vivement sa culotte et se soulagea dans le pot, comme si elle n'avait fait que ça de toute sa courte vie. Un peu plus tard, je me, vis bien forcée de l'imiter.

Je n'avais jamais vu un objet pareil et cela piqua ma curiosité. Qu'avait-on bien pu entasser d'autre ici, au cours des années ? J'avais peur de déranger quoi que ce soit, mais avec tout ce temps devant nous, je cherchais de nouvelles façons de nous occuper.

À côté des miroirs anciens et des vieux meubles, on avait rangé des cartons de vêtements conservés dans la naphtaline. J'y découvris aussi des vêtements de bébé qui, je le savais, n'avaient jamais appartenu à Lionel ni à moi. Bébé Céleste les regardait, touchait tous ceux que j'avais touchés moi-même. Nous trouvâmes encore de vieux souliers, des bottes, et aussi toutes sortes de chapeaux, que je m'amusai à essayer. Bébé Céleste voulut en faire autant, et nous passâmes un moment très distrayant à nous déguiser avec chaussures, coiffures, gants et ceintures ornées de bijoux fantaisie.

Soudain, comme si elle avait entendu quelque chose, Bébé Céleste se retourna. Ses yeux s'étrécirent, comme ceux de maman lorsqu'elle se concentrait, et je la vis se frayer un chemin entre une vieille commode et quelques cartons. Elle s'arrêta lorsque quelque chose attira son attention et m'appela. Je la suivis, et me penchai par-dessus la commode pour voir ce qui l'intéressait. Elle avait trouvé une petite boîte noire en ébène, décorée à l'or fin, qu'elle éleva pour me permettre de mieux la voir. Il y avait si longtemps qu'elle était cachée là, derrière quelque chose d'autre, qu'elle était couverte de poussière. Je la pris délicatement dans mes mains, et pus voir qu'au dos il y avait une petite clé.

— C'est une boîte à musique, expliquai-je.

Les yeux de Bébé Céleste s'illuminèrent. Nous en avions une au salon, sur laquelle une ballerine se mettait à danser quand on remontait le mécanisme. Bébé Céleste l'aimait tellement que maman craignait de voir celui-ci s'user.

Je soufflai sur la boîte pour en chasser la poussière, et m'accroupis à côté de Céleste pour l'ouvrir. Chose étonnante, malgré le temps qu'elle avait passé ici sans servir, elle se mit à égrener les notes d'une sonate de Mozart que maman jouait, elle aussi. Bébé Céleste elle-même la reconnut et gazouilla :

— Maman. Piano.

— Oui approuvai-je, prenant brusquement conscience qu'on avait pu entendre la musique en bas.

Je retins mon souffle et tendis l'oreille. Bébé Céleste lut ma crainte sur mon visage et se figea, elle aussi. En bas, les ouvriers travaillaient bruyamment. Ils ne pouvaient pas avoir entendu, décidai-je en relâchant mon souffle. Je rassurai Céleste d'un sourire et ouvris la boîte. Elle ne contenait qu'une boucle de cheveux blonds, noués d'un ruban rose fané. Ce ne pouvait pas être les cheveux de maman, ni ceux de Lionel ou les miens, ni ceux de Bébé Céleste. Ceux de papa non plus : les siens étaient noirs. À qui appartenaient-ils ? Pourquoi les avait-on relégués ici, dans un coin poussiéreux ? Les gens gardaient souvent une mèche de leur bébé, mais ils la plaçaient dans l'album de famille.

La musique cessa et j'examinai la boîte de plus près, la retournant dans tous les sens en quête d'un indice, mais je ne trouvai rien. Bébé Céleste souhaitait entendre à nouveau la mélodie, aussi je remontai le mécanisme. Nous emmenâmes la boîte au centre de la pièce, où nous passâmes le reste du temps à nous distraire comme nous pouvions, avec les livres d'images et les coloriages de Bébé Céleste. Elle s'endormit sur mes genoux, et je finis par somnoler aussi. En fait, nous n'entendîmes pas maman monter l'escalier et ouvrir la porte, vers la fin de la journée : nous dormions toutes les deux. Ce fut son hoquet de surprise qui m'éveilla.

Elle se tenait devant nous, les yeux agrandis et les mains plaquées sur la poitrine. Je m'étirai, Bébé Céleste s'éveilla, s'assit et se frotta les yeux. Maman pointa l'index vers le petit coffret d'ébène.

— Où as-tu trouvé ça ?

— C'est Bébé Céleste qui l'a trouvé, expliquai-je. Tout d'un coup, elle est allée fouiller derrière la commode, comme si elle savait que la boîte était là.

Ce détail sembla augmenter le trouble de maman. Sa main se porta vers sa gorge, et elle prit une profonde inspiration.

— Quand l'a-t-elle trouvée ?

— Je ne sais pas au juste. Il y a environ deux heures, je dirais. Elle était là-bas, précisai-je en indiquant le fond de la pièce. À qui sont ces cheveux ? Pourquoi cette boîte est-elle ici ? Pourquoi n'est-elle pas en bas, au salon ? demandai-je en élevant le coffret devant maman.

Elle recula comme s'il risquait d'exploser.

— Cette boîte est très jolie, et elle joue ce morceau de Mozart que tu joues aussi. Regarde, insistai-je, en commençant à soulever le couvercle pour que la musique commence à jouer.

Maman poussa un cri aigu.

— Non ! Laisse-la. Ne l'ouvre pas. Remets-la où elle était, vite !

— Tu veux dire par terre, derrière la commode ?

— Exactement. Va l'y remettre tout de suite.

— Mais à qui sont les cheveux qu'il y a dedans, maman ?

Maman regarda Céleste, qui levait les yeux vers elle comme si elle attendait la réponse, elle aussi.

— Ils... aucune importance. Va ranger ça, c'est tout.

Je me levai pour lui obéir, toujours aussi intriguée.

— Pourquoi tiens-tu tellement à laisser cette boîte ici ?

— J'y tiens, voilà tout. Arrête de me poser des questions, s'emporta maman. Contente-toi de faire ce que je dis.

Je ne l'avais jamais vue aussi secouée. Elle était blême et tremblait de tout son corps. Je me hâtai d'aller remettre la boîte dans son coin, derrière la commode.

— Tu l'as ouverte, murmura maman, comme si elle s'adressait à elle-même plutôt qu'à moi.

Elle promena un regard craintif autour d'elle, puis souleva Bébé Céleste dans ses bras. La petite boîte à musique avait-elle appelé l'un des esprits qu'elle redoutait ?

— Tout le monde est parti, annonça-t-elle. Vous pouvez redescendre, maintenant. Et emmène le pot de chambre à vider, ordonna-t-elle. Dépêche-toi.

Elle tourna les talons et quitta précipitamment la pièce. Après un dernier regard vers le coin où se trouvait la boîte, je pris le pot de chambre et suivis maman. Sa réaction m'avait bouleversée, j'en avais des battements de cœur. Pourquoi ne devions-nous pas toucher à cette boîte, et surtout ne pas l'ouvrir ? Rien dans cette maison ne faisait peur à maman. Si quelque chose l'ennuyait, elle s'en débarrassait par la fumée de ses bougies.

En l'entendant descendre aussi vite, j'eus l'impression qu'elle s'enfuyait. Elle était déjà dans le grand escalier quand j'atteignis le palier du premier étage. J'allai à la salle de bains, vidai le pot dans les toilettes et le posai par terre. Cela fait, je m'accordai une pause pour admirer le changement de ma chambre. La moquette, qui servait de fond aux nouveaux tapis, donnait un nouvel éclat à la pièce, de même que la chambre de maman semblait rafraîchie et le salon plus chaleureux.

— Les tapis sont ravissants, dis-je à maman.

Elle avait posé Bébé Céleste à terre et, debout devant la fenêtre, regardait au-dehors. Elle n'eut pas l'air de m'entendre. Bébé Céleste se laissa tomber sur le derrière et me sourit, enchantée par l'atmosphère de la pièce et sa couleur. Dans l'espoir d'arracher maman à son humeur bizarre, je la complimentai.

— Avec les nouveaux rideaux que tu vas mettre et tous les changements que nous faisons, la maison aura bien meilleure allure, maman. Tu avais raison.

Elle finit par se retourner et proféra d'un ton lointain :

— Pardon ?

— Les tapis sont superbes. Je disais que la

maison sera magnifique et très chaleureuse, quand tu auras fini de la redécorer,

Elle secoua vivement la tête.

— Non, elle n'est ni magnifique ni chaleureuse. Nous sommes en danger.

— En danger ? Dans notre maison ?

Comment pouvions-nous être en danger dans la maison ? Elle était notre sanctuaire.

Maman passa vivement devant moi et quitta la pièce en hâte. Je l'entendis chercher quelque chose dans la cuisine, puis se diriger vers l'escalier. Je m'avançai dans le hall.

— Maman ? Qu'est-ce que tu fais ?

Elle se retourna et me fixa pendant quelques instants, tout en battant rapidement des paupières.

— Emmène la petite dehors un moment, dit-elle enfin.

— Dehors ? Tu veux que je sorte avec elle ?

— Il fait suffisamment sombre. Porte-la jusqu'à la cabane à outils, loin de la façade. Allez, Lionel. Son sweater est sur le canapé. Je t'appellerai quand je voudrai que vous rentriez.

— Entendu, acquiesçai-je, en la regardant s'élancer dans l'escalier.

Bébé Céleste était aux anges. Elle battit joyeusement des mains quand je sortis avec elle. Je la portai jusqu'à la cabane, près des jardins comme le voulait maman, et la déposai à terre. Puis, les bras croisés sur ma poitrine corsetée, je me retournai vers la maison.

Autour de nous, le crépuscule étendait sa grisaille. Cette heure de la journée m'avait toujours semblé triste : c'était un peu comme si le soleil ne savait pas quoi décider. Allait-il partir ? Allait-il rester ? À contrecœur, il allait bientôt plonger derrière les montagnes. Se noyait-il ainsi chaque soir, pour ressusciter chaque matin ?

Bébé Céleste me tira par la main. Elle se rendait compte que cette lumière affaiblie ne durerait pas longtemps, et elle tenait à voir le plus de choses possible. Je me promenai avec elle en lui parlant, en lui montrant les plantes que nous cultivions, les fleurs sauvages et même les mauvaises herbes. Sa curiosité était insatiable. Elle était tellement captivée par les insectes qu'elle faillit saisir une abeille dans sa main.

De temps à autre, je m'arrêtais pour regarder vers la maison. Toutes les pièces étaient encore dans l'obscurité. Que pouvait bien faire maman ? De plus en plus, le ciel se piquetait d'étoiles, et le froid augmentait sans cesse. Le vent soufflait du nord. Je l'entendais se frayer un passage à travers la forêt, pour se ruer vers nous. Quand maman allait-elle nous appeler ? Je tremblais à présent, autant de froid que de frayeur devant son étrange conduite.

Tout à coup, je vis apparaître une lueur dans le salon. Elle grandit, s'aviva, mais pas comme si maman avait allumé toutes les lampes. Cette lumière était différente… et elle vacillait. Des bougies ! me dis-je alors. Elle a allumé des bougies. Mais tellement à la fois, dans une seule pièce ? Pourquoi ?

Je pris Bébé Céleste dans mes bras et revins lentement vers la maison. Juste au moment où j'atteignais les marches de la galerie, maman sortit, referma la porte derrière elle et s'y adossa. Nous nous tenions juste en face d'elle, et pourtant son regard nous traversait sans nous voir. On aurait vraiment dit une aveugle. Son silence prolongé fit monter peu à peu ma voix dans les aigus :

— Maman ? Qu'y a-t-il ? Nous devrions rentrer pour dîner, non ? Il commence à se faire tard pour la petite. Maman ?

Elle battit des paupières et nous regarda. Quand elle tourna légèrement la tête, la lumière venant des fenêtres me permit de voir que le sang lui était monté au visage. Elle nous fixait toujours sans parler.

— Maman ?

— Rentre avec elle, mais n'allez pas au salon avant que je ne vous le dise. Maintenant ! ordonna-t-elle en tapant du pied.

Elle s'écarta, j'ouvris la porte et rentrai avec Céleste. En passant devant le salon je ralentis le pas, juste le temps d'y jeter un coup d'œil. Jamais maman n'avait accompli l'un de ses rituels avec une telle ampleur. Toutes les photographies d'ancêtres que nous possédions, au moins deux bonnes douzaines, étaient installées tout autour de la pièce, et devant chacune d'elles brûlait une bougie noire. Je remarquai qu'elle les avait disposées en cercle, mais ce qui me surprit davantage, c'est de découvrir, au centre de ce cercle, le petit coffret d'ébène. J'en éprouvai un véritable choc.

— Va dans la cuisine ! me jeta maman sur un ton qui frisait l'hystérie.

J'obéis sans un mot, et Bébé Céleste elle-même en resta sans voix. Maman ne fit aucune allusion à ce qu'elle avait fait dans le salon et je n'osai pas l'interroger. Voir ces petites bougies, allumées devant chacun des portraits, produisait sur moi une impression étrange. Je savais qu'elle avait pratiqué un rituel destiné à mettre en œuvre le pouvoir des esprits afin de triompher d'une chose terrible libérée par l'ouverture de la boîte. Et comme c'était moi qui l'avais ouverte, j'avais peur que maman me reproche ce qu'elle croyait être arrivé, ou craignait de voir arriver.

Elle prépara le dîner dans le plus profond silence, ce silence épais qui semblait la couper de tout. Elle ne le rompit que très rarement, pour me donner un ordre bref. Il en alla de même pendant le repas, ou presque. Tout en l'incitant à parler des changements qu'elle introduisait dans la maison, j'évitai toute référence au salon ou au coffret d'ébène. Je voyais bien la façon dont son regard dérivait vers le salon, de temps à autre. On aurait dit qu'elle guettait quelque chose, un signal attendu. Apparemment, ce signal lui parvint juste avant la fin du repas et ses traits s'éclairèrent. Tout son corps, jusque-là raidi et crispé, se détendit.

— J'ai des choses à ranger, Lionel, annonça-t-elle. Débarrasse la table, empile soigneusement la vaisselle et arrange-toi pour occuper la petite.

Sur ce, elle se leva et quitta la pièce.

Une des choses les plus étonnantes chez Bébé

Céleste était sa façon de capter l'humeur des autres et de la faire sienne. Quand maman et moi nous sentions joyeuses, elle l'était aussi. Si maman était mélancolique et silencieuse, elle le devenait. Si maman était fâchée, elle évitait de faire tout ce qui risquait de lui valoir une punition.

Pendant tout le dîner, elle se montra patiente et silencieuse comme une panthère à l'affût. Elle s'appliqua même à ne pas faire tinter son couvert contre son assiette. Et quand elle eut fini de manger, elle ne réclama pas qu'on la descende aussitôt de sa chaise. Elle resta tranquillement assise, comme une adulte.

Je n'avais pas encore terminé de ranger la vaisselle dans la cuisine quand maman revint. Elle avait fait le tour de la maison, étage compris, pour remettre en place les photos de famille. Elle semblait ravie et me dit d'un ton joyeux que nous pouvions aller dans le salon.

Il ne restait plus rien de son installation. L'odeur des bougies s'attardait dans la pièce, mais elle avait ouvert les fenêtres afin de la dissiper au plus vite. Je m'assis sur le canapé, puis ouvris l'un des livres d'images de Bébé Céleste. Appuyée contre moi, elle observait chaque page que je tournais avec lenteur, pour lui laisser le temps d'identifier tout ce qu'elle y voyait.

Maman entra et, comme à l'ordinaire, prit place au piano. Elle joua deux sonates de Mozart, mais pas celle de la boîte à musique. Elle ne la jouait pas tous les soirs, d'ailleurs, mais c'était assez souvent par celle-là qu'elle terminait.

Bébé Céleste s'assoupit, et maman l'emmena en haut pour la mettre au lit. Je sortis et j'allai m'asseoir sur la galerie. Je me sentais toujours nerveuse, après ce qui venait de se passer. J'avais besoin d'être seule pour me détendre. Avec le blouson léger que j'avais mis, je pouvais savourer la fraîcheur de la nuit. Il n'y avait pas un nuage dans le ciel. Le vent que j'avais entendu un peu plus tôt les avait balayés, les étoiles brillaient d'un éclat inhabituel. Par de telles soirées, la mélancolie se répandait dans tout mon être, tel un oisillon nouveau-né étendant les ailes en pressentant l'envol tout proche. C'était une promesse qui serait tenue, une promesse si sûre qu'elle emplissait l'esprit de l'oiselet d'une foule d'images exaltantes. Il se voyait déjà planer, monter, virer et flotter, porté par le vent. Ces souvenirs lui venaient de sa mémoire héréditaire, ils faisaient partie de lui-même. Et ils ne pouvaient plus être ignorés, ni rester enfouis dans les ténèbres de l'inconscient.

Et c'était la même chose pour moi. La mélancolie qui me gagnait venait aussi de ma mémoire, celle de mon enfance, éveillant en moi une irrépressible nostalgie pour tout ce qui était finesse, délicatesse, féminité. Tels des chevaux emballés, des fantasmes revenaient au grand galop dans mes rêves. Pendant toute une époque de ma vie, si loin de moi maintenant qu'elle me semblait concerner quelqu'un d'autre, je m'imaginais amoureuse, éprise d'un homme mystérieux, très beau. Une fois, je me vis en jeune mère qui pouvait chérir ouvertement son enfant, sans avoir à cacher son amour maternel. Des effluves parfumés assaillaient mes narines. Robes et souliers, foulards et rubans dansaient devant mes yeux.

Lionel aimait imaginer des chevaliers et des dragons, des monstres et des héros surgis de la forêt. En garçon qu'il était, son imagination créait sans cesse des histoires et des jeux qui l'occupaient des journées entières. Maman m'obligeait parfois à partager ses jeux, pour lui tenir compagnie. Jamais je ne lui aurais demandé de jouer avec moi à la dînette ou à la poupée, ce dont il n'avait pas la moindre envie. Mes distractions étaient trop calmes pour son énergie débordante. Je crois que, si maman ne l'en avait pas empêché, il aurait passé son temps à courir dans toute la maison en criant à tue-tête. Tous les garçons étaient-ils ainsi ? Avaient-ils peur des moments de douceur, de ces silences qui ponctuaient nos vies tranquilles ? Fallait-il que toutes les chimères et tous les rêves de mon frère explosent en hurlements contre les murs de son imagination ? La réalité était-elle donc si menaçante ?

Mais j'avais mes fantasmes, moi aussi. Et le fait que j'avais grandi, et que le monde avait tellement changé pour moi, ne m'empêchait pas d'en avoir. Maintenant encore, ce soir même, j'inventais ma propre version du beau chevalier sortant de la forêt qui cernait la propriété, pour combattre les démons qui m'enchaînaient à cette lugubre existence. Je désirais être emportée tout à coup, loin d'ici, là où je pourrais laisser à nouveau pousser mes cheveux, libérer mes seins de leur carcan pour leur permettre de respirer. Et où je pourrais de nouveau connaître, et apprécier, toutes les choses ravissantes et raffinées qui composent l'univers des filles.

J'aurais des vêtements, des poupées, des parfums. J'aurais des bijoux, et mon rire serait libre de toute contrainte, mélodieux, au lieu d'être bref et retenu. En certaines occasions, je pourrais flirter, battre des cils, rougir et soupirer. Et je n'aurais pas peur d'entendre mon nom murmuré par un beau jeune homme.

En même temps, je m'étonnais de mon audace. Comment osais-je penser à de telles choses ? Allais-je être maudite pour l'éternité ? Notre famille spirituelle allait-elle me haïr et cesser de me protéger ? Plus grave encore : maman allait-elle me détester comme elle n'avait jamais détesté personne ?

J'étais si absorbée par mes pensées que je n'entendis pas la porte d'entrée s'ouvrir lentement. Maman sortit, tenant la petite boîte en ébène au creux de la main droite, comme pour en faire offrande à un dieu en colère. Je gardai le silence, c'est à peine si j'osais respirer. Et le plus incroyable c'est qu'elle ne me jeta pas un regard. Elle ne s'aperçut même pas de ma présence : elle descendit le petit escalier d'une démarche de somnambule. Quand elle changea de direction, je vis qu'elle tenait dans la main gauche une petite pelle de jardin.

Je voulus me lever et l'appeler, mais elle hâta le pas en direction du petit cimetière. Intriguée, mais aussi un peu effrayée, je la suivis à bonne distance en étouffant le bruit de mes pas. Elle pénétra dans le cimetière. Quand j'atteignis l'entrée, je vis qu'elle était à genoux et creusait, devant la petite tombe du bébé Jordan. Je restai là, sans bruit, à la regarder creuser. Elle s'activait avec détermination, de plus en plus intensément, de plus en plus vite. Finalement, jugeant le trou assez profond, elle y déposa la petite boîte. Elle la recouvrit de terre, qu'elle égalisa de son mieux, avant de remettre en place les touffes de gazon.

Puis elle se leva, regarda longuement la pierre tombale, s'avança vers elle et posa les paumes sur les petites mains gravées du bébé Jordan. Je me souvins qu'elle nous disait souvent, à Lionel et à moi, qu'elle pouvait les sentir bouger. Nous essayâmes, sans rien sentir, ou en tout cas Lionel ne sentit rien. Pour ma part, j'en fus moins sûre.

Maman garda les mains plaquées sur la pierre, si longtemps que je me demandai si elle allait se décider à s'en aller. Je l'entendis gémir, comme si elle étouffait un sanglot. Pleurer n'était pas dans ses habitudes, et elle n'aurait certainement pas aimé que je la surprenne. J'eus soudain très peur qu'elle ne me découvre en train de l'épier. J'ignorais comment elle réagirait, mais elle serait sûrement furieuse que je l'aie observée à son insu. Elle m'accuserait de l'espionner. Sa colère pourrait très bien être en rapport avec la raison pour laquelle elle avait enterré la boîte, et avec le fait que je l'avais ouverte.

Le plus silencieusement possible, je me retirai dans l'ombre. Plus je reculais ainsi, plus j'avais l'air d'agir en cachette, mais il était trop tard : je n'avais plus le choix. Je poursuivis prudemment ma retraite, et je me figeai quand maman se détourna de la tombe pour sortir du cimetière. Elle marchait rapidement, les yeux baissés. Elle ne s'arrêta qu'un instant, pour essuyer ses joues mouillées de larmes, et se remit en route. Je la regardai regagner la maison d'un pas vif.

Dès qu'elle fut à l'intérieur, j'entrai dans le petit cimetière et contemplai l'endroit où elle avait enfoui le coffret d'ébène, Pourquoi l'avait-elle enterré là ? Et pourquoi fallait-il l'enterrer, d'ailleurs ? Que signifiait tout cela ? Quel ténébreux secret avait découvert Bébé Céleste, en trouvant cette boîte noire ? Que s'était-il passé quand nous l'avions ouverte ?

Toute pensive, je revins à la maison et m'arrêtai derrière la porte pour écouter. Aucun bruit ne me parvint, et je rentrai discrètement en refermant doucement derrière moi. Quand je risquai un regard dans le salon, j'aperçus maman, assise dans le rocking-chair de Grandpa Jordan. Elle ne leva pas les yeux sur moi, et pourtant elle savait que j'étais là, j'en étais sûre. S'était-elle rendu compte que, pendant tout ce temps, j'avais été dehors moi aussi, à l'épier ? Était-elle en colère ? Finalement, j'osai demander :

— Maman ? Tu vas bien ?

— Évidemment ! renvoya-t-elle d'une voix cinglante. Je vais toujours bien.

— Tu es fâchée contre moi ?

— Non. Contre moi.

— Mais pourquoi ?

Elle se mit à se balancer, et je crus qu'elle

n'allait pas me répondre, mais au bout d'un moment elle le fit.

— J'avais oublié… J'aurais dû m'en souvenir.

— Te souvenir de quoi, maman ? De la boîte en ébène ? De la boucle de cheveux de bébé ?

Elle fit brusquement pivoter son fauteuil.

— Comment sais-tu que c'étaient des cheveux de bébé ? questionna-t-elle âprement.

Puis elle se détendit, hocha la tête et me sourit.

— C'est lui qui te l'a dit, n'est-ce pas ? Ton père te l'a chuchoté à l'oreille. Oui, j'en suis sûre.

— Non, maman.

Elle me jeta un regard furibond.

— Si tu me mens, je le saurai. Je sais toujours quand tu me mens, Lionel.

— Je ne mens pas, maman. Il y a longtemps que je n'ai pas entendu papa, maintenant.

— Hm ! fit-elle, en recommençant à se balancer.

Elle réfléchit un moment et libéra un long soupir.

— J'aurais dû savoir qu'elle la trouverait un jour. J'aurais dû le savoir.

Elle cessa brusquement son balancement et releva les yeux sur moi.

— Vois-tu à quel point elle est exceptionnelle ? Le vois-tu ?

— Bébé Céleste, tu veux dire ?

— Bien sûr que c'est ce que je veux dire ! Pourquoi fais-tu toujours semblant d'être aussi bête ?

— Je ne fais pas semblant d'être bête, maman.

— Non, tu l'es vraiment, c'est ça ? Oh, quel fardeau, quel fardeau ! gémit-elle.

Aussi calmement que possible, je me défendis.

— Quelquefois, tu devrais m'aider à comprendre certaines choses, maman. Que se passe-t-il de si terrible ?

Elle continua de se balancer, l'air pensif.

— Était-ce une boucle du bébé Jordan ?

Cette fois, maman sourit.

— Oui, c'en était une.

— Qu'est-ce que tu te reproches, alors ? Était-ce mal de garder une boucle de ses cheveux ? Tu as bien gardé les nôtres dans l'album de famille.

— C'était différent.

— En quoi ?

— Des questions, des questions, toujours des questions ! Depuis quand as-tu la manie d'en poser ? Ta sœur n'arrêtait pas de le faire, mais pas toi.

— Je me demandais pourquoi c'était différent, voilà tout.

— La différence, c'est que cette enfant n'a jamais vécu, répondit maman d'une voix lasse.

— Ça, je le sais.

— Non, tu ne le sais pas. Elle n'a jamais vécu, répéta-t-elle.

Je lui souris. Cette fois, c'était elle qui oubliait et qui paraissait stupide, pensai-je... tout en sachant que je n'oserais jamais suggérer une chose pareille.

— Mais tu me l'as déjà dit, maman. Tu nous as dit à tous les deux que c'était une enfant mort-née. N'est-ce pas cela que veut dire ce mot ?

— Elle n'a jamais vécu. Même dans l'au-delà, elle était sans vie. Notre vie commence ici-bas. Ne te l'ai-je pas expliqué souvent ? Nous venons au monde et nous mourons de façons bien différentes, et pour finir nous retournons d'où nous sommes venus, là où nous étions avant de naître.

— Je sais.

— C'était une triste petite chose morte. Elle était née du mal, et ouvrir cette boîte, c'était comme ouvrir la boîte de Pandore. C'est pourquoi j'ai dû faire ce que j'ai fait ce soir. Les forces du mal étaient lâchées dans la maison. Elles avaient dormi là-haut pendant tout ce temps, en attendant leur heure.

— C'est pour ça que tu as rassemblé toutes les photos de famille au salon et allumé des bougies ?

— Oui. Il fallait qu'ils soient tous là, qu'ils viennent à notre aide, et c'est ce qu'ils ont fait. Mais tout est ma faute, ajouta maman en se balançant de plus belle. Pour commencer, je n'aurais pas dû couper une boucle de ses cheveux. Je l'ai fait en cachette, c'était plus fort que moi. Il fallait que je le fasse, mais j'aurais dû savoir. Vois-tu, je n'avais pas les mêmes pouvoirs que Bébé Céleste. S'il en faut une preuve, c'est bien ce qui est arrivé.

Mais qu'est-ce qu'elle racontait ? Il fallait qu'elle le fasse ? Tout ça n'avait aucun sens !

— C'est toi qui as fait ça ? Tu as coupé une boucle de ses cheveux ?

Je n'y comprenais rien. Maman se balançait en silence et regardait fixement le mur, les lèvres serrées par la rage.

— Mais comment... tu n'étais même pas née, maman !

Elle se tourna vers moi, et je devinai à son expression qu'elle regrettait d'en avoir tant dit. Elle avait l'air effrayée, et au bout d'un moment elle se détourna.

— Maman ?

Elle secoua la tête avec énergie.

— Je ne veux plus parler de ça et je ne veux pas que tu en parles non plus. Jamais.

— Mais comment pouvais-tu te trouver là pour le faire ?

La question m'avait échappé. Je n'avais pas pu la retenir, pas plus que je n'aurais pu empêcher une bulle de monter à la surface de l'eau. Comment maman avait-elle pu être présente, pour couper une boucle de cheveux à l'enfant de ses arrière-grands-parents ? Mon cœur s'accéléra, et un frisson glacé me hérissa la nuque.

— Est-ce que c'était le bébé de ta mère ?

Les yeux de maman parurent s'enfoncer dans leurs orbites. Ses lèvres s'amincirent encore, jusqu'à n'être plus qu'un trait.

— Non.

— Non ? Alors je ne comprends pas.

— C'était le mien, chuchota-t-elle d'une voix mourante.

— Le tien !

— Je n'étais pas beaucoup plus âgée que tu ne l'es. Je cachai mon état à ma mère aussi longtemps que ce fut possible et elle provoqua la naissance, c'est pourquoi l'enfant fut mort-née. Elle était affreuse et toute ridée. Elle n'avait que les cheveux de jolis, rien que les cheveux. On aurait dit de l'or pur. Je n'ai pas pu résister.

— Ton enfant ? Comment ta mère savait-elle qu'elle était mauvaise.

Le regard de maman dériva dans le vague.

— Chaque famille a en elle un esprit mauvais, une brebis galeuse. C'était le plus jeune frère de mon père. Il ne venait pas souvent chez nous et jamais pour longtemps, mais ce fut assez. Il me séduisit, et il en fut puni par la suite.

— Que lui est-il arrivé ?

Maman sourit.

— Quelque chose lui est arrivé, en effet. Ma mère lui a jeté un sort et il est mort d'une façon atroce, les entrailles rongées par un cancer. Mais c'était un très bel homme, plein de charme. Le mal est toujours ainsi, tu sais. « Le démon a toujours belle apparence », cita maman. C'est pourquoi...

Elle attacha sur moi un regard appuyé.

— C'est pourquoi il est si important de se montrer prudent, d'être sur ses gardes, de bien se conduire. Et c'est pourquoi tu dois écouter tout ce que je te dis et m'obéir en tout, Lionel.

À nouveau, elle se détourna et reprit en se balançant :

— Si elle avait vécu, si elle avait été vivante, cette enfant aurait été la première Céleste. Elle le savait, et elle a fait tout ce qu'elle pouvait pour revenir, jusqu'à ce qu'elle prenne possession de ma Céleste. C'est pour cela que j'ai dû l'enterrer pour toujours. Maintenant, tout le mal est sous terre et nous sommes en sécurité. Nous sommes sauvés.

L'enfant avait pris possession de la première Céleste ? Maman m'avait-elle toujours crue mauvaise ? Était-ce pour cela qu'elle me jugeait responsable de la mort de Lionel ?

— Nous sommes sauvés, répéta-t-elle. Elle est morte et enterrée. Elle est partie. Et elle ne pourra jamais ressusciter, ajouta-t-elle sans me quitter des yeux.

Ses paroles retentirent longtemps à mes oreilles, tel un écho. Un écho qui n'en finissait pas.

— Elle ne pourra jamais ressusciter. Jamais ressusciter. Jamais...

Je tournai les talons, quittai la pièce en courant et me précipitai dans l'escalier.

5

Je suis belle

Toute ma vie j'avais cru que notre maison était un lieu sacro-saint, que nous vivions vraiment comme dans un château, que protégeait notre famille spirituelle. Je croyais qu'elle était pour nous comme un rempart, que nous étions en sécurité, que le seul mal qui pouvait nous atteindre ne pouvait venir que du dehors, et encore, seulement si, par faiblesse, nous le laissions entrer. Tous les esprits de nos ancêtres étaient bons. Ils n'avaient pas tous mené une vie parfaite, certains ne devaient leurs problèmes qu'à eux-mêmes, mais ils étaient purs. C'était ce qui nous distinguait des autres, qui nous donnait le pouvoir de traverser la frontière entre notre monde et le leur, de les voir et de les entendre. Nous avions reçu ce don parce que nous avions cette pureté dans le sang.

C'était dur d'entendre dire qu'il n'en était rien, d'apprendre qu'un de nos proches avait été mauvais, dépravé, impie. Et que cette semence s'était introduite dans notre monde comme une maladie contagieuse, une infection maléfique capable de nous contaminer. Maman avait-elle raison à mon sujet ? L'horreur que ma grand-mère avait empêché de vivre était-elle capable de revenir dans mon cœur, dans le cœur de la première Céleste ?

Les révélations de maman réveillaient mes souvenirs de ce jour fatal où Lionel était mort, un jour que non seulement maman voulait oublier, mais moi aussi. Malgré ma répugnance à les accueillir et mes efforts pour les repousser, les images déferlaient en moi telle une marée. C'était comme si on me maintenait les yeux ouverts de force pour m'obliger à voir, à regarder les choses les plus atroces et les plus effrayantes. J'aurais voulu chasser de ma tête toutes ces horreurs, boire un des merveilleux élixirs de maman et tout oublier, pour toujours, mais c'était impossible.

Au lieu de quoi je revoyais Lionel, debout sur ce rocher au milieu de la rivière. J'étais venue le chercher pour qu'il rentre : maman s'inquiétait de le savoir dehors tout seul. Mais il ne voulait rien écouter. Alors j'avais empoigné sa canne à pêche, et nous avions lutté comme au tir à la corde. Une fois de plus, je le revis perdre l'équilibre. Sauf que cette fois-ci, je me vis moi-même lui donner délibérément un coup de canne et le faire tomber du rocher. La colère et la jalousie avaient commandé mon geste. La créature maléfique était parvenue à prendre vie en moi. Mon frère tomba en arrière et sa tête heurta quelques pierres. J'étais obligée de le reconnaître : c'était ma faute. Ma faute. Maman avait eu raison de m'enterrer, et il fallait que je l'admette. Je me jurai de ne plus céder à mes fantasmes puérils.

Je ne rêverais plus de beaux jeunes gens, d'être une belle jeune femme, d'avoir des enfants bien à moi. Je devais payer pour mes péchés, et rester à jamais captive de l'identité de mon frère. C'était ma prison. C'était ma destinée. Je ne gémirais plus sur mon sort. Tout ce qui en moi était féminin, doux et tendre serait balayé et oublié. Je ne le méritais pas. Tout ce qui tentait de revivre en moi ne pouvait être que le mal, ce mal que maman combattait chaque jour.

Je me promis de la soutenir dans sa lutte et de combattre à ses côtés. Je chasserais le souvenir de ce petit coffret d'ébène. J'oublierais cette étrange nuit, je ne penserais plus aux boucles d'or, au ruban rose, ni aux sanglots de maman dans le petit cimetière qui cachait tant de nos secrets de famille. Tous les cimetières, m'avisai-je soudain, étaient pareils à des jardins. Ils renfermaient des âmes magnifiques, fleurs des esprits les plus purs. Mais ils contenaient aussi les restes des cœurs les plus noirs, mauvaises graines qui risquaient d'étouffer ces fleurs.

L'effort qu'il avait fallu à maman, pour chasser l'esprit malveillant de la maison, sembla renforcer sa détermination de suivre le nouveau plan qu'on lui avait indiqué. Un plan que je ne comprenais pas encore tout à fait, mais je n'osais plus lui poser de questions. Avait-elle raison ? Mes questions venaient-elles de cette zone d'ombre maléfique, toujours présente dans mon âme inquiète ?

Maman continua à sortir avec David Fletcher, et chaque fois qu'elle le faisait elle rentrait tard et se levait tard. Je redoutais toujours les conséquences possibles de sa conduite, mais je n'en montrai rien. Et je ne fis jamais le moindre commentaire, surtout parce qu'elle semblait heureuse : elle rajeunissait à vue d'œil. Et cette renaissance, qui allait de pair avec la rénovation de la maison, était comme un nouveau soleil dans notre vie.

Cela m'encouragea et me donna l'envie d'en bannir la tristesse et la grisaille. Tout comme maman, je voulais voir se lever un nouveau soleil dans notre petit monde. Je nettoyai à fond nos clôtures, repeignis les volets et les encadrements de portes, arrachai les mauvaises herbes qui bordaient l'allée, élaguai et taillai nos buissons et nos arbres. L'allure fatiguée, vieillotte et un peu bizarre de la maison changea du tout au tout, et celle de la propriété aussi. Maman décida que l'abri de jardin devait également être repeint, et qu'il lui fallait un nouveau toit. Elle ne voyait qu'un seul désavantage à tous ces travaux, c'est qu'ils attiraient un plus grand nombre de curieux. Les voitures ralentissaient en passant, et parfois même s'arrêtaient, pour que les badauds prennent le temps de mieux voir. Bébé Céleste devait être tenue encore plus à l'écart. Le jour se levait trop tôt, à présent, pour permettre la moindre sortie matinale.

Mon travail était dur, surtout au grand soleil d'été, mais je ne me plaignais jamais. Les cals de mes mains doublaient d'épaisseur. Bien souvent, le soir, les muscles me faisaient mal, et j'étais si fatiguée que je n'attendais pas la fin du repas pour aller me coucher. Il m'arrivait de me mettre au lit en même temps que Bébé Céleste. Malgré cela je me levais tôt, et j'étais au travail avant même que maman soit prête à commencer le sien, surtout quand elle était sortie avec M. Fletcher.

Et puis, un après-midi, elle m'annonça qu'elle sortait pour une soirée particulière avec lui, et que j'aurais la responsabilité de la maison pendant près de vingt-quatre heures. Je ne compris ce qu'elle voulait dire que lorsqu'elle ajouta :

— Je ne rentrerai pas ce soir.

— Pourquoi, maman ?

— Dave m'invite dans une petite auberge tout à fait charmante, à environ cent trente kilomètres d'ici, expliqua-t-elle. Cela n'aurait pas de sens d'aller dîner là-bas et de rentrer tout de suite, sans profiter de la beauté de l'endroit.

« Je te confie Bébé Céleste. Veille à ce qu'elle mange bien et se couche tôt. Je t'appellerai dans la matinée pour te dire à quelle heure je serai là.

— Mais je comptais me lever très tôt pour finir la toiture de la remise, maman. Il fait meilleur le matin pour travailler, en ce moment.

— La toiture attendra, décréta-t-elle fermement. »

Mais presque aussitôt, elle me sourit.

— Je suis très fière de toi, fière de ton travail, Lionel. Ton père n'aurait pas fait mieux. Lui aussi est fier de toi. Te l'a-t-il dit ? As-tu entendu sa voix, ces temps-ci ?

Je fis signe que non.

— Tu l'entendras, tout cela reviendra pour toi. Nous sommes dans une période de transition, tout est en attente mais tout ira bien pour nous, promit-elle.

Puis elle m'attira contre elle, m'y garda plus longtemps que d'habitude et chuchota :

— Tout ce qu'on m'a prédit arrivera, tu verras.

Plus que jamais, à présent, j'avais besoin de savoir ce que ces mots signifiaient, ce qui devait arriver, mais je n'osais toujours pas le demander. Parfois, il vaut mieux ne pas poser de questions, me disais-je. À d'autres moments, je ne souhaitais pas connaître les réponses. Mais je brûlais d'envie de lui parler d'Elliot, de lui raconter ce que j'avais vu, de la mettre en garde contre sa colère, contre la menace qu'un esprit aussi vindicatif représentait pour nous. Surtout depuis que je l'avais vue faire ce qu'elle avait fait avec la petite boîte noire.

Mais je ne pouvais pas m'y résoudre, car après tout, c'était moi qui avais introduit Elliot dans notre univers. J'étais responsable de tout ce qui en avait résulté, de tout ce qui pouvait encore arriver. Au lieu d'aborder ce sujet, j'en évoquai un autre.

— Et Betsy, la fille de M. Fletcher, dans tout ça ?

Ce qui m'intéressait, bien sûr, c'était de

découvrir si Betsy savait quelque chose à propos de maman et de M. Fletcher.

— Eh bien quoi, Betsy ?

— Elle n'est toujours pas revenue ?

— Non, et ce pauvre Dave se ronge d'inquiétude chaque jour que Dieu fait. Ma grand-mère disait que, parfois, les enfants nous sont envoyés en punition de nos péchés passés. J'ai peur que ce ne soit le cas de Dave. Ses enfants n'ont jamais été une source de joie ni de fierté, pour lui.

« Contrairement à moi, ajouta maman en passant la main dans mes cheveux. Mes si beaux enfants ! »

Comme si elle sentait qu'il était question d'elle, Bébé Céleste nous appela. Elle venait de s'éveiller de sa sieste.

— Je m'occupe d'elle et après je vais me préparer, annonça maman. Termine ce que tu faisais aujourd'hui. Tu trouveras le dîner tout prêt, tu n'auras plus qu'à le réchauffer. Bébé Céleste sera toute contente de t'aider sans que je sois là pour vous surveiller. Elle aura plus de choses à faire, plus de responsabilités. Ce sera une aventure, pour elle. Tu sais à quel point les nouveautés l'enthousiasment.

M. Fletcher n'avait toujours pas vu Bébé Céleste et, comme tous dans le pays, ignorait jusqu'à son existence. Quand et comment maman résoudrait-elle ce problème ? J'aurais bien voulu le savoir.

Quand je revins à la maison, je trouvai maman habillée pour sortir et prête à partir. Elle s'était coiffée d'une façon ravissante. Deux jours plus tôt, elle était allée chez le coiffeur pour la première fois depuis dix ans, et s'était fait couper les cheveux. Je faillis ne pas la reconnaître quand elle rentra à la maison, ce jour-là. Toutefois, ce n'était pas seulement le fait qu'elle se maquille qui m'étonnait, ni sa nouvelle coiffure, ni sa garde-robe au goût du jour. Son visage rayonnait d'un nouvel éclat, une vie nouvelle pétillait dans ses yeux, et elle en paraissait bien plus jeune et plus dynamique. Était-ce parce qu'elle était amoureuse ? Se pouvait-il qu'elle fût amoureuse ?

Naturellement, je me sentais un peu jalouse. Malgré tous les serments que je m'étais faits, je ne pouvais pas m'empêcher d'imaginer comment je serais avec les cheveux longs, légèrement maquillée, avec des bijoux, une robe et des chaussures neuves. Ces fantasmes irrésistibles réveillaient en moi des sentiments et des émotions dont j'avais fait l'expérience, des années plus tôt, dans mon refuge de la forêt. Un endroit retiré où je me rendais seule, pour explorer ma personnalité véritable et éprouver la joie d'être moi-même, ne fût-ce que pour un moment. Ces pensées m'émoustillaient, titillaient ma curiosité, m'entraînaient sur le bord d'un précipice tentateur. Je mourais d'envie de sauter dans le vide et de m'y laisser flotter, portée par le vent de mes désirs.

Je n'en dis rien à maman, bien sûr. Elle remarqua bien la rougeur de mon visage, mais la mit sur le compte de mes travaux en plein soleil. Elle avait préparé un petit sac de voyage et, debout devant la fenêtre du devant, guettait la voiture de

David Fletcher. Quand elle déboucha dans notre allée, maman nous embrassa toutes les deux, Céleste et moi, nous fit promettre d'être sages et de respecter ses consignes. En particulier la plus importante : garder Bébé Céleste hors de la vue de qui que ce soit.

— Je suis désolée que tu doives rester enfermé demain matin, Lionel, s'excusa-t-elle. J'essaierai de rentrer le plus tôt possible. N'oublie pas de faire la vaisselle après le dîner, me lança-t-elle en franchissant la porte, au moment où Dave Fletcher stoppait devant les marches.

À travers un rideau, je le vis sortir de sa voiture, prendre le petit sac de maman et lui donner un baiser, en plein sur la bouche cette fois. Et aussi assez prolongé, comme dans les films d'amour et de passion, un de ces baisers auxquels succède un soupir de plaisir... un baiser que je ne connaîtrais jamais. J'entendis rire maman et la vis se hâter de monter dans la voiture de M. Fletcher. Il avait ouvert la porte pour elle et s'inclinait, comme se doit de le faire un gentleman de roman. Quand elle fut à bord, il contourna la voiture et leva les yeux vers la maison. Je me reculai en hâte et attendis qu'il s'asseye, lui aussi. Puis je les regardai s'éloigner. Debout près de moi, Bébé Céleste m'observait tranquillement. Je secouai la tête en me tournant vers elle.

— Maman commet une erreur, lui dis-je, et je ne comprends pas ce qu'elle fait. Comment cela peut-il être une bonne chose, et faire partie d'un plan merveilleux pour nous ?

Bébé Céleste me sourit, comme si c'était moi, et non maman, qui ne savais pas ce que je faisais, ou comme si mes paroles étaient dictées par l'envie. Puis elle sortit en courant de la pièce et cria :

— Cuisine, Lionel !

Elle savait que nous allions travailler à notre propre dîner, et comme l'avait prédit maman, elle était surexcitée.

Avant, pendant et après le repas, je ne cessai de me sentir trembler intérieurement. Je voulus croire que c'était par inquiétude pour maman, mais au fond de moi, je savais que ce n'était pas la vraie raison. Ce tremblement n'était pas causé par la peur. Il venait d'un trouble délicieux qui, né dans mon cœur, se répandait dans ma poitrine, me picotait le bout des seins, réchauffait mon corps tout entier, jusqu'à mes cuisses.

À table, je m'arrêtais brusquement de manger, revoyais maman en train d'embrasser Dave Fletcher et pensais à ce baiser. Je me voyais moi-même en train d'être embrassée, non par Dave Fletcher, bien sûr, mais par un homme jeune et beau, dont je croyais sentir les lèvres brûlantes sur les miennes. Je m'agitais sur ma chaise, presque autant que Bébé Céleste.

Pendant un moment, elle fut un bon dérivatif à mes pensées, occupant mon temps, exigeant mon attention ; mais elle finit par se fatiguer, se laissa aller contre moi et je la montai à l'étage. Une fois au lit, elle noua les bras autour de mon cou et resta ainsi plus longtemps que d'habitude, sans doute parce qu'elle savait que nous étions seules pour la nuit et que maman était loin. Je lui mis sa poupée dans les bras, elle ferma les yeux et s'endormit presque aussitôt.

Tandis que je m'attardais à contempler sa beauté, je m'avisai que maman ne lui avait pas teint les cheveux avec la même exactitude qu'à l'ordinaire. Sa couleur naturelle, un roux flamboyant, réapparaissait entre ses mèches mordorées. Depuis sa naissance, maman avait veillé avec soin à ce que cela n'arrive jamais. Ce qui arrivait ne lui avait sûrement pas échappé, j'en étais sûre. Quelque chose de nouveau se préparait, quelque chose d'important.

Je sortis de la chambre de Bébé Céleste, mais dans le couloir j'hésitai. Allais-je descendre et lire, ou me mettre au lit ? Je m'avançai jusqu'au palier, et là... Je m'arrêtai. Mon cœur battait à grands coups. Non, il ne fallait pas... Je fermai les yeux et me mordis les lèvres, espérant que la douleur chasserait les désirs qui m'assaillaient, mais la tentation était trop forte. Il m'était impossible de lutter contre elle. Incapable d'y résister, je me retournai et me dirigeai vers la chambre de maman.

À la porte, j'hésitai à nouveau et menai une dernière bataille contre moi-même. Je la perdis. Dès que j'entrai dans la chambre, je sus que je ne m'en irais pas. Il n'y avait plus dans la maison qu'une glace de coiffeuse et un grand miroir en pied, en dehors de ceux qu'on avait relégués dans la tourelle. Et c'est ici qu'ils se trouvaient. Un instant, je me regardai dans la glace. Puis j'ôtai prestement ma chemise et mon jean, délaçai mon corset et ôtai ma petite culotte.

Ce fut comme si je remontais à la surface de mon propre corps, transformée subitement en une belle jeune femme. Tout mon corps frissonna, mon souffle s'accéléra. Je m'assis devant la coiffeuse et entrepris d'essayer les nouveaux fards de maman, ombre à paupières, eye-liner, fond de teint, rouge à lèvres… tout cela en différentes nuances. Je n'avais pour me guider que les photos que j'avais vues, dans les quelques magazines que nous avions à la maison, ce que j'avais pu saisir à la télévision, les rares fois où maman me permettait de l'allumer ; et aussi, bien sûr, ce que je l'avais vue faire depuis quelque temps.

Je brossai mes cheveux courts pour imiter au mieux sa nouvelle coiffure, puis j'allai à son placard pour essayer ses chemisiers, ses jupes, ses robes et même sa lingerie. Je n'avais jamais porté de soutien-gorge, et la façon dont il dessinait ma poitrine, surtout sous les légers T-shirts blancs ou roses de maman, me fascina. J'essayai différents bracelets, colliers et boucles d'oreilles. À chaque changement de toilette, j'imaginais une circonstance particulière : rendez-vous, danse, soirée au théâtre, ou même de simples courses dans un centre commercial. Je me pavanais dans la chambre en imaginant que des garçons me suivaient des yeux, me souriaient et me jetaient des regards d'invite. Et, comme si je me trouvais avec une autre fille, bien plus avertie que moi, je m'adressais des mises en garde.

— Ne t'en approche pas trop. Ne réponds pas à leurs avances. Ne te retourne pas. Ne souris pas.

Mais n'y en avait-il pas toujours un sur lequel je me retournais, un beau garçon qui attirait mon attention et sollicitait mon imagination ? Je ne pouvais pas ne pas répondre à son sourire. Je fermais les yeux et rêvais à notre rencontre, notre conversation et notre promenade ensemble. Il me proposerait un rendez-vous et j'accepterais de m'y rendre.

À peine avais-je fait ce rêve que je retournai à la penderie de maman, et passai en vue ses toilettes en cherchant celle qui conviendrait à l'occasion. Que porte-t-on pour un premier rendez-vous avec un garçon qui vous plaît ? Pas quelque chose de trop provocant, mais il faut tout de même être séduisante. On a bien le droit de mettre ses charmes en valeur, non ? Juste un petit peu. Oh, comme j'aurais voulu avoir une amie, une amie pour de vrai. Quelqu'un avec qui je pourrais bavarder pendant des heures au téléphone, parler des choses les plus insignifiantes et même les plus stupides, tous ces petits riens qui colorent notre vie, comme les ballons et le papier crépon dans une soirée entre jeunes.

Je vais manquer la fête ! me dis-je avec une sorte de panique, Je vais passer à côté de tout ça, encore et toujours. Secouant ma tristesse, je poursuivis mes recherches.

Je découvris une robe bleu clair qu'on pouvait porter sans bretelles. Elle avait un décolleté en V très audacieux, et moulait étroitement ma taille.

La révélation de ma féminité me coupa le souffle. Je suis jolie... je pourrais même être sexy, décidai-je.

— Ne me jette pas ces regards de reproche, maman, dis-je au visage que j'imaginais dans le miroir. Tu as pensé et tu as fait les mêmes choses que moi, quand papa est venu te chercher pour votre première sortie ensemble. N'est-ce pas vrai ? Tu es tombée amoureuse de toi-même, toi aussi. Et n'essaie pas de me dire que c'était différent parce que c'était « avant » et que maintenant, ce n'est plus pareil. Rien n'est jamais pareil avec vous, les aînés. Vous dites toujours ça.

Je fouillai parmi les boucles d'oreilles, pour en trouver une paire qui aille avec ma robe, puis je trouvai le collier que papa avait jadis offert à maman. Un collier de vrais diamants, qu'elle ne portait plus jamais. Pour moi, le porter était la chose interdite entre toutes, mais je le mis quand même.

Parce que j'estimais cette soirée très spéciale, je retournai à la coiffeuse et changeai la nuance de mon rouge à lèvres, pour que lui aussi s'harmonise avec ma robe et mon allure. Je gardai l'ombre à paupières et brossai mes cils. Un jour, maman avait envisagé de me les raccourcir, mais pour finir elle avait décidé qu'ils étaient très bien comme ça.

— Après tout, avait-elle observé, pense à toutes les femmes qui envient les hommes dont les cils sont naturellement longs. Chaque fois qu'elles en voient un, elles disent la même chose : « Ah, si je pouvais avoir des cils comme les siens ! »

J'avais donc évité la coupe, c'était toujours ça.

Pour finir, je vaporisai sur moi l'une des eaux de toilette de maman, me levai et tournai sur moi-même, riant de plaisir devant ma merveilleuse transformation.

Et maintenant ? me demandai-je en m'arrêtant.

Je coulai un regard vers la porte. Allais-je oser ? Il y avait des années que je n'avais pas porté de vêtements de fille dans cette maison. C'était seulement dans la chambre de la tourelle, en secret, ou dans ma propre chambre et ma salle de bains que j'avais dénudé mon corps de femme, depuis ces journées dans les bois, dans mon refuge.

Ma surexcitation me donnait du courage ; mais mon cœur battait la chamade quand je marchai vers la porte. Et si maman apparaissait tout à coup et me surprenait ? Si elle avait changé d'idée, trop inquiète pour nous, ou même s'était disputée avec Dave Fletcher et était en train de rentrer ? Si elle franchissait la porte et se retrouvait en face de moi ? Cette seule idée me cloua au plancher. Je ne pouvais pas sortir de cette pièce. Je ne pouvais vraiment pas.

Mais je me retournai et j'aperçus mon reflet dans le miroir de la coiffeuse.

Je suis belle, pensai-je. Vraiment belle. Je ne devrais pas rester cachée.

Ma résolution raffermie, je quittai la chambre et m'avançai jusqu'en haut de l'escalier. N'avais-je pas entendu sonner le carillon de l'entrée, à l'instant ? C'était mon soupirant. Maman lui avait ouvert, il se tenait dans le hall et, la tête levée, il attendait que je descende. Lentement, je m'engageai dans la descente, un léger sourire aux lèvres. Le même sourire tendre qu'avait maman quand papa vivait encore et qu'ils se croyaient seuls, tous les deux, sans savoir que je les observais.

Ce serait là qu'il se tiendrait, le beau garçon de mes rêves, devant la porte, les yeux levés sur moi.

D'une voix éperdue d'admiration, il me dirait :

— Vous êtes ravissante...

— Mais non, répondrais-je, en rougissant d'un air innocent et modeste.

Maman s'éloignerait. En fait, elle disparaîtrait dans le mur car elle ne pouvait pas empêcher cela d'arriver. Autant vouloir repousser le cours de la rivière avec ses mains. Mon compagnon me présenterait son bras, je le prendrais, et nous sortirions, pour monter dans sa belle voiture de sport rouge flamboyant.

Et tout se passerait comme ça, tout arriverait juste devant moi, pour peu que je laisse les choses arriver... Je descendis l'escalier.

Je pris la direction du salon, y entrai, puis j'allai m'asseoir sur le canapé comme si c'était le siège avant d'une voiture. J'étais dans sa voiture. Oui, j'y étais.

— Conduisez prudemment, cria maman de la maison.

Le sourire du garçon, mon excitation, notre impatience nous isolaient du reste du monde, qui ne pouvait plus nous atteindre. Les paroles de maman tombèrent comme des gouttes de pluie et disparurent, aspirées par la terre. Nous n'entendions que nos propres voix. Mon compagnon tendit le bras, prit ma main dans la sienne et la serra doucement.

— Je suis si heureux que vous ayez décidé de sortir avec moi. Merci, dit-il.

Oui, il dirait cela. Et je me contenterais de sourire en pensant : « Sois modeste, aie l'air timide. »

Nous démarrions. Pour aller où ? Dans un bon restaurant ? Au cinéma ? Danser dans un club ? Ou simplement dans un très bel endroit où nous pourrions nous promener, sans témoins ? Peu importait où nous irions. Nous avions besoin d'être seuls. Je sentais ce besoin grandir en moi, et je voyais qu'il éprouvait la même chose, lui aussi.

Nous nous garerions, comme les jeunes gens qui sortent ensemble le font toujours. Il connaissait un endroit, un coin retiré où personne ne viendrait nous déranger. Quand nous y arrivâmes, il éteignit la lumière.

Je fis la même chose dans le salon. J'étais assise dans une sorte de pénombre, à présent.

— Vous me plaisez vraiment beaucoup, Céleste, dirait-il. Il y a longtemps que je vous admire, et que je rassemble mon courage pour vous inviter. Si vous aviez refusé, cela m'aurait brisé le cœur. Il aurait éclaté comme un œuf.

— Mais bien sûr, répliquerais-je avec ironie.

C'était ce que j'étais censée répondre, et lui

était censé protester, m'assurer avec véhémence que pour lui, j'étais différente des autres. Que j'étais la fille de ses rêves.

— Il ne s'est pas passé une nuit sans que je pense à vous. Je fermais les yeux et vous voyais, et je nous imaginais ensemble, tous les deux, comme maintenant. J'ai tant attendu cette soirée, ce baiser, chuchoterait-il en m'embrassant.

Et ce fut un merveilleux baiser, vraiment, bien mieux que celui de maman et de M. Fletcher. Tout mon corps en vibra, profondément, jusqu'à mon âme. Je m'abandonnai dans ses bras et laissai ses mains explorer mon corps, un corps avidement tourné vers lui. C'était comme si je l'avais attendu pendant mille ans. Mon abandon l'enflamma encore plus, et plus il s'enflammait plus je m'embrasais moi aussi. Je me sentis glisser sur les coussins du canapé, exactement comme je l'aurais fait dans la voiture. Je sentis ses mains, derrière mon dos, ouvrir ma fermeture à glissière, abaisser ma robe jusqu'à ce que j'aie les seins nus, qu'il y porte ses lèvres et les taquine, en gémissant et se pâmant sur moi.

J'avais l'impression de m'enfoncer lentement dans un bain chaud. Je ne fis rien pour retenir les mains qui s'insinuaient sous ma jupe, jusqu'à ma petite culotte. Bientôt, nue en dessous de lui, je l'entendis pousser de petites plaintes sourdes, et soupirer dans son extase : « Je t'aime »...

Nos jeux amoureux furent d'abord très doux puis la passion nous emporta, nous affola, alluma en nous le désir de donner du plaisir à l'autre tout en en éprouvant nous-mêmes. Je criai plusieurs fois, et il m'embrassa si souvent que je croyais sentir sans cesse ses lèvres sur mes joues et ma bouche. Quand cela prit fin, ce fut comme si nous refermions un livre merveilleux, un livre qui parlait de nous. J'étais comblée, et en même temps je regrettais que tout soit fini.

Quand je m'en plaignis à mon amant, il déclara :

— Un amour pareil est si intense et si exigeant, Céleste, que si nous n'arrêtions pas nous nous détruirions nous-mêmes, nos cœurs éclateraient sous l'effet de la joie.

— Oui, répondrais-je, ou plutôt répondis-je.

Je fermai les yeux, étreignis mes épaules. Et je me rendis compte alors que j'étais nue, que sans savoir comment j'avais ôté les vêtements de maman au cours de mes fantasmes.

Puis j'entendis un petit ricanement et mes yeux s'ouvrirent d'eux-mêmes.

Sa silhouette m'apparut dans l'encadrement de la porte. Je clignai des yeux, les frottai, mais l'ombre ne disparut pas. Elle fit un léger mouvement vers la droite. Il y avait juste assez de clarté pour révéler le roux ardent de ses cheveux.

— Comment es-tu entré ? chuchotai-je.

Même s'il recherchait les endroits les plus sombres, je pus voir son sourire.

— C'est toi qui m'as fait entrer. Quand tu es comme ça, tu m'ouvres le passage pour traverser. Tu ne le savais pas ?

Je secouai la tête. Je le savais, mais je ne voulais pas le savoir, je ne voulais pas le croire.

— Si tu restais comme ça, si tu étais qui tu es

vraiment, ton pauvre petit frère pourrait entrer, lui aussi. Au lieu de quoi, il est piégé dehors, dans le noir. Va à la fenêtre et regarde. Ouvre-la et écoute.

— Va-t'en ! vociférai-je.

— Je ne m'en irai pas. Et si ta mère continue à faire ce qu'elle fait, je reviendrai très, très souvent. Comment va mon bébé ? ajouta-t-il après un bref silence.

Puis je l'entendis rire. Je me hâtai de rassembler les vêtements de maman.

— Ou devrais-je dire *notre* bébé ?

Aussi vite que j'en fus capable, j'allumai la lampe la plus proche. En une fraction de seconde il avait disparu, détruit par la lumière. Pendant un instant, je retins mon souffle. Puis je m'élançai hors de la pièce, grimpai les marches quatre à quatre et me précipitai dans la chambre de maman. Toujours en hâte, je remis ses vêtements à leur place, m'assis à la coiffeuse et me nettoyai de toute trace de fard. Mon cœur battait si fort que j'eus peur de m'évanouir et que maman me trouve ici le lendemain, toujours sans connaissance.

Une fois démaquillée, je fis le nécessaire pour laisser la pièce comme je l'avais trouvée, prenant soin de remettre le moindre pot, tube ou flacon exactement à sa place. Après quoi je retournai dans ma chambre et passai dans ma salle de bains pour prendre une douche chaude. Je restai sous l'eau jusqu'à ce que la peau me brûle. Puis j'allai jeter un coup d'œil sur Céleste, qui dormait tranquillement, son délicieux petit sourire aux lèvres. Elle devait faire de beaux rêves, pensai-je, et je respirai plus facilement.

Ce soir-là, je me mis au lit comme si je me couchais dans mon cercueil. Les mains posées sur mon ventre, l'une contre l'autre, je murmurai pour moi-même :

— Il faut que tu meures à nouveau, Céleste. Il faut que tu t'en ailles.

C'était presque comme si je refoulais mon corps de femme au plus profond de moi. Quand je me tournai vers la fenêtre, je vis le visage d'Elliot et ses mains plaquées sur la vitre. Il fallait qu'il reste dehors, que je l'empêche de nous approcher. Comment pourrais-je faire comprendre une chose pareille à maman ?

— Papa, dis-je dans un souffle, reviens-moi, je t'en prie. Dis-moi ce que je dois faire.

J'attendis, guettant le son de sa voix. Le silence me fut pénible, j'en avais les oreilles qui tintaient. Je tournai le dos à la fenêtre et enfouis mon visage dans l'oreiller. Demain, peut-être, espérai-je. Demain, il viendra et je ne me sentirai plus seule. Quand je regardai à nouveau vers la fenêtre, Elliot n'était plus là.

Papa nous disait souvent, à Lionel et à moi, que chaque étoile au ciel était un nouveau souhait, une nouvelle promesse.

Mon frère s'en étonnait toujours.

— Comment se fait-il qu'il y en ait tant, papa ?

— Les gens souhaitent tellement de choses ! Toi-même, ne fais-tu pas des tas de souhaits toute la journée ? Et toi, Céleste ?

— Moi, oui, avouais-je. Il y a beaucoup de choses que je voudrais.

Un jour, Lionel déclara :

— Maman dit que notre vieux puits est un puits à souhaits.

— Oui, c'est à peu près le seul service qu'il peut nous rendre, maintenant.

— J'y jette un caillou tous les jours et je fais un vœu, révéla Lionel.

— C'est vrai ? Toi aussi, Céleste ?

— Non, répondit Lionel à ma place. Elle trouve que c'est idiot.

— Je n'ai jamais dit que je trouvais ça idiot !

— En tout cas, tu ne le fais jamais.

— J'adresse mes souhaits aux étoiles, répliquai-je. Comme papa l'a dit.

L'air furieux et frustré de Lionel fit rire papa, qui lui demanda :

— Qu'as-tu souhaité pour aujourd'hui ?

Lionel pinça les lèvres et croisa étroitement les bras.

— Tu n'es pas obligé de le dire, le rassura papa en fourrageant dans sa tignasse en bataille.

Mon frère leva les yeux sur lui, puis me regarda.

— Je n'ai pas un seul vrai copain. Je voudrais que Céleste soit un garçon.

Je m'endormis en imaginant un caillou tombant interminablement dans le puits aux souhaits. Quand il toucha le fond, je m'éveillai en sursaut. Je sentis une présence et m'assis dans mon lit. Bébé Céleste se tenait à l'entrée de ma chambre, sa poupée dans les bras.

— Céleste, qu'est-ce que tu fais debout ?
— M'a réveillée.
Je me levai, m'agenouillai devant elle et scrutai son visage.
— Qui t'a réveillée ?
D'un signe de tête, elle indiqua la porte derrière elle. Se pouvait-il que maman soit rentrée ?
— C'est maman ?
Elle secoua la tête.
— Alors qui t'a réveillée, Céleste ?
— Papa, dit-elle en se retournant pour trottiner vers sa chambre.
Saisie d'un froid soudain, glacial, je me relevai. J'entendis l'air crépiter autour de moi. Puis je suivis Céleste et la regardai recoucher sa poupée dans son petit lit.
— C'est papa qui t'a réveillée ?
Elle me répondit par un sourire.
— Où est-il, ma chérie ?
Elle alla jusqu'à la fenêtre. Je la suivis et regardai dehors avec elle. Je ne vis personne.
— Tu vois papa, Céleste ?
Elle fit signe que non et leva les deux bras.
— Parti !
À nouveau, je regardai dehors. Parlait-elle de *mon* papa… ou d'Elliot ?
Tout au fond de moi, je sus que je n'allais pas tarder à l'apprendre.

6

Thanksgiving

Maman ne revint qu'en fin d'après-midi. Le matin, elle appela pour dire qu'elle était en route, mais qu'ils s'arrêteraient peut-être pour déjeuner. Si c'était le cas, elle en profiterait pour faire des courses.

— Tu as besoin de vêtements neufs, Lionel. Tu ne resteras pas toujours enfermé. Je m'attends à ce que tu aies bientôt envie de sortir, de voir du monde, et je tiens à ce que tu aies fière allure, mon garçon.

Sortir et voir du monde ? Qu'est-ce qu'elle voulait dire par là ? Sortir pour aller où, et pour quoi faire ? Toute la journée, ces questions me tourmentèrent. J'occupai Bébé Céleste avec des jeux et des livres et, pour le déjeuner, nous fîmes semblant de pique-niquer dans le salon. J'étendis une couverture par terre et j'allumai la radio. C'était une chose que nous avions déjà faite, et que Bébé Céleste adorait. Un jour, me dis-je, nous ferons un vrai pique-nique au grand soleil, mais quand et comment ? Je n'en avais aucune idée.

Je me souvenais de ceux que nous faisions

avec papa. Lionel et moi étions ravis, et maman elle-même aimait cela. Nous étions tous si heureux, en ce temps-là ! Qui aurait pu croire que n'importe quoi de mauvais puisse nous atteindre, et qu'un jour viendrait où nous ne serions plus ensemble ? Comment faire pour retrouver ce bonheur merveilleux ? Il ne reviendrait sans doute jamais.

Quand j'eus mis Bébé Céleste au lit pour sa sieste, j'allai m'asseoir sur la galerie en laissant la porte ouverte, mais en gardant fermé le treillis moustiquaire. Je pourrais ainsi entendre Bébé Céleste si jamais elle appelait. Je regrettais de n'avoir aucun travail à faire à l'extérieur. Il faisait grand soleil mais un front froid nous arrivait du Canada, et la température était plutôt basse pour la saison. On aurait dit une belle journée d'automne, et le temps aurait été idéal pour les travaux qu'il me restait à faire.

Vers quatre heures, la voiture de M. Fletcher apparut au bout de notre chemin et je m'empressai de rentrer. Bébé Céleste dormait toujours. Je m'accroupis près d'une fenêtre du salon, côté façade, et regardai la voiture s'arrêter devant la maison. Instantanément, M. Fletcher en sortit et en fit le tour pour aller ouvrir la porte de maman. Pour une raison quelconque, il riait avec elle. Il alla ensuite ouvrir la porte arrière et sortit quelques sacs de courses. Je vis qu'il voulait les porter à l'intérieur pour maman, mais elle lui dit qu'elle s'en tirerait toute seule. Je compris qu'elle n'était pas certaine que Bébé Céleste soit encore couchée. Ils s'embrassèrent et maman se dirigea vers la maison.

— Je t'appellerai plus tard, lui cria-t-il en reprenant place au volant.

De la galerie, maman observa sa manœuvre pour reprendre le chemin en sens inverse, puis elle rentra dans la maison. Je la rejoignis dans le hall.

— Tout va bien ? s'enquit-elle instantanément.

Je ne voulais pas qu'elle sache que je l'avais épiée par la fenêtre, mais j'étais sûre qu'elle le voyait dans mes yeux. Parfois, j'avais l'impression que ce que je regardais restait imprimé dans mes prunelles et que maman pouvait le voir. Il ne servait à rien de prétendre n'avoir pas vu ce que je n'aurais pas dû voir, ni entendu ce que je n'aurais pas dû entendre. Mais j'avais entendu : en privé, Dave Fletcher et maman se tutoyaient. Je dissimulai de mon mieux ma surprise.

— Oui, maman.

— Où est la petite ?

— Elle fait toujours la sieste.

— Parfait. Tiens, dit-elle en me tendant l'un des sacs. Il y a quelques très jolies chemises pour toi, des chaussettes et deux paires de jeans.

Sur ce, elle se dirigea vers l'escalier.

— Où étais-tu ? Je croyais que tu rentrerais bien plus tôt ! m'exclamai-je.

Déjà au milieu des marches, elle se retourna et sourit.

— Je crois entendre ton père, Lionel. Il prenait toujours ce ton grognon pour me demander : « Où étais-tu ? » Et il restait planté là, les poings sur les hanches, exactement comme toi. Pas d'erreur, les hommes de cette famille sont tous taillés dans la même étoffe.

Je m'empressai de baisser les mains.

— Je me faisais du souci, voilà tout.

— Du souci ? Tu savais que je rentrais vers cette heure-ci. Quelle petite nature ! se moqua-t-elle en continuant à monter.

Je lançai un coup d'œil derrière moi, comme si M. Fletcher était encore là, et me dépêchai de la suivre. Malgré le soin que j'avais mis à tout nettoyer et tout ranger, je ne pouvais pas m'empêcher d'avoir peur. Et si elle s'apercevait que j'étais entrée dans sa chambre, et découvrait ce que j'avais fait avec ses fards et ses vêtements ?

Mais elle ne se comportait pas comme ma mère si perspicace, si intuitive et si douée. Elle se conduisait comme une adolescente, pouffant de rire en évoquant son petit ami, me saoulant de détails sur son merveilleux dîner avec Dave Fletcher, et sur la nuit qu'ils avaient passée dans ce que l'on appelait la suite des jeunes mariés. Elle n'en finissait pas de s'extasier sur la beauté du parc.

— Et il y avait un lac, dans ce parc. Juste après avoir pris le petit-déjeuner, nous sommes allés faire un tour en barque. Il y avait je ne sais combien de temps que cela ne m'était pas arrivé. Je me croyais dans une gondole vénitienne. Je me prélassais, appuyée au dossier de mon siège, une fleur sauvage dans les cheveux, pendant que Dave ramait et chantait en italien. Il a une très belle voix, tu sais.

« J'ai été navrée de quitter cet endroit, mais nous sommes allés dans un centre commercial absolument gigantesque. J'avais l'impression de débarquer d'une autre planète. Cela faisait rire Dave mais crois-moi, Lionel : on aurait pu rester là des semaines sans réussir à tout voir. Et il y avait tellement de restaurants que c'était difficile de choisir. J'ai eu un déjeuner mexicain, le premier depuis l'époque où ton père me faisait la cour.

« Et je ne me suis pas ennuyée une seconde ! conclut maman en déballant son sac. Non, pas une seconde. »

Elle se contempla dans le miroir de sa coiffeuse, si longtemps que je commençai à redouter qu'elle s'aperçoive de quelque chose. Mais non, c'était simplement son visage et ses cheveux qu'elle regardait.

— Dave trouve que j'ai une peau étonnamment jeune, fit-elle observer. C'est vrai, mais ce n'est pas par hasard. Regarde ce que je me suis acheté, ajouta-t-elle aussitôt, en tirant de son sac un déshabillé rose, qu'elle tendit à bout de bras devant elle. Eh bien ? Ne reste pas planté la comme si tu dormais debout, Lionel ! C'est adorable, non ?

— Oui, acquiesçai-je, mais à voir sa grimace dépitée, je compris qu'elle n'appréciait pas mon manque d'enthousiasme.

Elle passa aussitôt à un autre sujet.

— Pourquoi n'essaies-tu pas tes nouveaux vêtements ? Je vais peut-être devoir raccourcir tes jeans. Mets-en une paire et reviens me voir, dit-elle d'un ton maussade.

Elle se retourna vers son sac, mais après un silence elle se remit à me parler comme si elle avait déjà oublié sa déconvenue.

— Tu sais quelle est la chanson d'amour favorite de Dave, Lionel ? « La Vie en rose » ! C'est surprenant, non ? C'était aussi la préférée de ton père. Je ne l'avais pas jouée depuis sa mort, mais je la rejouerai. Je la rejouerai pour Dave quand il viendra chez nous.

— Tu vas l'inviter ici ?

— Bien sûr que je vais l'inviter. Tu ne comprends donc jamais rien ?

Non, je n'y comprenais rien. Comment allait-elle se débrouiller ? Que ferait-elle de Bébé Céleste ? Comptait-elle m'obliger à me cacher avec elle dans la tour ?

— Va essayer ton jean, Lionel. Je n'ai pas la patience de supporter ta stupidité pour l'instant. File ! ordonna-t-elle en me chassant d'un geste de la main.

Abasourdie, je passai dans ma chambre et fis ce qu'elle me demandait. Je n'eus pas à retourner la voir, ce fut elle qui se dérangea. Elle s'était changée, démaquillée, et portait une de ses robes d'intérieur. Elle paraissait plus naturelle, comme ça ; j'eus l'impression de la retrouver.

— Exactement ce que je disais, commenta-t-elle en s'agenouillant pour épingler le bas de mon jean. Je vais devoir le raccourcir de quatre centimètres. Enlève-le. Je ferai ça dès que j'aurai le temps.

Bébé Céleste entendit sa voix, l'appela, et maman sortit instantanément pour aller la voir. J'enlevai mon jean neuf et remis le vieux. Pendant que je me changeais, j'entendis que maman faisait couler un bain dans sa propre salle de bains. Mais pourquoi ? Il était trop tôt pour baigner Céleste. Pourtant, quand je glissai un coup d'œil chez elle, c'était exactement ce qu'elle faisait. Elle avait mis Bébé Céleste dans la baignoire.

— Pourquoi lui donnes-tu son bain maintenant, maman ?

Bébé Céleste leva les yeux et me sourit. Maman ne répondit rien. Elle versa l'un de ses shampoings aux herbes sur la tête de Céleste et commença à lui frotter la tête. Puis elle la rinça, et je vis avec stupéfaction que le roux éclatant de sa chevelure avait reparu. J'en eus le souffle coupé.

— Pourquoi fais-tu ça, maman ?

Elle se retourna et me jeta un regard dur, déterminé, glacial. Ses yeux parurent soudain plus sombres.

— Parce qu'il est temps. Il est grand temps de penser à demain.

Temps de penser à demain ? Qu'entendait-elle par là ? Loin de me l'expliquer, elle me congédia.

— Tu peux retourner travailler, Lionel. Il reste encore assez de jour, va faire ce que tu as à faire. Eh bien ? s'impatienta-t-elle comme je ne bougeais pas. Qu'est-ce que tu attends ?

— J'y vais, maman.

Je descendis lentement l'escalier, en proie à des pensées confuses. Tant de choses étaient en train de changer, et tellement vite ! Notre petit univers était sens dessus dessous. Pour toutes sortes de raisons, j'aurais dû m'en réjouir, mais j'étais moins ravie qu'effrayée. L'avenir me semblait soudain menaçant.

Je travaillai dehors jusqu'à ce que maman m'appelle pour dîner. Voir Bébé Céleste avec sa tignasse roux ardent était un spectacle saisissant, mais maman resta impassible. C'était presque comme si elle n'avait pas conscience de ce qu'elle avait fait.

— Nous allons bientôt avoir un petit dîner de fête, annonça-t-elle quand nous primes place à table.

— Un dîner de fête ? Que veux-tu dire, maman ?

— Je sortirai notre plus belle porcelaine, et je mettrai la nappe en lin de ma grand-mère. Ce sera une soirée très spéciale. Il est temps que Dave fasse ta connaissance, Lionel.

Ma gorge se noua et je dus faire un effort pour déglutir. Sinon, je n'aurais pas pu parler.

— Tu invites M. Fletcher à dîner ici ?

— En général un dîner de fête, c'est ça, Lionel. On a des invités. Dans ce cas précis nous n'en aurons qu'un.

— Mais... et Bébé Céleste ?

— Eh bien quoi, Bébé Céleste ?

Je sentis la peur monter en moi. Qu'est-ce que maman voulait que je dise, que je pense ? Que me cachait-elle ? Pouvais-je lui demander tout à trac si elle ne craignait pas que Dave Fletcher reconnaisse son fils dans les traits de Céleste ? À l'entendre, celle-ci ne ressemblait qu'à notre côté de la famille, et plus précisément au sien

— Je veux dire... il va la voir, objectai-je avec effort.

Maman attacha sur Bébé Céleste un regard plein de tristesse.

— Ah, oui ! fit-elle comme si elle se rappelait soudain quelque chose. Pauvre petite Céleste. Quelle tragédie !

Je retins ma respiration.

— Comment ça ?

— Mon autre cousine du côté de ma mère, Lucinda Heavenstone, et son mari Roger, sont morts tous les deux dans un accident de la route. Ils étaient si jeunes, ils avaient toute la vie devant eux !

« Comme tu le sais, les parents de Lucinda sont décédés, poursuivit maman comme si elle récitait une leçon. Et le père de Roger a eu cette attaque il y a deux ans, tu te souviens ? Sa mère, tu le sais aussi bien sûr, est morte en le mettant au monde. Sa belle-mère ne veut pas entendre parler de s'occuper du père de Roger ou de la pauvre petite Céleste, qui reste seule au monde. L'enfant n'a plus personne.

« Sauf nous, bien sûr. Comment pourrions-nous ne pas la prendre chez nous ? Et comme elle s'est attachée à nous ! C'est une enfant exceptionnelle, tu ne trouves pas ?

« D'ailleurs, à quoi sert la famille si nous sommes incapables de charité chrétienne envers cette petite ? Nous ne pouvons pas la laisser partir chez des étrangers, dans un foyer d'accueil. C'est bien ton avis, Lionel ? »

Je dévisageai maman, les yeux ronds. M. Fletcher croirait-il une histoire pareille ? Qui la croirait ? D'un autre côté... qui se soucierait de savoir si elle était vraie ou non ?

Maman paraissait très sûre d'elle, mais en même temps sa façon de sourire donnait à son visage l'aspect d'un masque. Elle avait encore quelque chose à dire, une autre idée derrière la tête.

Comme sur un signal, comme si elle savait exactement à quel moment agir, elle se tourna vers la cuisine au moment précis où le téléphone sonnait.

— J'attends un appel, me dit-elle en se levant.

J'écoutai, l'oreille tendue, et l'entendis s'exclamer :

— Oh, Dave ! Quelque chose d'affreux vient d'arriver. Je ne pourrai pas vous voir demain, il faut que j'aille à Pennsylvania. Une jeune cousine à moi et son mari viennent d'être tués dans un accident. Un de ces horribles semi-remorques les a percutés de plein fouet. Ils sont morts tous les deux, mais, par miracle, leur enfant n'a rien... Oui... Non, je n'y vais pas seulement pour les funérailles. Je vais chercher l'enfant. Une petite fille qui n'a pas trois ans. C'est la seule solution. Oui, c'est épouvantable. Je sais que vous comprenez, et j'apprécie. Non, tout ira bien. Merci de l'avoir proposé. Je vous appellerai dès mon retour. Merci. Je m'en tirerai très bien, Dave. Je vous en prie... Oui, je sais, mais que représente la famille si je ne peux pas faire ça ? Moi aussi. Je vous appelle dès que possible.

Je l'entendis raccrocher. Quand elle revint dans la salle à manger, elle nous sourit.

— Ne vous inquiétez pas, les enfants. Tout va se passer exactement comme je l'ai prévu.

Bébé Céleste battit des mains, comme si elle avait absolument tout compris. Mon regard croisa celui de maman et le soutint. Pour la première fois, ce fut elle qui détourna les yeux. Elle s'occupa aussitôt de débarrasser la table.

— Emmène la petite dans le salon, m'ordonna-t-elle. Je vous rejoins bientôt. Il faut que je m'entraîne à jouer « La Vie en rose », ajouta-t-elle en partant vers la cuisine.

Je soulevai Bébé Céleste de sa chaise et l'emmenai au salon. Je me sentais si faible et j'avais si peur que je craignais de la laisser tomber et me hâtai de la poser à terre. Ce soir-là, elle voulait regarder des photographies dans les albums. Il y en avait toute une collection sur le plateau d'une desserte. Certaines étaient si vieilles, si décolorées qu'on ne distinguait pratiquement plus ce qu'elles représentaient. Bébé Céleste, quand on la laissait faire, pouvait rester assise des heures durant avec un album sur les genoux. Son intérêt manifeste pour des gens qu'elle n'avait pas connus m'intriguait. Elle adorait montrer du doigt les enfants et les bébés.

Il y avait quelques photos de Lionel et de moi, et quand elle les regardait, elle désignait invariablement celles de Lionel en disant : Lionel. Je ne savais jamais si c'était lui qu'elle voyait sur ces photos, ou si c'était moi, mais elle observait toujours les miennes avec un intérêt très vif.

— La première Céleste, lui murmurais-je.

Elle ne disait rien. Elle me fixait, puis son regard retournait à la photo.

Que se passait-il dans sa petite tête ? À quoi pensait-elle quand elle entendait ce nom et me dévisageait ? Était-elle réellement capable de savoir ?

Quand maman revint, elle alla droit au piano et se mit aussitôt à répéter sa chanson. Au bout d'un moment, elle commença à chanter en français. Elle avait une voix ravissante. Pourquoi M. Fletcher ne serait-il pas tombé éperdument amoureux d'elle ? Qui n'aurait-elle pas charmé ?

Avant d'avoir fini, elle jeta un long regard du côté d'une des fenêtres, puis sur moi, avec l'air d'attendre quelque chose.

— Je savais que cette chanson l'attirerait, Lionel.

À mon tour, je fixai la fenêtre. *L'attirerait ?* Qui ça ? Papa ? Je devinai à son sourire que c'était bien lui qu'elle voyait, mais pour moi tout n'était que ténèbres. Anxieusement, j'attendis de voir apparaître le visage souriant de papa. Mais quand un visage se montra enfin, ce ne fut pas le sien. Ce fut celui d'Elliot. Je me retournai vivement pour savoir si maman le voyait aussi, mais elle s'était remise à chanter, complètement perdue dans ses pensées.

« Dis-lui, pensai-je. Dis-lui avant qu'il ne soit trop tard. Si elle lève les yeux assez vite, elle aussi le verra et elle te croira. »

Je n'émis pas un son. Je n'en avais tout simplement pas le courage et, quelques instants plus tard, la fenêtre ne montrait plus que la noirceur de la nuit. Quand je finis par aller me coucher, je tremblais sans pouvoir me contrôler. Je fus secouée de frissons, et je me dis que j'avais dû attraper quelque chose ; mais je m'endormis enfin et quand je me réveillai, tout allait bien.

Le lendemain, maman ne mit pas le nez dehors. Après tout, elle était censée être allée chercher Bébé Céleste à Pennsylvania pour la ramener chez nous. À l'heure du dîner, elle reçut un coup de fil de Mme Zalkin, qui se proposait de venir le lendemain avec une amie, pour acheter certains produits de beauté aux plantes.

— C'est parfait, commenta-t-elle après avoir raccroché. Tout s'arrange on ne peut mieux.

Je ne saisis pas du tout pourquoi, jusqu'à l'arrivée des deux femmes ; je m'avisai soudain que maman ne me demandait pas de monter dans la tourelle avec Céleste. À l'instant où leur regard surpris se posa sur elle, maman me fit un clin d'œil et commença son récit. Ces dames l'écoutèrent avec sympathie et compréhension, mais aussi avec un scepticisme, sous-jacent, ce qui – à ma grande surprise – ne parut pas inquiéter maman le moins du monde. En s'en allant, elles la félicitèrent pour cet acte de charité, tout en échangeant un regard entendu. Pour un peu elles auraient cligné de l'œil, elles aussi.

Avec Bébé Céleste dans les bras, maman alla sur la galerie pour les regarder partir. Puis elle se retourna et me sourit.

— D'ici quelques jours, toute la communauté sera au courant, observa-t-elle. Ce n'est pas une simple coïncidence, tu sais, si l'une des plus grandes commères des environs est venue nous voir aujourd'hui. Les rumeurs vont se répandre aussi vite qu'une invasion de sauterelles, conclut maman avec un bizarre petit rire.

Mon cœur aurait dû chanter de joie. Bébé Céleste était libre, délivrée de la prison de sa non-existence. Elle pouvait se jeter à bras ouverts dans la vie, jouer au soleil, sortir avec nous, venir au monde. Mais mon second moi me mettait en garde. C'était comme si j'attendais que la deuxième chaussure tombe, et elle ne manquerait pas de tomber. Ce soir-là, maman appela David Fletcher pour l'inviter, comme prévu, à son « dîner de fête ». D'après ce qu'elle m'avait dit, je savais que toute la communauté ne parlait déjà plus que de son idylle avec lui. Lentement, elle avait elle-même nourri les commérages, laissant croire à ses clientes cancanières que son aventure avec lui, qui éclatait enfin au grand jour, durait depuis longtemps déjà. Certaines d'entre elles prétendirent même l'avoir toujours su, ce que maman trouva encore plus cocasse.

— Elles se demandaient pourquoi je m'intéressais si peu aux hommes, et pourquoi Dave ne courtisait aucune des veuves et divorcées disponibles du coin. À présent, elles croiront avoir enfin la bonne réponse. Est-ce que tu commences à comprendre, Lionel ?

Oh oui, je comprenais. Toutes ces choses avaient toujours suivi leur cours en moi, sous mes pensées conscientes, tel un courant souterrain. Maman croyait que nos esprits familiaux les avaient voulues et provoquées, et continuaient à guider nos actes. Quiconque verrait maman, David Fletcher et Bébé Céleste ensemble, désormais, en tirerait les conclusions que maman souhaitait. Elle n'avait pas à redouter que son histoire de cousine et d'accident soit connue pour ce qu'elle était : une pure fiction. Jamais elle n'aurait jamais à affronter la vérité : personne ne la connaîtrait. Personne ne saurait jamais qui j'étais. D'une autre façon, très adroite il faut l'avouer, elle m'avait enterrée encore plus profondément qu'avant.

Aussi ma joie pour Bébé Céleste fut-elle modérée et de courte durée. Sa libération signifiait mon enterrement éternel. J'essayai de me sentir plus heureuse, d'être ce que maman voulait que je sois, mais c'était comme regarder le monde à travers un épais nuage. Comme si un voile de gaze m'en séparait.

Durant toute la semaine qui suivit, maman n'alla pas une seule fois faire ses courses sans nous emmener, Bébé Céleste et moi. Elle qui avait caché Céleste aux yeux de tous, au point de la priver de la lumière du soleil, voulait à présent qu'elle soit vue par le plus de monde possible. Elle attirait délibérément l'attention des amateurs de potins, que ce soit dans les centres commerciaux, les grandes surfaces ou les rues du village voisin. C'était une excellente actrice, et elle débitait son histoire avec de grands effets dramatiques.

— Quand ma cousine a eu sa petite fille, raconta-t-elle à la femme du maire, elle m'a immédiatement appelée pour savoir si ça ne m'ennuyait pas qu'elle la prénomme Céleste, comme ma pauvre enfant disparue. Je trouvai que c'était un très beau geste et je l'approuvai, bien sûr. Et la voici, dit-elle en faisant sauter Bébé Céleste dans ses bras. Ma petite Céleste. C'est une terrible tragédie, mais voyez quelle délicieuse enfant ce malheur m'a donnée.

Pour un peu, ses auditrices en auraient pleuré.

Un peu plus tard, elle me confia en souriant :

— Peu importe ce qu'elles pensent de moi et de David Fletcher, elles le garderont pour elles comme un grand secret. Elles aiment trop mon histoire. Elles sont tellement bouleversées qu'elles ne diront jamais de mal de Bébé Céleste. Elle n'aura pas à rougir quand elle sera plus grande. Les gens auront surtout de la compassion pour elle.

Quand j'étudiais les visages de tous ces gens, je me rendais compte que maman avait raison. Comme elle les connaissait bien ! Comment pouvais-je mettre en question ce qu'elle faisait ou pensait ?

— Et la petite s'est tellement attachée à Lionel, ajoutait-elle. C'est comme si elle vivait avec lui depuis sa naissance. Il est très gentil avec elle, d'ailleurs, insistait-elle en me regardant avec fierté. Sa sœur lui a manqué autant qu'à moi, mais tu as de nouveau ta Céleste, n'est-ce pas mon garçon ? me demandait-elle devant les personnes présentes.

— Oui, acquiesçais-je.

C'est que je faisais déjà partie de tout cela, j'étais déjà prise dans la toile qu'elle avait tissée avec l'aide de ses esprits. Mais le moment que je redoutais le plus était le soir où M. Fletcher viendrait dîner chez nous. Le soir où, pour la première fois, son regard se poserait sur sa petite-fille et qu'il saurait. Le soir où, de nouveau, il me verrait.

Je n'avais jamais vu maman aussi nerveuse que ce soir-là. Elle se faisait du souci pour tout : son dîner, la table, la maison et l'effet qu'elle faisait. Je me demandais laquelle de nous deux s'inquiétait le plus au sujet de l'arrivée imminente de M. Fletcher. Seule Bébé Céleste paraissait telle qu'à son habitude. Même ces journées de courses incessantes, pour elle qui n'était jamais sortie et n'avait jamais vu de monde, ne parurent pas produire sur elle le choc que j'avais craint. On aurait pu croire que tout se passait comme elle l'avait toujours espéré. Personne n'aurait deviné qu'elle avait été séquestrée toute sa vie.

Maman avait décidé de servir une dinde rôtie, comme pour un dîner de Thanksgiving, la fête d'action de grâces qu'on célèbre en famille, et elle avait une bonne raison pour ça.

— Dave n'a pas fêté Thanksgiving l'an dernier, m'expliqua-t-elle. Sa fille n'était pas là, et ça ne lui disait rien d'aller voir sa famille à New York. Il n'est pas très proche d'elle, d'ailleurs, comme je m'y attendais. Tout se passe tellement bien pour nous, vois-tu. Ce sera vraiment notre jour d'action de grâces, Lionel.

Elle cuisina tous les accompagnements elle-même. Elle farcit la dinde, fit de la sauce aux airelles et un pudding aux patates douces. Et bien sûr, elle confectionna elle-même son pain. Comme dessert, son choix se porta encore sur une tarte à la rhubarbe, mais servie cette fois-ci avec de la glace à la vanille. De délicieux arômes emplissaient la maison et me mettaient l'eau à la bouche.

La table était mise depuis le milieu de l'après-midi. Toutes les cinq minutes maman entrait dans la salle à manger et changeait quelque chose, déplaçait un verre ou une assiette, arrangeait les fleurs et inspectait l'argenterie. Elle n'arrivait pas à décider si je devais m'asseoir en face de M. Fletcher, ou à côté de lui. Elle changea deux fois la disposition des chaises, avant de conclure que je m'assiérais à côté de lui.

— Je ne veux pas que tu le dévisages et qu'il se sente gêné, déclara-t-elle. Je te connais, Lionel. Il t'arrive de faire ce genre de chose sans même t'en rendre compte.

C'était peut-être vrai. La seule fois où je me souvenais d'avoir été mal à l'aise devant des étrangers, c'était quand je m'étais rendue au lycée pour passer les tests de niveau. J'inscrivis sur ma copie le nom de Lionel Atwell. Le professeur qui surveillait l'examen me jetait, de temps à autre, un regard profondément scrutateur, me sembla-t-il. Je fis de mon mieux pour l'ignorer, mais mon stylo trembla souvent dans ma main.

Une heure avant que M. Fletcher n'arrive, j'emmenai Bébé Céleste au salon pour l'occuper. Pour une fois, maman renonça à son interdiction de télévision, et il nous fut permis de regarder quelques programmes pour enfants.

— Mes cousins l'auraient sûrement laissée la regarder tant qu'elle voulait, commenta-t-elle du seuil de la pièce. Je sais comment sont les jeunes parents, à l'heure actuelle. Ils utilisent cette boîte à inepties comme une baby-sitter. Ils ne veulent pas consacrer trop de temps à l'éducation de leurs enfants, ils sont trop égoïstes.

Elle parlait de nos soi-disant cousins comme si elle croyait vraiment qu'ils avaient existé. Cela me donnait l'impression que nous étions des acteurs en scène, surtout lorsqu'elle me demandait de confirmer ses propos. Après tout, c'était bien une comédie que nous allions devoir jouer devant M. Fletcher.

— Tu te souviens de leur visite chez nous l'année dernière, Lionel ? Tu t'en souviens ?

Elle attendait ma réponse, ou plutôt ma réplique. Je m'exécutai.

— Oui, maman.

— Bien, acquiesça-t-elle avec satisfaction.

Et puis, avant même que la voiture de M. Fletcher ne se range devant la maison, elle annonça :

— C'est lui. Sois tout simplement naturel et ne le mets pas mal à l'aise.

Ne pas le mettre mal à l'aise ? Était-elle

aveugle ? Ne voyait-elle pas combien je tremblais intérieurement, ou préférait-elle l'ignorer ? J'entendis claquer la portière de la voiture, et Bébé Céleste détourna le regard de l'écran.

— Éteins ce poste et emmène-la dans la salle à manger, ordonna maman.

Elle alla ouvrir la porte avant même que M. Fletcher n'ait eu le temps de sonner, et je l'entendis s'écrier :

— Soyez le bienvenu !

Je pris Bébé Céleste dans mes bras, respirai à fond et passai dans le hall, juste au moment où ils desserraient leur étreinte. Maman se retourna vers nous.

— Vous vous souvenez sûrement de mon fils, Lionel.

— Bien sûr, confirma M. Fletcher. Bonsoir, Lionel.

Si des souvenirs douloureux l'assaillirent alors, il n'en montra rien. Il me sourit avec chaleur. Trois ans avaient passé depuis que je l'avais regardé bien en face. Quelques mèches grises zébraient ses cheveux auburn. Je ne me souvenais pas de les avoir vues, mais je me rappelais très bien qu'il était bâti comme Elliot. Il dépassait le mètre quatre-vingt-cinq et me sembla plus mince qu'avant. Il m'était impossible d'oublier ces yeux turquoise, dont Elliot avait hérité. Ceux de Céleste étaient plus bleus, et mouchetés de minuscules taches vertes. Comme Elliot, M. Fletcher avait une petite fossette, et même quelques taches de son sur les pommettes et l'arête du nez.

Je le saluai à mon tour.

— Bonsoir.

— Bonsoir, répéta Bébé Céleste, avec un grand sourire.

M. Fletcher rit de bon cœur.

— Quelle délicieuse enfant ! Je parie qu'elle se sent déjà chez elle.

— En effet, répondit maman, elle est très facile à vivre. Vous serez surpris de découvrir à quel point elle est aimante et douce. Entrez, entrez. Laissez-moi vous donner un aperçu de la maison, offrit-elle en refermant la porte. Je l'ai en partie redécorée. Lionel, veux-tu installer la petite à table ? Nous n'en avons pas pour longtemps.

— Oui, maman.

— C'est ravissant, s'émerveilla M. Fletcher. Le piano me paraît vraiment très ancien.

— Il l'est, mais je veille à ce qu'il reste accordé. Je jouerai quelque chose pour vous tout à l'heure, promit-elle.

J'emmenai Bébé Céleste à la salle à manger et l'assis dans sa chaise haute. Je les entendais bavarder tandis qu'ils parcouraient le rez-de-chaussée. De temps en temps, maman répondait par un rire léger. Puis ils revinrent dans le hall.

— Je croyais avoir une vieille maison plutôt intéressante, observa M. Fletcher, mais cet endroit est vraiment fascinant.

— C'est aussi notre avis, approuva maman. Depuis toujours.

— Eh bien, dit-il en entrant dans la salle à manger avec elle, c'est absolument magnifique. Quelle jolie table ! Je n'en reviens pas, Sarah.

— N'exagérons rien. Tenez, asseyez-vous là,

dit-elle en indiquant la chaise voisine de la mienne.

Il inclina la tête et prit place à côté de moi.

— Puis-je faire quelque chose pour vous aider, Sarah ?

— Oui, répliqua-t-elle. Vous régaler.

— Je ne crois pas que ce sera très difficile, répondit-il en se tournant vers moi.

Je ne pus m'empêcher de me crisper, mais son visage rayonnait de chaleur amicale.

— Tu as beaucoup grandi, Lionel, et ta mère est très fière du travail que tu fais ici. Tes oreilles ont dû tinter sans arrêt, quand elle était avec moi.

Maman sourit.

— La grand-mère de Dave, semble-t-il, était pétrie de superstitions et d'idées de l'ancien temps.

— Qui ne l'est pas, Sarah ? Si vos oreilles tintent, quelqu'un parle de vous. Si la paume de la main vous chatouille, vous aller toucher de l'argent.

Maman entra dans le jeu.

— Si un couteau tombe de la table, vous allez avoir une visite.

Ils éclatèrent de rire ensemble, comme deux conspirateurs qui auraient appris leurs rôles par cœur. Bébé Céleste rit avec eux.

— Elle est adorable, s'attendrit M. Fletcher, et quand on pense à tout ce qu'elle a subi...

— C'est vrai. Nous avions peur qu'elle s'éveille la nuit en faisant des cauchemars, mais par bonheur elle s'est très vite attachée à nous. Elle m'appelle même maman, figurez-vous.

— C'est vrai ? fit-il, très impressionné. Eh bien, cela vous facilitera les choses, Sarah. Bien que...

Il pensa à ses problèmes personnels et son expression s'assombrit.

— ... bien qu'il ne soit pas facile d'élever des enfants, de nos jours. Tout le monde n'a pas votre chance, soupira-t-il. Vous avez sans doute eu raison d'instruire vos enfants vous-même, et de les préserver des mauvaises influences de l'extérieur.

— C'est juste. Maintenant, quand Lionel sortira dans le monde, il aura la force et le bon sens nécessaires pour l'affronter. Il est responsable, honnête et très loyal, conclut maman sans me quitter des yeux.

M. Fletcher ne cacha pas son admiration.

— Je vous envie, Sarah. Vous, une femme seule, vous avez rendu votre maison magnifique, mis sur pied une petite affaire de remèdes naturels et je ne sais quoi d'autre. Vous habitez une maison du siècle passé, mais pour moi vous êtes une femme très moderne.

Maman rougit à ce compliment, elle que je ne me souvenais pas d'avoir vue rougir. Se pouvait-il qu'elle aimât vraiment cet homme ? Leur amour pouvait-il être assez fort pour triompher des secrets enfouis tout au fond de nos cœurs ?

M. Fletcher observait si intensément Bébé Céleste que, j'en aurais juré, il retrouvait en elle le visage d'Elliot. Mon cœur battait à grands coups. Maman semblait retenir son souffle.

— Pa-pa, proféra soudain Bébé Céleste.

Les sourcils de M. Fletcher parurent sauter en l'air. Ses yeux s'agrandirent de surprise. Mon cœur s'arrêta de battre, j'en suis sûre. Puis les traits de M. Fletcher s'éclairèrent.

— Vous voyez ! s'écria maman, elle vous a déjà adopté. J'espère que vous vous sentez de la famille, maintenant.

J'en restai bouche bée. Comment osait-elle jouer ce jeu dangereux avec la vérité, une vérité prête à nous sauter au visage et à tout détruire autour de nous ?

M. Fletcher rayonnait. Son regard fit le tour de la table, il me sourit, sourit à Bébé Céleste et déclara :

— Je me sens vraiment comme à Thanksgiving, Sarah. Je ne pourrai jamais vous remercier assez.

Il ne sait pas, me rassurai-je. Il ne comprend pas.

Maman me jeta un coup d'œil et j'y lus sa satisfaction et sa confiance. Puis elle regarda Bébé Céleste, qui la fixait avec une expression tout à fait semblable.

C'était le « demain » qu'avait prédit maman. J'ignorais totalement où il nous conduirait, mais j'eus l'impression d'être happée par un coup de vent ou une vague de l'océan.

Je ne pouvais rien faire, sinon me laisser emporter vers ce lendemain promis... vers l'inconnu.

7

Le rempart faiblit

Maman s'était surpassée. Jamais elle n'avait cuisiné un aussi bon repas, M. Fletcher la couvrait de compliments. Et quand elle apporta sa tarte favorite, il parut prêt à lui offrir tout ce qu'elle pourrait demander. Jamais l'adage bien connu : *le chemin du cœur d'un homme passe par son estomac*, brodé sur un petit canevas dans la cuisine, n'avait paru aussi vrai.

M. Fletcher porta un gros morceau de tarte à sa bouche et ferma les yeux de plaisir.

— Et moi qui croyais être un cuisinier acceptable, me dit-il en riant. Quand on commence à apprécier sa propre cuisine, c'est qu'on est vraiment devenu un vieux garçon. Souviens-toi de ça, Lionel.

Après le dîner, il insista pour aider maman à débarrasser la table. Elle refusa. Elle voulait qu'il passe au salon avec Bébé Céleste et moi. L'idée de me trouver avec lui sans maman me terrifiait. Heureusement, il insista :

— Je le fais tous les soirs chez moi, Sarah.

— Mais vous êtes notre invité.

— J'aimerais mieux continuer à croire que je

fais partie d'une famille, plutôt que d'être simplement un invité de plus, protesta-t-il avec chaleur.

— C'est très gentil de votre part, Dave. Lionel, emmène la petite au salon. Nous vous rejoindrons dès que nous aurons fini.

Soulagée, je m'empressai d'obéir. Bébé Céleste s'occupa avec sa poupée et sa dînette, mais je remarquai qu'elle regardait sans arrêt la porte, en guettant M. Fletcher et maman. Nous pouvions les entendre rire dans la cuisine.

Peu après, ils nous rejoignirent au salon, et M. Fletcher s'assit sur le canapé pour écouter maman jouer. À sa vive surprise, comme à la mienne, Bébé Céleste se hissa à ses côtés et s'appuya contre lui. Il me sourit et l'entoura de son bras.

— Salut, toi, lui dit-il, et elle leva sur lui un regard pétillant. Quelle enfant extraordinaire, Sarah ! Je comprends que vous n'ayez pas hésité à la prendre chez vous. J'en aurais fait autant, et tout aussi vite.

— J'en suis certaine, répondit maman, tout en me jetant un regard complice.

L'appréhension me glaça le cœur. Il allait sûrement découvrir qui était vraiment Bébé Céleste, et sans tarder. Maman disait que rien ne peut faire taire la voix du sang.

Elle commença par jouer quelques-unes de ses sonates, puis elle passa à « la Vie en rose ». Je surveillais David Fletcher, et je vis son visage exprimer son plaisir, ses yeux s'emplir d'amour. Je m'y attendais, j'en avais déchiffré les signes.

Et pourtant, me trouver dans la même pièce qu'eux, sentir l'air électrisé entre eux me remplissait d'étonnement. Les émotions qu'ils partageaient étaient tellement... tellement palpables. Le passé semblait complètement effacé, oublié. Maman pouvait réellement faire tout ce qu'elle voulait. Mais le plus important, peut-être c'était qu'elle pouvait amener les autres à faire ce qu'elle désirait. Quand Bébé Céleste s'endormit, bercée par la musique, maman me demanda de monter la mettre au lit. En me penchant pour la prendre dans mes bras, mon regard croisa celui de M. Fletcher. Un regard intense, qui semblait pénétrer jusqu'au fond de mon cœur, jusqu'au fond de moi-même. Je m'écartai vivement de lui, de peur qu'il ne lise dans mes yeux la tromperie et la crainte.

Quand Bébé Céleste fut endormie, je redescendis. J'étais au milieu de l'escalier quand j'entendis les voix de maman et de M. Fletcher.

— Lionel me semble être un garçon sensible et très doux, fit-il observer. C'est assez rare, de nos jours. Les adolescents que je vois ont tous l'air paresseux, mal rasés, totalement dégoûtés de la vie, et certainement pas assez gentils pour prendre soin d'une petite fille.

Maman l'approuva sans réserve.

— C'est vrai, j'ai un fils merveilleux. Un garçon absolument dépourvu d'égoïsme.

— Mais quand même, est-ce qu'il ne se sent pas un peu seul ici, Sarah ? Un jeune homme comme lui devrait sortir avec ses semblables, même si je n'approuve pas la conduite des adolescents d'aujourd'hui. Un adolescent a besoin de se faire des copains, vous ne pensez pas ? Et il devrait penser davantage aux filles. Je n'ai pas l'intention de me mêler de ce qui ne me regarde pas, croyez-le bien. Mais j'ai beaucoup d'estime pour lui, et je voudrais qu'il ait la meilleure vie possible, et vous aussi

— Je ne trouve pas que vous vous mêliez de ce qui ne vous regarde pas, Dave. Oui, Lionel devrait sortir davantage. Je suppose que tout ça est ma faute, je ne l'y encourage pas assez. Mais il s'est tellement replié sur lui-même, depuis que nous avons perdu Céleste.

— En effet, je sais que cela a dû vous porter un coup terrible. La police n'a jamais trouvé d'indices ?

— Aucun. C'est comme si elle avait été enlevée par un fantôme.

— Quelle tragédie pour vous, pour tous les deux.

— Oui. Et n'oubliez pas qu'en plus Lionel était très jeune à la mort de son père. Ils étaient très proches. Je le revois encore, quand il attendait sur la galerie la voiture de son père. Et la joie qui l'illuminait, quand mon mari rentrait, avait quelque chose d'électrique. Ses yeux brillaient comme des étoiles. Il idolâtrait son père, et le voir mourir alors qu'il semblait si fort... Il en a été très, très secoué.

— Je comprends.

— La combinaison de ces deux épreuves l'a traumatisé, Dave. La seule fois où je l'ai vu commencer à émerger, c'est quand il a connu votre fils. J'ai été tentée de lui permettre d'aller au lycée. Il faisait de tels progrès ! J'aurais voulu qu'il continue.

C'était un pur mensonge. Pourquoi maman lui racontait-elle une chose pareille ?

— Je sais. Je voudrais avoir encouragé davantage leur amitié. C'est maintenant que je m'en rends compte, soupira David Fletcher. J'ai été stupide d'avoir cru tout ce qu'on racontait sur vous.

— C'est compréhensible. Vous étiez nouveau venu dans la commune, vous veniez de faire une mauvaise expérience conjugale, et vous vous retrouviez seul avec deux adolescents. Votre méfiance était bien naturelle.

« Quoi qu'il en soit, poursuivit maman, la mort tragique de votre fils, son seul véritable ami, a été un autre choc pour Lionel. Pendant toute une période, il a vraiment cru tout le mal qu'on disait de nous. Il s'est persuadé que nous portions malheur à tous ceux qui entraient en relation avec nous. Ce qui a fait de lui un véritable introverti, qui n'osait plus s'approcher de personne. J'ai fait tout ce que j'ai pu, tout ce que j'ai pu... »

Maman libéra un profond soupir et enchaîna :

— Je sais qu'il devrait suivre une psychothérapie, mais pour l'instant j'aimerais essayer de l'aider moi-même. C'est déjà bien assez qu'il soit mon fils, et pour cela tenu à l'écart comme un lépreux. Inutile d'y ajouter tous les préjugés des gens sur la psychothérapie, ou plutôt sur ceux qui en ont besoin. Et ne vous imaginez pas que nous pourrions garder le secret, oh non. Pas dans cette communauté de mauvaises langues.

— Je comprends. Si vous le permettez, peut-être pourrais-je l'amener à sortir, aller à la pêche ou faire des randonnées ?

— C'est une bonne idée, mais il ne faut rien précipiter.

— Naturellement. Vous êtes une femme extraordinaire, Sarah. Je n'ai jamais rencontré quelqu'un d'aussi compréhensif, d'aussi tolérant, ni qui ait autant de compassion pour autrui. Vous êtes si équilibrée ! On se sent bien avec vous.

— Je suis comme je suis.

— Tant mieux, ce n'est pas moi qui m'en plaindrai.

Un long silence suivit, qui m'intrigua. Ils ne pouvaient pas rester tout simplement assis l'un près de l'autre, à se regarder dans les yeux, quand même ? Ils s'embrassent, déduisis-je. C'était comme si je voyais à travers les murs. Ils s'étaient enlacés. Leurs lèvres s'étaient rapprochées, et ils s'embrassaient.

Sans bruit, je rebroussai chemin et retournai dans ma chambre. Je fermai la porte et, sans allumer, j'allai m'étendre sur mon lit, les yeux grands ouverts dans le noir.

En bas, maman et M. Fletcher devaient toujours s'embrasser, ou peut-être faire bien d'autres choses à présent. Les imaginer ensemble me fit remonter le temps. Je me retrouvai dans la forêt. J'étais seule, et libre d'être moi-même. J'avais ôté les vêtements de mon frère et libéré ma poitrine. L'air froid était rafraîchissant et mon corps vibrait de plaisir, au point que j'en avais les larmes aux yeux.

Puis j'entendis craquer une branche. Pour moi, ce fut comme un coup de tonnerre.

J'ouvris lentement les paupières, levai les yeux... et aperçus Elliot qui me regardait d'en haut. Sa bouche crispée, ses yeux agrandis exprimaient une stupeur sans bornes. Je sentis chaque muscle de mon corps se figer. Les lèvres d'Elliot remuèrent mais pendant un moment il ne dit pas un mot, n'émit aucun son. Il semblait avoir du mal à déglutir. À la fin, il parla.

— Tu es une fille ? articula-t-il, comme pour s'assurer que ses yeux ne le trompaient pas.

Tout absolument tout ce qui s'ensuivit me revint avec une netteté qui m'arracha un gémissement. Je pouvais le sentir en moi, sentir ses mains explorer mon corps. J'étais sans défense, piégée par la supercherie que ma mère m'avait imposée. Elle m'avait mise en danger, ce qui arrivait n'était pas ma faute. Rien de tout ça n'était ma faute, me répétai-je, et cela ne le serait jamais.

Dans l'obscurité de ma chambre, la voix de papa murmura :

— Non, ce n'est pas ta faute, princesse.

Je me retournai et le vis tout près de moi. Il se pencha, me caressa le visage et m'embrassa sur la joue.

— Ce qu'elle fait n'est pas bien, dit-il en désignant le sol et la pièce qui se trouvait en dessous. Elle commet une grave erreur. Essaie de l'en empêcher. Essaie.

— Elle ne m'écoutera pas, me lamentai-je.
Mais il insista.
— Elle t'écoutera si tu essaies. Tu dois le faire pour nous tous, Céleste. Pour nous tous.
— J'essaierai, je te le promets.
Il commençait déjà à s'éloigner.
— Papa ! appelai-je, mais il fut comme absorbé par le mur.
L'instant d'après, il n'était plus là. Était-il vraiment venu ? Avais-je tellement souhaité le voir que j'avais imaginé sa présence, et l'avais entendu prononcer les mots que je voulais entendre ?
En bas, maman s'était remise à jouer, le son montait jusqu'à moi. C'était une mélodie douce et tendre, propre à séduire un être sans méfiance. Je me laissai gagner par le sommeil, puis la voix de maman m'éveilla. Elle m'appelait.
— Descends dire bonsoir à Dave, Lionel, me cria-t-elle quand j'atteignis le palier. Ce n'est pas poli de se retirer sans souhaiter le bonsoir à son invité.
Je me frottai vigoureusement les joues et descendis. Maman attendit un moment, pour s'assurer que je venais, puis elle rentra dans le salon.
— Oh, elle n'aurait pas dû te déranger, Lionel ! s'écria M. Fletcher quand j'y entrai à mon tour.
— Elle a bien fait. Bonsoir, monsieur Fletcher. Merci d'être venu.
Je ne pus m'empêcher de débiter ces mots de façon mécanique, mais il sourit quand même.
— Peut-être irons-nous à la pêche ensemble, un de ces jours, et pas forcément dans la rivière.

J'ai entendu dire que Masten Lake était un bon coin pour la perche. Qu'en dis-tu ? Est-ce que tu le connais ?

Je consultai maman du regard et hochai la tête.

— Magnifique ! Je compte vous inviter tous les trois chez moi, un de ces jours. À condition, bien entendu, que ta mère fasse la cuisine, ajouta-t-il en riant.

Il se dirigea vers la porte et me tendit la main au passage.

— Bonsoir, Lionel.

— Bonsoir, renvoyai-je en lui serrant la main. La rugosité de la mienne parut l'impressionner.

— Seigneur, quelles paumes calleuses ! Vous l'accablez de travail, Sarah.

Maman rit et le suivit dehors, en fermant la porte derrière elle. J'étais presque arrivée en haut de l'escalier quand elle rentra.

— Lionel ! appela-t-elle.

Je me retournai et la vis regagner le salon. Que me voulait-elle ? Je redescendis aussitôt et la trouvai toute souriante.

— Tu t'en es très bien tiré, me félicita-t-elle en s'asseyant sur le canapé. Ce n'était pas si difficile que tu le craignais, n'est-ce pas ?

En guise de réponse, je me contentai de secouer la tête. Maman se renversa en arrière, le regard au plafond.

— Tu sais ce qu'il m'a dit, ce soir ? Il a dit que deux personnes comme nous ne devraient pas rester seules. Et qu'ensemble nous pourrions commencer une nouvelle vie pour nous et pour les enfants.

Je fus incapable de cacher mes craintes.

— Que voulait-il dire ?

— Ce qu'il voulait dire ? Comment peux-tu être à la fois si intelligent et si bête ? Il n'a jamais été aussi près de me demander ma main, voilà ce qu'il voulait dire !

— Mais... toi ? Qu'as-tu répondu ?

Cette seule pensée m'emplissait de terreur.

— Je n'ai rien répondu, Lionel. Une femme ne saute pas sur la première demande en mariage d'un homme. Elle ne veut pas avoir l'air de n'attendre que ça, ni même de paraître trop intéressée. Au lieu de cela, elle s'arrange pour lui donner des doutes et ébranler sa confiance en lui.

— Mais pourquoi ?

— Pour que lorsqu'elle lui dit oui, si elle le fait, il sache que c'est une décision réfléchie, en plein accord avec elle-même, et aussi un don de sa part. Comme ça, conclut maman d'une voix soudain plus sombre, quoi qu'il arrive ensuite, ce sera sa faute à lui.

Je me souvins de la promesse faite à papa.

— Tu ne penses quand même pas à lui dire oui, n'est-ce pas maman ?

— Bien sûr que si.

— Mais je croyais que... que tout ce que tu voulais c'était qu'on l'accuse d'être le père de Céleste. Tu disais que c'était ce que les gens pensaient déjà. Pourquoi pousser les choses aussi loin ?

Dans les yeux de maman, je vis monter la colère.

— Que t'ai-je dit à propos de contester mes décisions, leurs décisions ? souligna-t-elle avec emphase.

— Ce n'est peut-être pas leurs décisions, maman. Peut-être entends-tu la voix d'esprits malveillants, qui veulent se faire passer pour bons.

De toute ma vie, jamais je n'avais osé suggérer une chose pareille, mais cela me paraissait un moyen raisonnable de m'opposer à son avis.

Elle se tourna vers moi, si lentement que j'en eus froid dans le dos, et fixa sur moi un regard méfiant et scrutateur.

— Qu'est-ce que tu racontes ? Qui t'a parlé, Lionel ? Qui as-tu vu ? s'enquit-elle précipitamment.

Je respirai à fond et m'assis dans le fauteuil de Grandpa Jordan. J'allais devoir m'exprimer avec la plus extrême prudence.

— J'ai vu Elliot, avouai-je, et il m'a parlé. Il a dit que si tu continues avec son père, il aura plus de pouvoir pour nous faire du mal.

Pendant un long moment, elle parut réfléchir à mes paroles et mon cœur se gonfla d'espoir. Puis son expression soupçonneuse reparut et son regard reprit sa dureté.

— Est-il venu dans cette maison ?

Je voulus le nier, mais mes yeux disaient déjà oui. Maman parut sur le point de me sauter dessus.

— Il est venu, n'est-ce pas ? Quand ?

— Quand tu étais partie avec M. Fletcher.

Elle eut un lent sourire glacé.

— Qu'est-ce que tu as fait, Lionel ? Qu'est-ce que tu as fait, pour lui donner accès à notre monde ? Dis-le-moi ! rugit-elle.

— Rien du tout.

Maman secoua la tête.

— C'est comme si les mots « Je mens » étaient écrits sur ton front, Lionel. Tu le sais très bien. Alors ?

Subitement, j'eus de la peine à respirer. On aurait dit que les murs se rapprochaient de moi, et que leur resserrement rendait l'air de plus en plus épais. Je regardai autour de moi, complètement affolée.

Papa, appelai-je silencieusement. Papa, où es-tu ? J'ai besoin de ton aide. Pourquoi n'es-tu pas là ? Papa ? Tu venais à moi si souvent, autrefois. Tu me disais ce que je devais faire. S'il te plaît, papa. J'ai besoin de toi. Elle t'écoutera, toi.

Les yeux de maman foncèrent d'un ton. Elle se retourna vers la fenêtre que je regardais, puis à nouveau vers moi.

— Qui cherches-tu, Lionel ? Qui est supposé t'aider ?

Je ne tenais pas à lui parler de la visite de papa, ni de ce qu'il m'avait dit. Elle m'accuserait de mentir pour me tirer d'affaire. Je répliquai vivement :

— Personne.

— Alors réponds à mes questions. Qu'as-tu fait pour affaiblir les murs qui nous protègent ?

— Rien.

— Tu mens encore. Je répète : qu'as-tu fait ?

Je finirai par le savoir, de toute façon. Il vaut mieux que ce soit toi qui me le dises, que tu commences à te purger du mal. Eh bien ?

Elle avait raison, je ne pouvais pas lui mentir. Pas maintenant. Pas quand elle me regardait avec ces yeux-là.

— Je... j'ai cédé à la curiosité, c'est tout.

— À propos de quoi ?

— De ton maquillage... de tes vêtements.

Le sang lui monta au visage, son regard flamboya. Je fus incapable de le soutenir et je baissai le mien. C'était comme si je m'attendais à entendre claquer un fouet sur mon dos.

— Tu as encore essayé mes fards ? Tu as mis mes vêtements ?

Je gardai le silence. Quelques années plus tôt, quand les Fletcher s'étaient installés près de chez nous, j'avais déjà essayé ses produits de beauté, après avoir épié Betsy quand elle se maquillait.

Maman hocha la tête. Elle avait retrouvé son calme, mais ce calme était encore plus menaçant que sa colère.

— Monte dans ta chambre, et restes-y jusqu'à ce que je te permette d'en sortir, m'ordonna-t-elle.

Je savais ce que cela signifiait, oh oui ! Je ne le savais que trop.

— Non, maman, je t'en prie.

— Cela t'aidera, insista-t-elle d'une voix posée. Je t'interdis de toucher à la petite, de lui parler, et même de la regarder, jusqu'à ce que je te le permette. Et même après que je t'aurai donné le droit de sortir.

— Je t'en prie, maman…

— Monte, Lionel. Je t'apporterai quelque chose tout à l'heure.

Il fallait que je lui dise ; que je lui raconte tout, c'était une chance à courir.

— Maman, écoute-moi. Elliot n'est pas le seul que j'aie vu. Papa est venu ce soir. Il m'a dit que tu commettais une très grave erreur.

Elle eut à nouveau son sourire de glace.

— Ce n'était pas ton père. Ne t'ai-je pas dit cent fois que le mal peut prendre une apparence aimable, pour nous amener à baisser notre garde ?

— C'était papa. C'était bien lui.

— Quel idiot tu fais ! Tu m'inquiètes vraiment, Lionel. Que deviendrais-tu si je n'étais pas là ?

Elle se retourna vers moi et murmura d'une voix sourde :

— C'est ton père qui m'a suggéré ce plan, dans tous ses détails.

— Quoi !

— C'est vrai. Tout ça n'est pas venu comme ça, par miracle. C'est lui qui m'a conseillée.

J'eus beau secouer la tête, elle continua de sourire comme si c'était moi qui me trompais, et même lourdement.

— Je me demandais pourquoi, depuis si longtemps, il ne venait plus te voir et ne te parlait plus. Quand je lui ai posé la question il m'a dit de ne pas m'inquiéter, mais maintenant je comprends. Il y a quelque chose qui t'obscurcit le cœur. Tu as des doutes. Sans la foi, tu ne peux pas traverser, Lionel. Tu ne peux pas rejoindre les bons esprits de notre famille.

« C'est ma faute, ajouta-t-elle. Je me suis tellement concentrée sur tout ça que les signaux m'ont échappé.

— Maman…

— Monte. Tout va s'arranger, promit-elle, avec un sourire nettement plus chaleureux. Réfléchis. Si je n'avais pas raison, est-ce que Bébé Céleste aurait été aussi adorable et aussi affectueuse envers Dave ?

— C'est parce qu'il est son…

— Quoi ? s'écria maman, les yeux agrandis de fureur. Monte ! ordonna-t-elle en se levant. Immédiatement !

Des larmes roulèrent sur mes joues, mais je ne m'en aperçus que lorsqu'elles commencèrent à s'égoutter de mon menton. J'essayai d'avaler ma salive, mais ma gorge s'était durcie comme de la pierre. Le corset qui m'écrasait la poitrine sembla se resserrer.

— Je ne… je ne peux plus respirer, maman.

Je tentai de me lever, mais à peine étais-je debout que tout se mit à tourner autour de moi. Je tendis le bras pour me retenir, mais il n'y avait rien à ma portée à quoi je puisse me raccrocher. Maman ne chercha pas à m'empêcher de tomber. Elle me laissa basculer en arrière. J'eus l'impression de traverser le fauteuil, le plancher, et même les fondations de la maison, pour être précipitée dans cette tombe qui m'effrayait tant. La dernière chose que je vis fut le regard que maman me jeta, fulgurant de rage et de haine. Puis tout devint noir.

Quand je repris connaissance, j'étais dans mon lit. Comment m'avait-elle amenée à l'étage ? Je n'aurais pas été surprise de l'entendre dire que papa m'y avait portée lui-même. J'étais toujours habillée, mais la couverture avait été bordée si étroitement qu'on aurait dit une camisole de force. Je luttai pour m'en libérer mais l'effort me donna la nausée. Je dus renoncer et me laissai retomber en arrière, pour me reposer un moment. Une bougie noire brûlait devant la fenêtre, projetant sa lueur chancelante sur les murs et la porte fermée. Au-dehors, des ombres se tortillaient comme des vers, tentant désespérément d'entrer. Il m'était impossible d'améliorer ma situation pour le moment. Je ne pouvais rien faire, sauf dormir.

À nouveau, les ténèbres m'engloutirent. Je dormais si profondément que j'étais bien au-delà des rêves. C'était le sommeil de la mort, que rien ne traversait, sinon le bruit étouffé des pas sur les tombes.

Des heures et des heures plus tard, la lumière du matin me réveilla. L'esprit confus, je restai immobile pendant une bonne minute, à contempler le ciel et les nuages que je pouvais voir par la fenêtre. Puis j'essayai de me dégager de la couverture, et je dus batailler pour y parvenir. Je portais toujours mes vêtements de la veille. Quand je voulus regarder l'heure, je m'aperçus que mon réveil avait disparu.

Je me levai et m'approchai de la fenêtre. Le

soleil inondait les prés et les bois, j'en conclus que la matinée était très avancée. Je courus vers la porte, et ne fus pas trop étonnée de la trouver fermée à clé. Je la secouai en appelant maman, puis je tendis l'oreille. La maison me parut trop silencieuse. Je retournai vivement à la fenêtre et l'ouvris, pour voir l'endroit où la voiture était toujours garée. Elle ne s'y trouvait plus.

Je m'éloignai de la fenêtre et récapitulai tout ce qui s'était passé, tout ce que j'avais dit à maman et tout ce qu'elle m'avait dit. Une fois de plus, elle me purgeait de mes pensées mauvaises. Cette épreuve était ma purification. Elle m'avait laissé de l'eau minérale et un verre, mais rien de plus. Où était-elle allée ? Combien de temps me garderait-elle enfermée ? À quelle cérémonie allait-elle me soumettre, quelle potion devrais-je avaler ?

Je ne pouvais rien faire, sinon attendre. Je ne voulais pas boire cette eau, je ne me fiais plus à rien, mais il restait toujours le robinet de la salle de bains. Je ne sais pas combien d'heures s'écoulèrent à attendre ainsi mais le soleil baissa, les ombres s'amassèrent. Finalement, j'entendis la voiture dans l'allée. Je me ruai à la fenêtre, pour voir maman arriver avec Bébé Céleste assise à son côté, dans un siège de voyage. J'attendis qu'elle soit entrée, puis j'appelai en martelant la porte à coups de poing.

Elle ne vint pas tout de suite, mais continua ce qu'elle était en train de faire. Au bout d'un moment, je l'entendis monter avec Bébé Céleste, en lui parlant tout doucement.

— Maman ! hurlai-je. Laisse-moi sortir, s'il te plaît. Je te promets que je serai sage.

Elle s'arrêta, puis repartit vers la chambre de Bébé Céleste. Quand j'entendis à nouveau son pas, je cognai à la porte. Cette fois, elle répondit.

— Arrête ce vacarme, la petite fait la sieste. Je t'apporterai quelque chose dans un moment.

— Je veux sortir, maman.

Quand elle parla, je sus qu'elle était juste derrière ma porte.

— Je sais, mais ce n'est pas vraiment toi qui le veux. C'est plutôt ce qui est en toi, Lionel.

— Non, maman, non. C'est fini, je te le promets.

Il y eut un silence, puis je l'entendis s'éloigner et descendre les marches. Frapper à la porte en hurlant ne me servirait à rien, au contraire. Cela ne ferait qu'empirer les choses, comme je l'avais appris à mes dépens. Il fallait me montrer patiente, la convaincre qu'elle avait corrigé ce qu'elle jugeait mauvais en moi. Je savais qu'elle allait m'obliger à jeûner, et j'essayai de dormir pour conserver mon énergie. Peu à peu, je sombrai dans le sommeil, mais je m'éveillai souvent. Le soleil déclinait, les ombres s'épaississaient dans ma chambre. Finalement, j'entendis tourner la clé dans ma serrure et m'empressai de m'asseoir. Maman entra, tenant un verre à la main.

— Bois ça, Lionel.

Je fis signe que je ne voulais pas.

— Tu dois le boire. Cela ne te fera aucun mal, crois-moi. Cela te donnera des forces.

— Qu'est-ce que c'est ?

Je savais qu'il était inutile de le demander. Elle ne révélerait jamais le secret de ses recettes, car elle croyait que cela diminuerait leur efficacité.

— Peu importe ce que c'est, ça te rendra des forces. Plus vite tu coopéreras, plus vite tu seras libéré de tout ça.

L'idée de sauter du lit et de sortir en courant me traversa l'esprit, mais j'avais peur. Pourquoi papa n'était-il pas venu à moi, depuis tout ce temps ? Pourquoi ne lui avait-il pas parlé, à elle aussi ? Avait-elle raison ? Quelque chose de mauvais avait-il pris son apparence pour se moquer de moi ?

— Au fond de toi, Lionel, tu sais ce qui est le mieux pour toi, pour nous tous, insista-t-elle gentiment.

Elle me caressa la joue avec tendresse, comme elle ne l'avait pas fait depuis bien longtemps. Je fermai les yeux, savourant le contact de sa main et la douceur qu'il m'apportait.

— Allons, me pressa-t-elle.

Je tendis le bras et pris le verre. Ce qu'il contenait, quoi que ce fût, était de couleur jaunâtre, j'étais donc sûre que c'était un mélange de plantes. C'était toujours ça. Je savais qu'elle croyait aux pouvoirs protecteurs du lierre, du genévrier, de l'ail et de la jacobée, parmi tant d'autres. Elle espérait que plus tard, je lui succéderais dans l'herboristerie, et elle m'expliquait parfois comment elle fabriquait ses remèdes. Cependant, ils étaient nombreux, et beaucoup d'entre eux possédaient des pouvoirs spirituels.

Comme d'habitude, je trouvai le goût du liquide

affreux et je dus fermer les yeux pour l'avaler. Elle me répéta, comme elle l'avait fait tant de fois, qu'on ne prenait pas ses herbes pour se régaler mais pour guérir. Tout comme il existait une médecine pour le corps, il en existait une autre pour l'âme. Maman voyait en toutes choses des qualités surnaturelles. C'est ainsi qu'elle m'avait appris à voir le monde qui nous entoure, y compris notre petit univers privé.

Mon estomac gargouilla et je reposai ma tête sur l'oreiller.

— Puis-je sortir maintenant, maman ?

— Bientôt. Il faut d'abord que tu dormes.

— Où est Bébé Céleste ?

— Elle va très bien. Pour le moment occupe-toi de toi-même, dit-elle en s'en allant.

J'entendis la clé tourner dans la serrure.

Même quand la nuit fut là, je ne pris pas la peine d'allumer. Je restai tranquillement couchée. La potion commençait à faire son effet : j'avais chaud et je me sentais tout étourdie. La nausée me prenait, se calmait, revenait. Et soudain, je me sentis sombrer dans mon lit, mais en même temps que je m'enfonçais, je remontais. La part spirituelle de mon être s'élevait hors de mon corps. Je planais au-dessus de moi-même.

Puis je vis nos esprits familiaux pénétrer dans ma chambre et marcher lentement autour de mon lit, tournant et tournant sans cesse. J'en reconnus beaucoup d'après leurs photographies. Tous avaient les yeux fermés. Aucun d'entre eux ne me regardait. Je criai, suppliai, mais aucun ne me répondit. Ils s'éloignèrent lentement, en file indienne, jusqu'à ce qu'ils soient tous partis. Puis je retombai dans mon corps, et je dormis.

Le lendemain matin, maman ouvrit ma porte. Elle portait Bébé Céleste dans ses bras et souriait.

— Tu vois, lui dit-elle, Lionel est guéri.

Je me frottai les yeux, pris appui sur mes coudes et m'assis dans mon lit. Je me sentais toujours un peu étourdie.

— Allons, debout ! lança maman d'une voix joyeuse. Il faut te lever, maintenant, Lionel. Nous avons du pain sur la planche. Je veux que tout soit aussi beau que possible.

« Dave est venu hier soir pendant que tu dormais, et il m'a fait sa demande en bonne et due forme.

« Et j'ai dit oui, annonça-t-elle en tendant sa main. »

Un gros diamant étincelait à son doigt, comme si c'était de lui qu'émanait la lumière.

— Il t'a offert une bague ?

— Bien sûr. Et elle a appartenu à sa mère, en plus. Elle répand une énergie positive, pour le moment en tout cas.

— Vous êtes officiellement fiancés ?

— Oui, Lionel, nous sommes officiellement fiancés. Parfois, je me dis que les mots s'enfoncent dans ta tête comme des cailloux dans la boue. Une heure après, tu prends conscience de ce qu'on t'a dit.

Maman secoua plusieurs fois la tête, puis elle sourit.

— Et nous aurons aussi un vrai mariage, ici,

chez nous. Alors tu vois le travail qui nous attend. Maintenant tu comprends pourquoi j'ai déjà commencé.

« Fais ta toilette et viens prendre ton petit-déjeuner, me jeta-t-elle en tournant les talons. »

Je restai un moment immobile, toujours aussi étourdie. Puis je m'assis au bord du lit et glissai mes pieds dans mes chaussures. Il lui avait offert une bague. Il allait y avoir un mariage. Tout cela arrivait pour de bon.

Je crus entendre un gros sanglot et m'approchai de la fenêtre. En bas, j'aperçus Lionel qui levait les yeux vers moi.

Puis j'entendis le rire d'Elliot. Lionel baissa la tête, se retourna et prit le chemin de la forêt.

Un nuage voila le soleil, projetant une grande ombre autour de mon frère, comme pour l'engloutir.

Puis Lionel disparut, me laissant plus seule que jamais.

8

Patience et Foi

Jamais je n'avais eu aussi peur d'interroger maman sur sa relation avec M. Fletcher. Je ne voulais rien faire de suspect à ses yeux ; rien qui puisse lui faire croire que je n'avais pas été purgée du mal qui, croyait-elle, était entré en moi et dans la maison. J'avais les nerfs à vif mais, heureusement pour moi, elle était trop impliquée dans sa relation avec M. Fletcher pour le remarquer. Au petit-déjeuner, elle remit la question sur le tapis, se vantant sans cesse de tous les sacrifices qu'il était prêt à faire pour elle.

— Non, pas seulement pour moi, fit-elle valoir. Pour *nous*. Il va mettre sa maison en vente. Immédiatement.

Je levai les yeux sur elle. Immédiatement ? Quand comptait-elle se marier ?

— Cela prend du temps de vendre une maison, surtout une comme celle-là, reprit-elle comme si elle lisait dans mes pensées. Cependant, Dave sait très bien que je n'accepterais jamais de m'en aller d'ici, et il est très heureux de venir vivre avec nous. Il vend également tous ses meubles, et si sa fille ne revient pas, il mettra toutes ses affaires au garde-meuble. Il pourrait même très bien les donner aux nécessiteux, qui les apprécieraient certainement plus qu'elle.

« Mais tu parais surpris, Lionel. Qu'est-ce que tu as en tête ? Allez, dis-le-moi, insista-t-elle en souriant.

— Quand comptez-vous vous marier ?

— Bientôt, nous en discutons pour fixer la date. Je veux que le mariage ait lieu ici. Dave souhaite confier l'organisation à un traiteur renommé dans la région, mais pas moi, et je lui ai expliqué pourquoi. Je ne veux pas voir ici une armée d'inconnus, des gens qui ne s'intéressent pas à nous, mais seulement à l'argent que nous leur ferons gagner. D'ailleurs, il n'est pas question de grande réunion mondaine, surtout pas. Avec le nombre d'invités que nous aurons, je suis capable de m'occuper de tout, et tu m'aideras à tout préparer.

« J'en ai déjà parlé à M. Bogart. Il m'a indiqué un pasteur pour la cérémonie, quelqu'un qui apprécie notre façon de vivre. Naturellement, il n'y aura pas de lune de miel. Plus tard, quand ce sera possible, nous prendrons des vacances. Tous ensemble, précisa-t-elle. Comme n'importe quelle autre famille.

— Et ton travail ? me risquai-je à demander.

— Oh, mon travail... Tu sais déjà que Dave estime beaucoup mes remèdes. Quant au domaine spirituel, tu seras étonné de savoir à combien de choses il croit. Il n'est pas capable de faire ce que nous pouvons faire, bien sûr, mais ses croyances ne sont pas vraiment opposées aux nôtres. Avec le temps, et par amour pour moi, il acceptera tout, surtout quand je lui aurai fait découvrir un monde dont il ne soupçonnait pas l'existence. Il me complimente sans arrêt sur mon heureux caractère. Il affirme qu'il veut apprendre ce que je sais, afin d'échapper aux tracas de l'existence. En particulier ceux que lui cause sa fille, ajouta maman avec une grimace éloquente. Il dit que je suis comme un verre d'eau fraîche pour lui. C'est la même expression qu'employait mon grand-père... et qu'il emploie toujours, acheva-t-elle à mi-voix. »

Que fallait-il comprendre ? Avait-elle déjà parlé à M. Fletcher de nos esprits, de la communication avec leur monde, ou simplement d'harmonie spirituelle, de paix et de méditation ? Deviendrait-il, comme papa, compréhensif et tolérant ? Où courrait-il se mettre à l'abri la première fois qu'elle mentionnerait la présence de quelqu'un d'autre dans la pièce, à côté de nous ?

Elle ne paraissait pas s'en soucier le moins du monde, et cela éveilla mon inquiétude, tout autant que ma curiosité. La question la plus importante restait à poser : et moi, dans tout ça ? Que comptait-elle lui dire à mon sujet ? Et, comme conséquence directe de cela, que lui dirait-elle sur Bébé Céleste ? Comment pourrions-nous lui cacher notre univers secret, s'il habitait chez nous ? Le lui cacherions-nous, seulement ? Son amour pour maman était-il si grand qu'elle croirait pouvoir lui faire totalement confiance ? Que savait-elle que j'ignorais ?

Sa voix me ramena à la réalité.

— Je t'en prie, Lionel, ne fais pas cette tête-là. Je te promets que rien ne changera, que rien ne viendra troubler notre équilibre spirituel. Ce que nous faisons maintenant, nous le faisons pour Bébé Céleste. Elle est notre avenir, et par conséquent l'avenir de tous. Comprends-tu ça ? Nous devons la protéger, protéger tout ce qui a été confié à notre garde. Je dois pouvoir compter sur toi.

— Oui, maman.

— Quand une enfant aussi exceptionnelle grandit sans parents, c'est toujours un handicap pour elle. Son illégitimité est une tare aux yeux des autres. Les gens ont tellement de préjugés stupides, par ici ! Toi et moi sommes bien placés pour le savoir. Je veux être sûre que Bébé Céleste sera à l'abri de tout ça.

Maman me tapota la main d'un geste réconfortant.

— Tu verras, Lionel. En temps voulu, tout s'éclaircira. Nous n'avons besoin que de patience et de foi, les pierres angulaires de notre vie. J'aurais dû appeler mes enfants Patience et Foi, plaisanta maman. Peut-être Bébé Céleste choisira-t-elle ces prénoms pour les siens.

En entendant son nom, Bébé Céleste leva les yeux et sourit.

— C'est ce que tu feras, n'est-ce pas, ma chérie ? lui demanda maman. Tu épouseras quelqu'un de bien, et tu seras une bénédiction pour tous ceux que tu approcheras et qui t'approcheront. N'est-ce pas, mon trésor ?

Bébé Céleste hocha la tête comme si elle avait tout compris. Je commençais à croire que c'était le cas.

— Quant à toi, poursuivit maman, en me dévisageant comme si j'avais déjà fait quelque chose de mal, tu n'as pas à t'inquiéter ; Dave ne cherchera pas à s'opposer à toi ou à te réformer. Il sera là pour faire tout ce que nous lui demanderons. Quoi qu'il te propose, tu pourras l'accepter ou le refuser. Tu peux passer du temps avec lui ou le voir très peu, à ta guise. Mais sois poli avec lui, et ne lui donne aucune raison de croire que tu ne l'aimes pas, d'accord ?

— Oui, maman.

— Bien. Je suis si heureuse pour toi, Lionel. Si heureuse d'avoir pu t'aider à voir le véritable aspect des choses. Quand le moment viendra, notre Bébé Céleste nous aidera à en voir beaucoup plus. Nous en avons encore tant à découvrir, à travers elle !

Mon regard dévia vers Bébé Céleste. Que voulait dire maman ? Comment un bébé pouvait-il nous aider à voir, à découvrir davantage de choses ? Qui était réellement Céleste, à ses yeux ?

Elle eut une nouvelle explosion d'enthousiasme.

— Oh, Lionel, je suis si contente pour nous tous ! Si contente que j'ai décidé de nous accorder un jour de vacances, à tous les trois. Nous irons faire des courses et déjeuner au grand centre commercial de Middletown. Mets quelque chose de chic, me recommanda-t-elle. Je tiens à t'acheter d'autres vêtements, d'autres à Bébé Céleste, et à moi aussi, ajouta-t-elle en rougissant légèrement. La petite a également besoin de nouveaux livres. Et toi, qu'est-ce qui te plairait ? Y a-t-il quelque chose à quoi tu aies pensé récemment ?

— Non, maman.

En réalité, il y avait des choses dont je rêvais, mais je ne pourrais jamais en parler. Combien de fois n'avais-je pas jeté un regard discret à un magazine pour voir les nouvelles modes, les chaussures, les bijoux ? Pendant un certain temps, il y avait quelques mois de cela, j'avais caché des revues de mode dans ma chambre, comme un adolescent cacherait *Playboy* ou un magazine du même genre. Un jour, tellement j'avais peur que maman ne les découvre, je les avais sorties en cachette et enterrées derrière la maison. En somme, chacune de nous avait son cimetière privé, à présent.

— Eh bien, tu y réfléchiras, reprit maman. Je suis certaine qu'une fois là-bas, en voyant les vitrines, tu repéreras quelque chose qui te tente. Quelques fois, c'est tout aussi amusant de voir les nouveautés, en fait.

Amusant ? Depuis quand trouvait-elle amusant de faire du lèche-vitrines ? Elle avait tellement changé ! Je ne me souvenais pas de l'avoir vue aussi gaie, aussi pleine d'entrain qu'en ce moment. Elle circulait dans la maison en fredonnant ou en chantant. Elle se pomponnait devant son miroir depuis des heures, essayait différentes coiffures, différentes toilettes, bijoux et nuances de rouges à lèvres. Chaque fois que je suggérais d'aller l'attendre dehors ; elle me répondait qu'elle était presque prête et qu'elle ne voulait pas que je me salisse.

— Un peu de patience, Lionel. Je te connais. Tu iras traîner dans le jardin ou dans la remise, et tu reviendras avec de la boue ou de la graisse. Contente-toi de surveiller Bébé Céleste, nous partons dans quelques minutes.

Les quelques minutes s'éternisèrent, et j'en arrivai à croire que nous ne partirions jamais. Bébé Céleste elle-même finit par s'ennuyer, et elle s'endormit, la tête sur mes genoux. J'enroulai ses boucles rousses sur mon doigt, et regardai ses paupières trembler dans son sommeil. En contemplant sa bouche ravissante et ses joues si douces, je me demandais quels rêves elle faisait. Étaient-ils sérieux et prophétiques, ou pareils à ceux que je faisais moi-même à son âge ? Des rêves où abondaient les sucres d'orge et les poupées, la musique et les rires ? Était-elle l'enfant prodige que maman croyait qu'elle était, ou simplement une petite fille, née dans un monde qu'elle ne comprendrait sans doute jamais ?

Oui, je me voyais en elle, mais j'y voyais aussi Elliot. Et je me demandais comment M. Fletcher pouvait la regarder, surtout maintenant qu'il allait faire partie de notre vie, et ne pas le voir, lui aussi. À moins qu'il ne l'ait vu au premier coup d'œil ? À cette seule idée, mon cœur s'emballa.

Se pouvait-il qu'il sache déjà ? Que cette demande en mariage dont maman était si fière, et qu'elle croyait programmée par les esprits, soit juste le contraire ? Ce n'était pas elle qui dupait M. Fletcher dans notre intérêt. C'était lui qui la dupait, pour des raisons qu'elle ne voyait pas ou ne comprenait pas. Jusqu'à quel point était-ce dangereux ? Que pouvait-il en résulter ?

Si aimable et si gentil qu'il paraisse, c'était peut-être lui, le véritable péril qui menaçait notre univers et notre existence, que maman redoutait tant. Il pouvait très bien être ce cheval de Troie qu'elle avait accusé Cléo, mon chien, d'être lui-même. Il était peut-être cette ombre noire qu'elle craignait de voir surgir de la forêt.

Mais comment maman pouvait-elle être dupe à ce point ? Et pourquoi nos esprits ne l'avaient-ils pas avertie comme je croyais qu'ils l'avaient fait pour moi ? Pense à la rapidité avec laquelle Bébé Céleste s'est attachée à lui, me répétais-je. Si elle était l'enfant prodige, ne percevrait-elle pas le danger ?

J'étais si troublée que j'en avais le vertige. Devais-je me réjouir de ce mariage, être heureuse qu'il y ait à nouveau un homme dans notre vie, un père pour Bébé Céleste, et même pour moi ? Ou devais-je être terrifiée pour nous tous ? Si je montrais cette terreur, maman se contenterait de m'enfermer, une fois de plus.

— Je suis prête, entendis-je annoncer tout près de moi.

Je levai les yeux, et maman dut lire la surprise sur mon visage. Elle avait trouvé une nouvelle façon de se coiffer, les cheveux ramenés en arrière d'un seul côté, en coup de vent. C'était très séduisant, et même plutôt sexy. Elle avait choisi un rouge à lèvres tirant sur le rose, assorti à sa robe sans manches et à ses chaussures. Et ceci... n'était-ce pas un bracelet de cheville ? Quand avait-elle acheté cela ? Était-ce quelque chose qu'elle avait toujours eu, mais n'avait jamais porté jusqu'ici ? C'était comme si elle déterrait un secret après l'autre, m'étonnant toujours davantage à chaque révélation.

Elle était très jolie, c'était indéniable. Mais au lieu d'être fière d'elle et de me réjouir de sa beauté, j'éprouvai soudain cette morsure trop familière de jalousie, si vivement qu'elle m'emplit d'amertume et me tordit le cœur.

Je regardai mes mains calleuses, mes avant-bras musclés, mon jean et mes grosses chaussures fatiguées. Mes orteils se rétractèrent à l'intérieur. Un sentiment de dégoût et de répulsion m'assaillit, étreignit ma poitrine, et mon cœur se serra comme une éponge écrasée dans un poing. Les muscles de mon ventre se durcirent. Qui suis-je, me désolai-je, que suis-je devenue pour éprouver une telle répugnance envers moi-même ?

— Ne me dis pas qu'elle s'est endormie ? s'écria maman, en s'avisant enfin que Céleste avait posé la tête sur mes genoux.

— Tu as mis tellement longtemps à te préparer, maman !

J'avais parlé sur un ton de reproche, un peu trop sèchement peut-être. Je retins mon souffle. Comment allait-elle réagir ?

Elle me dévisagea un moment, les yeux fixes,

puis secoua vigoureusement la tête. Elle écoutait et niait certaines choses qui lui étaient transmises d'un autre monde. Elle entendait toujours des voix, même quand elle parlait.

— Eh bien, tu n'auras qu'à la porter dans la voiture et l'attacher dans son siège, Lionel. Je suis sûre qu'elle retrouvera tout son entrain quand nous arriverons au centre commercial.

Maman arpenta quelques instants le salon et revint vers moi. Puis elle mouilla ses doigts sur le bout de sa langue et m'en caressa la joue.

— Franchement, tu mériterais de te promener toute la journée barbouillé de saleté, Lionel. Tu n'as pas changé depuis l'âge de quatre ans !

C'était une réprimande, mais faite en souriant. Je levai les yeux sur elle, et elle y déchiffra quelque chose qui la fit réfléchir. J'étais en train de penser, non sans colère, que selon sa façon de voir les choses, je serais toujours son petit garçon. Je ne pourrais jamais devenir un homme, et encore moins une femme.

— Tu te sens bien ? s'inquiéta-t-elle. Tu n'as pas de nouveau problème, au moins ?

Instantanément, je fis signe que non. Si j'avais hésité ne fût-ce qu'un quart de seconde, elle m'aurait immédiatement enfermée à clé dans ma chambre, imposé un nouveau jeûne, puis serait partie avec Céleste.

— Alors allons-y ! s'exclama-t-elle d'un ton plus léger.

Je soulevai Bébé Céleste aussi délicatement que possible. Elle geignit, mais ne s'éveilla pas. Quand nous l'installâmes dans son siège elle ouvrit les yeux, regarda autour d'elle, se rendit compte que nous étions dans la voiture et sourit.

— Promener, gazouilla-t-elle en battant des mains.

Maman me jeta un regard significatif.

— Tu vois, il y a au moins quelqu'un de content, aujourd'hui. Quelqu'un qui apprécie les grands efforts que je fais pour nous tous.

— Mais je les apprécie, protestai-je.

— Nous verrons bien.

Nous démarrâmes. Il était si rare que je quitte la propriété, ces temps-ci ! En regardant le paysage, les maisons et les magasins que nous dépassions, je me souvins de l'excitation de Lionel en pareil cas, et de son désir de voir le monde. Il rêvait d'aller à l'école et d'avoir des tas d'amis. Sa frustration, puis sa colère, et une indicible détresse l'avaient mené à son insu vers son rendez-vous avec la mort. En repensant à tout cela, au fait que maman n'ait rien compris, ni rien vu venir, je me faisais du souci. Elle n'était pas parfaite, après tout. Personne n'était parfait, sauf Bébé Céleste et encore… peut-être pas.

— J'ai pensé que nous pourrions nous arrêter au drugstore de Dave, proposa maman, pour lui rendre une petite visite. Nous ne sommes pas très formalistes, en tout cas pas au point d'annoncer nos fiançailles dans les journaux. Mais vois-tu…

Maman hésita un instant avant de poursuivre.

— Il m'a offert une bague, a parlé de nous à

ses collègues, aux habitués du drugstore, et tu sais combien les nouvelles vont vite, par ici. Nous nous montrerons au drugstore de plus en plus souvent.

Je ne pus cacher ma stupeur devant ce changement radical. À part ses clientes, notre avocat, quelques membres du corps enseignant – quand nous allions passer nos tests – et M. Bogart, maman n'avait que très peu de contacts, sinon pas du tout, avec les habitants de ce que nous appelions le monde extérieur. Elle n'avait pas besoin d'eux ; elle ne tenait pas à les connaître. Il en allait ainsi depuis la mort de papa, et même de son vivant maman n'aimait pas beaucoup voir du monde, sortir ou inviter les gens. Je me souvins que papa se plaignait de ce qu'ils ne profitaient pas de l'argent qu'il gagnait, ne partaient jamais en vacances ni en voyage et ne faisaient jamais non plus de folies dans les magasins. Avant sa mort, ils se disputaient souvent à ce sujet. Pourquoi, tout d'un coup, avait-elle plus envie de sortir avec M. Fletcher que jadis avec papa ?

Avant de passer au drugstore, nous allâmes au centre commercial. C'était samedi, il y avait donc foule. Ce qui m'étonna le plus fut le nombre d'adolescents et de jeunes gens qui traînaillaient un peu partout, simplement pour le plaisir d'être là et de se rencontrer. Je les regardais à la dérobée, avec la sensation d'être un Martien en visite. Pouvaient-ils voir quelque chose de différent en moi ? Comme Lionel, j'étais follement intéressée par tout ce qui les concernait ; leur façon de se parler, de se toucher, de chahuter et de rire, et tout spécialement par les vêtements des filles.

Je suis sûre que ce fut seulement un effet de mon imagination, mais il me sembla que, où que nous allions, tout le monde nous regardait. Autre surprise pour moi, maman paraissait ravie que nous attirions l'attention. D'habitude, elle se plaignait de « l'air effaré de ces imbéciles », qui nous regardaient comme des bêtes curieuses et chuchotaient dans notre dos. Elle ne rendait jamais un sourire à quiconque, pas de la façon dont elle le faisait maintenant.

Nous croisâmes certaines de ses clientes et, comme elle l'avait prédit, la nouvelle de ses fiançailles avec M. Fletcher faisait déjà les gros titres dans la gazette des potins. Je remarquai la façon dont les femmes comme Mme Palis la félicitaient, tout en dévorant des yeux Bébé Céleste, en quête d'une ressemblance avec M. Fletcher. Quand nous les quittâmes, je me retournai sur Mme Paris, Mme Walker et Mlle Shamus. Leurs trois têtes se touchaient et les langues allaient bon train. Inutile de se demander de quoi elles parlaient ! Pourtant, quand je regardai maman, elle rayonnait. Non seulement cela ne l'ennuyait pas, mais il était évident qu'elle l'avait voulu.

Nous achetâmes à Bébé Céleste une robe rose et blanc à volants, des chaussettes bleu clair et des chaussures assorties. De plus, maman voulut qu'elle les porte tout de suite. Après cela, nous allâmes dans l'un des grands magasins les plus importants du centre, où elle s'acheta un pull-over léger à encolure en V, une jupe, des chaussures et un foulard en soie. Puis elle me fit choisir un nouveau pantalon, quelques chemises supplémentaires et des chaussures sport dernier modèle, pour que j'aie l'air « un peu plus à la page ». Le vendeur fit une remarque sur la petitesse de mes pieds. Je regardai maman mais elle demeura impassible, même quand il se rendit au rayon des juniors. Un peu plus tard, elle s'arrêta devant la vitrine d'un tailleur pour hommes, beaucoup plus chic, et décida qu'il me fallait un complet pour son mariage. J'étais assez nerveuse en essayant des vestes, avec un vendeur qui tournait autour de moi. Mais maman l'occupa en lui faisant chercher des cravates assorties, une chemise habillée et des chaussures. En fin de compte, son choix se porta sur un complet bleu marine, et elle déclara au vendeur qu'elle ferait les retouches elle-même. Après quoi, nous allâmes déjeuner. Puis, comme elle l'avait annoncé, elle nous conduisit au drugstore, où M. Fletcher travaillait au rayon pharmacie. Il était au comptoir en train d'exécuter une ordonnance mais, dès que nous entrâmes, le directeur en personne vint féliciter maman. Il se nommait Larry Jones et ne devait pas avoir plus de trente ans. Je me demandai comment il savait qui était maman, mais quand nous approchâmes du comptoir, je trouvai la réponse moi-même. C'est là que j'aperçus, dans un cadre d'argent, une photo de M. Fletcher et de maman prise pendant leur petite escapade. Ils étaient dans la barque et il la tenait contre lui, un bras autour de ses épaules. Elle avait une rose rouge dans les cheveux.

Je lui jetai un coup d'œil bref, pour voir si elle était fâchée de trouver sa photo exposée là, mais elle en paraissait ravie.

— Sarah ! s'exclama M. Fletcher dès qu'il nous vit.

Il murmura quelque chose à un assistant et contourna rapidement le comptoir. Devant tout le monde, clients, vendeurs, directeur et moi-même, il prit maman par les épaules et l'embrassa sur les deux joues.

— Quelle merveilleuse surprise ! s'exclama-t-il à haute et intelligible voix. Bonjour, Lionel. Comme tu es jolie, Céleste !

Maman lui tendit Bébé Céleste et il la prit dans ses bras comme s'il était réellement son père.

— Nous venons de faire des courses, lui apprit maman. Ce sont des vêtements tout neufs.

— Elle est ravissante, apprécia-t-il.

Comme si elle avait répété son rôle, Bébé Céleste lui jeta les bras autour du cou et il rit de plaisir. Après cela, les spectateurs de la scène furent tout à fait convaincus qu'il était son père. Maman venait de faire de lui la cible des rumeurs scandaleuses et des potins.

Il prit une sucette sur le comptoir mais, avant de l'offrir à Bébé Céleste, il quêta du regard l'approbation de maman. J'étais certaine qu'elle allait dire non. Depuis la mort de papa, nous n'avions plus jamais de sucreries à la maison. Mais une fois de plus, elle m'étonna en accordant son consentement d'un signe de tête. M. Fletcher en ôta le papier, la tendit à Bébé Céleste puis me jeta un coup d'œil bref et un autre à maman. Il semblait vouloir dire qu'il voulait nous parler loin des oreilles indiscrètes, et elle devina aussitôt que quelque chose n'allait pas. Elle haussa les sourcils.

— Qu'y a-t-il, Dave ?

— Betsy, chuchota-t-il en lui rendant Bébé Céleste.

Aussitôt, elle la posa à terre et me dit de la surveiller, tandis qu'elle s'écartait avec M. Fletcher pour qu'ils puissent parler en privé. J'aurais voulu les suivre et tâcher de les écouter, mais un vendeur s'approcha et commença à parler avec Bébé Céleste. Il l'emmena vers le rayon des jouets, où il me fallut bien les suivre. Quelques minutes plus tard j'entendis la voix de maman :

— Il faut que nous partions, maintenant.

Elle se tenait à mes côtés. M. Fletcher était retourné au comptoir de la pharmacie. Il me dit au revoir d'un geste de la main et je lui répondis de même. Maman avait repris Bébé Céleste dans ses bras et se dirigeait déjà vers la porte. Sa façon de marcher, les épaules raidies et la tête haute, m'apprit qu'elle était contrariée. Elle ne dit rien jusqu'à ce qu'elle ait installé Bébé Céleste dans son siège et quitté les abords de la pharmacie. Je finis par poser la question qui me brûlait les lèvres.

— Qu'est-ce qui ne va pas, maman ?

Elle tourna vers moi un visage empourpré.

— Betsy revient demain. Elle vient pour dissuader son père de vendre leur maison et de m'épouser, bien qu'elle n'ait aucune chance d'y parvenir. La petite garce ! Pas étonnant qu'elle ait eu tellement d'aventures avec des bons à rien. Au bout d'un moment, ils la laissent tous tomber. C'est la fille la plus égoïste...

— Que va faire M. Fletcher ? m'autorisai-je à demander.

— Dave. Appelle-le Dave. Et arrête de l'appeler M. Fletcher ! Il va devenir ton beau-père.

— Désolée, marmonnai-je en évitant son regard furibond.

Mais sa colère ne tomba pas tout de suite.

— Tu es désolé ? Qu'est-ce que tu crois qu'il va faire ? Je vais te le dire, ce qu'il va faire ! Il va enfin la remettre à sa place. Il m'a promis de se montrer beaucoup plus ferme avec elle, annonça maman, mais sans la conviction que j'espérais. Oh, il se fait les reproches habituels, bien sûr ! Il se sent coupable de ce qu'elle est devenue, et elle profite de ses scrupules. Elle est maligne, la petite intrigante, elle sait comment le manipuler. Cela fait des années qu'elle mène ce petit jeu. Il lui passe tous ses caprices, et s'il lui fait des remontrances, elle hurle que c'est à cause de lui que leur mère est partie ; qu'il était trop occupé pour accorder à ses enfants l'attention dont ils avaient besoin. Elle est très forte pour ça, j'en suis certaine. À la façon dont il me l'a décrite, je peux voir qu'elle donnerait des leçons à Satan lui-même. Attends qu'elle vienne habiter chez moi ! Les choses vont changer, et même très vite.

— Elle va venir vivre avec nous ?

— Évidemment, elle va vivre avec nous. Je viens de te dire qu'elle rentrait après un énième fiasco amoureux, et que Dave vendait sa maison.

Quand nous serons mariés, elle aussi habitera chez nous. Que ça lui plaise ou non, elle fera partie de la famille. Ça ne m'emballe pas, tu peux me croire, mais pour le moment c'est comme ça que ça se passera.

— Comment ça, pour le moment ? Que veux-tu dire par là ?

Maman attacha sur moi un long regard, puis se détourna.

— Je suppose qu'elle finira par être indépendante ; qu'elle trouvera un pauvre imbécile assez stupide pour l'épouser. Mais jusque-là, il faudra nous débrouiller avec le problème, parce que c'est tout ce qu'elle est pour moi : un problème. Et naturellement, elle rend Dave responsable de la mort d'Elliot.

— C'est vrai ? Mais pourquoi ?

— Toujours le même refrain. Il ne s'est pas assez occupé de lui, intéressé à lui, et l'a laissé courir des risques. Toutes les raisons qu'elle peut inventer lui sont bonnes. Cela fait partie de sa tactique de manipulation, mais cette fois-ci...

« Cette fois-ci, elle n'aura pas seulement affaire à ce pauvre Dave. Elle aura vite fait de le comprendre et crois-moi, elle changera de ton. »

La seule idée que Betsy allait vivre chez nous me fit frémir. Je ne me souvenais que trop bien de ce qu'Elliot m'avait poussée à faire : épier sa sœur par un trou du mur de sa chambre. Cela s'était passé quand nous venions de nous connaître, et qu'il croyait encore que je deviendrais l'un de ses nouveaux copains. Je n'osais pas refuser son offre, et j'avoue qu'en même temps j'étais tentée. J'étais curieuse de connaître la vie des filles, et d'en observer une comme Betsy dans son intimité.

À l'époque, Betsy était la fille la plus sexy que j'aie jamais vue. Bien en chair, de beaux cheveux, le visage plus rond que celui d'Elliot, elle avait la bouche un peu molle et tombante, ce qui lui donnait généralement l'air boudeur. Malgré tout, j'étais fascinée par ses vêtements, son maquillage, sa façon de se tenir et de marcher.

C'est après l'avoir vue nue, en train d'essayer des coiffures et des fards, que j'étais entrée dans la chambre de maman et, pour la première fois, m'étais servie de son maquillage. À présent ce souvenir me revenait, aussi vif que si cela s'était passé quelques heures plus tôt.

Assise à la coiffeuse de maman, j'avais ouvert un de ses tubes de rouge, dessiné le contour de ma bouche, pressé mes lèvres l'une contre l'autre, avant de les tamponner comme j'avais vu faire Betsy. Voir ce rouge éclatant sur mon visage m'avait arraché un sourire de plaisir. Encouragée, j'avais ouvert un pot de crème et m'en étais enduit les joues et le menton. Mes mains étaient rugueuses, aussi devais-je procéder avec douceur. J'ouvris ensuite une boîte de fard et en testai la nuance, toujours en imitant Betsy. Enfin, à l'aide d'une brosse à cils, j'entrepris de foncer la couleur des miens. J'avais presque terminé lorsque j'entendis maman pousser un hurlement. J'étais tellement absorbée que je ne l'avais pas entendue monter. Les yeux agrandis d'horreur, elle m'observait du seuil de la pièce. On aurait dit qu'elle était prête à s'arracher les cheveux.

Comme elle venait de le faire récemment, elle me déclara contaminée par le mal, et décida aussitôt que c'était la faute de Cléo. Betsy Fletcher m'avait porté malheur, et j'avais le sentiment que ce serait pareil cette fois-ci. Elle n'avait que du mépris pour moi, et aucun respect envers elle-même. Comment pourrions-nous jamais cohabiter ? Comment pourrais-je faire semblant qu'elle faisait partie de ma famille ? Pourquoi maman ne paraissait-elle pas s'inquiéter de tout ça ?

Quelquefois, et maintenant encore, quand j'évoquais la manière sensuelle dont Betsy regardait son corps et se caressait, je faisais la même chose. L'excitation que je ressentais alors m'effrayait et me ravissait à la fois. J'avais un tel désir de recommencer que j'enfouissais mon visage dans l'oreiller, retenais ma respiration et chassais images et visions. Mais, tout comme cette fois où j'avais vu maman et M. Fletcher s'embrasser, il m'était impossible d'arrêter mes rêves. Ces rêves dans lesquels je sentais des lèvres sur les miennes, des mains sur mes seins, et où je me racontais des pages et des pages d'une merveilleuse histoire d'amour.

Betsy allait sûrement rallumer en moi tous ces fantasmes.

— Sa présence chez nous ne sera pas très agréable pour moi, maman, murmurai-je en pensant à toutes ces choses.

— Il n'est pas nécessaire que ça le soit, rétorqua-t-elle.

Puis, avec un sourire songeur, elle ajouta :

— Il faut que ce soit comme ça, c'est tout. Le reste ira tout seul.

D'ordinaire sa confiance en elle me rassurait, mais cette fois ce ne fut pas le cas. Si elle devina mon angoisse, elle l'ignora, mais je ne pouvais m'empêcher de penser à la responsabilité qui allait peser sur mes épaules.

Betsy fourrerait son nez partout. Elle ferait tout pour donner à son père une mauvaise impression de nous. S'agissait-il seulement d'une nouvelle épreuve ?

J'avais l'impression d'être au pied d'une montagne, et qu'une avalanche de malheurs dégringolait sur moi. Je ne pouvais rien faire pour l'arrêter, et j'étais tout aussi incapable de m'écarter de sa route.

Maman jeta un coup d'œil à Céleste puis me regarda dans le rétroviseur.

— Elle a été tout simplement merveilleuse aujourd'hui, tu ne trouves pas ?

— Si.

Maman hocha la tête.

— Oui, merveilleuse. La tête de tous ces curieux quand ils ont vu quel trésor c'était !

De toute évidence, cette sortie était un grand succès, pour maman. Mais pour moi, ce n'était pas le cas. J'avais le sentiment que la deuxième chaussure n'allait pas tarder à tomber.

9

La princesse Betsy

La deuxième chaussure tomba sous la forme de Betsy. Deux jours plus tard, M. Fletcher (je ne pouvais toujours pas m'habituer à l'appeler Dave) la ramena à la maison. Au premier coup d'œil, il fut clair pour moi qu'il avait dû l'y traîner. Je le vis s'arrêter devant chez nous, et je vis aussi qu'elle restait dans la voiture. Elle n'en sortit que lorsqu'il vint lui-même ouvrir la porte du côté passager et lui ordonna de descendre. J'étais dans le champ, où je venais de repiquer quelques plantes d'arrière-saison. Je me relevai et les regardai se diriger vers l'entrée, Betsy traînant derrière son père, la tête basse. J'essuyai mes mains à un chiffon et pris la même direction.

C'était l'après-midi, d'épais nuages couleur de cendre passaient devant le soleil, projetant sur la maison un réseau d'ombres ténébreuses. Tout en marchant, je déroulai mes manches. Je redoutais ce face-à-face avec Betsy. Mais je savais que maman serait fâchée si je n'étais pas là pour accueillir notre nouvelle « princesse », comme elle l'avait appelée elle-même deux jours plus tôt.

Quand j'entrai, je les trouvai tous les deux dans le hall.

Betsy avait la tête rentrée dans les épaules et les bras croisés sous les seins. Elle portait un de ces jeans aux faux airs de guenilles, déchiré sous la fesse gauche ; Un T-shirt d'un bleu délavé, sur lequel le seul mot lisible était « mort » ; aux pieds, ce qui avait dû jadis être des tennis blanches, à présent grises et tout éraillées. Et pas de socquettes.

Maman se tenait en face d'elle, M. Fletcher à ses côtés, le regard déçu et furieux. Apparemment, j'avais manqué le début des hostilités.

— Je disais, lança durement M. Fletcher à sa fille, voici Sarah. Tu sais dire bonjour poliment, Betsy.

— Bonjour, grommela-t-elle avant de se tourner vers moi.

Les yeux mi-clos, elle attacha sur moi un regard perçant qui me fit bouillir intérieurement. Elle avait changé, depuis la dernière fois que je l'avais vue d'aussi près. Son visage amaigri paraissait plus long, son nez plus pointu. Elle n'était pas maquillée mais elle avait le sang aux joues, des cernes cramoisis soulignaient ses yeux d'un brun noisette. Quand elle baissa les bras, elle serra les poings et les pressa contre ses cuisses. Elle ne portait pas de soutien-gorge et ses mamelons, très apparents, saillaient sous le fin T-shirt déchiré. Quoi qu'elle ait pu faire pour maigrir, sa silhouette y avait gagné. Elle était à la fois plus galbée et plus attirante.

Elle eut une grimace méprisante, qui s'adoucit bientôt en sourire faussement timide.

— Alors voilà mon nouveau petit frère, ce bébé ?

— Lionel n'a rien d'un bébé, rétorqua maman. Il a de grandes responsabilités ici et les assume très efficacement.

Betsy ne lui accorda pas un regard, elle garda le sien fixé sur moi. J'eus l'impression d'être un chevreuil surpris par les phares d'une voiture et me tournai aussitôt vers maman.

— Lionel, annonça-t-elle à Betsy, avec un regard significatif à mon adresse.

Un regard qui m'ordonnait d'accueillir poliment Betsy.

— Bonjour, marmonnai-je. Bienvenue à la maison.

Maman réussit à sourire.

— C'est vrai, Betsy. Nous voulons que tu te sentes chez toi, nous allons te montrer ta nouvelle chambre.

Betsy promena autour d'elle un regard circulaire.

— Nouvelle, cracha-t-elle avec dédain. Cet endroit n'a vraiment rien de nouveau. Il est probablement plus ancien que notre trou à rats.

Maman ne se laissa pas démonter.

— Et c'est bien ce qu'il est. Cette maison a même une longue histoire.

— Wouaoh ! s'écria Betsy. Nous emménageons dans un musée. Génial !

Son père la fusillait du regard, avec tant de colère et de dégoût que je m'attendis au pire. Je crus qu'il allait effacer, d'un revers de main bien placé, sa grimace arrogante. Mais il se maîtrisa et sourit à maman.

— Ce serait très gentil à vous de montrer les lieux à Betsy, Sarah. Merci.

— Pourquoi ne pourrais-je pas rester à la maison jusqu'à ce qu'elle soit vendue ? geignit Betsy.

M. Fletcher serra les dents.

— Nous avons déjà réglé la question, Betsy. J'ai mis les meubles en vente et je tiens à ce que la maison soit impeccable quand l'agence la fera visiter. À propos, précisa-t-il en regardant maman, nous avons une visite demain, Sarah. Un couple de New York qui cherche un endroit pour les vacances et les week-ends. Ils n'ont fait que passer devant en voiture et sont déjà intéressés.

— Ils auront de chouettes vacances, dans ce piège à rats ! maugréa Betsy, en quêtant mon approbation du regard.

Comme je ne changeais pas d'expression, elle pinça les lèvres, détourna les yeux et croisa les bras. À voir son visage buté, on aurait dit qu'elle avait planté les pieds dans du ciment.

— Nous devons tous apprendre à apprécier le peu que nous avons, intervint maman. Ce que tu appelles un piège à rats semblera peut-être un palais au couple qui la visitera.

Betsy ricana.

— Un palais ? Il faudrait qu'ils viennent d'un taudis, alors !

— Ton père a très joliment arrangé cette vieille maison, insista maman.

— Alors nous ferions peut-être mieux d'y rester.

Betsy ne se laissait pas facilement intimider, même par le regard glacé de maman et sa colère contenue. Maman la dévisagea un instant puis sourit à M. Fletcher.

— Je vous fais faire le tour du propriétaire ?

— Volontiers.

Il voulut prendre le bras de Betsy mais elle se déroba, me jeta un coup d'œil oblique et les suivit bon gré, mal gré. En passant devant le salon, elle s'arrêta.

— Qui est-ce qui joue du piano ?

— Sarah, et elle joue merveilleusement bien.

— Tu veux dire que Lionel n'est pas très doué pour ça ? ironisa-t-ellc.

Personne ne lui répondit, et elle se retourna vers moi.

— Papa me parle sans arrêt de tout ce que tu sais faire.

— Et je n'exagère en rien, confirma-t-il.

Betsy leva les yeux au ciel.

— Mon père a toujours trouvé des tas de qualité aux enfants des autres, bien plus qu'à mon frère et à moi.

— Betsy !

— Laisse tomber, dit-elle avec un haussement d'épaules. Continuons la visite.

Ils jetèrent un coup d'œil à la salle à manger, et Betsy bougonna que la leur était plus grande, qu'ils avaient une très grande fenêtre et une belle vue.

— Ici, c'est comme un wagon-restaurant, grogna-t-elle, assez haut pour être entendue.

— Certainement pas, la reprit maman. Et je suis sûre que tu mangeras mieux ici que tu ne l'as fait ces temps derniers.

M. Fletcher s'empressa d'approuver.

— Je suis d'accord. Ici, j'ai savouré quelques-uns des meilleurs repas de ma vie.

Betsy se désintéressait totalement de la cuisine, mais ils s'y arrêtèrent quand même avant de monter à l'étage. Dans l'escalier, elle secoua délibérément la balustrade, prenant plaisir à l'entendre branler par endroits.

— Gardien ! me lança-t-elle, vous feriez mieux de réparer cette rampe, et comme il faut. Sinon, quelqu'un pourrait la casser et tomber, et ce n'est pas le moment d'avoir un nouvel accident, n'est-ce pas ?

— Betsy !

Je me sentis rougir.

Ignorant le reproche de son père, elle continua son chemin, laissant traîner derrière elle l'écho d'un rire dédaigneux. Quand ils atteignirent le premier étage, j'entendis Bébé Céleste appeler. Elle s'éveillait de sa sieste, et j'eus l'impression qu'un fouet venait de claquer devant moi. Je me ruai dans l'escalier en retenant mon souffle. Comment réagirait Betsy à l'instant où elle poserait les yeux sur elle ? Retrouverait-elle Elliot en elle, et en déduirait-elle, comme toute la communauté, que son propre père était aussi celui de Céleste ?

J'atteignis le palier au moment précis où

maman, Bébé Céleste dans les bras, s'apprêtait à la présenter à Betsy. Comme elle le faisait toujours en voyant un nouveau visage, Bébé Céleste eut un grand sourire chaleureux.

— Céleste, dit maman, voici Betsy. Elle va venir vivre avec nous et sera ta nouvelle grande sœur. Tu es contente ?

— Betsy, articula Bébé Céleste, avec une prononciation parfaite.

Betsy se contenta de lui jeter un regard morne, se retourna vers moi et ses yeux s'assombrirent. Je n'avais toujours pas relâché mon souffle.

— Où est ma chambre ? demanda-t-elle à maman.

Maman fit un pas vers la droite.

— Ici même, dit-elle en ouvrant la porte.

Je fus stupéfaite par l'importance des changements apportés par maman dans la pièce. Des rideaux blancs tout neufs encadraient la fenêtre et une couette rose et blanc, assortie à deux gros oreillers moelleux, recouvrait le grand lit au chevet sculpté d'une rose. La moquette rose foncé fut une autre découverte pour moi ; on avait dû la poser pendant que nous étions cachées dans la tourelle, Bébé Céleste et moi. Devant tous ces embellissements, j'avoue que je ressentis un pincement de jalousie. En plus, il y avait une coiffeuse et un miroir, dans la chambre. Maman avait descendu deux lampadaires du grenier, et un grand coffre de noyer était placé au bout du lit. J'avais toujours désiré avoir ce coffre dans ma chambre. Mais maman m'avait dit qu'il avait appartenu à sa grand-mère, et que le parfum de son talc y flottait encore.

— Ce n'est pas le genre de meuble qui convient à un jeune homme, avait-elle ajouté.

Ce qui n'était vraiment pas une consolation pour moi.

— C'est une chambre magnifique, n'est-ce pas, Betsy ? observa M. Fletcher. Bien plus jolie que celle que tu as en ce moment.

— Non, elle est plus petite, et je dormirai à côté de celle du bébé. Je l'entendrai pleurnicher sans arrêt.

— Bébé Céleste ne pleurniche pas, la reprit maman d'un ton cassant.

Betsy sauta sur l'occasion pour riposter :

— Pourquoi l'appelez-vous Bébé Céleste, au lieu de dire tout simplement Céleste ?

— C'est juste... par habitude, je pense, répondit gauchement maman.

Mais sa réponse ne parut pas intéresser Betsy, qui se tournait déjà vers moi.

— Où est ta chambre ? questionna-t-elle, comme si elle me soupçonnait d'être mieux logée qu'elle.

Je désignai la porte ouverte en face de la sienne, de l'autre côté du couloir.

Elle y jeta un coup d'œil, fit la moue, puis indiqua d'un signe de tête le petit escalier qui conduisait à la chambre de la tourelle.

— Et cet escalier, il mène à quoi ? Ça au moins, ça me paraît assez isolé.

— Il mène à un débarras, répliqua maman. Il

n'y a pas assez de place pour y traînailler, encore moins pour en faire une chambre.

La riposte de Betsy ne se fit pas attendre.

— Qui aurait envie de traîner où que ce soit, dans cette maison ?

Maman parvint à se contenir et même, au bout de quelques secondes, à sourire.

— Lionel, veux-tu sortir la petite un moment ? Un peu d'air lui ferait du bien.

— Et comment ! Ça nous ferait du bien à tous, gouailla Betsy. Ça pue, ici !

Cette fois, M. Fletcher explosa.

— Betsy !

— Mais c'est vrai. Vous brûlez tout le temps cet encens ou je ne sais pas quoi, n'est-ce pas ? demanda Betsy à maman.

— En effet, mais si je comprends bien, tu n'as pas dormi dans des endroits qui sentaient si bon que ça, ces temps-ci. Tu t'habitueras, j'en suis sûre.

Betsy pivota vers son père.

— Merci beaucoup, papa. Je vois d'ici le genre d'histoires que tu as dû raconter sur moi.

Je pris Bébé Céleste dans mes bras et commençai à descendre l'escalier.

— Je sors aussi, s'écria Betsy.

Elle me suivit en bas et sortit derrière moi. Je posai Bébé Céleste sur le plancher de la galerie, et elle alla droit vers celle de ses poupées qu'elle avait laissée dans le rocking-chair.

— Tu ne vas toujours pas au collège, j'imagine ? s'enquit Betsy en s'approchant de la balustrade.

Elle s'y adossa, prit appui sur ses mains et tendit les bras derrière elle, ce qui lui remonta la poitrine. Je regardai du côté de Bébé Céleste. Elle avait grimpé dans le rocking-chair et berçait sa poupée sur ses genoux, exactement comme j'avais souvent vu maman le faire avec elle. Je répondis enfin à Betsy.

— Non. J'ai passé l'équivalence du bac il y a deux ans.

— Et qu'est-ce que tu comptes faire ? Rester baby-sitter toute ta vie ?

— Je ne suis pas baby-sitter, renvoyai-je aigrement. Je donne un coup de main de temps en temps, c'est tout.

— Ben voyons. « Sors la petite un moment, un peu d'air lui fera du bien », ricana Betsy. Tu n'as toujours pas de petite amie, pas vrai ?

Je m'abstins de répondre.

— Qu'est-ce que tu fais pour te distraire ? Tu plantes des arbres ou quoi ?

— Il y a des tas de choses à faire, ici. Je suis très occupé, et, je lis beaucoup.

Betsy secoua la tête d'un air écœuré.

— C'est vraiment la cambrousse, par ici !

— Alors qu'est-ce que tu attends pour repartir, si ça tc déplaît tellement ?

— Je ne resterai pas longtemps, mais il faut que j'apprivoise papa, tu comprends. Que je sois gentille et coopérative, jusqu'à ce qu'il me donne de l'argent. Alors je pourrai partir.

— Pour aller où ?

Elle haussa les épaules.

— N'importe où sauf ici. Qu'est-ce que ta mère

a fait pour l'amener à l'épouser ? Elle lui a jeté un sort ou quoi ?

— Elle ne jette pas de sorts.

— Elliot croyait que si, et il m'a parlé de toi.

L'allusion à Elliot me fit monter le sang à la tête, si vite que je sentis mes joues brûler. Je me détournai vivement vers Bébé Céleste.

— Balancer, dit-elle aussitôt. Balance-moi, Lionel.

Je commençai à balancer le rocking-chair et, serrant sa poupée dans ses bras, elle leva les yeux sur Betsy.

— Quel âge a la petite ? voulut-elle savoir.

— Elle va avoir trois ans.

— Elle a les mêmes cheveux qu'Elliot. Depuis quand mon père rôde-t-il autour de chez vous ?

Je gardai le silence et elle s'impatienta.

— C'est ma sœur, oui ou non ?

— Non, c'est ma cousine. Ses parents étaient...

— Ça va, je connais le conte de fées. Ce que je te demande, c'est la vérité.

— C'est la vérité.

— Bien, fit-elle, et son regard parcourut la propriété. Je ne peux pas croire que mon père se lance dans une histoire pareille. Il veut vivre dans ce trou. Autant s'inscrire dans une maison de retraite, ou un truc du même genre !

— C'est un très bel endroit, pour y vivre.

Betsy fit la moue et s'éloigna de la balustrade.

— Tu as une cigarette ?

— Non, je ne fume pas.

Elle me dévisagea longuement et eut un lent sourire.

— C'est vrai. Je me souviens qu'Elliot m'a parlé, de cette soirée où il avait amené des filles à la maison, pour fumer de l'herbe, et où tu t'es sauvé. Tu as toujours eu peur des filles ? C'est ça ton problème ?

— Je n'ai pas peur des filles.

— Ah bon ? Tu as une petite copine ?

— Non.

— Tu sors avec des filles ?

— Non.

— Alors quoi ? Tu fais l'amour avec tes plantes médicinales ? C'est une histoire de fous, se moqua-t-elle en regardant autour d'elle avec dégoût. Tu sais où j'étais, tout récemment ?

Je fis signe que non.

— À la Nouvelle-Orléans. Ce nom te dit quelque chose ?

— Évidemment.

— Mon copain jouait de la trompette dans une boîte du Vieux Carré. On s'est amusés comme des fous. On faisait la bringue presque toutes les nuits jusqu'à quatre heures du matin, et on dormait pratiquement toute la journée.

— Ça ne me paraît pas si amusant que ça.

— Tu m'étonnes ! Pour toi, le plaisir le plus excitant doit être de regarder une troupe d'oies sauvages voler vers le nord.

Je sentis la moutarde me monter au nez.

— Pourquoi es-tu revenue si tu t'amusais tellement ?

Cette fois, ce fut-elle qui resta muette.

— J'en avais assez, dit-elle enfin. Je commençais à m'ennuyer.,

— C'est toi qui en avais assez, ou c'est ton copain qui en a eu assez de toi ?

Elle reprit instantanément son air bougon.

— C'est ça, petit futé. Elliot m'avait bien dit que tu étais très intelligent. Il trouvait que tu avais quelque chose de spécial. Je me demande bien ce qui pouvait lui plaire chez un garçon qui n'était jamais sorti de chez lui, mais c'était comme ça. C'est à cause de toi qu'il s'est noyé, tu sais.

Mon souffle se bloqua dans ma gorge.

— Quoi ?

— S'il n'était pas devenu ton copain, il n'aurait pas passé tout ce temps dans les bois ni près de la rivière. Il aurait été avec ses vrais copains, en ville ou ailleurs. Je ne vois pas pourquoi mon père voudrait devenir le tien, et s'enterrer ici jusqu'à la fin de ses jours, conclut-elle abruptement.

Elle avait les larmes aux yeux, larmes de chagrin, de déception ou d'apitoiement sur elle-même, mais aussi de rage et de jalousie. Je protestai :

— Ce n'est pas vrai, Elliot n'est pas mort à cause de moi.

— D'accord. Et puis qu'est-ce que ça change, de toute façon ? Il est mort et enterré.

Elle renifla et elle allait partir quand Bébé Céleste prononça son nom.

— Betsy, dit-elle en lui tendant sa poupée.

Betsy haussa les sourcils.

— Qu'est-ce qu'elle veut que j'en fasse ?

— Prends-la. Elle aime bien partager.

— Je n'ai pas touché une poupée depuis que j'avais son âge.

Le sourire de Bébé Céleste était magique : même Betsy n'y résista pas. Elle s'avança, prit la poupée et demanda :

— Comment s'appelle-t-elle ?

— Betsy, dit Bébé Céleste.

Betsy me jeta un regard étonné.

— Betsy ? Elle a baptisé sa poupée Betsy ?

— Apparemment, oui.

— Quand ?

— À l'instant. Ça veut dire qu'elle t'aime bien.

— Ça alors !

Betsy examina la poupée, une de celles que Taylor avait offertes à maman. Elle fit glisser sa robe de ses épaules et la tourna lentement entre ses mains. Puis elle la serra sur sa poitrine et sourit.

— Je parie que nous avons la même silhouette, toutes proportions gardées. Qu'en penses-tu, Lionel ? Est-ce que je suis aussi bien bâtie que cette poupée ? C'est ça que la petite Céleste essayait de nous dire ?

Je secouai la tête. Pourquoi me provoquait-elle ainsi ?

— Tu as perdu ta langue, Lionel ? Peut-être as-tu besoin de voir ça de plus près ?

Elle se rapprocha encore de moi. Je lançai un regard de côté en songeant à m'enfuir, mais elle se déplaça vers ma droite et me barra le passage. Puis, d'un geste lent, elle souleva son T-shirt déteint pour me montrer ses seins.

Ma gorge se noua, je crus que mon cœur s'était

changé en pierre. Au même moment, la poignée de la porte d'entrée tourna en grinçant un peu, et Betsy rabaissa vivement son T-shirt.

Nous en reparlerons plus tard, dit-elle avec un sourire aguicheur, à l'instant où maman et M. Fletcher sortaient.

— Tout se passe bien, tous les trois ? s'enquit-il.

Ce fut Betsy qui répondit.

— Super bien, papa. Lionel et moi, on a comparé nos tétons.

— Quoi ? s'effara M. Fletcher en cherchant mon regard.

Mais je me hâtai de baisser les yeux.

— Tu sais bien, papa. On voulait voir qui était le plus plat, les garçons ou nous.

Une fois de plus, M. Fletcher me regarda et j'évitai son regard. Il se retourna vers sa fille.

— Bon, ça suffit, Betsy. Sarah et moi avons décidé de discuter maintenant de nos projets pour le jour du mariage. Tu peux rester avec Lionel ou rentrer chez nous, comme tu voudras.

— Qu'est-ce que je pourrais bien faire, avec Lionel ?

— Il pourrait te montrer son jardin d'herbes médicinales, par exemple.

— Woaoh ! Tu ferais ça, Lionel ? Tu sais quoi, reprit-elle sans me laisser le temps de répondre, je ne suis pas sûre de pouvoir supporter autant d'excitation en une seule journée. Ça ne fait rien si nous remettons ça à plus tard ?

Je regardai maman. Ses yeux me disaient de garder mon calme et d'ignorer Betsy.

— D'accord, Betsy, quand tu seras libre. Nous avons une excellente tisane qui pourrait t'aider à surmonter ta nervosité.

Maman sourit. Betsy fit la grimace, puis se tourna brusquement vers son père.

— Je vais rentrer, annonça-t-elle en rendant sa poupée à Bébé Céleste.

— Je ne tarderai pas, Betsy. Et ne va nulle part avant mon retour.

— Et où voudrais-tu que j'aille, dans un trou pareil ? riposta-t-elle en descendant les marches de la galerie.

Sur ce, elle me lança sans se retourner :

— À plus tard, Lionel !

— Je suis désolé, s'excusa M. Fletcher.

Maman s'empressa de le rassurer.

— Ce n'est rien, Dave. Nous savons tous les deux combien il est difficile pour un enfant de s'adapter à un nouveau foyer. Cela prend du temps, mais je suis sûre que tout se passera très bien.

— Vous êtes si compréhensive, Sarah ! Betsy ne sait pas quelle perle rare elle aura pour belle-mère.

— Merci, Dave. Lionel, peux-tu distraire la petite encore un moment, pendant que nous discutons de nos projets ?

— Bien sûr, maman.

— Merci.

— Merci, Lionel, renchérit M. Fletcher.

Tous deux rentrèrent dans la maison. Je pris Bébé Céleste par la main, retournai au jardin avec elle et lui donnai une petite pelle. Elle m'observa et m'imita tandis que je préparai le sol et repiquai les plantes. Brusquement, je sentis mes cheveux se hérisser sur ma nuque et tournai la tête, en direction de la forêt. Pendant un moment, je ne vis rien. Et puis je l'aperçus, appuyé contre un arbre, avec ce sourire suffisant qu'il avait eu, la première fois qu'il était venu me parler.

Bébé Céleste regardait dans cette direction, elle aussi. Était-ce parce qu'elle me voyait fixer les arbres, ou parce qu'elle aussi le voyait ? Je voulus en avoir le cœur net.

— Qu'y a-t-il, Céleste ? Qu'est-ce que tu vois ?

Elle leva les yeux sur moi, sourit et se remit à creuser. Quand je regardai derrière moi, Elliot était parti. Allait-il me hanter encore et toujours, désormais ?

De la galerie, maman nous appela.

— Viens, Céleste, c'est l'heure de rentrer, dis-je en secouant la terre de ses mains et de sa robe.

Puis je la ramenai à la maison.

Dès notre entrée, maman m'annonça :

— Nous avons fixé une date. Ce sera dans deux semaines à partir de ce samedi.

— Si tôt ? Comment pourras-tu faire imprimer les invitations et tout préparer aussi vite ? m'écriai-je, en m'efforçant de ne pas sembler trop pessimiste.

— Nous aurons très peu d'invités. Dave n'a pas de parents qu'il ait envie de voir, et de notre côté, personne n'aura besoin d'une invitation.

Je regardai attentivement M. Fletcher. Comprenait-il que maman parlait bien de parents qui viendraient chez nous, mais en esprit seulement ? Ou croyait-il que nous n'avions pas de parents que nous tenions à inviter ?

— J'ai seulement quelques amis du drugstore à inviter, expliqua M. Fletcher.

— Et la cérémonie sera très simple, enchaîna maman. Nous mettrons des tables dehors.

Sur quoi, M. Fletcher ajouta :

— J'aimerais que tu sois mon garçon d'honneur, Lionel. Si tu veux bien.

Je commençai à secouer la tête, mais maman intervint.

— Bien sûr qu'il voudra, n'est-ce pas, Lionel ?

— Je... je n'ai jamais appris à faire ça, bafouillai-je.

Ce qui était une réponse idiote, je m'en rendis compte aussitôt. Tous deux éclatèrent de rire.

— Ce n'est pas très difficile, dit gentiment M. Fletcher. Je te donnerai l'alliance à garder, et au moment voulu tu me la donneras, pour que je la passe au doigt de ta mère.

Maman aussi insista.

— Cela nous ferait vraiment plaisir à tous les deux, Lionel.

— D'accord, acquiesçai-je.

— Bon, je ferais mieux de rentrer chez moi pour voir quelle nouvelle crise me réserve Betsy, soupira M. Fletcher. Elle se comportera mieux demain soir, je vous le promets. À bientôt, Lionel. Au revoir, Céleste.

Il embrassa Bébé Céleste sur le front et elle lui sourit.

— Quelle personnalité a cette petite, s'émerveilla-t-il. Je voudrais que vos cousins soient encore en vie pour qu'ils me donnent leur secret. Il pourrait me servir pour mes enfants.

Sur ce, il déposa un baiser sur la joue de maman et sortit. Nous le regardâmes s'éloigner en voiture.

— Je sais que tu te fais du souci, me dit maman dès que je me retournai vers elle, mais ne t'en fais pas. Betsy ne sera pas un problème pour nous. Ni pour nous, ni pour personne, affirma-t-elle avec assurance.

J'ignore d'où elle tirait une telle confiance, mais j'eus un premier indice le lendemain, quand M. Fletcher et sa fille vinrent dîner. Je ne savais pas ce qu'il avait pu lui dire, ou de quoi il l'avait menacée, mais elle était habillée correctement cette fois-ci. Elle avait mis un soutien-gorge et portait une blouse ample vert clair, une jupe assortie et des chaussures flambant neuves. Ses cheveux étaient brossés avec soin, et son maquillage se limitait à une touche de rouge à lèvres. En arrivant, elle avait la mine boudeuse, mais elle ne fit aucune remarque sarcastique. Elle alla même – à la demande pressante de son père, de toute évidence – jusqu'à proposer son aide pour servir le repas, mais maman lui dit que pour ce soir, il n'en était pas question.

— Quand nous vivrons tous sous le même toit, chacun assumera ses responsabilités, ajouta-t-elle.

Je vis bien que Betsy s'apprêtait à lancer une remarque cinglante, mais un regard de son père l'arrêta. Elle pinça les lèvres comme quelqu'un qui se retient de vomir.

Maman avait cuisiné l'un des plats préférés de M. Fletcher, un pâté en croûte avec une purée à l'ail. Il y avait aussi des haricots verts du jardin, et du pain cuit à la maison. Pour Betsy, Bébé Céleste et moi, elle avait fait de la citronnade fraîche. M. Fletcher et elle partagèrent une bouteille de vin rouge qu'il avait apportée. Et au lieu de servir à la façon familiale, comme elle le faisait d'ordinaire, maman avait préparé chaque assiette à l'avance et apporté la sienne à chacun des convives.

Immédiatement, M. Fletcher se répandit en éloges sur la nourriture. Betsy, elle, commença par chipoter la sienne, bien décidée à montrer qu'elle n'aimait rien. Mais elle-même fut incapable de ne pas apprécier le contenu de son assiette, et elle mangea bientôt avec beaucoup plus d'enthousiasme. Maman et M. Fletcher parlaient entre eux de leurs projets pour le mariage, exactement comme si nous n'avions pas été là.

— J'ai hâte que vous connaissiez mon excellent ami M. Bogart, dit maman à M. Fletcher. Il y a un certain temps que nous travaillons ensemble. C'est un vieil ami de la famille, le plus vieux que j'aie ici, en fait.

— J'ai une surprise pour vous, Sarah, annonça M. Fletcher avec un clin d'œil à mon adresse. Vous m'avez tellement parlé de lui et de son magasin que j'y suis passé hier, et j'ai acheté une alliance ravissante pour vous. De plus, j'ai appris que vous aviez déjà fait la même chose pour moi.

Maman fit semblant d'en être fâchée.

— C'était censé être un secret !

— Le temps des secrets entre nous a passé très vite, fit observer M. Fletcher.

Ce qui les fit rire tous les deux, mais pas Betsy. Les coins de ses lèvres s'abaissèrent. Bébé Céleste rit avec eux, et ils continuèrent à parler du mariage, du dîner, et de la musique qu'on jouerait. M. Bogart, qui avait trouvé le pasteur que souhaitait maman, avait aussi un musicien à proposer. Un joueur d'accordéon. Cette fois, Betsy n'y tint plus.

— C'est ça votre musique ? Un accordéon ?

— Ce sera seulement pour jouer pendant que nous serons à table, en fait, expliqua maman.

— Je sens que ça va être fabuleux, comme mariage, grommela Betsy en fourrant son dernier morceau de viande dans sa bouche.

Maman ne releva pas l'ironie de la remarque.

— Ce sera très simple, mais plein de signification pour nous, déclara-t-elle, aussitôt approuvée par M. Fletcher.

Betsy ne fit pas de commentaire. En fait, elle montra soudain des signes de fatigue et d'ennui. Ses yeux se fermaient et s'ouvraient sans arrêt.

— Laissons la vaisselle pour l'instant, dit maman à M. Fletcher quand il se leva pour l'aider. Emmenez tout le monde au salon, et je jouerai quelque chose.

— Magnifique !

Betsy parut un peu perdue en nous voyant tous nous lever.

— Nous allons au salon, lui expliquai-je, en m'avançant déjà vers Bébé Céleste.

Mais à ma grande surprise, elle tendit les bras vers M. Fletcher.

— Allons-y ! s'exclama-t-il en la soulevant de son siège.

Un éclair de colère et d'envie traversa le regard de Betsy, juste avant qu'elle ne se lève à son tour et nous suive. À peine entrée dans le salon, elle s'affala dans le rocking-chair de Grandpa Jordan et ferma les yeux.

Avant que maman n'entre à son tour, elle dormait. M. Fletcher était bien trop occupé avec Bébé Céleste pour s'en apercevoir.

Je regardai maman, qui haussa les sourcils et me sourit.

— Elle ne sera pas un problème, chuchota-t-elle.

Puis elle alla s'asseoir au piano.

10

Elliot tisse sa toile

Betsy ne s'éveilla pas avant que maman ait fini de jouer, et qu'il fût temps pour son père et elle de se retirer. C'était comme si la musique l'avait plongée dans le coma. Elle parut déconcertée, et même un peu effrayée, en prenant conscience du temps qui s'était écoulé et de tout ce qu'elle avait manqué. Elle se redressa, les yeux clignotants, et se frotta vigoureusement les joues.

— Tout va bien ? lui demanda maman avec sollicitude.

— Oui. Je crois que je devais tout simplement, euh... m'ennuyer, improvisa-t-elle, au comble de la gêne.

Bébé Céleste elle-même la dévisagea comme une sorte de bête curieuse. M. Fletcher fronça les sourcils.

— T'ennuyer ? Comment cette musique peut-elle ennuyer ?

— Ce genre de musique m'endort, moi. C'est de la musique de fond pour supermarchés.

Maman parvint à dissimuler son irritation.

— C'est sans doute que tu n'es pas habituée à

la vie simple et tranquille, dit-elle avec un sourire figé.

Betsy me regarda en haussant les sourcils, comme si elle attendait que je soutienne son opinion. Quand elle vit que je ne prendrais pas sa défense, elle secoua la tête et ses yeux s'étrécirent. De toute évidence, elle avait une remarque acérée sur le bout de la langue. Mais devant le regard impérieux de son père, elle remercia maman pour son accueil et sortit la première, pour bien montrer sa hâte de quitter notre maison.

— Je vous prie d'excuser sa conduite, Sarah, dit M. Fletcher quand nous sortîmes tous ensemble.

— Rassurez-vous, cela lui passera.

Il parut attendri par un tel optimisme.

— Vous êtes vraiment quelqu'un, Sarah. Merci pour tout.

Il donna un baiser d'adieu à maman, me tapa sur l'épaule, mais il prit Bébé Céleste dans ses bras et l'embrassa sur la joue.

— Au revoir ! gazouilla-t-elle, et il s'en alla en riant.

— Quel amour d'enfant ! s'exclama-t-il en montant dans sa voiture.

Il démarra, et nous suivîmes la voiture des yeux jusqu'au bout de l'allée.

— Tu ne m'avais jamais parlé des changements que tu avais fait faire dans cette chambre, maman.

Voilà, c'était dit. Les mots me brûlaient la langue depuis que maman avait montré sa future chambre à Betsy.

— Il y a eu des changements dans la tienne aussi, Lionel, me rappela-t-elle avec un grand sourire. Nous t'aimons tous et ne cesserons jamais de t'aimer.

— Je sais. Mais tu n'as jamais mentionné que tu faisais faire des travaux dans cette chambre. J'ai été surpris, voilà tout.

Le sourire de maman s'évapora.

— Tu me parais plus jaloux que surpris. Tu ne le serais pas si tu essayais vraiment, me lança-t-elle en rentrant avec Bébé Céleste, qui me regardait par-dessus son épaule avec le même regard accusateur.

Quelquefois, elle me faisait penser à une marionnette quand elle était avec maman.

— Si j'essayais ? Qu'est-ce que tu veux dire : si j'essayais ? Qu'est-ce que je n'ai pas fait ? questionnai-je en les suivant dans la maison.

Maman se retourna lentement vers moi.

— Tu n'en fais pas assez, si quelque chose peut encore te surprendre. Éteins les lumières et va te coucher.

Là-dessus, maman s'engagea dans l'escalier pour aller mettre Bébé Céleste au lit. Pourtant, je n'eus pas l'impression de la voir s'élever au-dessus de moi. Ce fut comme si c'était moi qui m'enfonçais, de plus en plus bas à chaque marche qu'elle montait, en rapetissant jusqu'à ce que je disparaisse dans le sol.

Si quelque chose pouvait encore me surprendre ? Qu'est-ce que tout cela était censé signifier ? Pourquoi s'attendait-elle à ce que je le sache ?

J'éteignis les lampes et montai, en me sentant presque aussi fatiguée et aussi déprimée que Betsy. Malgré tout, comme cela m'arrivait trop souvent ces temps-ci, j'eus du mal à trouver le sommeil. Je me tournais et retournais sans cesse, dans une torpeur entrecoupée de rêves peuplés de visages inconnus, de voix que je n'avais jamais entendues. Entre-temps je voyais le visage ricanant de Betsy, je sentais ses doigts courir sur mon corps, ses mains telles deux araignées cherchant à pénétrer dans tous les orifices possibles.

Toute la semaine suivante, elle évita notre maison. Quand M. Fletcher venait dîner, il annonçait qu'elle ne se sentait pas bien, ou alors qu'elle sortait avec des amis. Maman et moi savions très bien qu'il s'efforçait de l'excuser. Mais maman affirmait que c'était sans importance, alors que je me sentais soulagée de ne pas avoir à supporter cette atmosphère tendue.

À table, il n'était question que du mariage et de ce qui s'ensuivrait. M. Fletcher et maman n'envisageaient toujours pas de lune de miel, mais ils parlaient de petits voyages que, dans un proche avenir, nous pourrions faire tous ensemble. Pour ma part, je doutais fort que Betsy accepte d'y participer.

Peut-être à cause des rumeurs qui couraient à notre sujet, et de la curiosité dévorante qu'elles provoquaient, les clientes régulières de maman vinrent plus souvent, accompagnées d'amies qui grossissaient sa clientèle. Quels que soient les remèdes qu'elles cherchaient, elles dirigeaient toujours la conversation sur le mariage imminent de maman et de M. Fletcher. Tout le monde voulait voir Bébé Céleste, toujours ravie d'attirer leur attention. On aurait juré qu'elle savait exactement comment se comporter, pour jouer à la perfection le rôle que maman attendait d'elle. Elle souriait, babillait, et laissait toutes ces dames la prendre sans arrêt dans leurs bras. Si M. Fletcher se trouvait là, sa présence était évidemment considérée comme un bonus. Tout le monde pouvait constater avec quelle rapidité Bébé Céleste s'était attachée à lui. On hochait la tête d'un air entendu, dans une sorte de mouvement perpétuel. Toutes ces têtes branlantes évoquaient celles des petits animaux fétiches, ces peluches que les gens posent sur la plage arrière de leurs voitures. Puis les commères s'en allaient en caquetant comme des poules, impatientes de répandre les dernières nouvelles.

— On parle de nous partout, c'est une vraie symphonie de ragots, s'égayait maman, tel un chef d'orchestre satisfait de ses musiciens.

En fait, tout ce qu'elle avait souhaité semblait arriver tout seul. Contrairement à moi, rien ne la surprenait, elle s'attendait à tout. Et son assurance me portait de plus en plus à croire qu'un pouvoir supérieur, surnaturel, lui dictait chacune de ses décisions.

Pour couronner le tout, M. Fletcher vendit sa maison. Dix jours après l'avoir visitée, le couple de New York lui fit une offre. Il marchanda et ils tombèrent d'accord. Tous ceux qui connaissaient l'endroit s'étonnèrent de la rapidité de cette vente. Les biens immobiliers ne se vendaient pas si facilement que cela, dans la région, et encore moins les vieilles maisons comme celle qu'avait achetée M. Fletcher. Subitement, après avoir été considérée comme un porte-malheur pour tous ceux qui l'approchaient, maman acquit la réputation de porter chance. Cette soudaine faveur, ajoutée au succès de ses remèdes, fit que tous les fouineurs et amateurs de cancans voulurent se trouver dans son aura, lui serrer la main, la toucher ou être touchés par elle.

Une des plus solides croyances de maman était, en fait, une foi en sa capacité de transférer à quelqu'un une énergie positive. Ce n'était pas vraiment ce que les gens appellent l'imposition des mains. Maman n'avait jamais prétendu posséder un pouvoir divin, elle parlait de chaleur intérieure. Son corps avait simplement reçu le don de capter les ondes bienfaisantes qui nous entourent tous et de les canaliser vers ceux qui en avaient besoin et la demandaient.

Combien de fois l'avais-je vue poser ses paumes sur les tempes de quelqu'un, fermer les yeux et garder les mains en place, jusqu'à ce que son patient ou sa patiente, comme elle les nommait, déclare que son mal de tête avait disparu ? Elle ôtait les douleurs des bras et des épaules, des jambes, du ventre ; et, avec l'aide supplémentaire de ses plantes médicinales, elle guérissait l'insomnie, les indigestions, l'arthrite, la migraine, et hâtait le rétablissement des malades et des opérés.

Je me rappelais encore comment elle soulageait

les muscles fatigués de papa, calmait ses douleurs et ses tensions, rien qu'en lui massant les épaules et le dos.

— Je ne sais pas si tu as des pouvoirs surnaturels ou non, Sarah, disait-il en riant, mais j'aime vraiment le contact et la chaleur de tes mains.

Je souriais en me rappelant ce temps-là, ces jours heureux où Lionel et moi étions si jeunes, assez jeunes encore pour croire aux miracles et aux promesses de l'arc-en-ciel. Maman nous faisait miroiter toutes sortes de possibilités merveilleuses. C'était comme si nous étions différents des autres, choyés, protégés. Les esprits qui nous entouraient étaient des êtres mystérieux, secrets, mais surtout aimants.

Lionel ne recherchait pas le surnaturel autant que maman, mais le fait qu'elle nous en parle l'encourageait à se croire invulnérable. Il sautait des arbres, courait aussi vite qu'il le pouvait, s'enfonçait dans la forêt aussi loin qu'il lui plaisait, sans éprouver la moindre crainte. Les mises en garde glissaient sur lui comme des gouttes de pluie sur une vitre. Sa propre mort avait dû être une terrible surprise, une trahison qu'il n'aurait jamais imaginée. Je ne pouvais pas chasser de mon esprit cet instant-là, cet instant atroce et brutal qui avait bouleversé nos vies.

Quand j'émergeais de mes rêveries, des souvenirs si vivaces de ces jours heureux, j'éprouvais toujours une tristesse immense, et un sentiment de solitude plus profond encore. Autrefois, Lionel était mon seul ami au monde. Maintenant, je n'en avais plus, et la perspective de voir Betsy devenir une amie pour moi était mince, et même effrayante.

Elle ne s'intéressait que très peu à moi d'ailleurs, sinon pas du tout. Entre son dernier dîner chez nous et sa réapparition à la maison, elle avait passé le temps au village et dans les boutiques, renouant d'anciennes relations et s'en faisant de nouvelles. D'après M. Fletcher, qui s'en désolait, quelques heures lui suffisaient pour s'attacher à un nouveau petit ami. À peine avait-elle trouvé un garçon qui lui plaisait qu'elle se montrait partout avec lui, et le traitait comme si elle le connaissait depuis toujours. Je comprenais le mécontentement de M. Fletcher.

— Je suppose que c'est ma faute, dit-il un soir à maman, car il ne cessait pas de s'accuser lui-même.

Comme ils le faisaient souvent après le dîner, ils étaient assis sur la galerie et bavardaient. Bébé Céleste et moi étions au salon, la fenêtre était ouverte et je pouvais entendre leur conversation.

— Et pourquoi cela, Dave ?

— Je ne lui ai jamais donné l'amour et l'attention qu'elle réclamait. Elle a toujours eu grand besoin d'affection, ma Betsy, et elle la cherche ailleurs. Nous nous éloignons de plus en plus l'un de l'autre. En fait, nous sommes presque devenus des étrangers, depuis quelque temps.

— Peut-être parviendrons-nous à changer cela d'ici peu ?

— Si quelqu'un peut m'y aider, c'est bien vous, Sarah. Vous avez été une merveilleuse éducatrice.

Je suis sûr qu'on vous a beaucoup regrettée, quand vous avez cessé d'enseigner.

— C'est ce que je faisais ici, je n'ai jamais cessé d'enseigner, lui répliqua maman d'un ton cassant.

Jamais je ne l'avais entendue lui parler aussi sèchement.

— Bien sûr, je m'en doute. Je veux dire… je le sais, et il est facile de voir que vous avez pleinement réussi, avec Lionel. C'est un garçon remarquable, brillant, très bien élevé et aussi très responsable. Pourquoi ne vous ai-je pas rencontrée la première ?

Je savais que maman lui souriait. Et le silence me laissa penser qu'ils s'étaient embrassés.

Parfois, quand ils bavardaient ainsi, et que M. Fletcher attachait sur elle un regard plein d'admiration et d'amour, je me demandais si elle ne lui avait pas jeté un sort. Était-ce une décoction de plantes qu'elle lui avait fait boire, comme beaucoup de gens le croyaient, un philtre d'amour qu'elle continuait à lui donner ? Était-il possible de faire de telles choses ? Et si on les faisait, comment pouvait-on vraiment se croire aimé ? Qu'arriverait-il si l'on cessait de donner le philtre à l'autre ? Le charme serait-il rompu ? Était-ce une chose que l'autre désirait, et lui indiquait-on le moyen d'obtenir, ou n'était-ce que pure supercherie ?

Je brûlais de poser ces questions à maman, mais j'avais peur. Peur qu'elle y voie une faiblesse ou une trahison de ma part. Comment de telles idées pourraient-elles me venir à l'esprit ? s'indignerait-elle. Puis, le regard soupçonneux, elle m'interrogerait à nouveau pour savoir qui me les soufflait à l'oreille. Non, mieux valait attendre qu'elle aborde le sujet elle-même, décidai-je. C'était presque toujours la meilleure solution.

Toutefois, Betsy n'abandonna jamais l'idée d'un charme. Elle ne venait jamais me voir sans mettre la question sur le tapis, ou sans y faire allusion. Quand elle revenait chez nous, elle me rejoignait dans la resserre ou au jardin et se lançait dans son discours. Il en fut de même à sa dernière visite.

— Mon père n'est plus le même, commença-t-elle. Je ne le reconnais plus. C'est toujours Sarah par-ci, Sarah par-là... Il me dit même que je devrais essayer de ressembler à ta mère. Non mais tu te rends compte ? Me comparer à quelqu'un qui vend des faux remèdes et qui croit aux fantômes !

— Nous ne croyons pas aux fantômes ! ripostai-je.

— *Nous* ? Oh, alors c'est *nous* ? Tu crois à toutes ces divagations sur les esprits dont mon père me rebat les oreilles ? L'énergie dans l'air, l'équilibre de la nature et tout ce fatras ?

Je gardai le silence. Je ne tenais pas à en parler, mais j'étais sûre d'avoir vu deux de nos cousines tout près de nous, qui nous écoutaient et chuchotaient entre elles.

Betsy tapa du pied pour attirer mon attention.

— Si tu veux savoir la vérité, la voilà. Après la mort d'Elliot, mon père m'a interdit de m'approcher de cette propriété, et même de regarder dans votre direction. Et voilà que nous sommes sur le point d'emménager chez vous ! Comment est-ce possible si ta mère ne lui a pas fait quelque chose de tordu, hein ? Tu peux me le dire ?

Si seulement il avait continué à se méfier de nous, et qu'il s'en soit tenu à son opinion, lui répondis-je en pensée. Mais je me contentai de marmonner :

— Les gens peuvent changer, et tomber amoureux.

— Ah oui, les gens tombent amoureux ? Et c'est toi qui me dis ça, Lionel le péquenot, dont la seule expérience sexuelle est de planter des graines en terre ? Tu es pathétique.

Comme je ne réagissais pas à ses provocations, elle finit par sc lasser et s'en alla, grommelant toutes sortes d'accusations et de malédictions.

Quelques jours avant le mariage, M. Fletcher commença à transférer les affaires de Betsy chez nous. Toujours aussi hargneuse à propos du déménagement, elle ne fit rien pour l'aider à transporter les cartons, les valises et tout ce qu'il montait dans sa chambre. Ce fut moi qui l'aidai à sa place.

— Il va bien falloir qu'elle accepte la réalité, et vite, dit-il à maman. Le mobilier que les nouveaux propriétaires n'ont pas acheté sera enlevé demain, et celui de sa chambre en fait partie.

La nouvelle ne me surprit pas. Il était prévu qu'ils aient déménagé quelques jours avant la cérémonie. M. Fletcher me remercia pour mon aide, et nous montâmes les affaires de Betsy dans sa chambre. Nous déposâmes une partie de ses vêtements sur le lit.

— Laissons tout ça comme ça, décida son père. C'est à elle de ranger ses affaires. Comme de déballer ses cartons, d'ailleurs.

Quand les boîtes furent posées à terre, je pus en voir le contenu. L'une d'elles était pleine de sous-vêtements, l'autre de chemisiers, et dans une autre j'aperçus quelques maillots de bain. M. Fletcher remarqua mon intérêt pour toutes ces choses.

— Betsy ne jette jamais rien et ne donne jamais rien, commenta-t-il. Pour elle, *charité* est un mot grossier. Dieu ne lui a permis d'aimer qu'elle-même.

Quand nous eûmes enfin tout monté, il partit se promener avec maman et Bébé Céleste. Il était de garde le soir, et ne tarda pas à s'en aller. Après le dîner, quand maman eut couché Bébé Céleste et regagné sa chambre, je pensai aux cartons de Betsy. Ce fut plus fort que moi.

Le plus silencieusement possible, je me rendis dans sa chambre et contemplai les vêtements que nous avions mis sur le lit. Puis je passai aux boîtes et fourrageai dans la lingerie, les maillots de bain et autres effets. Ses vêtements étaient très différents de ceux de maman, bien sûr. Maman n'avait pas de jupes aussi courtes, et encore moins fendues sur le côté. Je ne l'avais jamais vue en maillot deux-pièces, et elle ne possédait pas de petites culottes aussi réduites, ni de soutien-gorge aussi sexy.

Je trouvai un ensemble que je me souvenais d'avoir vu Betsy le porter le premier jour, quand j'avais épié les Fletcher par la fenêtre. C'était très peu de temps après qu'ils avaient acheté la propriété de M. Baer. Pendant des années les gens avaient soupçonné celui-ci d'être pour quelque chose dans ma disparition, et les rumeurs malveillantes avaient fini par le pousser à vendre, à n'importe quel prix.

Je les avais observés pendant qu'ils étaient à table pour dîner. Betsy portait ce même chemisier à manches courtes, en coton rayé rouge et noir, un pantalon assorti, et une cravate lâchement nouée pendait dans l'échancrure du chemisier, au col largement ouvert. Je trouvai qu'elle avait l'air plus masculine que moi, malgré les rondeurs que révélait son décolleté hardi, et ses cheveux soyeux flottant sur ses épaules. Quelque chose dans sa tenue me fascinait, le fait que malgré sa coupe elle paraisse si féminine. Était-ce simplement parce que c'était Betsy qui la portait ?

Revoir cet ensemble, et me rappeler l'allure de Betsy ce jour-là, éveilla en moi un certain intérêt pour moi-même, pour ce vrai moi emmuré, enterré. Quelle allure aurais-je dans cette tenue ? Je n'avais pas autant de poitrine que Betsy, mais j'étais de la même taille qu'elle. Le pantalon m'irait. Le fait de regarder ses vêtements, sa lingerie, toutes ces choses, me donna l'impression d'être une fois de plus en train de l'épier. J'en éprouvai un émoi étrange, en certaines parties de moi-même que je m'étais toujours efforcée de ne pas troubler.

Betsy ne pouvait sans doute pas se souvenir de chacune de ses possessions, décidai-je. En toute hâte, je m'emparai d'une petite culotte noire très sexy et, son ensemble à la main, je revins à la porte de la chambre et écoutai, pour m'assurer que maman était toujours chez elle. Puis, sur la pointe des pieds, je gravis aussi doucement que possible le petit escalier de la tourelle. Une fois dans la chambre, je refermai silencieusement la porte, le cœur battant.

La lumière de la lune éclairait suffisamment la pièce pour y voir, mais je savais qu'une des lampes de chevet fonctionnait. Dans la lumière tamisée, devant l'un des hauts miroirs au cadre ancien, je commençai lentement à me déshabiller. À un moment donné, il me sembla entendre des pas dans le petit escalier et je me figeai pour écouter. La maison craquait, comme cela se produisait souvent, mais je n'entendis rien d'autre et relâchai mon souffle.

J'ôtai mon caleçon masculin et enfilai la petite culotte de Betsy. Elle était un peu grande pour moi, mais me voir ainsi me fascinait. Elle me faisait une croupe féminine, et mes jambes aux muscles durs semblaient plus douces, bien mieux galbées que je ne l'aurais cru. Je tournai sur moi-même et me contemplai sous tous les angles, puis je passai le pantalon et le chemisier. Je le laissai largement déboutonné, exactement comme je l'avais vu sur Betsy. Puis je nouai lâchement la cravate et observai mon reflet. Étais-je aussi intéressante, aussi attirante, aussi à la mode et aussi sexy que Betsy l'avait été ? Même en pensée, le seul mot de *sexy* me fit frissonner. Pendant un long moment, j'examinai mon décolleté audacieux. J'avais les seins hauts, et fermes. J'étais plus belle que Betsy, j'en étais sûre. Les garçons se retourneraient sur moi bien plus vite que sur elle.

Je me souris dans le miroir. Ne serait-ce pas merveilleux de me montrer à Betsy, un jour ? Sa grimace arrogante aurait vite fait de disparaître ! Elle se ferait toute petite dans son coin et ne l'aurait pas volé. Combien de personnes n'avait-elle pas blessées jusqu'aux larmes ? N'essayait-elle pas de faire la même chose avec moi ?

Cette fois, pas d'erreur : on marchait à l'étage en dessous. Prise de panique, je me déshabillai et remis mes vêtements en toute hâte, en m'efforçant de ne pas faire de bruit. Après quoi j'attendis, l'oreille aux aguets. N'entendant rien, je m'aventurai en haut du petit escalier. Des sons montaient d'en bas, maman était au rez-de-chaussée. J'en profitai pour descendre aussi vite que possible. Une fois dans ma chambre, je fourrai les vêtements de Betsy au fond de mon placard, sous une valise. Puis je me changeai pour la nuit et me glissai sous mes draps. Il n'était que temps. Maman apparut sur le seuil, une bougie blanche à la main.

— Tu dors ?

Je fis semblant de dormir, mais maman ne se laissait pas tromper si facilement.

— Tu ne dors pas, Lionel. Arrête de faire semblant.

Je me retournai et m'assis dans mon lit.

— Qu'est-ce qu'il y a ?

— Quelque chose m'a réveillée. Quelque chose qui ne va pas.

Maman s'avança dans la chambre en levant sa bougie, de façon à éclairer les murs, le moindre coin de la pièce et enfin, moi.

— Tu n'as rien senti ?

Mon cœur s'affola. Que pouvais-je répondre ? Un esprit lui avait-il appris ce que j'avais fait ?

— Non, maman. J'allais m'endormir.

— Mais tu ne dormais pas, quelque chose t'en empêchait. Alors ?

— C'est juste que...

— Que quoi ? coupa-t-elle d'un ton pressant.

— Je me faisais du souci.

— À propos de quoi ?

— Betsy me rend nerveux.

Ma réponse l'apaisa, la tension de ses épaules disparut. Elle abaissa la bougie et l'ombre noya mon visage.

— Ah, je vois. Elle plongerait n'importe qui dans la dépression nerveuse. Elle a fait du bon travail avec son père, mais je te l'ai dit. Elle ne sera pas un problème.

— Elle croit que tu as jeté un sort à son père.

Je me disais qu'en entendant ça, maman serait peut-être moins impatiente de se marier. En tout cas, cela détournerait de moi son attention.

Mais elle ne fit qu'en rire.

— Bien sûr qu'elle le croit, comme les trois quarts des gens du coin, probablement. Qu'ils croient ce qu'ils veulent, et elle aussi. Elle n'en aura que plus peur de moi, et c'est de ça que les petites pestes comme elle ont besoin : d'avoir peur. Mon pauvre Lionel...

Je fus très surprise quand maman s'assit sur mon lit. Elle ne l'avait pas fait depuis que j'étais toute petite. Elle déplaça la bougie pour éclairer mon visage, me caressa très doucement la joue, promena le bout de ses doigts sur mes lèvres et sous mon menton.

— Est-ce que je laisserais qui que ce soit, surtout quelqu'un comme elle, te faire le moindre mal ? Est-ce que notre famille si aimante cesserait de te protéger ? Tant que tu croiras et garderas ta foi, on ne pourra rien contre toi. Elle s'en apercevra vite et elle changera, ou bien...

— Ou bien quoi, maman ?

— Ou elle s'en ira, dit-elle en se levant.

Elle baissa les yeux sur moi, puis, une fois de plus, regarda autour d'elle en promenant la clarté de la flamme sur les murs.

— Mais il y avait quelque chose, chuchota-t-elle. Quelque chose était dans cette maison, ce soir.

Elle fit quelques pas en direction du placard et le contempla longuement. Je retins ma respiration. Si elle trouvait les vêtements de Betsy, surtout sa petite culotte...

Quand elle se détourna du placard, je respirai plus librement. Elle baissa de nouveau les yeux sur moi.

— Nous devons être vigilants, Lionel, toujours vigilants. Nous avons un être cher à protéger, souviens-t'en. Si jamais tu fais quelque chose, ou pense quelque chose qui risque de mettre en danger Bébé Céleste, sois sur tes gardes. C'est bien compris ?

— Oui, maman.

— Bien. Maintenant, essaie de dormir, conclut-elle en s'éloignant vers la porte.

Sur le seuil elle se retourna et éleva une dernière fois sa bougie. Puis elle s'en alla, laissant derrière elle un sillage d'or clair, tel un suaire qu'on eût tiré dans les ténèbres.

Je me recouchai et scrutai ces ténèbres. Je crus entendre des chuchotements, mais quand je me retournai vers le mur, ils cessèrent. Il faut que ma conduite soit sans reproche, méditai-je. Il n'y a rien qu'ils ne puissent voir.

Je m'endormis en me répétant cette promesse.

Le lendemain, Betsy réapparut avec le reste de ses affaires. Je l'aidai à les porter, et M. Fletcher monta le reste dans sa chambre. Sur quoi, sans un mot de remerciement, elle me claqua la porte au nez.

— Elle se calmera, m'affirma M. Fletcher. Elle fait toujours la tête quand elle n'obtient pas ce qu'elle veut. Ma femme lui cédait tout le temps. Moi aussi, mais ce temps-là est terminé, tu peux me croire, me promit-il en souriant. Allons, ne pensons pas à toutes ces petites misères, pas au moment de commencer une merveilleuse nouvelle vie.

Il m'entoura les épaules de son bras. Je ne cherchai pas à me dégager, mais cela me mit mal à l'aise.

— Peut-être pourrions-nous aller jusqu'au lac, tous les deux. Nous prendrons un bateau et nous passerons une bonne journée ensemble, qu'en penses-tu ?

— Peut-être.

Je savais que j'aurais dû montrer plus d'enthousiasme, mais cela me fut impossible. Il ne parut pas le remarquer.

— Très bien, alors c'est dit, nous prendrons date. Ce sera un changement profitable, pour toi comme pour moi. Je m'en réjouis.

Après cela, je l'aidai à transporter ses effets personnels. Maman venait juste de nettoyer ses placards. Pendant des années, les vêtements de papa étaient restés suspendus là, ou rangés dans les tiroirs de la commode. Comme s'il s'agissait d'un rituel, maman décida de les empaqueter elle-même, et de les monter le soir même dans la chambre de la tourelle. Je lui avais offert mon aide, mais elle avait répondu qu'une épouse devait faire ces choses-là elle-même.

À travers la porte fermée de la chambre d'en haut, je l'entendis parler, et d'après le ton de sa voix, je compris que c'était avec l'esprit de papa. Je me demandai si elle s'excusait, si leurs propos étaient tristes, mais bientôt je l'entendis rire.

— C'est merveilleux ! s'écria-t-elle, puis elle garda le silence.

Je me retirai en toute hâte. Je savais que si elle me surprenait en train d'écouter aux portes, elle serait très en colère.

Aider M. Fletcher à ranger ses propres affaires, par exemple, fut une chose tout à fait différente. Cela, je pouvais le faire. Il s'étonna de disposer d'autant d'espace.

— Les placards de cette maison sont beaucoup plus grands que dans la mienne, observa-t-il avec satisfaction.

Quand tout fut terminé nous sortîmes tous les quatre, maman, Bébé Céleste, M. Fletcher et moi, pour décider de la disposition des tables pour la fête et des préparatifs à faire. Betsy boudait toujours dans sa chambre. Maman et moi avions dressé un arceau pour la cérémonie : je l'avais construit, et elle le décora de fleurs et de feuillages. Après quoi, M. Fletcher et elle simulèrent une répétition de la cérémonie.

— Ça m'a plutôt l'air d'un pique-nique débile !

Nous nous retournâmes à la voix de Betsy, qui nous observait de la galerie.

— Et qu'est-ce que vous ferez s'il pleut ?

— Il ne pleuvra pas, répliqua maman.

— Ah bon. Vous contrôlez le temps, en plus ? claironna Betsy, avant de s'adresser à son père. Je vais en ville voir Dirk, papa. Au fait, ajouta-t-elle en se dirigeant vers la voiture de M. Fletcher, j'ai invité Dirk au pique-nique.

Sur ce elle s'engouffra dans la voiture en riant et démarra en trombe, soulevant une gerbe de gravier. M. Fletcher était furieux.

— Je l'ai prévenue qu'elle ne se servira plus de ma voiture, si elle conduit comme ça. Cette fille accumule les contraventions. C'est un miracle qu'elle n'ait pas encore eu d'accident grave. Je devrais arracher tous mes cheveux blancs et les lui remettre sous enveloppe, avec une carte de remerciement.

Maman éclata de rire et il eut un sourire confus.

— Je suis désolé, Sarah. Je ne voulais introduire aucune fausse note ou incident désagréable, surtout en ce moment, mais cette fille...

Il n'alla pas plus loin. Maman fit un pas vers lui et passa le bras sous le sien.

— Elle changera, déclara-t-elle, avec une telle conviction que, cette fois encore, il ne put s'empêcher de sourire. Oui, elle changera.

Le vent agita les branches des arbres qui émirent un léger tintement, comme si elles étaient chargées de minuscules clochettes. Bébé Céleste les entendit, se tourna vers la forêt, et maman et moi fîmes de même.

Mais Bébé Céleste avait décrit un tour complet sur elle-même. C'était l'arche de fleurs qu'elle regardait, à présent.

Quand, à son tour, maman se retourna, son sourire vacilla.

Le voyait-elle ?

Moi, je le vis.

Comme s'il attendait, telle une araignée qui a tissé sa toile, Elliot se tenait au centre de l'arceau et nous regardait en jubilant, un sourire de triomphe aux lèvres.

11

Un mariage tout simple

Le lendemain, le révérend Austin, l'ami de M. Bogart, vint à la maison pour répéter la cérémonie avec maman et M. Fletcher. Son épouse, Tani, l'accompagnait. C'était une petite femme avenante, aimable et communicative. J'appris qu'elle était très liée avec la femme de M. Bogart, et qu'elle en savait long sur nous et l'histoire de notre famille.

Le révérend, bel homme dans la cinquantaine, avait les cheveux châtain clair et des yeux d'un bleu limpide. Délicat et doux dans ses manières, il avait une façon bien à lui de vous toucher le bras pour vous rassurer, quand il avait dit quelque chose qui risquait de vous causer la moindre inquiétude. Il mit immédiatement M. Fletcher à l'aise.

— Quand on a fait un mauvais mariage, on pense toujours être coupable, et naturellement on a peur de s'engager à nouveau, lui dit-il.

Les deux hommes se promenaient ensemble et, de la remise où j'aiguisais ma tronçonneuse, j'entendais toute leur conversation. Plus tard, quand nous fûmes tous rentrés, le révérend dit qu'il avait une philosophie du mariage, une foi en l'union des âmes sœurs.

— Heureux sont-ils, ceux ou celles qui trouvent cette entente spirituelle. Parmi nous, trop nombreux sont ceux qui ignorent les merveilles du cœur humain. Ils sont comme des aveugles. Mais je crois cependant que, dans ce monde, chacun peut trouver sa chacune.

— Cela s'est vérifié pour nous, sourit Tani. Et vous qui héritez d'un brave garçon aussi responsable que Lionel, et d'une enfant comme Céleste, vous êtes un homme comblé.

— Je le crois aussi, dit Dave, et cette allusion à ma personne me fit rougir.

Maman prépara un déjeuner délicieux, après lequel nous allâmes tous répéter la cérémonie de mariage. M. Fletcher avait obligé Betsy à y assister, bien qu'elle ne jouât aucun rôle dans son déroulement. La seule raison de sa présence, à mon avis, était qu'elle n'avait pas réussi à convaincre son ami de venir la chercher.

Il ne fallut que deux répétitions à Bébé Céleste pour apprendre comment aller vers l'arche, et tendre à maman l'alliance destinée à M. Fletcher. Son expression sérieuse, qui ne la quitta pas un instant, arracha des sourires à tout le monde, sauf à Betsy.

— Quelle ravissante enfant ! Elle est vraiment merveilleuse, s'écria Tani Austin.

Tout le monde put voir à quel point Bébé Céleste était fière d'elle-même, surtout dans sa façon de marcher près de moi, de me donner la main, et d'attendre patiemment la fin du service.

Betsy, au contraire, afficha son ennui en gardant jusqu'au bout les écouteurs de son baladeur. Je n'aurais pas été surprise qu'elle fît la même chose pendant la cérémonie religieuse. M. Fletcher l'ignora, et concentra toute son attention sur Bébé Céleste.

— Elle nous volera la vedette, s'attendrit-il. Mais je serais ravi de céder le pas à cette petite beauté chaque jour de ma vie.

Je ne sais comment, Betsy l'entendit malgré sa musique et lui adressa une grimace méprisante. Elle avait beau prétendre qu'elle ne se souciait pas des sentiments de son père, elle ne pouvait pas cacher sa jalousie devant son affection pour Bébé Céleste. Quel bien pouvait-il sortir de tout cela, me demandai-je une fois de plus. Pourquoi cela n'effraie-t-il pas maman ? Cette nouvelle vie ne commençait pas sous d'heureux auspices, en tout cas. Je n'y voyais aucune promesse d'espoir ou de douceur.

En fait, la première nuit où Betsy dormit à la maison fut un cruel désappointement pour M. Fletcher. Elle passa la journée dehors avec son nouvel ami, Dirk, et téléphona pour annoncer qu'elle ne dînerait pas avec nous. Elle allait à New York avec des amis et rentrerait très tard. Avant que M. Fletcher ait pu le lui interdire, elle avait raccroché. Il revint au salon en secouant la tête et nous relata cette brève conversation. J'eus le sentiment que cette petite séance n'était que la première d'une longue série.

— Elle parle si vite que je ne peux pas placer un mot, grogna-t-il. Et si je commence à me plaindre ou à poser une question, elle parle plus fort que moi, comme le faisait sa mère. Je suis vraiment navré, Sarah.

Je me demandai combien de fois – s'il était possible de les compter ! – il s'excuserait au cours des mois suivants pour la conduite de sa fille.

— Eh bien, elle connaît le chemin de la maison, repartit maman sans la moindre trace d'irritation dans la voix. Nous laisserons la porte ouverte et les lampes allumées.

Il se laissa tomber dans le fauteuil de Grandpa Jordan et sourit de plaisir. Puis il expliqua combien il le trouvait confortable, et combien cela l'aidait à se sentir chez lui. En l'écoutant, je me demandai si son mariage avec maman lui permettrait de ressentir, ou même d'expérimenter les pouvoirs surnaturels à l'œuvre dans notre maison. En retirerait-il de la force, comme c'était le cas pour elle ? Maman me jeta un coup d'œil pétillant. À ma stupéfaction, elle semblait toujours parfaitement contente de tout, y compris des problèmes que Betsy ne manquerait pas de nous créer.

Je n'attendis pas qu'elle rentre, mais je suis sûre que son père le fit. Il ne monta se coucher que très tard, et resta assis près de la fenêtre du salon pour guetter les phares de la voiture. Finalement, maman le convainquit de venir la rejoindre dans leur chambre. L'aube approchait quand je m'éveillai en sursaut, au bruit que fit Betsy en rentrant.

Elle ne fit rien pour cacher son retour. Elle claqua la porte d'entrée avec une violence à ébranler les murs, puis monta lourdement les marches en raclant délibérément la balustrade.

M. Fletcher n'avait probablement pas fermé l'œil. Dès qu'elle atteignit le palier, je l'entendis sortir et parler dune voix sourde.

— Tu te rends compte de l'heure qu'il est et du bruit que tu fais ? Tu vas réveiller la petite.

— Pourquoi est-ce que je m'en ferais pour l'heure ? Je ne travaille pas demain, et ce n'est pas ma faute si ce vieil escalier pourri craque de partout. Cette maison n'est qu'une baraque géante.

— Betsy !

— Eh bien quoi ? C'est vrai. Préviens tout le monde que je compte dormir toute la journée et que je ne veux pas qu'on me dérange.

Là-dessus, elle rentra dans sa chambre en claquant la porte.

J'entendis maman appeler M. Fletcher pour qu'il prenne un peu de repos avant d'aller travailler. Il grommela quelque chose à mi-voix et regagna leur chambre.

Le lendemain matin, personne ne prit la peine de respecter le repos sacré de la princesse. Bien au contraire, maman claqua les portes et ferma bruyamment les tiroirs. Elle parla d'une voix forte à Bébé Céleste et descendit en martelant les marches, plus lourdement encore que ne l'avait fait Betsy quelques heures plus tôt.

Au petit-déjeuner, son père secoua la tête en souriant.

— Une bombe pourrait exploser ici même que

ça ne ferait pas de différence. Quand cette fille dort, il faudrait une grue pour la tirer du lit.

C'était son dernier jour de travail avant le mariage. Il avait pris un congé pour le lendemain, puis ils se marieraient, et après un dernier jour de congé il retournerait travailler. Il réservait ses vacances pour le moment que maman choisirait pour leur petit voyage. Ils trouvaient amusant d'aller aux chutes du Niagara, jadis très fréquentées par les jeunes mariés pour leur lune de miel. Il s'était procuré quelques dépliants et les avait laissés sur la table du salon, en espérant intéresser Betsy. Quand il lui avait soumis cette idée, elle s'était plainte de la longueur du trajet.

— J'ai mal au cœur en voiture, et qu'est-ce que j'irais faire là-bas ? Et d'ailleurs...

Nous eûmes droit à un sourire, maman et moi, et elle acheva :

— Pourquoi n'iriez-vous pas tous les deux en nous laissant à la maison. Nous pouvons très bien prendre soin de la petite, pas vrai Lionel ?

L'idée de rester à la maison seule avec elle me fit frémir intérieurement.

— Tu ne sais déjà pas prendre soin de toi-même, répliqua M. Fletcher.

Loin de se fâcher, elle lui décocha son sourire gouailleur et feuilleta l'une des brochures.

— Allez-y sans moi. Je resterai ici et m'occuperai des plantes. Vous me ferez confiance pour ça, n'est-ce pas, madame Atwell ?

Elle adorait provoquer maman en l'appelant « Mme Atwell » au lieu de Sarah. J'étais certaine que, même après le mariage, elle continuerait à l'appeler ainsi.

— Ce serait gentil de ta part d'appeler Sarah « maman », déclara M. Fletcher.

Elle lui jeta un regard noir, et ce fut heureux pour lui que ses yeux ne soient pas des pistolets.

— Ce n'est pas ma mère, alors pourquoi devrais-je l'appeler comme ça ?

— Elle sera la meilleure mère que tu aies jamais eue, voilà pourquoi.

Elle secoua violemment la tête.

— Je n'ai pas besoin de mère !

— De quoi as-tu besoin, Betsy ? s'enquit maman d'une voix douce, avec un regard plein d'intérêt.

Incapable de garder son calme en sa présence, Betsy riposta d'un ton brutal :

— D'argent, comme ça je pourrai filer d'ici !

— Alors trouve du travail, dit tranquillement M. Fletcher. Je pourrai même t'aider pour ça.

Betsy se renversa sur son siège et croisa les bras, si étroitement que les veines de son cou saillirent sous sa peau. Elle s'enfonça bientôt dans sa bouderie, et personne ne dit ou ne fit quoi que ce soit pour l'en tirer. Mieux valait l'ignorer et changer de sujet.

L'algarade m'avait consternée. Quelle belle vie de famille nous allions avoir, décidément !

Comme son père l'avait prédit, le lendemain de son équipée à New York Betsy ne se leva qu'après midi, quand nous étions en train de déjeuner. Elle déversa sur nous tout un flot de griefs, qui semblaient grouiller dans sa bouche comme des termites dans du bois pourri.

— Je ne peux pas dormir dans cette chambre ! Le lit est trop mou, et on dirait qu'au premier coup de vent les fenêtres vont tomber en miettes. Je ne supporte pas non plus l'odeur de cette pièce. Et si j'ouvre les fenêtres, les moustiques passent par les trous de la moustiquaire. J'ai besoin d'un ventilateur ou d'un truc de ce genre.

Maman feignit la surprise.

— Tu sembles avoir bien dormi, pourtant.

— Je n'ai pas bien dormi. J'ai dormi. Pourquoi les placards sentent-ils comme ça ?

— C'est la naphtaline, expliqua maman.

— La naphtaline ? C'est quoi, ce truc-là ?

— Cela sert à éloigner les mites, pour qu'elles ne fassent pas de trous dans les vêtements.

— Beurk. Il y a des insectes, dans cette maison ? Nous n'en avions pas beaucoup, chez nous.

— Nous n'en avons pas non plus. Grâce à la naphtaline, répliqua maman avec sécheresse.

Je ne sais pas si c'était un effet de mon imagination, mais parfois, quand maman lui parlait, un léger sourire flottait sur ses lèvres.

— Si vous voulez mon avis, dit Betsy d'un ton geignard, il faudrait pulvériser du déodorant dans toute la maison.

Elle commença à fouiller dans les placards de la cuisine pour trouver quelque chose à manger, et se plaignit des provisions qu'avait maman.

— Il n'y a même pas de beignets, ici !

— Ce n'est pas un déjeuner très nutritif, observa maman. Je vais te préparer des toasts. La confiture est faite à la maison.

— Dieu du ciel ! Pouvez-vous me conduire en ville ou me prêter votre voiture ?

— Non, je ne peux pas te prêter ma voiture. Ton père ne m'a pas donné son accord pour ça, et j'ai des choses à faire avant d'aller en ville. Trouve-toi une occupation, en attendant.

— Je voudrais bien savoir laquelle !

— Pourquoi n'aiderais-tu pas Lionel ? suggéra maman.

Je lui jetai un regard bref. Pourquoi m'encombrait-elle de Betsy ?

— L'aider à faire quoi ?

Maman parut réfléchir.

— Lionel, quel est ton programme aujourd'hui ?

— Je voulais commencer à ramasser du bois de chauffage, maman.

— Du bois de chauffage ? Mais c'est encore l'été ! se récria Betsy.

— Le bois doit d'abord sécher, puis être débité, lui expliquai-je.

J'avais délibérément choisi un travail qu'elle était incapable de faire.

— Ne compte pas sur moi pour ça. Tu veux que j'aie des mains comme les tiennes, et que je me casse les ongles ?

Non, pensai-je, le regard au loin. Je ne veux pas que tu aies les mains comme les miennes. C'est *moi* qui ne veux pas avoir des mains comme les miennes.

— Tu peux regarder la télévision, proposa maman, ou bien lire. Je te donnerai un livre pour le lire à Bébé Céleste, si tu veux. Vous devriez apprendre à mieux vous connaître.

Betsy dévisagea maman, puis jeta un regard à Bébé Céleste, qui venait juste de finir de manger.

— Je ne vois pas pourquoi vous l'appelez Bébé Céleste, et non Céleste tout court.

Quand maman était fâchée contre quelqu'un – à part moi –, elle n'en laissait rien paraître. Mais je la connaissais si bien que dans chaque trait de son visage, chaque mèche de ses cheveux, je déchiffrais de subtils changements. Elle pinçait légèrement les coins de la bouche, ses yeux s'étrécissaient un peu et s'assombrissaient, les muscles de son cou se raidissaient. Puis un froid sourire se formait sur ses lèvres.

— Si tu tiens à le savoir, je vais te l'expliquer. J'ai eu autrefois une enfant qui s'appelait Céleste.

— Je suis au courant. Mon père m'en a suffisamment parlé.

— Tu sais donc de quelle façon tragique je l'ai perdue. Ma cousine a gentiment proposé de donner son nom à son dernier bébé, mais nous tenons à faire la distinction entre les deux Céleste. C'est moins douloureux. Les souvenirs peuvent être comme des épines dans votre cœur, dit maman en se rapprochant de Betsy. Je suis certaine que ceux de ton frère le sont aussi pour toi, après ce que vous avez enduré, ton père et toi. Il ne faut pas avoir honte de ces choses, mais personne ne tient à souffrir sans cesse. Et toi, souffres-tu encore ?

Maman n'était plus qu'à quelques centimètres

de Betsy, maintenant, et elle donnait l'impression de pouvoir faire arriver cela. Faire que Betsy souffre constamment.

La rage et la dureté de Betsy faiblirent sous le regard de maman. Pour la première fois, je vis passer dans ses yeux comme un reflet de peur. Elle recula d'un pas.

— Je n'ai pas si faim que ça, déclara-t-elle en happant un morceau de pain, avant de quitter précipitamment la pièce.

Et presque aussitôt, nous l'entendîmes sortir.

— Les mauvaises habitudes ont la vie dure, me dit maman, le regard tourné dans sa direction. Elle changera, ou bien elle sera encore plus malheureuse qu'elle ne l'est.

Je m'abstins de tout commentaire. J'avais trop peur que maman, quoi que je dise, ne prenne mes paroles en mauvaise part. Au lieu de quoi, je fis ce que j'avais proposé de faire. J'allai dans la forêt et commençai à couper du bois. De la galerie, Betsy m'observa un moment, puis elle rentra dans la maison. Peu de temps après, elle réussit à obtenir de son nouvel ami qu'il vienne la chercher. Elle ne prévint pas maman qu'il venait, ni qu'elle partait. Plus tard elle revint avec son père, monta directement dans sa chambre, et en ressortit toute prête pour une nouvelle sortie avec son petit ami. Elle rentra plus tôt que la veille, mais fit tout autant de bruit. Cette fois, sur le conseil de maman, sans doute, son père l'ignora.

Le lendemain, comme il ne travaillait pas, M. Fletcher emmena Betsy faire des courses. Il me proposa de les accompagner, et pendant un instant je fus tentée d'accepter. Mais après un coup d'œil à maman, je refusai son offre et l'en remerciai.

— Comment ? Lionel quitter ses chères plantes et ses gros sabots ? persifla Betsy. Il ne saurait pas quoi dire aux gens, sauf s'ils avaient des feuilles en guise d'oreilles et des branches à la place des jambes.

Je ne ripostai même pas, je ne voulais pas lui donner cette satisfaction. Elle eut son petit sourire narquois, et déclara qu'elle n'avait pas vraiment envie de faire des courses, elle non plus. Elle ne tenait pas plus que ça à s'acheter quelque chose de beau pour la cérémonie et le dîner, en fait. Mais M. Fletcher sut la convaincre, en lui promettant que le lendemain du mariage il lui prêterait sa voiture. Quand nous eûmes tous vu ce qu'elle s'était acheté, nous comprîmes – un peu tard – qu'il aurait mieux fait de se taire.

— Fais un effort, Betsy, l'avait-il implorée. Fais-le pour nous.

Il me fut très pénible d'entendre un homme supplier sa fille de cette façon. S'il s'était montré plus ferme avec elle, les choses se seraient sans doute mieux passées. Parmi les vieilleries entassées dans la chambre de la tourelle, j'avais remarqué une plaque de bois. Jadis, m'avait appris maman, son arrière-grand-père l'avait accrochée dans le hall. On, pouvait y lire ce dicton : *Qui aime bien châtie bien.* Son grand-père, racontait-elle, avait gardé un très mauvais souvenir des sévères punitions de son père. Et quand ce dernier mourut, il décrocha la plaque et la relégua dans la chambre de la tourelle. À présent, maman se demandait si elle n'allait pas la clouer au mur dans la chambre de Betsy.

Ce fut seulement le jour du mariage que nous découvrîmes la nouvelle toilette de Betsy. Son père n'avait pas été autorisé à la voir, lui non plus. Il lui avait simplement confié sa carte de crédit, et quand elle l'avait rejoint sur le parking du centre commercial, ses achats étaient emballés dans une boîte. À l'instant où je posai les yeux sur elle, je sus qu'elle n'avait choisi sa tenue que pour choquer.

Vingt minutes avant le début de la cérémonie, elle descendit dans un deux-pièces de jersey noir en stretch qui découvrait le nombril. Quant à la jupe, elle s'arrêtait à six bons centimètres au-dessus des genoux. L'étoffe lui moulait la poitrine, si étroitement que le haut ne laissait pas grand-chose à l'imagination. Elle aurait aussi bien pu s'exhiber les seins nus.

Elle avait relevé ses cheveux, et son maquillage était si compact qu'il aurait suffi à farder tout un corps de ballet. Ce fut du moins ce que lui dit son père. Son eye-liner était bien trop épais, et avec ses lèvres empâtées de rouge, elle avait l'air d'un vampire qui vient juste de se nourrir.

Maman ne lui fit pas le plaisir de se montrer choquée. Elle lui décocha un sourire, puis consacra toute son attention à nos invités. Les plus importants à ses yeux étaient M. Bogart et sa femme, notre avocat M. Nokleby-Cook et son épouse, qui regardait partout autour d'elle avec avidité. Elle avait dû promettre à ses amies de leur décrire, dans le moindre détail, tout ce qui concernait ce mariage. Tout le monde était dévoré de curiosité.

Nous le savions car M. Fletcher nous avait rapporté, non sans une certaine gêne, les propos qui se tenaient devant lui au drugstore.

— Les gens croient que nous serons mariés selon une espèce de rituel bizarre. Il y en a même qui font preuve d'une imagination surprenante.

— Quel genre de choses racontent-ils ? voulut savoir maman.

— Oh, des inepties, comme tous les ignorants, répliqua-t-il, visiblement peu pressé de les répéter.

Mais Betsy s'en chargea pour lui.

— Certaines personnes pensent que vous allez d'abord sacrifier une chèvre, et vous barbouiller la figure de sang, par exemple, s'empressa-t-elle d'ajouter.

Son père lui jeta un regard de reproche, mais elle haussa les épaules.

— Je n'y peux rien si c'est ça qu'ils pensent, riposta-t-elle d'un ton geignard. Ne vous en prenez pas à moi.

— Je m'étonne qu'ils l'aient découvert, dit alors maman, la voix calme et l'air impassible.

— Pardon ?

— La chèvre sera livrée ce matin, annonça-t-elle.

Puis elle éclata de rire en même temps que M. Fletcher. Betsy enrageait.

— C'est ça, riez si ça vous amuse, mais c'est le

genre de chose que les gens pensent de vous, madame Atwell. Et maintenant ils pensent la même chose de toi, cria-t-elle à son père en tournant les talons.

Maman secoua lentement la tête.

— Ils vont être déçus, non ?

Ils l'auraient certainement été. La cérémonie n'eut rien d'inhabituel ou d'étrange. Personne n'était habillé de façon bizarre. Le révérend Austin portait un complet bleu sombre et Tani, sa femme, une ravissante robe rouge. Le joueur d'accordéon les accompagnait. Bob Longo, un homme râblé aux cheveux noirs, donnait l'impression d'avoir emprunté sa veste à un colosse deux fois plus grand que lui, ct ses cheveux mi-longs lui tombaient dans le cou.

Parmi les autres invités figuraient les deux directeurs du drugstore et leurs femmes ; un autre pharmacien et son épouse, et l'agent immobilier qui avait vendu la maison de M. Fletcher, Judith Lilleton, accompagnée de son mari.

Environ une minute avant le début de la cérémonie, le nouvel amoureux de Betsy, Dirk Snyder, arriva sur les chapeaux de roues en soulevant un nuage de poussière. Il freina brutalement, et bondit hors de sa voiture comme s'il s'attendait à la voir exploser sous lui. Il était brun, maigre, les yeux trop rapprochés, avec une bouche mince et un peu tordue, qui lui entaillait le visage comme un coup de scie maladroit. Une cigarette éteinte pendait au coin de sa lèvre, et sa veste de sport était négligemment jetée sur une épaule. Il l'enfila rapidement tout en s'avançant vers nous.

Betsy sortit à sa rencontre et lui murmura quelque chose à l'oreille, ce qui les fit rugir de rire. Il me sembla voir qu'il lui glissait une pilule dans la main.

Je me tournai vers M. Fletcher. Debout près du pasteur, la tête baissée, il attendait que maman sorte sur le perron. Tous les regards convergèrent sur Betsy et son ami quand ils prirent leur place. M. Longo commença à jouer « Voici venir la mariée », et tout le monde se tourna vers la porte d'entrée de la maison où maman apparut, tenant Bébé Céleste par la main. Je crus entendre l'assemblée émettre un hoquet de surprise ravie.

Maman avait coupé la robe de Bébé Céleste dans le même tissu que la sienne, et l'avait également coiffée comme elle. Personne n'aurait pu croire qu'elle n'était pas sa fille, et comme elle avait hérité quelques traits de M. Fletcher, la conclusion s'imposa pour tout le monde et cela se vit sur les visages.

Maman et Bébé Céleste descendirent les marches et s'avancèrent vers l'arche fleurie, où le pasteur, M. Fletcher et moi les attendions. Maman et moi avions installé pour nos hôtes un parterre de sièges, coupé par une petite allée. En arrivant à sa hauteur, maman lâcha la main de Bébé Céleste et s'agenouilla pour lui chuchoter quelque chose. Elle hocha la tête et se tourna vers le reste d'entre nous, avec une telle expression de maturité qu'un sourire fleurit sur toutes les lèvres. Puis maman gagna sa place.

La cérémonie commença. Le moment venu, Céleste redescendit l'allée comme elle l'avait répété, et remit l'alliance à maman. Puis elle revint sur ses pas, me prit par la main, et j'échangeai un coup d'œil avec M. Bogart. Quelque chose d'indéfinissable, sur son visage, m'avertit qu'il en savait plus que n'importe qui à notre sujet. Mais ce visage, malgré tout, était empreint de bonté. Je n'y lus ni menace, ni accusation, ni reproche. Puis j'entendis le rire étouffé de Betsy.

Elle et son ami riaient tous les deux. On aurait dit qu'ils étaient ivres, ou déjà bien allumés. C'était probablement l'effet de la pilule que j'avais vu le garçon lui donner. Quand la cérémonie prit fin, tous les invités se pressèrent autour de maman et de M. Fletcher pour les féliciter. Je pris Bébé Céleste dans mes bras et m'approchai pour ne rien manquer, mais je me retournai à la voix de Betsy. Dirk et elle se tenaient juste derrière moi.

— Ça signifie que j'ai un nouveau frère, j'imagine, persifla-t-elle. Que ça me plaise ou pas. Dis bonjour à mon frère Lionel, Dirk.

— Salut, grogna-t-il, en me serrant la main à me broyer les doigts.

Je réussis à ne pas grimacer, ce qui ne dut pas lui échapper. Il rit et caressa les cheveux de Bébé Céleste.

— Tu étais super en apportant l'anneau, ma puce. Bravo.

Elle leva les yeux vers lui et, tout à fait comme l'aurait fait maman, le fixa d'un regard glacial.

— Lionel était le copain de mon vrai frère avant qu'il se noie, reprit Betsy. Pas vrai, Lionel ?

— Si.

— Lionel cultive des plantes et ramasse du bois toute la journée.

Je saisis le premier prétexte qui me vint à l'esprit pour m'esquiver.

— Bon, je vais aider les autres à transporter les plats.

— Lionel est parfait. C'est un garçon irréprochable qui ne fait jamais de peine à sa maman, dit Betsy à Dirk, assez haut pour que je l'entende.

Je pivotai sur moi-même.

— Si tu veux aider aussi, tu n'as qu'à me suivre.

— C'est ça, montre-moi le chemin.

En repartant vers la maison je les entendis s'esclaffer. La femme de M. Bogart et Tani Austin s'affairaient déjà dans la cuisine.

— J'adore ces mariages à la bonne franquette, disait Tani Austin. Il y a tellement de fêtes impersonnelles. Ta petite cousine est la fillette la plus adorable que j'aie jamais vue, Lionel. On voit très bien ce qu'elle tient de la famille, ajouta-t-elle, mais sans la moindre allusion perfide.

— Merci, répondis-je brièvement.

Et je commençai aussitôt à transporter les plats dehors. Maman les avait tous préparés avec certaines herbes spéciales qui en relevaient le goût. Nous eûmes de la dinde, du rosbif, des oignons en sauce, de la purée, une macédoine de légumes et du pain cuit à la maison. M. Bogart avait apporté du vin rouge et du vin blanc. Et maman avait autorisé M. Fletcher à commander un gâteau à l'un de ses clients qui était boulanger, et qui tenait à se surpasser pour l'occasion. Ce gâteau était une pièce montée de trois étages, chacun d'eux entouré d'un glaçage de chocolat. Au sommet se dressaient les deux figurines classiques, sous une arche de sucre candi.

Avant que nous entamions le repas, le révérend Austin se leva pour porter un toast.

— Il n'y a pas de mot plus merveilleux que le mot *famille*. Elle est vraiment un jardin humain, dont chaque plante a besoin d'être nourrie, entourée, aimée. Tous les deux.

Le révérend se tourna vers maman et M. Fletcher.

— ... vous avez eu plus que votre part d'épreuves, mais finalement c'est à travers elles, en les endurant vaillamment, que vous êtes devenus plus forts. Rien ne pourra vous rendre plus forts que ce mariage, et rien ne comblera vos enfants plus que votre amour, cet amour que vous leur prodiguerez à tous. Dieu bénisse votre union !

Tous les verres se levèrent et chacun but à notre bonheur.

Je lançai un coup d'œil furtif du côté de Betsy : elle ne riait plus. Elle fixait maman et son père avec tant de colère et d'aversion que mon cœur frémit de terreur. Puis elle se retourna vers Dirk, lui glissa quelques mots à l'oreille et une fois de plus, ils éclatèrent de rire. Ils mangèrent tout ce qui leur plaisait et, subitement, décidèrent de partir. Betsy me proposa de m'en aller avec eux.

— Nous allons rejoindre des copains et faire la fête. Pourquoi ne viendrais-tu pas, toi aussi ?

— Mais ils n'ont pas encore coupé le gâteau !

— Et alors ? Ce n'est qu'un gâteau. Là où nous allons, ce sera cent fois mieux.

Je refusai.

— C'est leur mariage, et tout n'est pas fini.

— Tu entends ça, Dirk ? Mais qu'est-ce que je vais faire de ce nouveau frère ?

Dirk haussa les épaules.

— S'il est heureux comme ça, laisse-le tranquille.

Elle s'approcha tout près de moi.

— Tu es heureux, Lionel ? Dois-je te laisser tranquille ?

Délibérément, elle frôla mon torse de ses seins et je fus pris de panique, ce qui parut l'amuser.

— Ne t'en fais pas. Je me suis juré de t'aider à surmonter ta timidité.

Ces mots semblaient plus une menace qu'une promesse. Main dans la main, riant encore, ils s'éloignèrent rapidement vers la voiture de Dirk, sans même féliciter les mariés ni les prévenir de leur départ. Une fois de plus, M. Fletcher s'excusa pour sa fille, et une fois de plus maman lui dit de ne pas s'inquiéter.

— J'espère qu'un jour, et même bientôt, tu me considéreras comme ton nouveau père, me dit-il un peu plus tard.

Il avait déjà beaucoup bu, et je le trouvai plutôt triste. Il ajouta aussitôt :

— J'espère aussi que, tout comme moi, tu verras en tout ça un nouveau départ, une nouvelle chance de bonheur.

Je le remerciai, puis je cherchai maman du regard : elle rayonnait de satisfaction. Elle avait fait le premier pas dans son projet : créer un univers parfait pour Bébé Céleste. Mais pour moi, serait-il aussi sûr et aussi parfait ? La question se posait.

Plus tard encore, alors que tout le monde écoutait jouer M. Longo et savourait sa musique, une chance s'offrit à moi d'être vraiment moi-même. J'allai flâner du côté du petit cimetière, et m'arrêtai là où je savais qu'était enterré Lionel. Le jour baissait, c'était l'heure où les ombres s'allongeaient et semblaient s'éveiller, se fondre les unes dans les autres. Quand nous étions petits, Lionel et moi, nous pensions que la nuit tombait parce que toutes les ombres émergeaient et recouvraient la terre ; et que la lumière du matin les rapetissait et les dispersait.

— Mais où vont-elles pendant la journée ? voulait-il savoir.

Il posait la même question à papa, mais il n'était jamais satisfait par ses réponses. Elles étaient trop scientifiques pour suffire à un jeune garçon débordant d'imagination. Mais où vont-elles ? insistait-il, en s'adressant à maman cette fois.

Quand il voulait vraiment, savoir quelque chose, il ne vous laissait pas de répit.

— Elles viennent toujours par le même chemin, avec la même forme, non ?

Je trouvais que c'était une bonne question, et je guettais la réponse de maman.

— Elles vont dormir, finissait-elle par lui dire.

— Où ça ?

— Sous la terre.

Cette réponse-là ne lui convenait pas non plus.

Si elles dormaient sous la terre, pourquoi ne pouvait-il pas les déterrer ?

Se posait-il toujours les mêmes questions ? Les esprits sont-ils encore curieux d'apprendre, ou bien connaissent-ils tout ? Quand serais-je vraiment comme maman, capable d'avoir de longues conversations avec eux, au lieu de ne saisir que quelques paroles, ne les entrevoir qu'un instant... ou les prendre pour des mirages ? Y parviendrais-je un jour ? Le don m'avait-il quittée, comme elle l'affirmait, pour passer à Bébé Céleste ?

La brise du soir fraîchissait, m'apportait le murmure des voix. Au-dessus de moi s'allumaient les premières étoiles. Je regardai dans la direction de la forêt, mais ne vis rien.

— Où es-tu, papa ? Es-tu là ? Es-tu fâché ? S'il te plaît, reviens-moi, implorai-je.

J'entendis des rires à présent, puis de la musique. Je tournai le dos à la forêt et revins vers les tables et les invités. Maman chantait pour eux. Elle chantait « La Vie en rose ». Le révérend et sa femme se tenaient la main comme deux amoureux. Dave regardait maman avec tendresse.

Je devrais être heureuse pour elle, méditai-je. Elle est si heureuse elle-même, sa voix est si prenante et si belle.

Mais quand je me tournai vers la maison et levai les yeux, je pus voir que la faible lumière du couloir éclairait la fenêtre de ma chambre. Et j'aperçus, encadrée par la vitre, une silhouette parfaitement reconnaissable pour moi. Celle d'Elliot. À la lueur argentée des étoiles je crus voir qu'il souriait. Je l'aurais juré.

Après tout, il était en sécurité dans la maison, maintenant, et pas seulement dans mon cœur tourmenté.

12

Rien que toi et moi contre toutes ces femmes

Pendant quelque temps je crus que M. Fletcher avait vu juste ; que ce mariage était un nouveau départ, une nouvelle chance de bonheur pour nous tous, y compris Betsy. Ses nouvelles relations l'occupaient, et elle nous surprit en annonçant un soir, à table, qu'elle voulait s'inscrire au collège local d'études supérieures.

M. Fletcher en fut si heureux qu'il bondit de sa chaise pour aller l'embrasser.

— C'est une merveilleuse nouvelle, Betsy. Vraiment merveilleuse. Si tu réussis au collège communal, tu pourras t'inscrire en faculté, et en quatre ans tu seras diplômée. Qu'aimerais-tu faire dans la vie ?

Les mots se bousculaient dans sa bouche comme si une digue venait de se briser en lui, libérant tous ses espoirs. Pour un peu, ce flot de paroles l'aurait étouffé.

— Tu devrais penser sérieusement au professorat. Sarah pourrait te conseiller pour ça, elle a été enseignante elle-même. Mais tu préférerais peut-être une profession médicale, et là c'est moi qui pourrai t'aider. Tu pourrais même envisager un diplôme commercial.

Après cette sortie enthousiaste, Dave se rassit, souriant béatement à sa fille. Maman et moi, et même Bébé Céleste, observions Betsy et attendions sa réponse. C'était elle qui semblait la plus abasourdie, maintenant. Son regard s'arrêta sur nous trois, l'une après l'autre, et enfin sur son père.

— Je ne sais pas encore, marmonna-t-elle enfin. Ne t'excite pas trop, papa. J'ai seulement dit que j'y pensais, pas que j'avais pris une décision.

— J'espère que tu la prendras, ma fille. Si je peux t'aider en quoi que ce soit, n'hésite pas à me le demander. À Sarah aussi, ajouta-t-il en se tournant vers maman.

— Naturellement, acquiesça-t-elle. Je serais ravie de t'aider à préparer ton avenir. Il n'est jamais trop tôt pour y penser.

Betsy avait l'air de s'être fourvoyée dans une direction où elle ne voulait pas aller. C'est un peu plus tard, en l'entendant parler au téléphone avec une amie de fraîche date, que je compris pourquoi elle avait pensé à cette solution. Elle avait rencontré un autre garçon, Roy Fuller, lui-même étudiant au collège local et brillant joueur de l'équipe de base-ball. Et avec ça, à en croire Betsy, beau garçon et très sexy. Apparemment, elle avait déjà quitté Dirk pour se lancer à la conquête de Roy Fuller. Deux jours plus tard, elle était inscrite au collège de la communauté.

Son père ne demandait qu'à payer tous les frais que cela entraînait, y compris l'achat d'une voiture d'occasion. Après tout, lui expliqua-t-elle, il faudrait qu'elle fasse sans arrêt l'aller-retour entre la ville et la maison ; et elle ne voulait pas charger d'un fardeau de plus « cette pauvre Sarah qui avait un bébé à élever, ses plantes à cultiver et son commerce à gérer ».

Quand elle était aimable – enfin, quand elle avait intérêt à l'être –, elle appelait maman Sarah. Sinon, elle en revenait à « Madame Atwell », surtout quand son père n'était pas là. Sans jamais perdre son calme, maman lui faisait observer qu'elle et son père étaient mariés ; mais Betsy haussait les épaules, pour bien montrer qu'à ses yeux cela ne changeait rien.

La semaine suivante, son père et elle partirent à la recherche du modèle qui conviendrait, et revinrent avec une voiture de sport rouge vif. Elle avait des coussins en cuir véritable, des chromes partout et brillait comme un sou neuf.

— Si tu es gentil avec moi, Lionel, je t'emmènerai faire un tour, dit-elle quand ils ramenèrent la voiture. Je pourrai même te la prêter, si tu veux. Ça te plairait ?

— Je te remercie, mais je n'y tiens pas.

Elle me fixa d'un air soupçonneux.

— Tu as ton permis de conduire, au moins ?

Je détournai les yeux.

— Tu ne l'as pas, c'est ça ? Comment se fait-il que tu ne l'aies pas ? C'est la première chose qu'on veut avoir, à ton âge. Surtout les garçons. Tu es vraiment bizarre, accusa-t-elle, comme si je l'offensais en n'ayant pas mon permis.

— J'aimerais l'avoir. C'est juste que je ne me

suis pas déplacé pour ça, répliquai-je pour me débarrasser d'elle.

— Pas déplacé ! Tu es trop vieux pour dépendre de ta maman pour tes déplacements. C'est elle qui ira chercher ta petite amie, si jamais tu te décides à en avoir une ? Ça vaudra le coup d'œil, ironisa-t-elle. Vous vous garerez quelque part et vous vous amuserez sur la banquette arrière, pendant que maman attendra à l'avant, en vous lorgnant dans le rétroviseur ?

Jusque-là j'avais contenu mon irritation, et je n'avais pas l'habitude d'employer l'argot familier ; mais là, j'éclatai.

— Ça suffit, boucle-la !

— Pardon ? Tu as bien dit : boucle-la ?

— Laisse-moi tranquille, implorai-je en m'éloignant d'elle au plus vite.

— Espèce de taré ! glapit-elle derrière moi.

Heureusement, elle fut si occupée par sa personne, ses amours et sa voiture, pendant ces premières semaines de notre nouvelle vie commune, qu'elle ne prêta plus attention à moi ni à Bébé Céleste. Elle n'était pas souvent là, dînait rarement avec nous, et dormait toujours trop tard pour prendre le petit-déjeuner en famille, aussi n'avais-je pas souvent l'occasion de l'affronter. Mais je vis bien qu'elle enrageait de plus en plus de me voir l'éviter délibérément, et ne montrer aucun intérêt pour elle.

Je fus vraiment surprise quand elle s'inscrivit au collège, sans se faire aider pour les formalités, et acheta les livres et les cahiers prescrits. Elle avait fait tant de promesses à son père qu'elle n'avait jamais tenues, pourquoi agirait-elle différemment, cette fois ? Pourtant, c'est ce qu'elle fit, en s'en vantant avec ostentation, visiblement pour que son père soit content d'elle.

Je remarquai que maman se tenait sur la réserve, en ce qui concernait la carrière universitaire de Betsy. Elle n'émit aucune opinion, positive ou négative. Quand Fletcher louait sa fille d'avoir fait seule, bien qu'un peu tard, un premier pas vers son avenir, maman se taisait, un léger sourire aux lèvres. De temps à autre elle me jetait un regard furtif, qui produisait sur moi une impression inquiétante ; comme si les choses s'arrangeaient d'elles-mêmes selon ses vues, et de la façon qu'un pouvoir plus haut avait choisie. Je ne comprenais pas où tout cela nous menait. J'étais satisfaite de la décision de Betsy, qui ne pourrait que réduire mes contacts avec elle, mais à part cela je ne savais pas à quoi m'attendre.

Puis un soir, à table, Betsy nous surprit tous et moi la première, en suggérant que je devrais l'imiter.

— Tu pourrais t'inscrire, toi aussi. Tu as ton bac, tu pourrais suivre les mêmes cours que moi, et faire le trajet avec moi jusqu'à ce que tu aies ton permis. Eh bien, qu'est-ce que tu en penses ? C'est une bonne idée, non ?

Elle m'incitait de son mieux à accepter tout de suite, et un instant je frôlai la panique. Impassible comme le Bouddha, maman attendait de moi que je donne une bonne réponse, sans me fournir le moindre indice sur ce qu'elle voulait entendre.

Ce fut M. Fletcher qui parla.

— L'idée n'est vraiment pas si mauvaise. Qu'en penses-tu, Sarah ?

Après un instant de silence, maman finit par répondre.

— Quand Lionel sera prêt pour ça, il nous le dira lui-même.

— Et pourquoi n'est-il pas prêt ? riposta Betsy. Enfin, Lionel ! Tu ne comptes tout de même pas rester ici jusqu'à la fin de tes jours, à cultiver des plantes et à jouer les baby-sitters ?

Je ne répondis rien et elle se sentit frustrée.

— Il n'est pas retardé mental, au moins ? demanda-t-elle à maman.

— Loin de là ! répliqua-t-elle avec un curieux petit sourire. En fait, je suis certaine que tu lui demanderas de t'aider pour tes devoirs.

Betsy rougit.

— Eh bien, s'il est si futé, pourquoi n'essaie-t-il pas de faire quelque chose de lui-même ?

Maman eut pour moi un regard de tendresse.

— Lionel n'est pas un jeune homme comme les autres. Ses connaissances ne se limitent pas à ce qu'on apprend dans les livres. Il a passé brillamment ses examens, il sait qu'il pourra faire ce qu'il voudra quand il le voudra, mais il a quelque chose de plus.

— Et c'est quoi ? renvoya Betsy, sarcastique.

— La sagesse. Ce n'est pas une chose qu'on apprend dans les livres, ni de ses professeurs. Cela vient d'ici, dit maman en posant la main sur son cœur.

— Dites-moi que je rêve ! explosa Betsy. Tu

vois quelle drôle de femme tu as épousée, papa, et dans quelle famille de dingues tu t'es marié ?

M. Fletcher devint écarlate.

— Betsy ! Voilà une remarque vraiment déplacée. Je veux que tu t'excuses immédiatement.

J'étais sûre qu'en temps normal elle lui aurait ri au nez. Mais il lui donnait de l'argent, il lui avait offert une voiture et s'était engagé à payer l'assurance. Elle continuait à cultiver ses bonnes grâces.

— D'accord, d'accord, concéda-t-elle. Je suis désolée. Je pensais simplement que ce serait bien si mon nouveau frère suivait les mêmes études que moi. Nous pourrions faire nos devoirs ensemble, étudier ensemble et apprendre à mieux nous connaître. Qu'est-ce que j'ai dit de si terrible ? gémit-elle en s'apitoyant sur elle-même.

Son père se radoucit.

— Bien. L'intention était bonne, Betsy. Simplement…

Il jeta un coup d'œil dans ma direction et acheva :

— Il faut que tu laisses un peu de temps à tout le monde.

— Du temps ? Et pour quoi faire ?

— Pour laisser les relations se mettre en place. Nous devons nous habituer les uns aux autres, sans rien précipiter, si nous voulons que ces relations durent et soient bénéfiques pour chacun.

C'était le genre de sermon qu'elle n'avait jamais entendu, ou jamais pris la peine d'écouter. Je la connaissais déjà suffisamment pour savoir qu'elle traitait les gens, en particulier les garçons, comme des biens de consommation éphémères.

— D'accord, papa, acquiesça-t-elle avec douceur. J'attendrai le temps qu'il faudra. Quand tu voudras savoir quoi que ce soit sur le collège, Lionel, tu n'auras qu'à me le demander.

Maman conserva son sourire impénétrable, mais je crus presque l'entendre rire intérieurement. Elle se disait, je le savais, que le jour où j'aurais besoin de Betsy n'était pas près d'arriver. Et comme elle l'avait prédit, peu de temps après avoir commencé ses cours Betsy vint me demander de lui expliquer certaines choses, à commencer par les maths.

Jusque-là elle n'était jamais entrée dans ma chambre. Depuis qu'elle et son père vivaient avec nous, je tenais ma porte fermée quand je m'y trouvais. Un soir, elle frappa pendant que j'étais en train de lire, allongée sur mon lit, et entra sans même attendre ma réponse, un livre à la main.

— Toi qui es si intelligent, commença-t-elle, tu sais sans doute ce que tout ça peut bien vouloir dire.

Son sans-gêne me mit mal à l'aise, et en même temps m'intrigua. Il y avait bien des choses qui me déplaisaient, chez elle, mais je lui enviais malgré moi son aisance à aborder les gens, spécialement les garçons. Elle se permettait toutes sortes de privautés avec eux et recherchait les contacts physiques. Elle leur prenait la main, s'arrangeait pour que sa poitrine frôle la leur, badinait avec eux, attirait leur regard et leur attention. Cela tenait-il à sa sottise et à son insouciance, ou à un excès de confiance en elle ?

Elle traversa la pièce et s'assit sur mon lit, en jetant son livre de maths sur mes genoux. Je marquai ma surprise en haussant les sourcils, mais elle se méprit sur mon expression.

— Oh, je dérange ? s'enquit-elle d'un air aguicheur. Tu lisais un bouquin érotique et ça t'excitait ? Je sais que c'est parfois très pénible pour les garçons. C'est bien ça ?

— Non ! protestai-je un peu trop vite et d'un ton bref, ce qui parut l'amuser. Qu'est-ce que tu veux ?

D'un hochement de tête, elle désigna le livre ouvert.

— Jette un œil sur ce jargon et explique-moi ce que ça veut dire. Je suis censée résoudre tous ces problèmes ce soir.

Je baissai les yeux sur les pages.

— Ton professeur ne vous en a pas parlé en classe ?

— Je n'en sais rien, ça se peut. J'étais occupée. Roy était assis juste à côté de moi et... on peut mettre les mains sous la table, si tu vois ce que je veux dire.

— Non, répliquai-je, et c'était vrai.

— Peut-être que je te montrerai ça un jour, si tu es gentil avec moi. Alors, et ces problèmes ?

Je me redressai en position assise et parcourus les énoncés, en espérant qu'elle ne remarquerait pas le tremblement de mes mains. Elle se penchait vers moi, son haleine chaude effleurait ma joue, le parfum de son shampoing emplissait mes narines. C'est ainsi que je pourrais troubler un garçon si j'avais le droit d'être moi-même, pensai-je alors, non sans nervosité.

— C'est de l'algèbre élémentaire, constatai-je. C'est ça qu'on étudie au collège ?

— Eh bien... je suppose que oui. Ils m'ont fait passer des tests de niveau et ils ont parlé de réadaptation, ou un truc comme ça.

J'avais surpris quelques bribes de sa conversation téléphonique avec son amie, et elles me revinrent à l'esprit.

— Pourquoi Roy Fuller est-il dans ta classe ? N'est-ce pas sa deuxième année de collège ?

— Il n'est pas exactement dans cette classe. Il n'est venu au cours que pour être avec moi.

— Et le professeur accepte ça ?

— Je n'en sais rien. Apparemment. Quelle importance, de toute façon ? Qui est-ce que ça dérange ? Tu sais quoi ? reprit-elle après m'avoir dévisagée un moment. Ton problème devient vraiment très, très sérieux, Lionel. Tu as besoin d'avoir des copains de ton âge. Tu as besoin dune petite amie.

Instantanément, sa remarque me ramena au temps où je fréquentais son frère. À l'école, il avait dit à des filles qu'il me connaissait bien, et qu'il me déciderait à venir un soir prendre un peu de bon temps chez lui. Il se servait de moi pour attirer une fille qui lui plaisait, et quand j'avais refusé il avait insisté tant et plus, exactement comme Betsy.

— Nous pourrions sortir à deux couples, suggéra-t-elle. J'ai une amie qui aimerait bien te rencontrer. Alors ? Ne reste pas assis là à ouvrir des yeux ronds. Tu devrais me remercier, au lieu de me fixer comme un ahuri.

— Je peux très bien me trouver des amis moi-même.

— Ben voyons. Et où iras-tu les chercher ? Dans les bois ? Dans le potager ? Dans la remise ?

— Veux-tu que je t'explique ces problèmes, oui ou non ? m'impatientai-je.

Elle haussa les épaules.

— Je suppose, oui. Je n'ai pas envie de me faire recaler partout dès la première semaine. Papa serait très contrarié, et Roy très déçu.

Elle eut un petit gloussement de rire et je me plongeai dans les énoncés. Je ne pouvais pas m'empêcher d'adopter le ton professoral de maman, cela me venait tout naturellement. Mais quand je commençai à expliquer ses maths à Betsy, aussi simplement que possible, je sentis son regard parcourir sans arrêt mon visage. Très vite, il devint évident qu'elle n'écoutait pas, et n'éprouvait même pas le moindre intérêt pour mes paroles.

— Tu ne te rases pas encore ? me demanda-t-elle tout à trac.

Une décharge électrique me courut le long du dos.

— Bien sûr que si, parvins-je à répondre. Mais si tu ne m'écoutes pas, pourquoi es-tu venue m'ennuyer ?

— Ne t'énerve pas. Ça m'intriguait, c'est tout. Tu dois être de ces veinards qui n'ont pas la barbe trop fournie ni trop dure.

Elle se renversa en arrière, les mains à plat sur le lit et le corps arqué. Elle était tellement dépourvue d'inhibition, tellement à l'aise dans son corps que je n'en revenais pas. Quand elle m'observait, voyait-elle dans mes yeux à quel point je l'enviais ?

— Roy aime bien porter une barbe de deux jours, il croit que ça fait branché ou un truc comme ça. C'est très sexy, mais je n'aime pas qu'il se frotte les joues contre les miennes. Ça brûle. Alors tu vois, poursuivit-elle d'un ton persuasif, tu plairas beaucoup aux filles. Tu veux que je parle à Fredda Sacks de sortir avec toi ? Tu lui plairais bien, et tu peux me croire... tu passerais un bon moment, conclut Betsy en souriant avec coquetterie.

— Non, merci.

Une fois de plus, elle haussa les épaules.

— D'accord, alors rends-moi un grand service, tu veux bien ? Finis ces problèmes pour moi. Il faut que je me prépare pour sortir, je dois retrouver Roy au centre commercial. Tu peux venir, toi aussi.

— Ça ne t'aidera pas que je fasse le travail à ta place. Tu n'apprendras rien.

— J'apprendrai plus tard. Merci. Tu laisseras tout ça dans ma chambre quand tu auras fini.

Elle sauta du lit et marcha vers la porte.

— Une fois que tu auras goûté au sexe, tu ne t'intéresseras plus tellement à tes plantes, pouffa-t-elle en franchissant le seuil.

Quand elle eut refermé la porte, il me sembla

qu'elle emportait tout l'air de la chambre avec elle.

Moins pour l'aider que pour oublier ses paroles, je résolus ses problèmes. Elle était déjà partie quand j'eus terminé, mais je frappai quand même avant d'entrer chez elle. Je n'avais jamais revu la pièce depuis que nous y avions monté ses affaires, son père et moi. Elle avait laissé la lumière allumée. Le lit n'était pas fait, et des vêtements s'entassaient un peu partout. Sur les chaises, sur les montants du lit, ou tout simplement par terre, comme si la porte du placard était coincée. Le même désordre régnait sur sa coiffeuse. Pots de crème sans couvercle, tubes non rebouchés, mélangés aux brosses et aux barrettes jetées n'importe où. Ce qui ressemblait à une serviette de bain mouillée pendait sur le dossier de la chaise, derrière laquelle traînait un gant de toilette sale. Il y avait trois paires de chaussures au pied du lit, dont deux étaient couchées sur le côté comme si on les avait envoyé promener.

Pour se débarrasser de ce qu'elle appelait des mauvaises odeurs, Betsy avait renversé une bouteille d'eau de Cologne sur la moquette. Cela sentait si fort que je me demandai comment elle pouvait dormir ici. La fenêtre était fermée et les stores tirés.

Je cherchai un endroit où poser le livre et la copie, et décidai de faire un peu de place sur la coiffeuse. En poussant quelques objets de côté, je vis une boîte ouverte contenant des douzaines de comprimés, rangés par plaques dans des alvéoles ; sous chacune d'elles figurait le nom d'un jour de la semaine. Je pris la boîte en main et vis qu'il s'agissait de pilules contraceptives. Je ne sais pas comment je m'y pris, mais le seul fait de tenir cette boîte m'épouvanta. Je me mis à trembler, si fort que je lâchai la boîte. Elle retomba sur la coiffeuse, les pilules jaillirent de leurs alvéoles et roulèrent sur le sol, en s'éparpillant dans tous les sens.

La panique me glaça l'échine. Pendant un moment j'eus l'impression que mes pieds collaient à la moquette, je ne pouvais plus bouger. Mon cœur s'emballait sous l'effet de la terreur. J'avais l'impression d'étouffer. Je tombai à genoux et, aussi vite que j'en étais capable, je commençai à ramasser les pilules. Certaines d'entre elles avaient rebondi et roulé jusque dessous le lit. Quand j'eus rassemblé toutes celles que je pouvais voir, je les remis dans leurs alvéoles, mais il en restait sept à remplir, les sept dernières. Les dernières, vraiment ? Et si c'étaient les premières ? me demandai-je. À quel jour de la semaine commençait la série ? Je n'y avais pas fait attention, il m'était impossible de m'en souvenir.

Je m'agenouillai à nouveau et explorai le sol avec plus d'attention encore, centimètre par centimètre. Quand je trouvai une autre pilule, mon angoisse augmenta. Si j'avais manqué celle-là, je pouvais très bien en avoir manqué d'autres. Était-ce vraiment important de les prendre toutes, et y avait-il un ordre à respecter dans les prises ? Et si j'avais tout remis de travers et que Betsy tombait enceinte ? Était-ce possible ?

J'aurais tant voulu en savoir plus sur ces choses-là !

Le nez frôlant pratiquement la moquette, je me déplaçais méthodiquement, pour être sûre de n'oublier aucun endroit. J'étendis le bras sous le lit aussi loin que je pus y parvenir, et ramenai la main vers moi dans un mouvement de balayage. Une fois de plus, à ma consternation, une pilule apparut. Je courus la placer dans un emplacement vide et retombai à genoux.

— Qu'est-ce que tu fabriques, Lionel ?

Je me retournai à la voix de maman. Elle se tenait à l'entrée de la chambre avec Bébé Céleste, qui semblait trouver ma position très drôle. J'avais laissé la porte ouverte, n'ayant aucune raison de la fermer. Après tout, je n'étais entrée chez Betsy que pour y déposer son livre et sa copie. Je ne comptais pas m'y attarder.

— Eh bien ? Réponds, Lionel.

Je me relevai et désignai la coiffeuse du regard.

— Je... je l'ai aidée pour son devoir de maths et je lui rapportais son livre.

— Et que faisais-tu à quatre pattes par terre ? Qu'est-ce que tu cherchais, Lionel ?

Sans attendre ma réponse, maman s'avança dans la pièce.

— Eh bien, explique-toi.

— Quand j'ai posé le livre sur sa coiffeuse, sans le faire exprès j'ai fait tomber quelque chose... une boîte pleine de pilules, et quelques-unes ont roulé un peu partout. J'essayais de les ramasser, débitai-je précipitamment.

Elles s'approcha de la coiffeuse, aperçut la boîte et pinça les lèvres.

— Je vois. Et tu les as toutes retrouvées ?

— Je ne sais pas. Je crois que oui.

— Tu ne devrais pas être ici, Lionel, et encore moins toucher aux affaires de Betsy.

— J'étais juste... elle m'avait dit de rapporter son livre dans sa chambre.

Maman examinait toujours les pilules. Elle prit la boîte en main et leva les yeux sur moi.

— As-tu remis tout ça dans le bon ordre ?

— Je crois bien, oui. Je n'en suis pas certain.

— Très bien. Maintenant, sors d'ici.

Je m'éloignais déjà vers la porte quand elle ajouta :

— Emmène Bébé Céleste pour lui faire prendre l'air.

— Lui faire prendre l'air ?

— Oui, Lionel : emmène-la se promener. Allez, vas-y, ordonna-t-elle en se retournant vers la coiffeuse.

Je n'en jurerais pas, mais il me sembla qu'elle souriait. C'était le soir et le temps était couvert, aussi ne m'éloignai-je pas beaucoup de la maison. Comme toujours, tout ce que Bébé Céleste voyait éveillait sa curiosité. Elle voulait que je prononce le nom de chaque chose qu'elle me désignait ou prenait en main, afin de pouvoir le répéter et le graver dans sa mémoire. Son vocabulaire s'était enrichi d'une façon surprenante, ces derniers temps. Elle composait des phrases, enchaînait des idées, avec une maturité au-dessus de son âge. De plus en plus, quand je l'observais, je trouvais son regard plus pensif et plus réfléchi. J'étais fière d'elle et elle m'amusait, mais parfois elle me laissait pantoise. Sa compréhension rapide, cette intelligence indubitablement très vive, signifiaient-elles qu'elle possédait un don spécial, comme le croyait maman ? Ou était-elle simplement une enfant précoce, une petite fille éveillée dont les facilités dépassaient celles des enfants de son âge ? J'avais progressé plus vite que la normale, moi aussi. Pourquoi vouloir à tout prix lui trouver quelque chose de plus ?

Pourtant, Bébé Céleste avait quelque chose de plus. Cela se voyait dans ses yeux, sa façon d'étudier les choses et les gens. Elle pouvait très bien être l'enfant bénie, comblée de tous, les dons que maman avait prédits pour elle.

— Qu'allons-nous devenir, Céleste ?

Assise sur les marches de la galerie, je lui avais posé la question sur un ton mi-amusé, mi-intrigué. Pourrait-elle vraiment me répondre ? Debout devant moi, elle tenait un brin d'herbe entre ses mains et s'efforçait d'en tirer un son, comme je lui avais appris à le faire. C'était une chose que Lionel réussissait très bien. Il parvenait même à jouer de petits airs.

Soudain, elle accourut vers moi et s'appuya contre mes jambes, comme si elle sentait que je désirais l'avoir près de moi, pour me réconforter. Puis elle fit siffler son brin d'herbe et rit de plaisir. Je l'embrassai sur la joue. Elle avait des traits délicats, de fins sourcils à peine visibles mais des cils très longs, très beaux. Si jamais visage fut adorable, ravissant, c'est bien celui de notre Céleste.

Elle souffla de nouveau sur son herbe, plus fort cette fois.

— Tu deviens aussi bonne que l'était ton oncle, murmurai-je.

J'avais toujours eu l'impression que je pouvais lui dire la vérité, la rapprocher de ces révélations sans mettre aucun de nous en danger. Elle ne comprenait pas et ne répétait jamais rien de ce que je lui disais tout bas. On aurait dit qu'elle savait ce qu'était un secret ; qu'elle l'avait su dès l'instant où elle en avait entendu, ou vu ce qu'elle n'était pas censée voir ni entendre.

Brusquement, elle se retourna et me jeta les bras autour du cou. Je soulevai, l'embrassai sur la joue et elle posa sa tête sur mon épaule. Nous restâmes ainsi, toutes les deux, le regard perdu dans l'obscurité. Tout à coup, j'entendis dans les bois un craquement de branches. Mon corps se tendit et je m'efforçai de distinguer quelque chose dans l'ombre.

— Daim, dit Bébé Céleste.

Un instant plus tard une petite biche se montra, regarda dans notre direction et se figea, telle une statue surgie de la nuit. Bébé Céleste glissa de mes bras et s'avança lentement vers l'animal, toujours aussi immobile.

Elle leva la main et la biche leva la tête, mais ne prit toujours pas la fuite. Céleste fit un pas de plus vers elle, puis un autre. Je me levai à mon tour.

— Ne va pas trop loin, Céleste.

Elle se retourna, le temps de me sourire, et continua d'avancer. La biche agitait la queue, comme font souvent les chiens. Bébé Céleste tendit les bras vers elle et, à ma grande surprise, l'animal fit quelques pas dans sa direction. Je retins mon souffle.

C'est alors que les phares d'une voiture, celle de M. Fletcher, balayèrent le bout du chemin, repoussant l'obscurité. La biche fit un bond de côté, s'élança dans les bois... et disparut. Je courus prendre Bébé Céleste dans mes bras et nous regardâmes approcher la voiture.

— Bonsoir, Lionel, lança M. Fletcher en sautant à terre. Qu'est-ce qui se passe ?

— Maman m'a demandé d'emmener Céleste faire un tour, pour prendre l'air.

— Oui, c'est une belle nuit. Encore assez chaude pour cette époque de l'année. Bonsoir, Céleste.

Elle lui tendit les bras et il la prit dans les siens pour l'embrasser. Puis il s'enquit avec gentillesse :

— Qu'est-ce que tu as fait aujourd'hui, mon garçon ?

— Comme d'habitude. J'ai déjà pas mal avancé dans le ramassage du bois, répondis-je, évitant de mentionner le service rendu à Betsy.

Il me jeta un regard scrutateur, si insistant que je me sentis mal à l'aise.

— J'ai beaucoup pensé à toi ces temps-ci, Lionel. La suggestion de Betsy n'était pas si mauvaise que ça, tu sais ? Y as-tu réfléchi ?

— Un peu, mentis-je.

— Bien. Il n'est pas nécessaire de prendre une

décision hâtive, heureusement. Mais j'espère que tu ne trouveras pas déplacé de ma part de te donner quelques conseils, maintenant que je fais partie de la famille.

Je me contentai de secouer la tête.

— Tu ne peux pas continuer comme ça toute ton existence, à aider ta mère à s'occuper d'un enfant, Lionel ; ni à faire des travaux de jardinage et d'entretien. Ce n'est pas une vie pour un jeune homme. Il faut vraiment que tu fréquentes des gens de ton âge, que tu élargisses ton horizon, que tu perfectionnes ton éducation, peut-être. Fixe-toi un objectif. J'aimerais t'aider autant que cela me sera possible.

J'acquiesçai d'un signe et baissai la tête.

Il vivait dans la maison du mensonge, et chaque fois qu'il me parlait avec chaleur, ces mensonges dansaient une sarabande infernale dans ma tête. Il avait fait preuve d'une telle bonne foi, de tant de fermeté, de tant confiance que je finissais par me demander, à mon tour, si maman ne lui avait pas jeté un sort. Qu'arriverait-il s'il se trouvait confronté à la vérité ? Il en aurait tout simplement le cœur brisé.

Comme je gardais le silence, il reprit la parole.

— Je sais aussi combien il est difficile de passer de l'enfance à l'âge d'homme sans un père sur qui s'appuyer, qui puisse vous conseiller ; non seulement sur ce qu'il faut faire mais aussi sur vous-même, sur vos besoins émotionnels. Je sais que nous ne nous connaissons pas aussi bien que je le voudrais. Mais je veux que tu aies confiance en moi, en sachant bien que je ne trahirais jamais celle que tu m'accorderais.

« Après tout, ajouta-t-il en faisant sauter Bébé Céleste dans ses bras, nous ne sommes que toi et moi en face de toutes ces femmes. »

Oh, comme mon cœur brûlait de lui révéler la vérité, toute la vérité ! Non, aurais-je voulu lui crier. Vous ne me connaissez pas. Vous ne m'avez jamais connue.

— N'aie pas l'air si désemparé, mon garçon, dit-il en ébouriffant mes cheveux. Je ne veux pas te bousculer. Tout ce que je demande, c'est que tu saches que si jamais tu as besoin de moi, je serai là. D'accord ?

Je fis signe que oui.

— Parfait. Ah, je vois que ma fille est encore sortie, constata-t-il en regardant autour de lui. Elle a dit où elle allait ?

— Elle a parlé du centre commercial, je crois bien.

— Hmm ! Elle y va si souvent qu'elle devrait prendre un job dans une des boutiques. Souviens-toi de ça, Lionel. Petits enfants, petits problèmes. Grands enfants... il suffit de nous regarder, Betsy et moi, pour deviner la suite. Tu rentres ?

— Bientôt.

— D'accord, j'emmène Bébé Céleste. Courage, mon gars. Tout va s'arranger. Les choses sont trop bien parties pour nous, maintenant.

Je lui souris et le suivis des yeux jusqu'à ce qu'il rentre dans la maison.

— Quel idiot ! fit une voix dans mon dos, et je pivotai sur moi-même.

Je ne pouvais pas le voir dans le noir, mais j'étais sûre que c'était l'esprit d'Elliot.

— D'après toi, il est stupide ou simplement aveugle, pour ne pas se reconnaître quand il voit Céleste ?

Je scrutai l'ombre et m'avançai lentement dans la direction d'où venait la voix.

— Peut-être qu'il sait, reprit-il. Peut-être que c'est lui qui dissimule et vit dans le mensonge. Tu n'as jamais pensé à ça, Lionel ?

Un hibou fantomatique s'envola, emportant le rire d'Elliot dans un froissement d'ailes.

Et je n'entendis plus que les battements de mon cœur affolé.

13

Le problème avec Betsy...

Au cours des semaines qui suivirent, les relations de Betsy avec non nouvel amoureux se firent de plus en plus intenses. Elle passa de nombreuses nuits dehors et à chaque fois, elle réapparaissait comme si de rien n'était, et dormait toute la journée. Cela donnait lieu à de nombreuses querelles entre elle et son père, et elle finissait toujours par menacer de s'en aller. Maman et lui en discutaient souvent entre eux, et la réaction de maman m'étonnait toujours. Elle lui demandait de ne pas la brusquer, de lui laisser le temps de se faire une idée plus réaliste des choses, et de tirer ses propres conclusions. Elle semblait toujours prendre le parti de Betsy. Si c'était pour amener Betsy à l'aimer davantage, c'était le fiasco complet.

En fait, je découvris très vite une des raisons qu'avait Betsy de vivre sa propre histoire d'amour : elle ne supportait pas de voir son père et ma mère devenir de plus en plus proches l'un de l'autre. M. Fletcher, qui tenait absolument à ce que je l'appelle Dave, désormais, n'entrait jamais dans la maison ou dans une pièce sans embrasser maman. Et lui, quelle qu'ait pu être son humeur l'instant d'avant, ou sa fatigue quand il rentrait du travail, s'illuminait dès qu'il posait les yeux sur elle. Chaque soir après le dîner, quand il n'était pas de garde à la pharmacie, ils faisaient une longue promenade en amoureux. Sans arrêt, il lui offrait des cadeaux imprévus, qui d'après ce qu'il me semblait venaient souvent de chez M. Bogart.

Quand cela se passait en présence de Betsy, ou quand ils s'embrassaient devant elle, je voyais son visage changer. Elle battait nerveusement des paupières en rentrant les lèvres. Elle regardait ailleurs, et si son père lui posait une question, elle lui répondait d'un *oui* ou d'un *non* sec, ou alors l'ignorait. Elle avait toujours l'air pressée de quitter la maison et de se retrouver loin de nous, ou plutôt, devrais-je dire : loin d'eux.

Un soir, après que Dave et maman furent sortis pour une de leurs promenades au clair de lune, j'étais au salon et lisais pour Bébé Céleste quand Betsy entra. Elle attendait un coup de fil de Roy. Elle se campa devant nous, les poings sur les hanches, et secoua ostensiblement la tête.

— Seigneur ! Comment peux-tu passer autant de temps avec un bébé, Lionel ?

— C'est un plaisir pour moi de voir à quel point elle apprend vite. Tu aimerais ça, toi aussi.

— Sûrement. J'en meurs d'impatience. Où sont-ils passés ? s'enquit-elle en regardant vers la fenêtre. On se demande où ils pourraient bien aller dans un trou pareil, d'ailleurs.

— Un peu plus haut sur la route, j'imagine. Là

où elle tourne et mène à un très joli point de vue sur la rivière. Le meilleur, en fait. C'est là qu'elle est la plus large.

— Pas possible ? Woaoh ! Ça m'étonnerait qu'ils sortent le soir pour regarder l'eau couler, ricana-t-elle. Ils sont sans doute en train de se peloter sous un arbre ou de se rouler dans l'herbe.

— Pourquoi auraient-ils besoin de sortir pour faire ça ?

— Ils doivent trouver ça plus romantique. Ou alors ils se rendent compte que leur façon de se faire des mamours devant moi me donne la nausée.

Elle croisa les bras sous les seins et me fixa, les yeux rétrécis.

— Ça ne te fait rien que ta mère couche avec mon père, l'embrasse toute la journée, lui prenne la main et se pâme devant lui ?

— Pourquoi est-ce que ça me gênerait ? Ils s'aiment, non ?

— Je t'en prie, pas ça. Que vient faire l'amour là-dedans ?

Bébé Céleste était très sensible aux inflexions de la voix. Elle perçut la tension de Betsy et la dévisagea très calmement, avec un intérêt manifeste.

— C'est vraiment gênant pour moi, et même écœurant de voir mon père s'extasier devant elle comme ça, juste en face de moi, poursuivit Betsy. On dirait des... des ados. Je ne l'ai jamais vu se conduire comme ça avec ma mère, je te le jure. Et après qu'elle nous eut quittés, il n'a jamais eu un seul véritable rendez-vous avec une femme.

— Et alors ?

— Alors je viens de te le dire : ça me fait mal au ventre, voilà ! Et pourquoi est-ce que cette gamine me regarde comme ça, d'abord ?

— Elle sent que tu es en colère.

— Ah bon, elle sent ma colère. Et qui es-tu pour savoir ça ? Un psychologue en herbe ? Tu t'es regardé, assis par terre en train de lire un livre pour enfants ? Si c'est ton idée d'une soirée amusante, tu es vraiment pathétique.

Ses paroles m'atteignaient comme des piqûres d'abeille, mais je refusai de lui laisser voir combien elles me blessaient.

— Je t'aiderai non seulement pour les maths, mais aussi en vocabulaire, ripostai-je. Le tien manque de synonymes.

— Ah oui ? Et c'est censé vouloir dire quoi, ça, gros malin ?

— Je veux dire que tu pourrais trouver des mots plus variés, quand tu m'insultes. Ceux-là commencent à s'user.

Elle ouvrit la bouche pour dire quelque chose, y renonça, puis émit un long sifflement excédé.

— Tu sais ce que je crois, parvint-elle enfin à répondre. Je crois que tu es gay.

C'est juste à cet instant que le téléphone sonna.

— Ah quand même ! s'écria Betsy en courant décrocher.

Je revins à mon livre d'enfants, mais presque aussitôt elle cria encore, du hall cette fois.

— Dis à mon père que je ne rentre pas ce soir.

Il n'y fera peut-être même pas attention, d'ailleurs. Il ne voit que sa nouvelle chérie.

La porte d'entrée claqua. Quelques instants plus tard, ce fut celle de la voiture, et Betsy démarra dans un crépitement de gravier.

— Betsy est malade, commenta Bébé Céleste, sur un ton grave qui me fit sourire.

— Oui, Betsy est malade. L'ennui c'est qu'elle ne le sait pas, et ne le saura sans doute jamais.

— Malade, répéta-t-elle.

— Pourquoi dis-tu ça, Céleste ?

Sans répondre, elle se replongea dans son livre et reprit l'histoire, là où nous en étions avant l'intrusion de Betsy. Plus tard, quand maman et Dave rentrèrent et que je lui fis part du message de Betsy, il se fâcha.

— Ça ne va pas durer longtemps comme ça, oh non ! Peu importe l'âge qu'elle a. Elle doit se conduire avec respect et assumer quelques responsabilités. Avec un programme scolaire aussi léger, rien ne l'empêche de prendre un job et de participer à ses frais d'entretien, en particulier celui de sa voiture.

« Et elle ne te propose même pas son aide pour le ménage ou la cuisine, Sarah. Tu es trop gentille avec elle, tu devrais exiger qu'elle participe, au moins un peu.

— Je sais, Dave. Ne recommence pas à te mettre dans des états pareils, voyons.

— Je ne sais pas si je préfère l'avoir à la maison, ou la voir partir avec un bon à rien, marmonna-t-il. Je pensais qu'en lui offrant un foyer solide, une vraie famille, une chance de pousser plus loin ses études...

— Elle changera, Dave.

— J'aimerais bien être aussi optimiste que toi, soupira-t-il ! Je suis désolé, Lionel. Je sais qu'elle ne se conduit pas comme une vraie sœur avec toi, et qu'elle ne t'aide même pas à t'occuper du bébé, ajouta-t-il en regardant Bébé Céleste. Regarde le sourire de cette petite. Comment peut-on ne pas s'intéresser à elle ? Qu'est-ce que cette fille a donc dans le crâne ?

— Calme-toi, Dave. Ce n'est pas bon d'aller se coucher dans cet état d'énervement.

— Je sais, je sais...

— Laisse-moi te préparer quelque chose. »

Elle lui servit une de ses tisanes qui devait le détendre et l'aider à dormir, affirma-t-elle. Comme toujours lorsqu'elle préparait quelque chose dans un but donné, ce fut efficace ; peu de temps après il était au lit, tout à fait détendu. Il ne tarda pas à glisser dans le sommeil et maman redescendit. Je crus qu'elle me cherchait. Bébé Céleste s'était endormie et j'étais allée m'asseoir sur la galerie. J'avais l'impression de garder la maison.

Elle sortit, s'assit dans le fauteuil voisin du mien et scruta les ténèbres en silence. Elle n'avait pas jeté un regard de mon côté mais je me sentais nerveuse, et même un peu effrayée. Pourquoi ce silence ? Avais-je dit ou fait quelque chose qui ait provoqué sa colère ?

Enfin, elle parla.

— Tu dois te demander pourquoi nous sommes restés seuls, ces dernières semaines.

— Seuls ?

Cette fois, elle se tourna vers moi et me regarda.

— L'un deux t'a-t-il dit quelque chose ? s'enquit-elle hâtivement.

Je fis signe que non. Je ne voulais pas lui parler d'Elliot. Pas maintenant, peut-être même jamais.

— Ce n'est pas parce que nous avons fait quelque chose de mal ou parce qu'ils sont fâchés contre nous. Le mal est dans notre maison.

Je retins ma respiration. Avait-elle découvert la présence d'Elliot, finalement ?

— Mais il n'y restera pas longtemps, crois-moi. Non, pas bien longtemps.

— Quel mal, maman ?

— Tu sais très bien lequel, s'emporta-t-elle. Ne recommence pas à jouer les abrutis !

Je détournai les yeux, tout en l'observant à la dérobée. Un moment plus tard, elle souriait.

— Bébé Céleste devient vraiment étonnante, n'est-ce pas, Lionel ? Maintenant tu t'en rends compte, non ?

— Oui, maman.

— Bien. Alors tu comprends pourquoi il est si important de continuer à la protéger et à l'entourer de tous nos soins, comme une plante.

— Oui, maman.

Je l'aurais fait, de toute façon. N'étais-je pas sa mère ?

— Va te reposer, me dit maman en se levant. Les jours qui viennent seront difficiles à vivre.

Sur ce, elle descendit les marches et se dirigea lentement vers le vieux cimetière. Je la suivis des yeux jusqu'à ce que la nuit l'engloutisse, puis je rentrai me coucher.

Les jours suivants ne furent pas faciles, en effet. La tension ne fit que monter, à cause des disputes de plus en plus fréquentes et acerbes entre Betsy et son père. Je lisais son exaspération sur son visage, sa voix me révélait son épuisement croissant. Quand il posait les yeux sur sa fille, il paraissait désemparé. Il menaça de lui supprimer son argent de poche si elle n'assumait pas ses responsabilités dans la maison, bien que maman lui conseillât la tolérance. Quand il l'obligeait à aider à la cuisine, elle cassait des assiettes ou créait un désordre invraisemblable. Elle était incapable de mettre la table correctement, et de nettoyer à fond quoi que ce soit. Il la harcelait pour qu'elle entretienne sa chambre, mais son lit n'était jamais fait, et elle ne changeait les draps que s'il l'y contraignait. Quand elle mangeait quoi que ce soit à la maison, elle laissait son assiette là où elle s'était assise ou allongée. Elle répandait des miettes partout, égarait ses affaires, salissait les meubles. Il n'arrêtait pas de nettoyer derrière elle.

Et pendant ce temps-là maman demeurait calme, compréhensive, et prenait toujours le parti de Betsy en affirmant qu'elle changerait bientôt. Plus elle se montrait indulgente, cependant, plus Dave montrait d'irritation envers sa fille. Il l'accablait de remontrances.

— Regarde comme Sarah est gentille avec toi.

Comment peux-tu être aussi ingrate et aussi insolente ?

Betsy le laissait tempêter, regardait ailleurs et faisait semblant de ne pas l'entendre, ou se tournait vers moi pour me poser une question, exactement comme s'il n'était pas là. Il en rougissait de frustration. Il avait de plus en plus souvent l'air hagard, et si quelqu'un lui demandait pourquoi il paraissait si fatigué, il se répandait en récriminations au sujet des problèmes que lui causait sa fille. Maman et moi étions souvent témoins de ses discours à la pharmacie, car le seul fait de nous voir le vexait au plus haut point.

— Cette femme est un ange, commençait-il en désignant maman, oui, un ange. Ce qu'elle doit supporter rendrait fou n'importe qui. Je ne la mérite pas, et Betsy encore bien moins. Ah, les adolescents ! crachait-il avec dépit, et les gens l'approuvaient de la tête avec compassion.

— Elle changera, répétait maman avec bienveillance.

Je ne cessais pas de m'en étonner. D'où tirait-elle ces trésors de patience et de compréhension ? J'étais bien placée pour savoir jusqu'où pouvait aller sa colère. Pourquoi ne cherchait-elle pas le moyen de corriger Betsy ? Pourquoi était-elle si tolérante ?

Betsy n'était qu'une ingrate, là-dessus j'étais d'accord avec son père. Plus maman se montrait aimable avec elle, plus elle lui en voulait. Elle nourrissait à son sujet toutes sortes de soupçons.

— Je sais très bien ce que ta mère a en tête, me

dit-elle un après-midi, après une autre querelle avec Dave où maman avait pris son parti.

J'étais en train de couper du petit bois quand elle sortit de la maison comme une bombe. J'ôtai mes gants et essuyai la sueur qui me coulait dans le cou.

— Qu'est-ce que tu vas chercher là ?

— Je constate, c'est tout. Elle joue les saintes nitouches devant mon père pour qu'il me haïsse encore plus.

— Mais non ! Elle essaie simplement de l'empêcher de se rendre malade à cause de toi, répliquai-je en remettant mes gants.

— Oh, je n'y crois pas ! Tu la défendrais envers et contre tout. Tu sais quoi ?

Ses yeux s'étrécirent et elle me lança un regard noir. Je lui tournai le dos pour me remettre à l'ouvrage, mais sa main s'abattit sur mon épaule.

— J'ai dit : tu sais quoi ?

— Eh bien quoi ?

— Les gens ne pensent pas seulement que tu es bizarre, ou peut-être même gay. Ils croient que tu as des relations contre nature avec ta mère.

J'aurais voulu la gifler, car c'était exactement l'impression que j'avais : qu'elle venait elle-même de me gifler. Le sang me monta au visage et je la vis sourire.

— Aurais-je touché un point sensible, Lionel ? Y a-t-il un grain de vérité dans ces rumeurs ? Papa ne serait peut-être pas si attaché à ta mère s'il savait ça, pas vrai ?

— Tais-toi ! vociférai-je en m'avançant vers

elle, ma hachette à la main, et l'air si furieux qu'elle recula.

— Ne me touche pas. N'y pense même pas, me menaça-t-elle, mais pour la première fois je la sentis trembler. Ne me touche pas ou je raconterai des histoires sur toi. Je te préviens, je le ferai. Je raconterai partout que tu as essayé de me violer, ou n'importe quoi.

Je reculai, ce qui lui rendit courage et elle se rapprocha de moi.

— Tu sais, Elliot m'a raconté qu'il t'avait laissé m'espionner.

Le sang qui m'enflammait le visage reflua vers mes pieds. Une fois de plus, je tournai le dos à Betsy.

— Il t'a emmené dans sa chambre et t'a laissé regarder par le trou, dans son mur. Essaie de le nier, pour voir. J'aimerais entendre ce que tu as à dire.

Je continuai à fendre mon bois. Je n'ai qu'à faire comme elle, décidai-je. Faire comme si elle n'était pas là. Comme si je ne l'entendais pas.

— Ça ne m'a pas ennuyée, tu sais. J'étais plutôt flattée. Ça valait le coup d'œil ? Ça t'a excité ? Tu t'es défoulé en fantasmant sur moi ? Ça me plaît de penser qu'un tas de garçons l'ont fait et continuent à le faire. C'était ta première fille nue ? Eh bien quoi, tu as perdu ta langue ? Tu n'es plus si fier maintenant, on dirait. Est-ce que ta très chère mère, qui te croit si parfait, est au courant de tout ça ?

J'avais beau me tourner sous tous les angles,

elle s'arrangeait toujours pour être en face de moi.

— Laisse-moi tranquille.

Ma voix était presque implorante. Betsy sourit jusqu'aux oreilles.

— Tu n'arrives pas à croire qu'il m'ait tout dit, c'est ça ? Il l'a fait pour me rendre la pareille à propos de je ne sais plus quoi, et il a été tout surpris que je ne me fâche pas. D'après toi, qui est la plus jolie, ta mère ou moi ?

— C'est une question idiote.

— Ah oui, et pourquoi ça ? Parce que tu ne peux pas aimer une autre femme ? C'est ça la raison ?

— Non ! ripostai-je en criant presque. Je ne peux pas !

Un bref instant, elle resta sous le choc. Je n'avais pas voulu m'exprimer comme ça, et elle n'aurait jamais compris de quoi je parlais, de toute façon.

— Espèce de malade, grimaça-t-elle en reculant. Je vais m'en aller d'ici, loin de vous tous, et sans traîner. Tu vas voir. Vous allez voir, tous autant que vous êtes, et vous pouvez garder papa pour vous ! cracha-t-elle en me tournant le dos.

Et elle repartit vers la maison au pas de charge.

Bon débarras, pensai-je en haussant les épaules. Plus tôt tu t'en iras, mieux ce sera.

Je ne doutais pas qu'elle s'en aille bientôt ; mais pas sans avoir commis d'autres ravages dans ce qui, pour son père, devait être un foyer heureux, un nouveau départ.

Pour commencer, nous apprîmes que ses notes avaient chuté dans toutes les disciplines où elle s'était inscrite. Mon aide ne lui avait pas servi en classe de maths, car elle n'avait rien compris, ou même pas essayé de comprendre. Son professeur devina très vite que quelqu'un d'autre faisait ses devoirs à sa place. Et, comme chaque fois qu'elle était surprise en flagrant délit de mensonge ou de tricherie, elle se contenta de hausser les épaules comme si rien de tout cela n'avait d'importance.

Dave apprit d'abord ces nouvelles par un professeur du collège, venu acheter des médicaments à sa pharmacie ; puis il fut officiellement informé des échecs de sa fille par un courrier administratif. Sa confrontation houleuse avec Betsy, à ce sujet, culmina dans un orage de fureur qui ébranla jusqu'aux murs de la maison. Au milieu de cette crise, je perçus ce que l'on appelle l'œil du cyclone : ce lourd silence avant que l'ouragan ne se déchaîne à nouveau.

J'avais passé la plus grande partie de l'après-midi dehors. Je vis arriver Dave, qui avait commencé son travail de bonne heure et en avait terminé. Il me fit signe, le courrier à la main, et rentra dans la maison. Environ une heure plus tard, Betsy revint, sa radio tonitruant comme d'habitude. Et comme d'habitude, elle arriva sur les chapeaux de roues, fit jaillir des gerbes de gravillons et se gara sans douceur derrière la voiture de Dave.

L'automne s'achevait, les jours étaient plus courts, ce qui abrégeait singulièrement l'après-midi. Des années d'expérience de la nature m'indiquaient que la brise, nettement rafraîchie, annonçait un hiver précoce. Il y avait des années qu'il n'avait pas autant neigé en octobre, et le thermomètre descendait rapidement au-dessous de zéro. Je rangeai soigneusement mes outils et me dirigeai vers la maison.

Tout en marchant je pensais à mon chien Cléo, au plaisir qu'il prenait à me suivre partout, et à ma propre joie quand il courait sur mes talons. Il avait éclairé les heures noires de ma solitude, et rendu ma morne existence un peu plus supportable. Peut-être pourrais-je convaincre maman de me laisser avoir un autre chien, me disais-je avec espoir. Mais aussitôt, j'imaginais le chagrin que j'aurais si elle venait à le soupçonner du pire, comme elle avait soupçonné Cléo.

Je commençais vraiment à m'apitoyer sur moi-même. Malgré l'indifférence et la bravoure que j'affichais devant Betsy, comme un écran entre nous deux, ses continuels sarcasmes, critiques et provocations ne restaient pas sans effet. Je sentais s'user ma résistance. J'avais failli perdre patience plus d'une fois, depuis ses accusations concernant maman et moi-même. J'étais fatiguée de la domination qu'elle exerçait sur moi, menaçant de faire telle ou telle chose en vue de provoquer la colère de maman. J'avais plutôt tendance à m'indigner de voir maman prendre sa défense, et surtout se montrer si compréhensive et tolérante. Pourquoi fermait-elle ainsi les yeux sur l'influence négative, malfaisante que

Betsy exerçait sur nous tous, et en particulier sur Dave ?

Avant même d'atteindre la galerie, je l'entendis crier. Je ne tardai pas à apprendre qu'il s'était précipité dans la chambre de Betsy, aussitôt après avoir reçu la lettre du collège l'informant de ses résultats désastreux, en même temps que de son renvoi de l'établissement. Nous ignorions tous qu'elle avait été rétrogradée de deux classes à cause de ses absences répétées, et qu'elle avait été convoquée chez le doyen pour discuter de sa situation. Elle avait fait d'innombrables promesses et n'en avait tenu aucune.

En entrant dans le hall, je fus assaillie par le flot d'accusations et de reproches que Dave faisait pleuvoir sur sa fille. Sans bruit, je refermai la porte et gagnai le salon. Maman était assise dans le rocking-chair avec Bébé Céleste sur les genoux. La tête sur la poitrine de maman, les yeux ouverts, elle paraissait écouter, elle aussi. Maman ne se retourna pas à mon entrée. Elle continua de regarder par la fenêtre, le visage on ne peut plus paisible et même rayonnant.

Dave avait laissé la porte de la chambre ouverte, il était impossible de ne pas saisir chacune de ses paroles.

— Pourquoi t'es-tu inscrite au collège, si tu n'avais pas l'intention d'étudier sérieusement ? Simplement pour que je t'achète une voiture ? Eh bien, Betsy ?

— Non.

— Alors pourquoi ? Pourquoi ? Pour me ridiculiser ?

— Je n'ai pas besoin de te ridiculiser, tu le fais très bien tout seul, riposta-t-elle.

Pendant le silence qui suivit, maman sourit. Mais pourquoi ?

Je m'attendais à ce que Dave quitte la chambre en claquant la porte, mais aucun bruit de pas ne se fit entendre, seulement la voix de Dave. Elle tremblait.

— Que comptes-tu faire de toi, maintenant, Betsy ?

— Je n'en sais rien, j'ai d'autres problèmes, et plus importants que ça.

D'autres problèmes ? m'étonnai-je. De quoi s'agissait-il ? Maman tourna lentement la tête vers moi et nos regards se croisèrent. Bébé Céleste aussi m'observait.

— Quels problèmes ? s'enquit vivement Dave.

— Ce n'est pas ma faute, hurla-t-elle. C'est la tienne !

— Pardon ? De quoi es-tu en train de parler, Betsy ? Qu'est-ce qui est ma faute ?

Je tendis l'oreille.

— Ces pilules que tu m'as donné. Elles n'ont pas marché. Elles devaient être périmées, ou un truc comme ça.

— Quoi ? Tu veux dire... c'est des pilules contraceptives que tu parles ?

— Parce que tu m'en as donné d'autres, papa ?

Un autre silence plana, l'air de la maison parut s'alourdir.

— Mon Dieu ! s'exclama Dave, ça n'a pas recommencé ?

Betsy hurla de plus belle.

— C'est ta faute. Tu m'as probablement donné des échantillons, ou quelque chose qui ne valait plus rien.

— Tu ne les as pas prises ? Tu as eu des rapports sans protection et négligé de prendre tes pilules ? C'est ça que tu es en train de me dire ?

— Non ! Regarde toi-même, j'ai suivi les instructions. Chaque pilule que j'étais censée prendre, je l'ai prise.

Je me retournai vers maman. Elle souriait jusqu'aux oreilles, maintenant. Les pilules que j'avais fait tomber ! C'était sûrement ça.

— Maman ?

— Prends la petite, Lionel, et fais-lui un brin de toilette avant le dîner. Il faut que je commence à m'en occuper.

La porte d'en haut claqua, puis j'entendis le pas de Dave dans l'escalier. Il descendait la tête basse, les épaules affaissées, comme s'il se rendait à ses propres funérailles. Il s'arrêta pour me regarder, et je lus tant de chagrin dans ses yeux, en cet instant, que mon cœur se serra comme un poing dans ma poitrine. Son visage était blême, sous l'effet du choc et de la souffrance. Il ne sut que secouer la tête et continua à descendre. Il savait, bien sûr, que nous n'avions pas perdu un mot de leur querelle.

La porte de Betsy était bien fermée. J'emmenai Bébé Céleste à la salle de bains et l'aidai à se laver et à se coiffer. Elle adorait se brosser les cheveux elle-même, maintenant, et faisait très attention à son apparence, ses vêtements et ses chaussures.

Betsy ne descendit pas pour dîner. Dave ne fit que chipoter sa nourriture. Maman lui répétait sans arrêt de manger, de ne pas se rendre malade à cause de la situation.

— Nous ferons ce qu'il faudra, Dave, dit-elle en posant la main sur la sienne.

Il l'approuva d'un léger signe de tête.

— Désolé, Sarah. Les choses n'étaient pas censées se passer comme ça. Je n'étais pas censé te créer de nouveaux problèmes et encore moins d'aussi graves.

— Pour le meilleur et pour le pire, cita maman. Dans la maladie et la santé.

Il sourit et parut un peu réconforté. De son côté, elle me jeta un coup d'œil qui me fit frissonner. On aurait plutôt dit un regard de connivence. Que pensait-elle que je savais ou comprenais ? J'étais vraiment navrée pour Dave, et je commençais à me sentir coupable, comme si je participais à une grande trahison. Même si je n'éprouvais ni compassion ni affection pour Betsy, je détestais le voir si abattu et si contrarié.

Après le repas, maman garnit une assiette et me dit de la monter, au cas ou Betsy voudrait manger.

— Tu n'as pas à faire ça, lui fit observer Dave. Elle est assez grande pour descendre si elle a faim. Nous n'allons pas continuer à la dorloter. Plus maintenant.

— Il n'en est pas question, Dave, mais nous ne

pouvons pas la laisser négliger sa santé. Surtout maintenant.

Il dut reconnaître qu'elle avait raison.

— C'est moi qui monterai, décida-t-il.

— Non, Lionel peut très bien le faire. D'ailleurs, elle pourrait refuser de t'ouvrir sa porte. Elle a peur. Elle se sent affreusement gênée et coupable, et ta vue ne pourra que lui rappeler ses torts.

— Tu as sans doute raison sur ce point, Sarah. Vois-tu, Lionel, ta mère est bien plus sage que moi. Peut-être que ses bons conseils lui viennent de plus haut.

Maman eut un vague sourire et me jeta un regard impératif. Je n'étais pas pressée de me frotter à Betsy, mais je pris l'assiette et montai frapper à sa porte. Elle ne répondit pas.

— Je t'ai apporté à manger, annonçai-je, espérant qu'elle continuerait à se taire, et que je pourrais redescendre aussitôt.

Mais à ma grande surprise, elle ouvrit brusquement la porte. Elle était en soutien-gorge et en petite culotte.

— Ça vous fait jubiler, toi et ta mère, non ? accusa-t-elle.

— Bien sûr que non. Pourquoi veux-tu que...

— Ça ne fait rien. J'ai une bonne surprise pour vous.

Elle alla vers son placard, décrocha un chemisier, l'enfila et, tout en le boutonnant, se retourna pour me sourire.

— Ça te plaît de regarder une fille s'habiller ?

D'un mouvement de la tête, je lui désignai l'assiette.

— Je suis venu t'apporter ça. Tu en veux ou pas ?

Elle baissa les yeux sur la nourriture.

— J'en ai plus qu'assez de la cuisine de ta mère. Rien n'est normal. Je parie que tu n'as jamais mangé de pizza ?

Elle me tourna le dos pour aller chercher un jean et le passa. Je commençais à me lasser de ses railleries et de ses réflexions venimeuses.

— Alors tu n'en veux pas ?

— Tu as tout compris, gros malin, lança-t-elle en s'asseyant pour mettre ses chaussures.

Mon regard tomba sur une valise, juste à côté d'elle.

— Qu'est-ce que tu fais ?

— Ce que je fais ? Je vais vivre ma vie, et filer de cet asile de fous.

— Comment vas-tu t'y prendre ? questionnai-je, plus curieuse que satisfaite.

— Regarde-moi faire et tu verras bien. Peut-être qu'un jour tu te réveilleras, pour t'apercevoir que tu deviens de plus en plus barjo et que tu partiras aussi, mais ça m'étonnerait. Comment pourrais-tu te passer de lire des livres pour enfants et de parler à des ombres ?

Ma stupéfaction la fit sourire.

— Oh, tu ne savais pas que je t'entendais marmonner tout bas, quand tu es dehors ? Ni que je collais mon oreille au mur et que je t'entendais parler tout seul ? Tu ne tournes pas rond, c'est ça ? Est-ce que tu vois les morts ? s'esclaffa-t-elle. Je sais que ta mère prétend les voir, tout le monde sait ça.

« Et c'est bien pour ça, poursuivit-elle en passant une brosse dans ses cheveux, que je me demande ce qui a bien pu pousser mon père à la demander en mariage.

— Tu ne peux pas te sauver comme ça. Tu as un gros problème à résoudre.

— Un gros problème ?

— Nous avons tout entendu. C'était impossible autrement, tu criais tellement fort.

— Alors tu te fais du souci pour moi, mon brave Lionel ? Eh bien ne t'en fais pas ! grinça-t-elle en jetant sa brosse sur la coiffeuse. Je n'ai pas besoin de ton aide, ni de celle de ta mère, ni de celle de mon père. »

Sur ce, elle empoigna sa valise.

— Où comptes-tu aller ?

— Loin d'ici.

— Toute seule ?

Elle eut une moue railleuse.

— Non, pas toute seule, espèce d'idiot. J'ai rencontré quelqu'un avec qui on ne s'ennuie pas.

— Roy, tu veux dire ?

— Non, pas Roy. Il est bien trop amoureux de lui-même, et de son succès de star du collège.

— Mais... de qui est...

— Le bébé ? Tu veux savoir de qui est le bébé que j'ai dans le ventre ? Ça, c'est mon affaire, et je te laisse te creuser la tête. Ne prends pas cet air effaré, gouailla-t-elle. Ça te fait paraître encore plus abruti que tu n'es. Au fait, j'ai changé d'avis. Donne-moi ça.

Elle tendit le bras et s'empara de l'assiette.

— Et voilà ce que je pense de la cuisine de ta mère !

Elle renversa la nourriture par terre, passa devant moi et s'engagea dans l'escalier, heurtant à chaque marche sa valise contre la balustrade.

Dave sortit du salon et la regarda descendre.

— Où crois-tu aller comme ça, ma fille ?

— Ailleurs qu'ici ! cria-t-elle en ouvrant la porte d'entrée.

J'observais la scène du haut de l'escalier.

— Betsy, ne t'avise pas de quitter cette maison, menaça Dave. Je te préviens, si tu t'en vas maintenant avec tous ces problèmes, nous ne t'aiderons pas. Je ne t'enverrai pas d'argent. Je ne...

— Eh bien ne fais rien ! s'emporta-t-elle. Reste ici et crève !

Elle franchit la porte et la claqua derrière elle, si fort que la maison en trembla.

Dave baissa la tête en signe de défaite. Je descendis sans bruit et maman sortit de la cuisine, en s'essuyant les mains à un torchon.

Elle dévisagea Dave, immobile près de la porte d'entrée, puis leva les yeux sur moi. Elle souriait.

Et ce sourire me glaça le sang.

14

Dave tombe malade

Sachant que sa fille était enceinte, qu'elle s'était enfuie avec un nouvel amant, un inconnu rencontré après ce qu'il croyait être un nouveau départ, pour elle comme pour lui, Dave fut encore plus déprimé qu'après la mort d'Elliot. Il alla jusqu'à l'avouer à maman.

— Quoi que je fasse ou essaie de faire, je ne vaux rien comme père, Sarah. J'ai perdu mes deux enfants. Je n'ai plus de famille. Je me sens comme un homme en deuil.

J'aurais tellement voulu lui dire que tout n'était pas perdu pour lui, qu'il vivait auprès d'une enfant qu'il aimait, sa propre petite fille... mais j'ignorais quelles horribles conséquences pourrait avoir une telle révélation. Elle en entraînerait une autre, et encore une autre, et notre univers s'effilocherait comme un peloton de ficelle. Maman seule pouvait en révéler certains secrets. Elle seule savait ce qui pouvait se dire et quand le dire. La défier, c'était défier la famille spirituelle qui nous protégeait et nous aimait. Je m'attirerais sûrement une punition terrible, si j'osais. Je risquais même d'aller en enfer.

Les larmes que je versais pour Dave étaient invisibles, intérieures. Je savais que si je pleurais, il serait encore plus triste pour moi que pour lui. Et je me sentirais encore plus coupable, j'aurais plus que jamais l'impression de lui mentir et de le tromper.

Si maman avait enlevé presque tous les miroirs de la maison, n'était-ce pas pour m'empêcher de m'y regarder, de voir ce que j'étais et qui j'étais ? Elle avait toujours craint ce que révélait mon visage, ne fût-ce qu'à moi-même. J'avais bien souvent entendu les mêmes reproches.

— Tes pensées sont inscrites sur ta figure, comme les gros titres en première page des journaux, Lionel. Ou bien : Ne fais pas cette grimace. Ou encore : Quand nous sortons, ne colle pas ton nez à la vitre, et ne regarde pas tout et tout le monde avec cet intérêt désespéré. On pourrait croire que tu as passé ta vie enfermé dans une cave.

Pouvais-je lui dire que c'était bien ce que, parfois, je ressentais ? Avais-je besoin de le lui dire ? Ne lisait-elle pas mes pensées sur mon visage ?

Celles de Dave aussi étaient faciles à déchiffrer, tout comme ses sentiments. Plus il se sentait triste, plus il avait les traits tirés, et plus je me désolais pour lui. Je surveillais maman, j'attendais qu'elle fasse quelque chose de plus pour l'aider, mais elle ne semblait pas s'inquiéter. Est-ce que j'exagérais les choses ? Elle en voyait plus que je n'étais capable d'en voir, j'en étais certaine. Pourtant, je savais que Dave mangeait mal et dormait mal. Je l'entendais souvent se lever la nuit, et descendre à pas feutrés pour aller se préparer une tasse de lait chaud. Ou encore, comme je le découvris un soir où je le cherchais, il s'asseyait dans le vieux rocking-chair et scrutait la nuit, comme s'il attendait le retour de Betsy qui avait passé la soirée dehors. S'était-il réveillé en pensant, en espérant que tout ce qui s'était passé n'avait été qu'un rêve, rien de plus qu'un rêve. « Descends et va t'asseoir dans le rocking-chair, s'était-il dit. Elle va bientôt rentrer. »

Il était de plus en plus attiré par ce rocking-chair. Après le dîner, il s'y asseyait plus volontiers que sur le canapé ou dans le grand fauteuil capitonné. Était-il en train d'établir une connexion spirituelle, finalement, comme le faisait souvent maman, grâce à certains objets ou meubles anciens qui avaient appartenu à nos ancêtres ? En éprouvait-il du soulagement, où était-ce une chose à laquelle il ne pouvait pas résister ? Se sentait-il enfermé dans sa propre dépression ?

Les ombres s'épaississaient dans tous les coins, les murs craquaient, les lustres se balançaient imperceptiblement chaque fois qu'on ouvrait une porte ou une fenêtre. Les chuchotements que j'entendais souvent dans les ténèbres se faisaient plus distincts, plus fréquents. Dave les entendait-il, lui aussi ? S'imaginait-il qu'il devenait fou ? Une ombre étrange voilait ses yeux, quand il regardait du côté d'où provenait chaque son. Il avait vraiment l'air d'être tombé dans un abîme de dépression, de s'enfoncer dans les sables mouvants du désespoir, toujours plus bas, plus bas, plus bas...

Après le dîner, il n'invitait plus maman à faire une promenade romantique, au clair de lune ou sous les étoiles. Je remarquai qu'il s'absorbait souvent dans ses pensées, si profondément qu'il ne sentait pas Bébé Céleste le tirer par une jambe de pantalon, pour attirer son attention.

— Dave, disait maman avec douceur.

Les yeux papillotants, il promenait un regard vague autour de lui. Maman lui désignait Céleste assise à ses pieds, les yeux levés sur lui.

— La petite...

— Oh, je suis désolé. Hello, Céleste ! finissait-il par dire en la prenant sur ses genoux.

Mais il était toujours plongé dans ses réflexions, l'esprit ailleurs. Songeait-il à son fils disparu ou à sa fille dévoyée ?

Les semaines passaient. Betsy n'appelait pas et n'écrivait pas non plus, ce qui, d'après lui, n'avait rien d'inhabituel.

— Quand elle fugue comme ça, je n'entends pas parler d'elle jusqu'à son retour.

— Quand elle verra dans quel pétrin elle s'est fourrée, elle reviendra, le rassurait maman.

Mais il n'avait pas l'air convaincu.

— Les choses sont différentes, cette fois-ci. Elle a trop d'amertume dans le cœur. J'ai commis tellement, tellement d'erreurs.

Maman lui affirmait qu'il n'en était rien, mais il restait inconsolable. Pendant les quelques semaines qui suivirent il mangea de moins en moins, perdit du poids, et des cernes sombres apparurent autour de ses yeux. Il marchait lourdement, la tête basse et les épaules rentrées. Il allait au travail comme un robot ou un automate, ne nous racontait presque plus de ces histoires intéressantes qu'il glanait à la pharmacie.

— Je sais que tu prends tes vitamines, lui disait maman, mais tu as également besoin de ceci.

Régulièrement, elle lui faisait boire un de ses mélanges de plantes, censé lui rendre son énergie. Sauf que cette fois, cela n'eut pas l'air d'avoir d'aussi bons résultats que sur les autres, moi y compris.

À la longue, il se mit à manquer des journées de travail. Il s'éveillait avec une forte migraine, prenait les médicaments qu'il conseillait à ses clients et dormait pratiquement jusqu'au soir. De son côté, maman lui donnait ses remèdes personnels, et parfois ils agissaient très vite. Il reprenait des forces et retournait travailler, mais le plus souvent il restait plongé dans son état léthargique. Et même en cas d'amélioration, il ne retrouvait pas cette aura de bonheur et d'enthousiasme qu'il avait eue en entrant dans notre vie.

Chaque fois qu'il montrait de l'intérêt pour une activité quelconque, surtout s'il pouvait la partager avec moi, je m'empressais d'accepter son offre. Je l'accompagnais dans ses tournées de courses pour le jardin médicinal, je déjeunais avec lui au fast-food – malgré l'aversion de maman pour ces endroits – et j'abandonnais volontiers mon travail en cours quand il m'invitait à me joindre à lui. J'allais même me promener avec lui, l'après-midi. Souvent, il s'arrêtait devant son ancienne maison et me confiait ce qu'il avait éprouvé quand ils avaient emménagé.

— Elle n'avait pas très fière allure quand nous nous sommes installés. Évidemment, Betsy la détestait, mais Elliot semblait emballé. Il ne m'aidait pas pour l'entretenir comme tu aides Sarah, bien sûr, mais il n'était jamais déprimé ou négatif. Très vite, il a paru s'habituer à ses nouveaux amis.

« C'est vrai, n'est-ce pas ? me demanda-t-il un jour, comme s'il n'en était pas très sûr. Il avait fini par s'y sentir heureux ?

— J'en ai bien l'impression, oui. »

Il fut tout content de ma réponse et, ces temps-ci, le voir sourire était une vraie bénédiction.

— Quand j'étais petit, me confia-t-il encore, les endroits où j'allais jouer ou me promener étaient loin d'être aussi beaux que celui-ci, Lionel. J'ai grandi à Newark, dans le New Jersey. Nous avions une jolie maison en ville, mais pas de cour ni le moindre bout de jardin. Mes parents n'étaient pas très riches, mais nous étions à l'aise. Je pouvais aller dans les parcs ou faire des petites virées en stop, bien sûr. Mais sortir de chez soi et avoir tout ça sous les yeux…

D'un ample geste, il embrassa le paysage.

— Tu as de la chance, Lionel, beaucoup de chance. Tes ancêtres savaient ce qu'ils faisaient en s'installant ici.

— Maman nous disait que lorsque Grandpa Jordan avait découvert cet endroit, son cœur s'était emballé comme s'il se trouvait devant la plus ravissante des femmes. Elle disait qu'il était tombé amoureux de chaque arbre, chaque brin d'herbe, chaque caillou, et qu'il avait su aussitôt qu'il s'établirait ici, racontai-je.

Combien de fois Lionel et moi n'avions-nous pas entendu cette histoire, quand nous étions enfants !

— Eh bien, je peux comprendre ce qu'il a ressenti. J'ai été très content de trouver cette maison, et à si bon marché. Bien sûr, je ne connaissais pas les rumeurs qui couraient sur l'ancien propriétaire, avoua Dave. Mais même si j'avais été au courant, j'aurais conclu l'affaire. Je suis heureux de l'avoir fait, sinon... Je n'aurais pas connu ta mère, ni toi non plus, acheva-t-il avec un bon sourire.

Peu après nous fîmes une autre promenade, toujours en fin d'après-midi. Cette fois nous avions suivi un vieux sentier à travers bois, que je n'avais pas emprunté depuis longtemps. Il était envahi d'herbes folles, mais pas assez pour entraver notre marche. Je savais où il nous mènerait, et mon cœur battait de plus en plus vite. Il ne nous fallut pas longtemps pour atteindre la rivière, pas très loin de l'endroit où mon frère était mort. J'eus l'impression de me retrouver dans un cauchemar.

La rivière n'était pas aussi haute que d'habitude, mais toujours aussi claire. Les rochers immergés luisaient au soleil déclinant. Dave fit halte et inspira une longue gorgée d'air.

— On respire ici. On se sent vivre. Oui, tu as vraiment beaucoup de chance, marmonna-t-il, beaucoup de chance. Si seulement Elliot n'avait pas été aussi indépendant, aussi insouciant ! Nous aurions pu former une famille, n'est-ce pas, Lionel ? Toi et lui, vous seriez devenus de véritables frères. Et à vous deux, peut-être auriez-vous exercé une influence positive sur Betsy.

« Enfin ! soupira-t-il. On dit que la vie est un accident, et la mort un rendez-vous qui nous attend tous. Certaines choses sont écrites à l'avance, qu'en penses-tu ? »

Je ne pus répondre que la stricte vérité.

— Je n'en sais rien, Dave.

— C'est juste. Pourquoi serais-tu déjà philosophe, à ton âge ? Tu as toute la vie devant toi.

Il posa les mains sur mes épaules et me regarda bien en face.

— J'aimerais vraiment pouvoir t'aider, Lionel, si peu que ce soit. Peut-être puis-je faire au moins une chose de bien ? Si tu as des désirs secrets, des souhaits, des ambitions, je t'en prie : n'hésite pas à te confier à moi. Je ferai de mon mieux pour t'aider, même si je dois d'abord convaincre ta mère. C'est entendu ?

— Oui, monsieur.

— Lionel, s'il te plaît. Appelle-moi Dave ou alors papa, mais pas autrement.

Je doutais fort de parvenir un jour à l'appeler papa. Sous ce rapport, peut-être étais-je pareil à Betsy, qui ne pourrait jamais appeler maman mère, et encore moins maman.

Je me bornai à hocher la tête et nous reprîmes notre promenade en parlant de la nature, des oiseaux, du temps... de tout et de rien, sauf de Betsy et d'Elliot.

Maman s'étonna de me voir faire tant de choses avec Dave, depuis quelque temps. Au début, elle n'en dit rien et je crus qu'elle s'en réjouissait, bien sûr. C'était réconfortant pour lui. Mais quand nous revînmes de notre longue promenade, ce jour-là, elle était assise sur la galerie et nous attendait, l'air maussade. Bébé Céleste faisait la sieste.

— Où étiez-vous ? attaqua-t-elle, comme si nous avions manqué un rendez-vous.

— Lionel m'a montré les plus jolis points de vue, dans le bois et près de la rivière. Il y a une immense prairie, au sud-ouest. Je ne m'étais jamais rendu compte à quel point nous étions proches de Spring Glen. On aperçoit la route d'une hauteur, juste après cette prairie. Nous avons vu aussi beaucoup de daims, n'est-ce pas, Lionel ?

— Oui.

— Surpopulation, je suppose, commenta Dave. La petite dort, Sarah ?

— Oui. Elle fait la sieste.

— Bonne idée. Je crois que je vais en faire autant. Il y a longtemps que je n'avais pas fait une si longue trotte, Lionel. Merci pour la promenade.

— Il n'y a pas de quoi, lui répondis-je.

Je ne sais pas s'il m'entendit, car il rentrait déjà dans la maison. Maman me jeta un coup d'œil furtif, puis regarda fixement devant elle. Je me dirigeais vers la resserre à outils quand elle appela :

— Lionel !

Je fis halte et me retournai.

— Oui, maman ?

— Ne deviens pas trop intime avec Dave.

— Mais pourquoi ?

Je n'obtins pas de réponse. Elle avait repris son regard fixe et cela m'inquiéta. Pourquoi m'avoir dit une chose pareille ? Craignait-elle que je révèle tous nos sombres secrets, que je la trahisse ? Plusieurs fois, pendant tout le reste de la journée, je me surpris à m'arrêter en plein travail pour m'apercevoir que je tremblais de tout mon corps. Le regard fixe de maman m'obsédait.

Dave dormit pendant toute la durée du repas, ce soir-là. Maman expliqua qu'elle était montée le voir et avait jugé bon de ne pas le réveiller.

— Je lui monterai quelque chose à manger plus tard, déclara-t-elle.

Et en effet, elle le fit.

Le lendemain, Dave appela une fois de plus la pharmacie pour prévenir qu'il était encore malade et il n'alla pas travailler. Il garda le lit, et maman lui monta de quoi boire et manger.

— Mais qu'est-ce qu'il a ? lui demandai-je, au moment de nous mettre à table pour dîner. Je ne l'ai pas vu de la journée.

— Il croit qu'il a la grippe. Tu connais les pharmaciens, ils se prennent tous pour des médecins. Il m'a demandé de lui faire un potage à l'ail. Je ne crois pas que ça lui sera utile pour ce qu'il a, mais je l'ai préparé pour lui faire plaisir. Une bonne soupe à l'ail a bien d'autres propriétés médicinales et nutritives, de toute façon.

— Peut-être faudrait-il appeler un médecin ?

— Les médecins ! jeta maman avec mépris, comme s'ils étaient tous des charlatans. Il ira très bien s'il fait ce que je lui dis et prend ce que je lui prépare. Et surtout, ajouta-t-elle avec un regard entendu, s'il cesse de penser à cette petite peste gâtée pourrie.

Maman était toujours étonnée quand je tombais malade, c'était un fait. Je n'avais eu aucun des vaccins obligatoires et personne ne s'était soucié de savoir si je les avais eus. Je n'allais pas à l'école, là où on vérifiait ce genre de choses.

Le lendemain Dave se leva, s'habilla et descendit, mais il semblait plus faible et plus pâle que jamais. Ce jour-là nous eûmes une tempête de neige, la première vraie précipitation de l'hiver. Jusque-là il avait été très froid, mais aussi l'un des plus secs que nous ayons eu depuis longtemps. Je fis un bon feu dans la cheminée et Dave vint s'asseoir tout près d'elle, mais il ne parvenait pas à se réchauffer. Il ne pouvait pas s'empêcher de frissonner. Maman lui fit mettre un gros sweater chaud, lui fit boire ses tisanes et autres mélanges d'herbes, mais il se sentit mal toute la journée.

Bébé Céleste était plus que jamais résolue à attirer son attention, et elle fit tout son possible pour y parvenir. Il ne voulait pas l'ignorer ni lui faire de peine, mais il redoutait de couver quelque chose de contagieux, s'il ne l'avait pas déjà. Il insista pour que je l'empêche de trop s'approcher de lui. Au dîner, il n'eut presque pas d'appétit, sinon pas du tout. Il chipota sa nourriture, et uniquement pour faire plaisir à maman.

— Je suis désolé, Sarah, s'excusa-t-il. C'est très bon, mais le problème c'est mon estomac. J'ai l'impression qu'on serre une chaîne tout autour.

Elle lui dit de ne pas s'inquiéter s'il ne mangeait pas beaucoup, mais moi j'étais inquiète. Pourquoi ne demandait-il pas à voir un médecin, avec de pareils symptômes ? Il aurait dû le faire de lui-même. Quand maman ne fut plus à portée de voix, je lui posai la question.

— Ta mère a sans doute raison, Lionel. J'ai dû attraper un virus. Ses remèdes sont aussi efficaces que n'importe quel médicament que j'ai sous la main à la pharmacie, ou qu'un docteur pourrait prescrire. Merci de te soucier de moi.

Quand maman revint de la cuisine, je me détournai vivement de Dave et elle me jeta un regard soupçonneux. Un peu plus tard, quand Dave fut monté se coucher et qu'elle eut mis Bébé Céleste au lit, elle me rejoignit au salon. Je relisais *Rebecca,* un roman de Daphné du Maurier qu'elle jugeait inapproprié pour moi. Elle ne l'avait pas dit aussi carrément mais s'était contentée de demander :

— Pourquoi lis-tu ce genre de choses ?

Au ton de sa voix, on aurait pu croire qu'il s'agissait d'une œuvre pornographique. Cela lui déplut de voir que je le relisais. Elle insista :

— Si tu tiens à lire cette sorte de livres, fais-le en privé. Tu devrais t'intéresser à des ouvrages plus... plus forts.

En fait, elle voulait tout simplement dire : plus virils. Je refermai le volume et le mis de côté.

— Pourquoi t'obstines-tu à conseiller à Dave d'aller voir un médecin, Lionel ?

— Il ne va pas bien du tout, maman. Il a manqué tellement de jours de travail, et il a l'air si faible.

— Les médecins ne comprendraient rien à sa maladie, sa source leur échapperait. Je t'ai dit de ne pas te mêler de ce qui ne te regardait pas.

— Je ne me mêle de rien, maman. Je pensais simplement...

— Eh bien ne pense pas ! rétorqua-t-elle, si sèchement que je crus entendre claquer un fouet. Ne pense pas. Il se passe des choses que tu ne peux pas contrôler, pas plus que moi, d'ailleurs.

— Quelles choses ?

Elle resta muette.

— Quelles choses, maman ?

Elle détourna le regard, puis le ramena lentement sur moi.

— J'avais raison au sujet de Bébé Céleste. Je l'avais même sous-estimée. Elle a été choisie. Nous avons fait des merveilles pour elle, et sur ce point tu m'as beaucoup aidée. Ne fais rien qui puisse détruire cela, Lionel. Rien du tout, c'est bien compris ?

J'allais répondre que non mais je m'arrêtai à temps. Mieux valait dire oui. Je hochai la tête et posai la question qui me tenait à cœur.

— Dave va-t-il guérir bientôt ?

— Cela ne dépend pas de nous.

— De qui cela dépend-il, alors ?

Les yeux de maman flamboyèrent.

— Ne sois pas insolent, Lionel. Je n'aime pas ça, et ce n'est pas du tout ton genre.

Son ton était si menaçant que ma gorge se noua. J'eus cependant l'audace de poursuivre.

— Tu n'es donc pas inquiète pour lui ?

Elle fit un pas vers moi, le regard glacé.

— Je ne me soucie que de Bébé Céleste, et tu devrais en faire autant.

— Mais je me soucie d'elle, maman !

— Je voulais dire : uniquement d'elle. Tout le reste s'arrangera de lui-même ou sera pris en charge par d'autres, Lionel.

Qu'entendait-elle par là ? Pris en charge ? Elle lut ma perplexité sur mon visage, et je compris que je l'agaçais. Pourtant, sa réaction m'étonna.

— Il y a au moins une chose sur laquelle je suis d'accord avec Betsy, dit-elle d'une voix soudain plus aimable. Je voudrais que tu aies ton permis de conduire. Je sais que tu conduis déjà, Lionel, mais j'aimerais bien que, dans un proche avenir, tu puisses faire des courses pour moi. Cela te serait sans doute très utile, à toi aussi.

J'en restai bouche bée, ce qu'elle me fit comprendre en ajoutant que si ça continuait, j'allais avaler des mouches.

— Entendu, maman, répondis-je en modérant mon enthousiasme. Quand veux-tu que je le passe ?

— Demain.

— Demain ? Mais je croyais qu'il fallait prendre rendez-vous.

— Ton rendez-vous est pris. Tu passeras

l'examen demain après-midi, à deux heures précises. Je t'y conduirai moi-même, ajouta-t-elle en s'en allant.

Mon rendez-vous, fixé ? Depuis quand avait-elle ce projet en tête ? Pourquoi ne m'en parlait-elle qu'aujourd'hui ? Et pourquoi ne m'avait-elle pas laissé le temps de me perfectionner ? Était-ce une chose qu'elle venait seulement de décider ? Et qu'est-ce qui l'y avait décidée ? C'était déroutant, mais j'étais trop contente pour songer à m'en plaindre. Au lieu de quoi, je pris notre voiture et m'exerçai à faire quelques manœuvres dans l'allée. Pour le code, j'étais certaine de m'en tirer facilement.

Toutes sortes de pensées confuses tourbillonnèrent sous mon crâne, cette nuit-là. Entre la surexcitation à l'idée de pouvoir circuler librement, et mon inquiétude pour Dave dont la santé déclinait de plus en plus, je me sentais coupée en deux. Tout en me tournant et retournant dans mon lit, j'éprouvai soudain des soupçons au sujet des véritables intentions de maman. Je m'étais trop attachée à Dave pour le voir dépérir et souffrir le martyre, quel que soit son mal. Il pourrait au moins prendre plus grand soin de sa santé, raisonnais-je.

Mais que pouvais-je faire de plus ? Maman avait raison : tout se lisait sur mon visage, et je n'avais jamais pu lui cacher quoi que ce soit bien longtemps. Les esprits qui me visitaient et déchiffraient mes pensées la visitaient aussi, et les lui transmettaient. Les espions étaient à l'affût partout et sans cesse, même quand je dormais, écoutant et surveillant jusqu'à mes rêves.

Le lendemain matin, Dave fut très emballé quand maman lui apprit ce que nous allions faire dans l'après-midi. Il ne se sentait pas assez bien pour aller au drugstore, et décida qu'il avait besoin d'une journée de repos supplémentaire. Je détournai vivement les yeux de lui, afin que maman ne puisse m'accuser de quoi que ce soit. Mais il surprit mon regard et déclara que, s'il n'allait pas mieux dans les vingt-quatre ou trente-six heures suivantes, il irait voir son médecin.

— Non que je n'aie pas confiance en tes remèdes, Sarah, et je reconnais que tu fais l'impossible pour moi, se hâta-t-il d'ajouter. Mais il se peut que, cette fois-ci, j'aie attrapé quelque chose qui nécessite vraiment un antibiotique.

— Fais ce que tu crois devoir faire, concéda-t-elle d'un ton bref, comme s'il venait de l'offenser personnellement et de porter atteinte à sa réputation.

— Bien, nous verrons.

On aurait dit une capitulation, et cette attitude me stupéfia. Son amour pour maman était plus fort que son inquiétude pour lui-même. Il se souciait plus de ne pas la blesser que de guérir. Je la regardai à la dérobée, et je me dis que Betsy avait raison. Maman avait le pouvoir de jeter un sort à quelqu'un.

Avant notre départ, elle prépara une de ses tisanes pour Dave et lui dit de monter se reposer. Et au moment de partir, elle m'annonça qu'elle me laissait conduire seule jusqu'à l'auto-école.

— Quand tu auras ton permis, je te confierai le soin de nous approvisionner en épicerie, Lionel. J'ai besoin de consacrer plus de temps à mes remèdes et mes autres nouveautés. M. Bogart va me mettre en rapport avec un autre distributeur de produits naturels, à l'échelle nationale celui-là. D'ici peu, nous aurons beaucoup plus de travail.

Tout s'annonçait plutôt bien. J'avais hâte de faire ma première expérience autonome dans les magasins du centre commercial. Malgré tout ce que j'avais appris, vu et entendu, je ne pouvais m'empêcher de me sentir comme un prisonnier sur le point d'être libéré sur parole. La liberté m'excitait et m'angoissait tout à la fois, mais le fait que maman me l'ait accordée me donnait confiance en moi. J'allais m'en tirer. Tout se passerait bien.

Le moniteur de l'auto-école était un petit homme grassouillet, au crâne dégarni et au regard froid, à qui de grosses lèvres rouges donnaient une expression boudeuse. Son nom, Jérôme Carter, était inscrit sur son badge, et il se présenta lui-même avec une poignée de main hésitante, comme s'il craignait d'être contaminé par le contact d'autrui. De sa conversation avec maman, je retirai l'impression qu'il aurait voulu, et avec joie, éliminer tous les jeunes de seize à vingt-deux ans. Nous avions amené Bébé Céleste avec nous, et ses traits s'éclairèrent quand il la vit lui sourire. Maman et elle attendirent dans le bureau pendant que je passais mes tests. Quant à M. Carter, il n'ouvrit pas la bouche, sauf pour me donner des directives ou des ordres. Tout en conduisant, il prenait rapidement des notes sur son carnet. J'eus l'impression qu'il était très mécontent de ma performance, et je me résignai à l'échec. Mais à ma grande surprise et ma joie la plus vive, je l'entendis dire à maman que je lui semblais être un jeune homme très responsable.

Elle parut encore plus contente que moi. J'avais hâte d'annoncer mon succès à Dave, mais une déception m'attendait en rentrant. Il n'était pas levé comme je l'avais espéré.

— Est-ce qu'il ne dort pas un peu trop ? demandai-je à maman, quand elle redescendit et me donna de ses nouvelles.

— Quand on est en voie de guérison, on dort. Le corps a besoin de repos, expliqua-t-elle, mais sans la conviction que, jusqu'ici, je percevais dans ses paroles et dans sa voix. J'en fus troublée mais je n'en dis rien. Un peu plus tard, ce soir-là, et apparemment à la demande de Dave, elle appela le drugstore pour prévenir qu'il serait absent jusqu'à la fin de la semaine. Je l'entendis déclarer que sa maladie l'avait beaucoup affaibli et qu'il valait mieux pour lui qu'il se repose.

Après cela, elle me jeta un regard scrutateur, si pénétrant que je détournai les yeux et feignis de m'intéresser à autre chose. Je n'entendis pas Dave se lever cette nuit-là et il ne descendit pas déjeuner le lendemain matin. Finalement, il se leva quand même dans l'après-midi, mais il ne s'était pas habillé. Il était en peignoir de bain et en pantoufles.

Je lui trouvai l'air hébété. Quand je lui parlais,

il ne paraissait pas m'entendre tant que je n'avais pas répété mes paroles. Et il ne fit rien d'autre que traînailler dans la maison, regarder par la fenêtre, et finalement s'affaler dans le rocking-chair où il somnola, s'éveillant et se rendormant tour à tour.

— Il devrait être à l'hôpital, fis-je observer à maman.

— Ah bon, tu es médecin, maintenant ? Il est capable de décider tout seul s'il a envie d'y aller ou pas, Lionel. Il s'y connaît mieux en médecine que la moyenne des gens, tu ne crois pas ? Et en tout cas, certainement plus que toi.

Que pouvais-je opposer à cela ?

Le lendemain, mon permis arriva et maman décida de célébrer cela par une petite fête. Dave parut un peu ragaillardi par la nouvelle, et maman décrivit ce qu'elle comptait nous servir. Du poulet rôti, que Dave adorait, et bien sûr une tarte à la rhubarbe. Dave était si content qu'il promit de se raser et de s'habiller. Il semblait avoir repris des forces. Peut-être était-ce le début de sa convalescence, pensai-je avec espoir. Quelle chance que ces événements heureux arrivent tous en même temps !

— Sois prudent, Lionel, me recommanda Dave. Pas de PV pour excès de vitesse.

— Promis.

— Dès que je serai un peu rétabli, j'irai faire un tour avec toi, d'accord ?

— D'accord, Dave.

Mon permis de conduire à la main, je partis faire les achats dont maman avait besoin.

Sortir de la propriété eût été un jeu d'enfant pour la plupart des jeunes gens de mon âge, mais pour moi ce fut l'équivalent d'un lancement de fusée spatiale. Surexcitée par l'aventure, je m'arrêtai à l'entrée de notre chemin, jetai un coup d'œil derrière moi, respirai à fond et tournai pour m'engager sur la route. J'étais sûre que dans les voitures qui me croisaient ou me dépassaient, personne ne ferait attention à moi. Pourtant, chaque fois que cela se produisait, j'avais l'impression que chaque personne dans chaque voiture se retournait sur moi, une expression de stupeur sur le visage. Cela me rendit nerveuse, au point que je faillis percuter l'arrière d'une camionnette quand le conducteur freina brusquement pour tourner à droite, sans avoir fait signe ni allumé son clignotant. Cela me fit redescendre sur terre et je me concentrai davantage sur ma conduite. Quelle catastrophe si, dès ma première sortie, j'avais eu un accident !

Au supermarché, personne ne porta une attention particulière au fait que j'étais seule. De temps en temps, un employé se souvenait de m'avoir vue avec maman et Bébé Céleste, et me souriait ou me saluait. Une fois que j'eus trouvé tout ce que comportait la liste de maman, je me dirigeai vers les caisses. Ma caissière était une brunette un peu boulotte, dont les petits yeux noirs semblaient noyés dans un visage de marshmallow. Quand son regard se posa sur moi, je baissai vivement la tête et commençai à décharger mon Caddie. Tout à coup, j'eus la surprise de m'entendre interpeller.

— Salut, Lionel !

Je levai les yeux et lus le nom de l'employée sur son badge : *Roberta Beckman.*

À la voir devant moi, les bras croisés sous son ample poitrine qu'ils soutenaient, la mémoire me revint d'un coup. C'était elle, le rendez-vous-surprise qu'Elliot avait arrangé pour moi, des années plus tôt. À l'époque elle était déjà grassouillette, mais elle semblait avoir pris une bonne dizaine de kilos depuis ce temps-là. J'avais eu une expérience sexuelle traumatisante avec elle, et pour tout dire je m'étais sauvée pour lui échapper. Maman découvrit que nous avions fumé de l'herbe ensemble, Roberta et une autre fille, Elliot et moi. C'est à cette occasion qu'elle eut son premier contact avec Dave. Elle était allée le trouver pour lui apprendre qu'Elliot et ses amies avaient fumé de la marijuana. Elliot me prit en haine après cela, et je reconnais que je ne pouvais pas l'en blâmer.

— Salut, me décidai-je enfin à répondre.

— On dirait que tu ne te souviens pas de moi.

Je secouai la tête et continuai à décharger mes provisions. Roberta commença à les enregistrer.

— Où étais-tu passé ? s'enquit-elle. Je ne te voyais plus nulle part.

— Pourtant, je suis venu souvent dans ce magasin.

— Ah ! Et moi je viens juste de prendre ce job, après avoir perdu le précédent, une histoire de compression budgétaire. Qu'est-ce que tu deviens, depuis tout ce temps ?

— Oh, toujours la même chose.

Malheureusement pour moi, tous mes achats étaient sur le tapis roulant. Je fus obligée de relever les yeux sur elle.

— C'est terrible ce qui est arrivé à Elliot. Je l'aimais vraiment beaucoup. On s'amusait tellement avec lui ! Harmony en a fait une dépression, tu sais. Maintenant, elle est dans un collège d'études supérieures, pour préparer l'université. Moi, je n'ai pas été acceptée, j'avais de trop mauvaises notes. Elle a choisi le Midwest. Tu n'as jamais eu envie de continuer tes études ? Je me souviens que tu étais si intelligent !

Quand elle eut enregistré tous mes achats, elle marqua une pause. Personne n'attendait derrière moi, elle avait donc tout le temps de bavarder. Elle ne s'en priva pas.

— J'ai appris que ta mère avait épousé Dave Fletcher, bien sûr. Tout le monde a trouvé ça tellement bizarre... comment ça va, entre eux ?

— Parfaitement bien, répondis-je en hâte. Excuse-moi, je suis assez pressé.

— Je comprends.

Elle m'annonça le prix de mes achats, je lui remis l'argent que m'avait donné maman et elle me rendit la monnaie, puis elle commença à emballer mes provisions. Finalement, quelqu'un se rangea derrière moi, mais Roberta ne travaillait pas assez vite et le client repartit. Elle ne gardera pas cet emploi bien longtemps, pensai-je en poussant mes paquets dans la glissière.

— Peut-être qu'on pourrait se revoir, suggéra-t-elle. Je ne suis plus aussi fofolle que je l'étais, tu peux me croire.

Je hochai la tête sans répondre. Le gérant du magasin s'approcha et, d'un regard sévère à l'adresse de Roberta, lui signifia de travailler plus vite. Je commençai à remettre mes paquets dans le Caddie.

— Appelle-moi, insista Roberta. Je passerai chez toi, si tu veux.

— Je suis très occupé, en ce moment.

Elle parut anéantie, puis esquissa un pauvre sourire.

— Si tu trouves le temps ou que tu changes d'avis, n'hésite pas, d'accord ?

— D'accord, marmonnai-je en plaçant mon dernier sac dans le Caddie.

Je gagnai la sortie comme si je m'enfuyais, et c'est probablement ce que je faisais, mais elle ne comprendrait sans doute jamais pourquoi.

Cette rencontre et l'afflux de tous ces souvenirs jetèrent une ombre sur cette radieuse journée. J'avais toujours accordé beaucoup d'attention aux coïncidences. En ce monde, rien n'arrivait par hasard. Chaque chose avait un sens. Un sens qu'une foule d'autres choses pouvaient dissimuler, mais qu'on découvrait si on prenait la peine de le chercher.

Les bons jours, de merveilleuses surprises semblaient s'offrir à moi, soit que je découvre un nid de colibris nouveau-nés, ou simplement une magnifique fleur sauvage. Maman m'avait appris que divers courants d'énergie circulaient perpétuellement, chacun à son rythme propre.

Être capable de les percevoir, de s'y accorder, et de tirer parti de ce savoir était la force que possédait notre famille, et qu'elle posséderait toujours.

Parce que cette coïncidence – ma rencontre avec Roberta – m'avait assombrie et troublée, je fus tout spécialement heureuse d'arriver sans encombre à la maison. Maman n'était pas en bas quand je revins avec les provisions. Je l'appelai pour la prévenir que j'étais rentrée. Où pouvait-elle bien être, et où était Bébé Céleste ? Quand j'eus rangé tous mes achats, et mis au réfrigérateur ce qu'il était urgent d'y mettre, je partis à leur recherche. Au rez-de-chaussée, d'abord, puis à l'étage. La porte de la chambre de maman et de Dave était fermée. J'écoutai, n'entendis rien et frappai très discrètement.

— Maman ?

Quelques instants s'écoulèrent avant qu'elle n'ouvre et j'aperçus Dave au lit, les yeux fermés. Que lui était-il arrivé ? m'inquiétai-je. Moi qui croyais qu'il allait mieux... Ne devait-il pas s'habiller pour passer la soirée avec nous ?

Maman s'avança d'un pas et tira la porte derrière elle.

— Il s'est brusquement senti très fatigué, très faible, et je l'ai aidé à se mettre au lit.

— Mais c'est terrible, maman !

— As-tu ramené tout ce qui était sur la liste ?

— Oui, bien sûr.

— Parfait. Je vais commencer à préparer le dîner.

Je me demandai comment elle pouvait rester si maîtresse d'elle-même.

— Où est Bébé Céleste, maman ?

— Elle s'est sentie soudain très fatiguée, elle aussi, et elle s'est endormie en même temps que Dave. C'est assez extraordinaire, non ? s'étonna-t-elle en souriant. Cette façon qu'elle a de... de se brancher sur Dave.

— Que veux-tu dire ?

— Quand il est heureux, elle l'est aussi, et quand il s'est senti épuisé, abattu, elle a ressenti la même chose. Oui, c'est vraiment surprenant, dit-elle en s'avançant jusqu'au palier.

Puis elle commença à descendre les marches, me laissant tout abasourdie. Qu'y avait-il de si surprenant, au juste ? Bébé Céleste avait toujours été très réceptive à ce que ressentaient les gens qui l'entouraient.

Je retournai vers la chambre et, de la porte, jetai un coup d'œil sur Dave. Il était profondément endormi. Qu'était-il arrivé ? Il avait retrouvé une telle énergie à la perspective de notre petite fête ! Il voulait se raser, s'habiller. On aurait dit qu'il allait mieux.

Il était grand temps de le conduire à l'hôpital, à présent, me dis-je un peu plus fermement. S'il voulait bien y aller, je l'y emmènerais moi-même. J'hésitai un instant, écoutai pour m'assurer que maman n'était pas dans l'escalier, puis décidai de le réveiller pour lui donner mon avis. Mais au moment précis où je posai un pied dans la chambre, Bébé Céleste poussa un hurlement déchirant. Cela ne lui était jamais arrivé.

Maman cria, et son pas résonna dans l'escalier. Je me retirai en hâte et gagnai la chambre de Bébé Céleste.

— Qu'y a-t-il ? questionna maman.

— Je ne sais pas, dis-je en m'avançant dans la pièce. Elle vient juste de crier.

Bébé Céleste était assise toute droite, les traits convulsés de terreur. Elle nous tendait les bras. D'un bond, maman me précéda, se pencha sur elle et la serra contre sa poitrine. Elle lui caressa les cheveux tout en lui parlant pour la rassurer. Bébé Céleste se calma très vite. Alors maman me jeta un regard accusateur, si lourd de reproche que je reculai en frissonnant.

— Qu'est-ce que tu as fait, Lionel ?

— Rien, maman. Je te le jure.

Cette fois, ses yeux se firent nettement soupçonneux.

— Quelque chose ne va pas, ici. Quelque chose de mauvais l'a effrayée. Elle nous avertit.

Je secouai la tête avec énergie. Pas moi, pensai-je avec conviction. Je n'ai rien à voir avec ça.

— Je ne vois pas pourquoi, affirmai-je.

— Descends-la et veille à ce qu'elle reste calme. J'ai des choses à faire, ajouta maman après un temps de réflexion.

Je pris Bébé Céleste dans mes bras et marchai rapidement vers la porte. Maman me rappela.

— Lionel !

— Oui, maman ?

— Sois prudent, très prudent, et fais bien attention.

Attention à quoi ? me demandai-je, mais je me

contentai d'approuver de la tête. Puis, portant Bébé Céleste qui avait noué les bras autour de mon cou, je redescendis. Derrière moi j'entendis une porte se refermer, celle de la chambre de maman et de Dave.

Quand j'atteignis le bas de l'escalier, je regardai longuement Bébé Céleste : elle avait la même expression de colère qu'avait eue maman un peu plus tôt et, sans bien savoir pourquoi je me sentis coupable. Je détournai les yeux de ma propre fille, le cœur étreint par la pulsation de mon propre sang.

15

Ce qui devait arriver

J'ai vu des fleurs et des plantes s'étioler et se dessécher faute de pluie, de soleil ou d'engrais. Pendant une brève période elles paraissent robustes, saines, pleines de promesses. Puis la réalité s'impose et elles commencent à dépérir. Leurs pétales ou leurs feuilles se recroquevillent et leurs tiges s'affaissent.

Ce fut le cas de David.

Quand il vint habiter chez nous il était radieux et plein d'espoir, débordant d'énergie, vigoureux. Il était aux petits soins pour maman, et même pour moi. Il croyait que son dévouement était sa force, et aussi notre force. Il montait l'escalier quatre à quatre, se penchait tendrement sur Bébé Céleste pour lui sourire et la couvrir de baisers. Son optimisme était contagieux. Les jours semblaient plus éclatants, les ombres plus discrètes. Une énergie nouvelle, palpable, avait investi notre vieille demeure. Je finissais par me dire que maman avait peut-être eu raison d'agir ainsi, finalement.

Puis je découvris que ce nouvel espoir, telle une fleur en terrain stérile, s'était implanté dans un lieu où rien ne l'aiderait à vivre, et surtout pas après le retour de Betsy. Elle était partie, maintenant, mais en laissant derrière elle tant de douleur et de regret que l'état de Dave ne cessait d'empirer.

Je me sentais tellement impuissante à le voir s'affaiblir ainsi, à voir s'éteindre peu à peu la lumière de ses yeux. Chaque matin, dès mon réveil, je pensais à ce que je pourrais bien faire pour lui. Le soir, je tendais l'oreille en espérant entendre mes voix, je fouillais du regard les coins d'ombre en guettant papa. Lui aurait une réponse à mes questions, j'en étais sûre. Il y avait si longtemps que je n'avais rien vu, ni entendu, qui provienne du monde surnaturel. C'était comme si on avait tiré un rideau entre nous. Était-ce ma faute ? Mes doutes et mes questions les avaient-ils chassés, comme maman l'avait un jour laissé entendre ? Était-ce parce que le mal, une fois de plus, avait pénétré chez nous ?

L'absence de Dave au drugstore ne passa pas inaperçue. Les clients réguliers de maman appelaient ou passaient à la maison, pour avoir de ses nouvelles. Certains avaient entendu dire, au drugstore ou ailleurs, qu'il était malade.

— Il se remet d'une mauvaise grippe, expliquait maman. J'essaie de le remonter avec mes remèdes.

Qu'un pharmacien ait choisi de se soigner avec les herbes de maman renforçait la confiance que ses clients avaient en elle, comme en ses produits.

— Je parie qu'au drugstore ils s'inquiètent de le voir détourner leurs clients pour vous les envoyer, observa Mme Paris.

Maman se contenta de sourire, comme si c'était en effet le cas mais qu'elle ne tenait pas à en parler. Je savais que Dave n'aurait jamais pensé à faire une chose pareille. Si maman me surprenait à écouter les conversations, elle me congédiait d'un regard, ou trouvait une tâche quelconque à me faire faire.

En fait, en fin de journée elle avait toujours une bonne raison de m'envoyer dans les magasins ou ailleurs. Soit pour faire des courses, ou livrer divers produits à M. Bogart. Quand je demandais des nouvelles de Dave, ou proposais de faire quoi que ce soit pour l'aider, elle trouvait toujours quelque chose de plus urgent à me faire faire. Certains jours, c'est à peine si je parvenais à le voir. Un matin, le téléphone sonna et, à l'insu de maman, je l'entendis annoncer au directeur du drugstore que Dave s'était enfin décidé à voir un médecin. Elle promit de le tenir au courant.

La nouvelle me réconforta. Mais la journée passa, je fis une autre tournée de courses et quand je rentrai, maman ne fit aucune allusion à une visite de Dave chez son médecin, ni à son intention d'aller le consulter. Je n'osais pas lui dire que j'avais surpris sa conversation téléphonique, mais je pris une résolution. Si, le lendemain matin, elle ne mentionnait pas cette visite, ce serait moi qui aborderais le sujet.

Ce soir-là, je me proposai pour monter son

plateau à Dave. Elle me jeta un regard bizarre, moins fâché toutefois que curieux.

— Pourquoi voudrais-tu faire ça, Lionel ?

— Pour te soulager un peu de ce fardeau, maman.

Elle ébaucha un sourire.

— C'est très délicat de ta part, mais ce n'est pas un fardeau pour moi. Il vaut mieux que tu ailles distraire notre Bébé Céleste, conclut-elle en soulevant le plateau.

Les jours suivants, elle garda la porte de leur chambre fermée. Je ne pus même pas jeter un coup d'œil dans la pièce, ne fût-ce que pour faire signe à Dave ou m'informer de sa santé. Je savais qu'il valait mieux ne pas m'en plaindre, et que je devrais poser mes questions le plus naturellement possible. Je méditai soigneusement mes paroles, pour que maman ne puisse pas m'accuser de ceci ou de cela.

— Comment va-t-il ? m'informai-je quand elle redescendit.

— Pas de changement.

C'était sa réponse rituelle, maintenant, mais je savais que ce n'était pas la vérité. Pourtant, je ne pouvais pas insister.

Après le dîner, quand Bébé Céleste fut au lit, je sortis malgré le froid ; un froid suffisant pour que je voie mon haleine se condenser. J'avais mis un sweater, une écharpe, mon manteau et des gants. Pendant un moment je ne fis qu'errer sans but, en levant de temps en temps les yeux vers le ciel. Les étoiles ressemblaient à des perles de glace. Lionel croyait que c'en étaient vraiment et qu'elles fondaient au lever du soleil, raison pour laquelle on n'en voyait jamais pendant le jour. Peut-être avait-il raison, après tout.

Je contournai la maison et levai les yeux vers la fenêtre d'une chambre, celle de maman et de Dave. Elle était éclairée, mais faiblement : on avait tiré les rideaux.

— Il est en train de mourir, tu sais.

Je me retournai et scrutai les endroits où l'ombre était la plus dense, et d'où la voix était venue. Elle poursuivit :

— C'est ce qu'elle veut. Il ne lui sert plus à rien.

Je ne dis rien. Cette voix ne m'était que trop familière. Je continuai à fixer les ténèbres et, peu à peu, la silhouette d'Elliot émergea de l'ombre.

— J'ai empoisonné le puits. Je t'avais prévenue et tu ne peux rien y faire, acheva-t-il avec une joie mauvaise.

Était-il vraiment là, et l'avais-je vraiment entendu ? Je m'avançai vers lui et il battit en retraite, s'enfonçant dans l'obscurité jusqu'à s'y fondre. Il a peur de moi, me dis-je alors. Je ne suis pas complètement impuissante. Je peux encore faire quelque chose.

Plus déterminée, à présent, je me hâtai de rentrer. Maman était à la cuisine, en train de faire la vaisselle. Je l'entendis murmurer quelque chose à quelqu'un, et sur le moment cela m'effraya. Les esprits étaient partout. Ceux qu'elle pouvait voir et que je ne pouvais pas voir devaient sûrement veiller sur moi, sur chacun de mes pas ; et cependant les paroles d'Elliot retentissaient sous mon crâne comme le carillon d'une église. *Il est en train de mourir, il ne lui sert plus à rien, il est en train de mourir...*

Je montai à l'étage le plus silencieusement possible, mais la maison était plus loyale envers maman qu'envers moi. Les marches craquaient plus que jamais, la balustrade branlait. Je m'arrêtai et guettai le bruit de ses pas. Je n'entendis qu'un murmure grave et continu, en provenance de la cuisine. Maman était trop absorbée par son échange avec l'au-delà.

Je gravis le reste des marches et, sur la pointe des pieds, je gagnai la chambre de Dave et de maman. Là aussi je m'arrêtai pour écouter, mais rien ne troubla le silence. Alors, avec une lenteur extrême, je fis jouer la poignée, et j'ouvris la porte. Et bien sûr, les gonds grincèrent, eux aussi.

On n'avait allumé qu'une petite lampe de chevet, et sa faible lumière laissait de grandes flaques d'ombre, dont l'une enveloppait le lit comme un linceul. Seule une traînée de clarté jaune balayait le front de Dave. En m'approchant, je vis que sa couverture était remontée jusqu'au menton. Sur la table de nuit, un verre d'eau presque plein voisinait avec une vieille soucoupe en porcelaine, dont je ne me souvenais pas de m'être jamais servie. J'y vis ce qui ressemblait à des paillettes multicolores, et qui était sans doute un remède aux plantes composé par maman. Elle avait dû en donner plusieurs doses à Dave, du moins je le supposai, car une cuiller était placée près de la soucoupe.

Il ne faisait pas un mouvement et ses yeux grands ouverts fixaient le plafond, comme s'il y voyait quelque chose de stupéfiant. Quoi que ce puisse être, cela devait mobiliser toute son attention, car il ne me vit pas et ne m'entendit pas venir. Je m'assis à côté de lui. Ses paupières battirent, et pourtant il ne tourna pas la tête vers moi.

— Dave, chuchotai-je, comment vous sentez-vous ?

Très lentement, il tourna les yeux de mon côté mais il n'eut aucune réaction. Il me regardait comme s'il n'était pas sûr que je sois vraiment là, et pas plus sûr de m'avoir entendue parler. Peut-être me prenait-il pour un des esprits de maman ?

— Dave, c'est Lionel. M'entendez-vous, Dave ? Qu'est-ce qui ne va pas ?

Ses lèvres remuèrent et il battit des cils.

— Il faut vous faire hospitaliser d'urgence, Dave. Vous êtes très, très malade. Vous comprenez ce que je vous dis ? Je vous y conduirai, d'accord ? Dave ?

Il remua la tête dans un imperceptible mouvement latéral et ses lèvres frémirent, mais il ne parla pas. Je soulevai la soucoupe et humai son contenu. Je n'avais aucune idée de sa composition, mais quand j'observai plus attentivement le verre, je vis qu'un résidu d'une substance quelconque s'était déposé au fond. Je reposai le verre et m'avisai alors qu'il y avait autre chose sur la table de nuit, dans une zone laissée dans l'ombre ; quelques flacons et plusieurs boîtes de médicaments, qui semblaient faire partie de ceux qu'on délivre sans ordonnance.

Dave avait refermé les yeux, et je lui secouai l'épaule.

— Dave, est-ce que vous m'entendez ? Est-ce que vous comprenez ce que je vous dis ? Vous êtes très malade, Dave.

Il ouvrit les yeux et parvint à les tourner vers moi, mais sans paraître me reconnaître.

Un rire soudain attira mon attention vers la fenêtre. Elliot était debout à côté d'elle. Il souriait.

— Il est trop tard, tu ne comprends pas ? Je t'ai dit qu'il était trop tard.

— Non ! protestai-je dans un cri.

Son sourire fit place à une expression de colère.

— Il pensait que tu serais pour lui le fils que je n'étais pas, que tu prendrais ma place. Il meurt comme l'idiot qu'il a toujours été. Oui, répéta Elliot avec satisfaction. Un idiot.

— Non, je ne le laisserai pas mourir.

Je m'avançai vers lui, comme je l'avais fait dehors, et cette fois encore il recula. Son rire s'attarda derrière lui quand il se fondit dans le mur et disparut. Du coin de l'œil, je vis Dave frissonner comme si un froid soudain le saisissait tout entier... un froid mortel.

Je revins aussitôt près de lui et cherchai sa main sous la couverture. Elle était froide, et rigide. Il fallait que je lui fasse comprendre ce qui lui arrivait. Le désespoir s'empara de moi : il fallait que je l'aide.

— Dave, écoutez-moi. Bébé Céleste est en réalité votre petite-fille. Je ne suis pas Lionel. Il est mort depuis longtemps. Elliot et moi... nous... je suis la vraie Céleste.

Mes joues ruisselaient de larmes, à présent. Je dus faire un effort sur moi-même pour continuer.

— Bébé Céleste est ma fille. Comprenez-vous ce que cela veut dire ? Il faut vous rétablir. Vous le devez. Vous n'avez pas perdu toute votre famille, Dave. Vous n'avez pas tout perdu.

Il me regardait à présent, mais ses yeux étaient toujours aussi vides, ses traits aussi figés.

Je lâchai sa main et posai la mienne sur ma chemise. Bien qu'il eût toujours l'air égaré, il ne détourna pas les yeux quand je la déboutonnai. Je soulevai le corset qui me comprimait le torse et lui montrai ma poitrine. Son regard vacilla, il entrouvrit les lèvres, mais sa langue demeura paralysée. Puis il referma les yeux.

— Dave !

Je tendis la main pour toucher son visage. Ses yeux ne s'ouvrirent pas. Il ne bougea pas. Cette fois, je hurlai.

— Dave ! Tout va bien ?... Dave ?

De la porte me parvint la voix de maman.

— Qu'est-ce que tu fais ici ?

Je me retournai lentement et vis ses yeux s'agrandir.

— Pourquoi ta chemise est-elle déboutonnée ?

— Maman, il est très malade. Il ne peut même pas parler. On dirait qu'il est dans le coma, ou quelque chose comme ça.

— Je suis parfaitement consciente de son état.

J'ai pris des dispositions pour qu'il aille à l'hôpital demain matin, s'il ne va pas mieux. Maintenant sors, et laisse-le tranquille.

— Mais il devrait y aller tout de suite, non ?

Je baissai les yeux sur Dave. Ses paupières battirent et s'ouvrirent.

— Il a pris quelque chose pour se reposer. C'est lui qui l'a décidé, alors file. Tu déranges son repos quand il en a tellement besoin. Va-t'en, Lionel. Immédiatement ! Ta place n'est pas ici.

Malgré cet ordre plutôt rude, j'hésitai.

— Tu ne fais qu'aggraver les choses pour tout le monde, Lionel. Cette insubordination ne me plaît pas du tout. Qu'est-ce que ça signifie ? Qui t'a dit de monter ici ?

— Personne. Je me faisais du souci pour lui, c'est tout.

— Si tu te fais du souci pour lui, va-t'en.

Après un dernier regard à Dave, je m'en allai la tête basse.

Au passage, maman saisit mon bras.

— Va dormir. Et ne reviens pas ici jusqu'à ce que je te le dise.

Elle referma la porte derrière moi. Je restai immobile dans le couloir, partagée entre l'envie de courir au téléphone pour appeler une ambulance, et la tentation d'obéir. Si j'appelais l'hôpital, ce serait défier maman avec une audace que je ne m'étais jamais permise, et qui pourrait avoir des conséquences dramatiques. Je ne savais pas lesquelles au juste, ni quel impact elles auraient sur nos vies, mais elles n'entraîneraient certainement rien de bon. Notre univers risquait de s'effriter autour de nous, ce qui causerait un tort irréparable à Bébé Céleste.

Je ne pouvais pas m'empêcher de pleurer, mais je parvins quand même à étouffer mes sanglots. Mes larmes coulaient à flots pendant que je me préparais à me coucher, et même après que je me fus glissée sous ma couverture.

— Papa, implorai-je, aide-nous. Je t'en prie, je t'en supplie, aide-nous.

J'attendis, j'écoutai. J'entendis maman aller et venir, puis descendre. Elle revint un peu plus tard, s'arrêta un instant devant ma porte et regagna sa chambre. La tension émotionnelle m'apporta enfin le sommeil, et me plongea dans le tumulte de mes rêves. Je me tournais et retournais, m'éveillais sans cesse, si bien que le matin j'étais si fatiguée, je me sentais si faible qu'il me fut impossible d'ouvrir les yeux. Je dormis beaucoup plus tard que d'habitude. Mais quand enfin je m'éveillai, je me rendis compte qu'il était tard et je sautai à bas du lit. En moins de temps qu'il n'en faut pour le dire, j'étais prête à descendre.

Tout était si calme dans la maison que, sur le moment, je crus qu'il n'y avait plus personne. Se pouvait-il que l'ambulance soit déjà venue et repartie ? Que j'aie dormi pendant que tout cela se passait ? Était-ce possible ?

La porte de la chambre de maman et de Dave était fermée, comme d'habitude, mais une fois dans le couloir, j'hésitai. Puis je décidai d'aller voir comment allait Dave avant de descendre. J'allai frapper à la porte, très doucement.

— Maman, tu es là ?

J'attendis. Le rire de Bébé Céleste, venu d'en bas, m'apprit que maman était descendue, et, une fois de plus je menai un combat difficile avec moi-même. Devais-je descendre, moi aussi, ou aller voir Dave comme je l'avais fait la veille ? Oui, décidai-je enfin. En dépit des ordres et des avertissements de maman, je ne pouvais pas ne pas y aller. J'ouvris la porte. Dave était couché tout comme je l'avais vu, et pourtant je perçus chez lui quelque chose de différent. J'écoutai si maman ne montait pas et m'avançai jusqu'au lit.

Le regard glacé de Dave fixait le plafond, ses lèvres ne tremblaient pas, son teint était couleur de cendre.

— Dave ?

Je tendis lentement la main, effleurai son visage… et fis un bond en arrière. Le froid de la mort m'avait donné un choc, ce fut comme s'il m'avait brûlé les doigts. Je portai le poing à ma bouche pour étouffer un cri. Pendant un long moment je fus incapable de bouger, j'avais les pieds cloués au sol. Finalement je me retournai, courus vers la porte et me ruai dans l'escalier.

Maman était au salon et prenait le petit-déjeuner avec Bébé Céleste, souriant encore d'une chose qu'elle venait de dire. À mon arrivée, toutes deux se tournèrent vers la porte.

— Eh bien ! Regarde qui nous fait l'honneur de sa présence, Céleste, dit maman d'un ton moqueur.

— Lionel.

— Oui, Lionel. Il vient de se lever, alors que

nous avons presque fini de déjeuner, n'est-ce pas, Céleste ?

— Maman, je viens d'aller voir comment se sentait Dave et...

et...

Ma voix s'étrangla dans ma gorge.

— ... et il est mort, maman.

Elle inclina tranquillement la tête.

— Oui, je sais, dit-elle avec une nonchalance qui me coupa le souffle.

Elle tendit à Bébé Céleste un nouveau toast à la confiture, puis se pencha pour lui essuyer les lèvres.

— Maman, je suis en train de te dire que Dave est mort.

— Je crois le savoir, Lionel, répliqua-t-elle en levant sur moi un regard soupçonneux. Il allait très bien hier. Qu'est-ce qui t'a poussé à entrer dans cette chambre et à faire ce que tu as fait ? s'enquit-elle d'un ton accusateur.

Je fis maladroitement quelques pas en arrière.

— Je n'ai rien fait. Je voulais l'aider, c'est tout.

— Tu es pathétique quand tu mens, Lionel. Tu n'as aidé personne. Tu n'as fait que nous mettre tous en danger. Pendant toute la nuit, il y a eu de grands remous de mécontentement, dans cette maison. J'ai perçu leur colère, leur déception, et je les ai entendus marmonner tout bas. Je vais avoir beaucoup à faire pour arranger les choses, maintenant. Beaucoup à faire.

— Mais, maman... et Dave ?

— Il est arrivé ce qui devait arriver. Tu n'as plus à t'en inquiéter. Au fait...

Elle ôta quelques miettes de la bouche de Bébé Céleste.

— Il nous faudra plus de bois, ce soir. Il va faire particulièrement froid. Et je crois que tu devrais nettoyer les gouttières du côté sud. J'ai remarqué qu'elles étaient pleines de feuilles et de glace fondue, et tu sais que cela peut provoquer des fuites dans le toit.

— Mais...

— Le nécessaire a été fait, Lionel, m'interrompit-elle d'un ton bref. J'ai appelé une ambulance. Tu ferais mieux de déjeuner. Je vais bientôt être très occupée et tu devras surveiller la petite. Ne reste pas planté là comme un idiot. Remue-toi !

Je n'avais pas envie de manger mais je me servis un verre d'eau. Quelques minutes plus tard, nous entendîmes arriver les auxiliaires médicaux. Maman alla leur ouvrir.

— Vite ! cria-t-elle, et deux brancardiers s'engouffrèrent dans la maison.

Maman leur indiqua le chemin. Je restai en retrait, Bébé Céleste dans les bras, pour observer toute cette activité. Sans perdre une seconde, un brancard fut monté à l'étage.

Se pouvait-il que Dave soit encore vivant, et qu'ils arrivent à temps pour le ranimer ? Une réanimation, ou encore un choc électrique, pourraient-ils le ramener à la vie ? me demandai-je avec espoir. J'entendis revenir les auxiliaires : le brancard était vide. Maman suivait, la tête basse. Les deux hommes me jetèrent un regard en passant et regagnèrent leur véhicule, mais sans démarrer. Je respirais à peine mais je parvins à articuler :

— Que se passe-t-il, maman ?

Elle eut une moue dédaigneuse.

— Le médecin légiste est en route. On considère que c'est un décès inattendu, un examen est donc nécessaire. Encore une ineptie bureaucratique ! Prends soin de la petite, comme je te l'ai dit. Habille-la et tiens-la hors du chemin de ces gens-là.

Le médecin légiste et le délégué du shérif ne se firent pas attendre. Comme il n'y avait pas la moindre trace d'acte criminel, le corps de Dave fut descendu et placé dans l'ambulance. Le mot d'autopsie fut prononcé, bien sûr. Tous les médicaments qu'avait pris Dave furent soigneusement emballés et emportés, ainsi que tous les remèdes aux plantes que maman avait préparés pour lui.

Bébé Céleste et moi nous tenions en retrait, sur la galerie, en observant toute cette animation. Quand l'ambulance partit, bientôt suivie par le délégué du shérif et le médecin légiste, maman nous fit un signe de tête et rentra dans la maison.

Je la suivis avec Bébé Céleste. Elle était déjà assise dans le rocking-chair, les yeux fermés.

— Que va-t-il arriver maintenant, maman ? lui demandai-je à voix basse.

Elle ouvrit aussitôt les yeux.

— Tout ira bien. Tout se passera comme cela devait se passer. Va faire ton travail, Lionel. Tu peux laisser Bébé Céleste avec moi, dit-elle en se balançant lentement. Oui, laisse-la-moi.

Un peu plus tard ce jour-là, maman entreprit les préparatifs des funérailles. Elle appela M. Bogart, qui appela le révérend Austin. La date des obsèques dépendait de celle où le médecin légiste nous rendrait le corps. Maman avait une liste des parents de Dave, à savoir des cousins et un vieil oncle. Aucun d'entre eux n'était venu au mariage, et maman s'attendait à ce qu'ils ne viennent pas non plus à son enterrement. Il lui avait confié qu'ils n'étaient pas très proches les uns des autres. Quand elle expliqua à la police que ni elle ni Dave ne savaient où se trouvait Betsy, on lui promit de la rechercher mais les recherches n'aboutirent pas. Maman me dit qu'ils n'avaient pas dû se donner beaucoup de mal, bien qu'elle n'eût pas à s'en plaindre. Ce n'était pas du tout la même chose, me rappela-t-elle comme à certaines de ses clientes, que de rechercher un enfant kidnappé.

Le premier jour nous n'eûmes pas de visite, à part les époux Bogart, le révérend et sa femme, Tani. Quelques-unes des clientes habituelles de maman passèrent à la maison le lendemain. Le troisième jour, maman reçut un appel de notre avocat, M. Nokleby-Cook, qui remplissait aussi les fonctions d'avoué. Il vint la voir et ils eurent un entretien au salon, pendant que j'occupais Bébé Céleste dans ma chambre. Quand il fut parti, maman m'apprit le contenu du testament de Dave. Il léguait la majeure partie de ses biens à maman et à Bébé Céleste, et une part moins importante à Betsy. Toutefois, n'osant rien lui donner tant qu'elle ne serait pas devenue raisonnable, il avait désigné maman comme curatrice de cette part. Elle ne devrait la remettre à Betsy que lorsqu'elle aurait vingt-cinq ans. Inutile de dire que maman était ravie de ces dispositions.

Un peu plus tard dans l'après-midi, le délégué du shérif apporta une copie du rapport établi par le médecin légiste. Il déclarait la mort de Dave accidentelle, mais l'attribuait à ce qu'il appelait des incompatibilités entre certains remèdes de maman et les médicaments prescrits à Dave, aussi bien qu'avec ceux qu'on se procurait sans ordonnance. La cause directe de la mort était décrite comme « une insuffisance rénale ayant entraîné une défaillance cardiaque ».

Un journaliste de la presse locale vint nous voir lc lendemain matin, pour obtenir une déclaration de maman. Dans la région, les partisans de la médecine orthodoxe, comme il les nommait, étaient très remontés contre les soi-disant guérisseurs comme maman. Des gens qui n'avaient aucun diplôme officiel, et dont les remèdes aux plantes étaient dangereux parce que leur dosage n'était pas indiqué, ni les effets secondaires possibles quand ils étaient prescrits avec d'autres médicaments.

L'ironie de la situation – maman causant accidentellement la mort de son mari – ne fut pas perdue pour le journaliste. Il tenta de susciter chez elle une réaction émotionnelle, probablement pour provoquer une querelle entre elle et la communauté médicale, mais elle ne fut pas dupe. Elle se contenta d'exprimer ses regrets, et aussi ses doutes sur les conclusions du médecin légiste, qui selon elle n'étaient pas des certitudes. Malgré tout, la nouvelle aurait certainement un effet négatif sur les ventes de plantes médicinales de maman. Sa clientèle ne tarderait pas à se réduire, diminuer de plus en plus jusqu'à devenir inexistante.

Elle ne s'en inquiétait pas outre mesure, ou si c'était le cas n'en montrait rien. Son héritage précédent, ajouté à ce qu'elle héritait de Dave, suffirait à notre sécurité et à notre confort. M. Bogart la soutint, et promit de continuer la distribution de ses produits. Il avait des contacts en dehors d'ici, expliqua-t-il ; des gens qui ne se laissaient pas influencer par les protestations du milieu médical, en lequel ils n'avaient d'ailleurs pas confiance.

Il y eut peu de monde aux obsèques de Dave. Maman avait choisi un simple cercueil de sapin, en accord avec ses croyances. Autant elle attachait d'importance à l'esprit, autant le corps comptait peu à ses yeux. L'église, pratiquement vide, renvoya l'écho de l'éloge mortuaire du révérend Austin. Il parla de Dave sur un ton poétique, avec bonté, mais comme s'il n'était pas mort. À l'entendre, il était toujours parmi nous, peut-être même assis entre maman et moi. Le révérend nous souriait, échangeait de légers signes de tête avec maman, comme s'ils partageaient un secret que bien peu d'entre nous connaissaient.

À part nos rares amis et quelques curieux, n'étaient venus que quelques employés de la pharmacie, le directeur du drugstore et sa femme, et M. Nokleby-Cook. Ils assistèrent également à l'inhumation. C'était un jour clair et froid, lumineux, trop beau pour un enterrement. Un jour que Dave aurait aimé. Il adorait cet air vif et mordant par grand soleil.

Quand tout fut fini, maman invita les assistants chez nous. Ils avaient fait envoyer à la maison des fruits et des douceurs, maman avait préparé un repas. Tani Austin et Mme Bogart s'occupèrent des invités, puis se chargèrent de la vaisselle. Toutes les personnes présentes étaient charmées par Bébé Céleste, qui gagnait leurs sourires et leur admiration par son air sérieux et sa maturité. Elle appelait Dave papa, maintenant, et elle leur dit que papa prenait soin d'elle du haut du ciel. Elle levait son petit visage vers le plafond et souriait, comme si elle le voyait vraiment se pencher sur nous. Tout le monde en avait les larmes aux yeux.

En regardant maman parler aux gens, tantôt portant Bébé Céleste, tantôt la tenant simplement par la main, je mesurai soudain l'étendue de sa réussite : tout ce qu'elle avait désiré s'était accompli. Bébé Céleste avait une vraie mère et un vrai père, à présent. Les gens n'étaient que trop heureux de l'accepter et de l'aimer. Et plus encore, elle attirait la sympathie des étrangers. J'étais bel et bien enterrée, plus profondément que jamais.

Que cela soit le plan de maman, ou celui que lui avaient dicté les esprits de la famille, il s'était pleinement réalisé. Elle avait protégé au mieux

Bébé Céleste et prolongé l'existence de Lionel, qui désormais n'aurait plus le droit de mourir. Si sa mort venait à être reconnue, maman mourrait aussi, raisonnai-je. Jamais je ne m'étais sentie aussi piégée, aussi prisonnière qu'en ce jour de funérailles. Tant de choses avaient été enterrées avec Dave ! Et surtout, pour moi, tout espoir de ressusciter, de redevenir moi-même.

J'avais tant fantasmé, tant rêvé de cette éventuelle révélation de mon identité. Dans mon esprit, ce devait être un secret entre Dave et moi. Un secret qu'il garderait, promettait-il, jusqu'à ce qu'il trouve un moyen d'amener maman à accepter la vérité. Je savais maintenant, et à quel prix, que tout cela n'était qu'un rêve, un inaccessible rêve.

Et quand je pleurai, ce jour-là, ce fut sans doute moins sur Dave que sur moi-même, une fois de plus. Cela m'était arrivé si souvent, et pour tant de raisons diverses…

Qu'avais-je encore à espérer, maintenant ? Qu'en était-il de ce nouveau commencement promis par Dave ? Tandis que je pensais à tout cela, mon visage qu'on lisait à livre ouvert attira l'attention des assistants. Ils interrompirent leurs conversations, pour venir parler avec moi et m'encourager.

— Dave était un homme très bien, me dit le patron du drugstore, M. Cody. Je suis sûr qu'il vous manquera beaucoup, il parlait souvent de vous. Vous l'impressionniez vraiment, Lionel.

— Merci.

— Si un jour vous avez envie de commencer à

travailler, venez me voir. Je vous trouverai un job au magasin.

J'étais incapable d'imaginer une chose pareille, mais je ne l'en remerciai pas moins. Je lui promis de m'en souvenir si jamais je cherchais un travail hors de la propriété.

Tout le monde finit par se retirer, et nous nous retrouvâmes aussi seuls qu'avant, quand Dave n'était pas encore entré dans notre vie. À présent, c'était presque comme si tout cela n'avait été qu'un rêve. Au cours des semaines qui suivirent, maman fit don de tous ses vêtements, chaussures et effets personnels à une boutique d'occasions, dont les recettes allaient à des œuvres charitables. L'ombre qui pesait sur moi avant Dave, avant qu'il ne fasse irruption dans notre vie avec son rire chaleureux et ses projets d'avenir, revint me hanter. Quand je regardais par la fenêtre, je pouvais presque la voir s'écouler peu à peu dans notre direction tel un fleuve d'encre.

L'unique lumière de notre vie, à présent, était Bébé Céleste. La mort de Dave, l'atmosphère morbide qui s'ensuivit, les funérailles, rien ne parut l'affecter comme cela m'affectait moi-même. Rien de morose ne pouvait l'atteindre. Elle avait toujours son regard pétillant d'entrain, son doux sourire aimant, sa voix et son rire légers, légers comme la voix et le rire d'un chérubin.

Finalement, maman avait raison à son sujet, méditai-je. Elle est tout pour nous, maintenant. Nous sommes là pour elle, pour celle qu'elle est destinée à devenir.

Les semaines s'écoulaient, se changeaient en mois. J'arpentais lourdement la propriété, accomplissais ma besogne, me tuais à la tâche, et cela délibérément afin d'épuiser mes forces et de dormir. De son côté, maman était plus gaie que jamais. Elle préparait de merveilleux dîners, poursuivait l'éducation précoce de Bébé Céleste, jouait du piano en chantant comme si Dave était encore là, assis près de nous, l'écoutant et lui souriant tendrement.

Peut-être était-il vraiment là, me disais-je, mais sans oser y croire vraiment.

Je regardais passer le temps et j'attendais, comme attendrait quelqu'un qui saurait, au plus profond de lui-même, qu'il avait bien peu, sinon pas de contrôle sur ce que le lendemain lui réservait.

16

Betsy revient

Le printemps tirait à sa fin, encore quelques degrés de plus et l'on pourrait se croire en été. Malgré la perte de sa clientèle locale, maman souhaitait agrandir notre jardin médicinal, ne fût-ce que par défi. M. Bogart était plus résolu que jamais à soutenir son travail, et il lui trouva de nouveaux débouchés. Cela m'était égal d'avoir du travail supplémentaire. Pour moi, la distraction était toujours la bienvenue.

Chaque jour Bébé Céleste travaillait à mes côtés, avec sa petite houe et son petit râteau. Ce qu'elle préférait, c'était enfoncer les graines dans la terre humide et bien préparée. J'aimais la regarder faire. Elle portait un regard lucide et concentré sur chaque semence, comme si elle y voyait déjà la plante à venir. Chaque fois qu'elle plantait une graine, ses lèvres si tendres et si douces remuaient, comme si elle récitait une prière que maman lui avait apprise. J'étais pratiquement sûre que c'était exactement ce qu'elle avait fait.

Il était deux heures et demie passée, quelques mois après la mort de Dave, quand nous entendîmes une camionnette tourner dans notre allée privée dans un bruit de ferraille. Interrompant nos travaux, nous la regardâmes approcher de la maison. C'était une camionnette blanche en piteux état, au pare-brise fendillé. Quand elle s'approcha davantage, le bruit de ferraille augmenta et elle stoppa en grinçant dans un nuage de poussière.

Pendant un bon moment, personne n'en sortit. Je me rapprochai de Bébé Céleste, observai, attendis. Finalement, la porte côté passager s'ouvrit et Betsy descendit, tenant dans les bras un bébé enroulé dans une couverture bleue, très sale. Un bandana rouge et noir lui ceignait le front, retenant ses cheveux longs et en désordre. Elle portait une robe de même couleur et des sandales. Le chauffeur, un grand échalas aux cheveux noirs striés de blanc, noués en queue de cheval et qui lui tombaient jusqu'au milieu du dos, sauta à terre et contourna la camionnette. Il en tira deux valises cabossées, dont l'une était fermée par une corde, les déposa devant les marches et rejoignit son véhicule.

Betsy lui parla, se haussa sur la pointe des pieds pour l'embrasser, puis le regarda remonter dans la camionnette, faire marche arrière, tourner et s'en aller. Elle le suivit des yeux en faisant de grands gestes, comme si elle assistait au départ de l'amour de sa vie, de son dernier espoir. Puis elle se retourna et regarda dans notre direction.

— Lionel ! glapit-elle. Viens m'aider pour les valises!

Bébé Céleste l'observait toujours, une expression

ambiguë sur le visage. Ses yeux exprimaient toujours l'amusement mais elle avait serré les lèvres.

— Viens, Céleste, dis-je en lui prenant la main.

— Quand je te regarde, j'ai l'impression de n'être jamais partie, lança Betsy à notre approche. Tu es toujours planté dans ton stupide jardin !

— Tu as un bébé ? demandai-je.

Elle eut une grimace méprisante et tourna le nourrisson vers nous. Chose étonnante, il dormait.

— Ce n'est pas un sac de pommes de terre, il me semble. C'est Panther. C'est moi qui lui ai trouvé ce nom, parce qu'il est né dans un motel qui s'appelait l'Auberge de la Panthère. Heureusement pour moi, la femme du propriétaire était infirmière. Tiens, regarde ses cheveux.

Betsy découvrit le crâne de Panther.

— Noirs comme l'intérieur d'un cœur de sorcière ! s'esclaffa-t-elle. C'est Wacker qui disait ça, l'ahuri qui vient juste de me déposer ici. Il croit à certaines de ces singeries vaudou, comme ta mère, mais il s'est occupé de moi pendant près d'un mois. Puis il a consulté son thème astrologique et déclaré qu'il était temps de nous séparer. Bon débarras ! Il commençait à me taper sur les nerfs, de toute façon. Pourquoi restes-tu planté là, la bouche ouverte ? Rentre mes valises. Où est mon père ? Il travaille ou quoi ? Il faut que je lui présente son nouveau petit-fils.

Je fus incapable de prononcer un mot.

— Ça va, laisse tomber ! s'impatienta-t-elle en se dirigeant vers les marches de la galerie.

J'empoignai ses valises et la suivis dans la maison. Bébé Céleste resta près de moi, sidérée par ce qui se passait autant que je l'étais moi-même.

— Papa ! hurla Betsy dès qu'elle fut dans le hall. Je suis revenue !

Elle réveilla son bébé, qui se mit aussitôt à crier.

— Papa !

Maman apparut en haut de l'escalier et baissa les yeux sur Betsy. Bébé Céleste était toujours collée à moi, mais cette fois elle avait noué un bras autour de ma jambe, comme si elle s'attendait à un tremblement de terre. Les valises n'étaient pas trop lourdes, aussi ne les avais-je pas lâchées. Pendant de longues secondes, maman se contenta de regarder Betsy. Puis elle entama une lente descente, tout en la questionnant.

— Pourquoi n'as-tu pas donné de tes nouvelles ? Où étais-tu ?

— Loin d'ici ! renvoya Betsy, en élevant la voix pour couvrir les cris du bébé.

En même temps, elle le balançait, un peu trop rudement me sembla-t-il.

— Pourquoi n'as-tu pas téléphoné ou écrit à ton père ?

— Je n'avais plus de timbres et pas de monnaie. Où est-il ? À son travail ?

— Non, il n'est pas à son travail. Il n'ira plus jamais travailler.

— C'est censé vouloir dire quoi, ça ? Panther, attends une minute, grogna-t-elle en le retournant au creux de son bras.

À l'instant où il aperçut maman, Panther cessa de crier.

— Il faut qu'il boive et je ne lui donne pas le sein, dit Betsy à maman. Ça abîme la silhouette.

Sur quoi elle se retourna vers moi.

— Je parie que Lionel a été nourri au sein, lui. Peut-être qu'il l'est encore, ajouta-t-elle avec un sourire mauvais.

Maman se contenta de répliquer :

— Je vois que ton expérience ne t'a rendue ni plus mûre ni plus responsable.

— Très juste. Alors ? Où est mon père ?

— Ton père nous a quittés il y a quelques mois.

Ces paroles de maman furent pénibles à entendre, même pour moi. Parfois, la mort est si difficile à accepter qu'elle semble une illusion. Je serais incapable de dire pendant combien de jours, et combien de fois par jour j'avais espéré voir apparaître Dave, et pensé que tout cela n'était qu'un mauvais rêve.

— Quoi ? Qu'est-ce que vous essayez de me dire ? Il nous a quittés... pour aller où ?

Le regard de Betsy se posa sur moi, puis sur maman.

— Ton père est mort, Betsy. Il a eu une défaillance cardiaque. Cela ne devrait pas te surprendre, après tout ce que tu as fait pour le rendre malheureux, pour abreuver son pauvre cœur de tristesse et de chagrin.

Betsy secoua la tête, très lentement d'abord, puis avec une telle violence que j'en eus mal pour elle.

— Vous mentez. Vous essayez simplement de me culpabiliser. Où est-il ?

Une fois de plus, Betsy chercha mon regard, que je détournai aussitôt pour éviter le sien.

— Nous t'emmènerons au cimetière si tu veux, dit maman, la voix dure.

— Vous mentez !

Sans cesser de secouer la tête, Betsy recula et nos regards se croisèrent.

— N'est-ce pas qu'elle ment ? Elle essaie juste de me donner des remords parce que je n'ai pas téléphoné.

— Je vois que tu as accouché. Maintenant que tu as un enfant, tu ferais mieux de changer de conduite, poursuivit maman.

Betsy tapa du pied.

— Il ne peut pas être mort. C'est impossible ! Arrêtez de dire ça.

— Ne pas en parler n'empêchera pas que ce soit vrai. Tu ne pourras pas te cacher la tête dans le sable, ici. Je suis certaine que ton père n'a pas choisi de mourir, mais c'est arrivé. Lionel, Bébé Céleste et moi ne sommes toujours pas remis de ce choc, reprit maman d'une voix posée. C'était un homme très bon et très aimant. Il aurait dû avoir une vie longue et heureuse, mais il a connu trop de crève-cœur.

— Non, protesta Betsy d'une voix sourde, les yeux agrandis par la peur.

Toujours aussi calme, maman continua.

— J'ai tenté l'impossible pour lui. Maintenant, si tu as une once de moralité, la plus infime notion du bien et du mal, le moindre sens du remords et du repentir, tu vas essayer de devenir quelqu'un de mature et de responsable. Tu as un biberon et du lait en poudre, pour le bébé ?

Betsy, qui continuait de secouer la tête, s'arrêta brusquement comme si les mots avaient enfin pénétré sa conscience.

— Vous ne pouvez rien me reprocher. S'il est tombé malade, c'est seulement après être venu vivre ici, pour être avec vous, et après que vous lui avez jeté un sort. C'est à cause de vous, de vous !

— Bien au contraire, je me plais à le dire. C'est ici qu'il a connu les meilleurs moments de sa vie, et les plus heureux. Quand tu ne venais pas l'exaspérer et le tourmenter, bien sûr. Si tu as du lait et des couches pour le bébé, je m'occuperai de lui pendant que tu te reposeras dans ta chambre. Plus tard, nous discuterons des dispositions à prendre.

— Non !

Betsy recula, recula jusqu'à ce que son dos touche la porte. Elle se détourna légèrement et saisit la poignée, prête à bondir hors de la maison.

Maman ne parut pas s'en émouvoir.

— Tu peux t'en aller si tu veux, mais ne compte pas sur notre aide. Ton père a laissé des instructions très claires dans son testament. Il m'a désignée comme curatrice, pour protéger ton héritage. Tu n'en recevras la totalité qu'à l'âge de vingt-cinq ans. Jusque-là, je te verserai une allocation qui dépendra de tes besoins et de ta conduite. Toi et ton enfant serez chez vous ici, aussi longtemps que tu assumeras tes responsabilités et ne causeras aucun problème. Il ne faut pas trop demander. À présent, je répète ma question : as-tu du lait pour le petit ? Sinon, je lui préparerai quelque chose.

— Non ! s'écria Betsy, en lâchant la poignée pour serrer le bébé dans ses bras. Il n'avalera pas une goutte de votre camelote.

Maman lui jeta un regard noir et se tourna vers moi.

— Lionel, aie la gentillesse de monter les affaires de Betsy dans sa chambre. Ta chambre, ajouta-t-elle à l'intention de Betsy, est en bien meilleur état que lorsque tu es partie. J'espère qu'elle le restera. Ne laisse pas traîner tes vêtements partout. Ne laisse pas la poussière s'accumuler. Ne laisse pas non plus de nourriture dans la pièce, et veille à ce que ton linge et tes draps soient lavés au moins une fois par semaine. Tu mettras la table chaque soir, tu la débarrasseras et tu feras la vaisselle. Si tu casses un plat, ou même si tu l'ébrèches, j'en déduirai dix fois le prix de ton héritage.

« Je tiens à ce que le carrelage de la cuisine soit lavé chaque jour, les meubles du salon époussetés et cirés deux fois par semaine. Tous les trois – à commencer par Lionel et toi, glissa maman avec un sourire – nous laverons les vitres chaque week-end. »

Betsy ouvrait des yeux ronds et je vis remuer sa bouche, mais aucun son n'en sortit.

— En outre, poursuivit maman, nous ne sommes pas là pour te servir de baby-sitters, pendant que tu iras traîner et t'amuser par monts et par vaux. Si je sens la moindre odeur de tabac, ou trouve quoi que ce soit qui ressemble à de la drogue, je t'infligerai une amende de mille dollars, prélevés sur ton compte. À chaque incident de ce genre, naturellement. Enfin et surtout, je ne veux pas entendre la moindre plainte ni le moindre commérage à ton sujet, tant que tu vivras sous ce toit.

Betsy était toujours muette, le regard effaré. Pourtant, maman hocha la tête comme si son silence était un consentement.

— Bien. Maintenant, je te suggère une fois de plus de me confier le bébé pour le nourrir, et d'aller te reposer, faire ta toilette et t'habiller décemment. Ensuite, si tu le souhaites, nous irons au cimetière pour que tu puisses te recueillir sur la tombe de ton père. Sinon, tu mettras la table pour le dîner. Autre chose...

D'un mouvement de tête, maman désigna le bébé qui se tortillait tant et plus.

— Cet enfant a-t-il un nom, ou n'as-tu pas eu l'idée de lui en donner un ?

Betsy semblait sous le choc, et nettement moins provocante. Elle baissa les yeux et resta ainsi un long moment. J'étais sûre qu'elle hésitait entre prendre la porte ou obéir à maman. Le désespoir qu'elle éprouvait, le fait qu'elle n'eût pas le choix et sa propre impuissance eurent raison de ses dernières velléités de rébellion. Ses épaules s'affaissèrent et elle courba la tête.

— Il y a du lait et des biberons dans la valise

que Lionel tient dans sa main gauche. Toutes les affaires du bébé sont dedans.

— Bien. Maintenant, comment disais-tu que le bébé s'appelle, déjà ? s'enquit maman, d'un ton plus aimable et plus satisfait.

— Panther, marmonna Betsy.

— Pardon ?

— Panther. Pan-ther !

— Eh bien, ce que tu as souffert pour le mettre au monde te donne le droit, j'imagine, de choisir le nom de ce pauvre petit, même si c'est un nom ridicule.

Maman s'avança, les bras tendus, et attendit que Betsy lui donne le bébé. Betsy hésita, puis jeta littéralement l'enfant dans les bras de maman et s'élança dans l'escalier en pleurant à gros sanglots. Maman la suivit du regard avant de se retourner vers moi.

— Monte l'autre valise dans sa chambre, Lionel. Mais d'abord, pose celle du bébé sur la table de la cuisine.

Je fis ce qu'elle me demandait, puis je montai frapper à la porte de Betsy. Pas de réponse, mais j'entendis des sanglots et entrai, pour aller poser la valise près du placard. Betsy était à plat ventre sur son lit, la figure enfouie dans l'oreiller.

— Voilà ta valise, dis-je, prête à ressortir aussitôt.

Betsy se retourna et prit appui sur un coude.

— Attends ! haleta-t-elle. Comment mon père est-il mort ?

— Il est tombé gravement malade. Au début,

nous avons pensé qu'il avait la grippe, et maman a fait l'impossible avec ses remèdes.

— Ça, je veux bien le croire !

— C'est lui qui l'a voulu. Il a pris aussi quelques médicaments de la pharmacie, mais ça n'a rien changé et... il est mort.

Je ne mentionnai pas l'incompatibilité entre les deux traitements. Mieux valait qu'elle l'apprenne de quelqu'un d'autre, me sembla-t-il.

— Pourquoi a-t-il mis toutes ces âneries dans son testament ? Comment a-t-il pu me faire ça ? C'est elle qui l'y a poussé.

— Non, nous avons même été très surpris.

Je l'avais été, en tout cas.

— Je ne vivrai pas comme elle veut me faire vivre. Je ne serai pas sa petite esclave.

— Pour le moment, il vaudrait peut-être mieux que tu fasses les choses qu'elle te demande, ce n'est pas si terrible.

Betsy s'essuya les joues d'un revers de main et se redressa en position assise.

— C'est bien de toi de dire des inepties pareilles ! Je ne vais pas faire long feu ici. Je trouverai bien une solution.

— Qu'est-il arrivé à ta voiture ?

— J'ai dû la vendre. Je n'avais plus le sou.

— Je vois. Mais... tu ne sais pas qui est le père de ton fils ?

Je voulais dire que ce serait un moyen pour elle de se faire aider, sans plus. Elle interpréta mes paroles autrement.

— Je sais très bien ce que tu veux dire. Tu

penses que je changeais de partenaire tous les soirs, c'est ça ?

— Non. Je veux dire qu'il pourrait partager les charges et les responsabilités avec toi, quel qu'il soit.

Elle parut réfléchir à la question.

— Eh bien... je ne suis pas très sûre. Je crois que c'était un certain Bobby Knee, ou quelque chose comme ça. Je l'ai rencontré dans une boum et si ça se trouve, il ne faisait que passer par là. Je n'arrive même pas à me rappeler qui étaient ses amis.

— Mais je croyais que tu sortais avec Roy, ou...

— Toi alors, ce que tu peux être naïf ! Je n'ai jamais dit que je resterais toujours avec qui que ce soit. Je ne laisserai personne avoir des droits sur moi. Jamais ! Et surtout pas ta dingue de mère.

— Tu as de la chance qu'elle soit là pour t'aider, répliquai-je en marchant vers la porte.

Cette fois-ci, elle avait réussi à me mettre en colère.

— Je parie qu'elle a trouvé un moyen de tuer mon père. J'en suis presque sûre, hurla-t-elle derrière moi.

Et une fois de plus, elle fondit en larmes. Le cœur battant, je refermai doucement la porte. Malgré sa méchanceté et sa mauvaise conduite, je ne pouvais pas m'empêcher d'être désolée pour elle. Et quelle sorte d'avenir attendait cet enfant, qu'elle avait appelé Panther ?

En bas, je trouvai maman et Bébé Céleste au

salon. Maman donnait le biberon à Panther et Bébé Céleste, assise à côté d'elle, observait avec fascination l'enfant qui tétait.

— J'ai monté sa valise, maman.

Toutes les deux levèrent les yeux sur moi en souriant.

— Je m'étonne que ce petit soit si vigoureux et si adorable, fit remarquer maman. Elle ne mérite certainement pas d'avoir un bébé. Je me demande...

Maman me jeta un regard soucieux et laissa sa phrase en suspens.

— Il va falloir que je le surveille. Il faut nous assurer qu'aucun esprit mauvais n'a pris possession de lui, et ne se sert de lui pour s'introduire dans notre univers. Ce pourrait être la raison qui a fait revenir cette horrible fille chez nous, et justement maintenant.

Le poids de sa menace m'oppressa le cœur, telle une brume épaisse et visqueuse. Je regardai l'enfant qui reposait sur ses genoux, sans méfiance.

— Il est bien trop petit, maman, il vient de naître.

Elle eut un rire moqueur et jeta un regard à Bébé Céleste, qui semblait rire de moi, elle aussi.

— C'est justement quand nous sommes sans défense que le mal peut nous atteindre. Je ferai le nécessaire pour m'assurer que ce n'est pas encore arrivé et n'arrivera pas, mais comme toujours, Lionel, il faudra que tu m'aides, et aussi Bébé Céleste. Ce serait affreux de l'exposer, par négligence, à quelque chose d'aussi terrible, n'est-ce pas ?

— Oui, maman.

— Va finir ton jardinage. Nous avons beaucoup à faire, toi et moi. Beaucoup à faire.

Je sortis presque aussitôt, toute songeuse. Juste comme je tournais dans l'allée du jardin, un cri de frustration jaillit de la fenêtre de Betsy. Un cri aigu, désespéré, mais que la brise emporta vers la forêt, où personne ne pouvait l'aider.

J'eus l'impression de crier, moi aussi, un peu comme dans un jeu de relais. Je recevais son cri et le portais plus loin. Après tout, j'avais pleuré moi-même, mais contenu mes larmes dans mon cœur déchiré. Je me sentais coupée en deux. Une partie de moi aspirait à devenir l'alliée de Betsy, l'autre voulait rester loyale envers maman. Je pris la houe en main et me remis au travail. Ne pense pas, me répétais-je. Ne pense pas. Travaille.

Peut-être Betsy finit-elle par se dire la même chose, après tout. Un peu plus tard, quand elle sortit enfin de sa chambre et descendit, elle portait une robe blanche très classique, une de celles qui étaient restées dans son placard. Elle avait pris un bain et s'était brossé les cheveux, qu'elle avait tirés en arrière. Et elle ne s'était pas maquillée. Pâle et les yeux secs, elle jeta un regard sur son bébé endormi. Maman l'avait calé entre deux gros oreillers, sur le canapé, et il paraissait tout content.

Betsy passa dans la cuisine et commença à transporter les sets de table, les couverts, les assiettes et les verres dans la salle à manger. Elle travaillait tranquillement, soigneusement, docilement. Elle me faisait l'effet de marcher dans son sommeil, comme une somnambule, mais maman paraissait satisfaite.

— Les choses étant ce qu'elles sont, nous tâcherons de nous en arranger, déclara-t-elle à table.

Et tout spécialement pour Betsy, qui mangeait avec application, elle ajouta :

— Nous nous occuperons les un des autres, afin que ton père soit fier de nous.

— Comment pourra-t-il être fier s'il est mort ?

Maman sourit tour à tour à Betsy, à moi et à Bébé Céleste.

— Nos chers disparus nous voient encore. Ceux que nous aimons sont toujours avec nous. La mort n'existe que l'espace d'un instant, celui où nos cœurs cessent de battre. Après cela, c'est elle qui meurt. Elle n'a plus aucune prise sur nous.

Betsy eut une moue sarcastique. Il était facile de voir ce qu'elle pensait, mais elle se garda bien de l'exprimer. Elle se contenta de me jeter un regard furtif, espérant trouver en moi sympathie et approbation. Terrifiée à l'idée que mon visage pourrait me trahir, je détournai rapidement les yeux. Notre premier dîner avec elle et sans Dave se poursuivit, sans autres commentaires ni questions. Vers la fin du repas, nous entendîmes Panther pleurer, et maman dit à Betsy d'aller s'occuper de lui.

— Il a sans doute besoin d'être changé.

— Comme si je ne le savais pas ! grinça Betsy.

— Alors tu sais quoi faire. Quand ce sera fait, pense à débarrasser la table.

— Et le bébé, pendant ce temps-là ?

— Je m'occuperai de lui. Lionel, va chercher le berceau de Bébé Céleste dans la chambre de la tourelle, et installe-le dans celle de Betsy. J'apporterai la literie un peu plus tard et je le préparerai moi-même.

— Oui, maman.

Betsy me jeta un regard apitoyé, avant de sortir pour aller changer Panther.

— Tu as vraiment de la chance, lui dit maman quand elle revint, nous avons ici tout ce qu'il faut pour ton bébé.

— C'est ça, rétorqua sèchement Betsy. Je suis la fille la plus chanceuse du monde.

Au lieu de se fâcher, maman lui sourit.

— Si tu savais à quel point c'est vrai !

La première nuit du retour de Betsy fut difficile pour nous tous, même si maman refusa d'en convenir. À peine étions-nous au lit que Panther se mit à pleurer et à crier. Il n'arrêtait pas. J'attendais que maman se lève pour aller voir ce qu'il avait, mais sa porte ne s'ouvrit pas. Finalement, ce fut moi qui me levai et je m'avançai jusqu'à celle de Betsy.

— Il y a quelque chose qui ne va pas ? demandai-je.

Mais je n'entendis rien d'autre que les hurlements de Panther. Devais-je retourner dans ma chambre, entrer dans celle de Betsy ? Je n'arrivais pas à me décider. Maman n'avait toujours pas bougé de la sienne. En entendant Betsy grogner, j'ouvris lentement sa porte et glissai un regard dans la pièce.

Maman avait mis des bougies dans l'embrasure de chacune des deux fenêtres. Leur clarté vacillante tombait sur le lit où était couchée Betsy, les mains plaquées sur les oreilles. J'entrai à pas lents dans la chambre.

— Betsy ?

Panther semblait beaucoup souffrir. Je m'avançai un peu plus près encore et insistai :

— Qu'est-ce qu'il a ?

Betsy finit par tourner la tête et ôta les mains de ses oreilles.

— Ce qu'il a ? Regarde un peu ce que ta mère a fabriqué avec ce fichu berceau. C'est débile !

Tout d'abord je ne vis rien, mais en m'approchant un peu plus, je distinguai la teinture de couleur jaune verdâtre étalée sur le rebord et les barreaux du berceau. Cela sentait le mélange d'herbes, l'ail et le lilas. Séparément, chaque odeur était tolérable, mais leur combinaison était si âcre et si pénétrante que je faillis suffoquer. Apparemment, maman avait composé une mixture aux plantes et en avait enduit le berceau. Elle pensait, je le savais, que certaines plantes avaient des pouvoirs protecteurs et pouvaient s'employer pour exorciser le mal.

— Il ne supporte pas cette puanteur et moi non plus ! glapit Betsy. Qu'est-ce qu'elle a mis là-dessus ?

Je n'en étais pas sûre, mais en me rappelant quelques-unes de ses recettes, je crus reconnaître certaines plantes et certaines fleurs. La gaulthérie, le lin sauvage, la gueule-de-loup et le tamaris, sans compter l'ail et le lilas. Maman créait elle-même ses propres formules, et il était pratiquement impossible de les identifier toutes.

Toutefois, il n'était pas difficile de voir que le bébé n'était pas du tout à l'aise. Il se trémoussait pour éviter l'odeur qui l'assaillait de toutes parts. Je jetai un coup d'œil du côté de la porte ouverte : maman n'était toujours pas sortie de sa chambre. Je ne pouvais pas rester là, sans rien faire d'autre que regarder ce qui se passait. Le bébé avait le visage convulsé. Je le soulevai de son berceau et l'apportai à Betsy.

— Prends-le. Il se calmera s'il dort à côté de toi.

J'éloignai le berceau du lit et le poussai vers les fenêtres. Comme pour manifester sa désapprobation, l'une des flammes tremblota, puis s'éteignit. Et pendant tout ce temps, mon cœur battait à se rompre tant j'avais peur d'être découverte. Panther cessa presque aussitôt de crier. Ses sanglots se changèrent bientôt en gémissements, et en quelques instants, recrû de fatigue sans doute, il s'endormit.

— Merci, dit Betsy.

Sans répondre, je lui adressai un signe de tête et sortis, en fermant la porte le plus silencieusement possible. J'attendis un moment pour être sûre que maman n'avait rien surpris de tout cela, puis je regagnai ma chambre au plus vite.

Le lendemain, au petit-déjeuner, Betsy déversa un torrent de récriminations au sujet de ce que maman avait fait. Maman la laissa dire. Je tremblais à l'idée qu'elle mentionne mon intervention, mais elle n'en fit rien, soit pour ne pas être en dette envers moi, soit pour ne pas m'attirer d'ennuis. Maman n'avait pas l'air de l'écouter. Elle mangeait tranquillement, en accordant toute son attention à Bébé Céleste. Cependant, lorsque Betsy cessa enfin de se plaindre, elle déclara très calmement :

— Quand tu auras fait la vaisselle, tu pourras remonter dans ta chambre et laver le berceau à fond. Ce n'était bon que pour une nuit.

— Qu'est-ce qui était bon à quoi ? Qu'est-ce que c'était, cette infection ?

— Tu n'as pas besoin de le savoir. Je doute que tu apprécies mon geste, de toute façon. Au fait, je vais au village, aujourd'hui. Aimerais-tu aller voir la tombe de ton père ? Je ne vais pas souvent par-là, tu devrais profiter de l'occasion.

— Non, refusa Betsy. Qu'est-ce que j'irais y faire ? Il ne peut pas m'entendre, et même s'il le pouvait, ce que j'ai à lui dire lui ferait trop de peine.

— Mais si, il peut t'entendre, et il a déjà de la peine. Je ramènerai deux ou trois choses pour le bébé.

— Son nom, c'est Panther. Pan-ther. Appelez-le par son nom.

— Panther, répéta maman avec un sourire suave. Tu sais que ça commence à me plaire ?

Elle n'aurait rien pu dire qui fût plus désagréable à Betsy. Admettre qu'elle avait fait quelque chose qui plaisait à maman était au-dessus de ses forces, et maman semblait le savoir. Betsy ne serait plus jamais un problème pour elle, j'en étais sûre. Elle était déjà vaincue mais ne le savait pas encore, ou pas vraiment. Elle ne mettrait pas longtemps à le comprendre et alors... alors quoi ?

Deviendrait-elle un membre de la famille, ou s'étiolerait-elle comme son père, pour mourir comme lui ? D'une certaine façon, nous étions tous logés à la même enseigne, méditai-je. Certains parce qu'ils avaient choisi de vivre ainsi, d'autres parce qu'on le leur avait imposé, mais le résultat était le même. Il fallait bien cohabiter.

Betsy chercha mon regard, et cette fois ce regard n'exprimait plus la moindre colère. Parce que je l'avais aidée la nuit précédente, sans doute, il m'implorait. Je croyais l'entendre appeler au secours, mais maman non plus ne me quittait pas des yeux.

Je retournai travailler au jardin, et un peu plus tard maman sortit avec Bébé Céleste.

— Je m'en vais, Lionel. Surtout ne fais pas à la place de cette fille ce que je lui ai donné à faire. Je te l'interdis.

— Bien, maman.

— Tu es un brave garçon, Lionel. Et ton attitude fera tellement ressortir sa paresse, comme sa tendance au gaspillage, qu'elle ne pourra que s'améliorer. N'oublie pas ça.

— Je n'oublierai pas.

— Tant mieux. Je serai de retour dans quelques heures au plus tard. Veille bien sur notre chère Bébé Céleste.

Je ne fais que ça, faillis-je répliquer, mais je me contentai d'incliner la tête. Peu après le départ de maman, j'entendis puis je vis Betsy sortir de la maison en portant un sac d'ordures. Elle le mit à la poubelle et regarda dans ma direction. Je me concentrai sur ma besogne, mais je sentais que ses yeux s'attardaient sur moi.

— Betsy, dit Bébé Céleste.

Je me retournai pour voir Betsy s'approcher de nous.

— Pourquoi m'as-tu aidée, hier soir ?

— J'ai vu à quel point le bébé était mal, c'est tout.

— Bien sûr. As-tu rencontré quelqu'un depuis que je suis partie, depuis que tu as eu ton permis et tout ça ?

Je fis signe que non.

— Ce qu'il te faut, c'est faire des connaissances. Je peux arranger ça pour toi si tu m'aides, proposa-t-elle, comme si elle entamait des négociations.

— Je n'ai pas besoin de rencontrer qui que ce soit.

— Mais qu'est-ce qui ne va pas chez toi ? s'écria-t-elle en tapant du pied. Pourquoi cette enfant me regarde-t-elle comme ça, d'abord ?

Je m'aperçus que Bébé Céleste la fixait intensément.

— Parce que tu l'amuses, je suppose.

— Ah bon, je l'amuse. Et toi, je ne t'amuse pas ? Même pas un tout petit peu ? insista-t-elle sur un ton provocant.

Je continuai à travailler. Elle était si près de

moi qu'elle m'empoigna le bras pour me faire pivoter vers elle.

— Eh bien ?

— Qu'est-ce que tu veux m'entendre dire ?

— Quand j'aurai trouvé une bonne réponse, je te préviendrai et tu pourras me le dire. En attendant, merci encore de m'avoir aidée.

Elle se pencha, m'embrassa sur les joues, tout près des lèvres, et s'arrangea pour que le bout de ses seins effleure mon bras.

— Hmm, murmura-t-elle dans un soupir, les yeux à demi fermés. Je n'en pouvais plus d'attendre.

J'eus l'impression que la terre s'était arrêtée de tourner. Que la brise, les oiseaux, le cœur de tout ce qui vivait s'était arrêté avec elle.

— Je suis tellement excitée, chuchota-t-elle encore, que je suis prête à t'expliquer comment t'y prendre. Nous pourrions réellement nous aider l'un l'autre, Lionel.

J'étais incapable de parler, ni d'émettre le moindre son. J'avais la gorge nouée. Betsy eut un petit rire et s'en alla non sans se retourner pour me lancer des regards aguicheurs. Je n'avais pas fait un geste depuis son baiser. L'écho de son rire flottait toujours autour de moi. Et ce qui m'effrayait le plus, c'est qu'elle avait éveillé ma propre sexualité. Je ressentais une agitation et une tension intérieures troublantes, des picotements au bout des seins, une chaleur au creux des cuisses. Tout se fondit dans une sensation de faiblesse, et je fermai les yeux.

Quand je les rouvris, je vis que Bébé Céleste m'observait avec insistance.

Elle avait l'air en colère.

Elle avait le même air que maman.

Et pour la première fois je me demandai si elle était vraiment ma fille, ou si, d'une façon qui m'échappait, elle n'était pas devenue la sienne.

17

Désentravée

Rien de ce que faisait Betsy n'était jamais assez bien pour maman. Elle la suivait à la trace, découvrait de la poussière là où Betsy était censée avoir épousseté, ou bien des choses qui auraient dû être jetées. La vaisselle n'était jamais assez propre, ni la table mise correctement. Pendant la semaine suivante, maman fit régulièrement irruption dans sa chambre, pour voir des vêtements qui auraient dû être accrochés ou rangés dans les tiroirs, de la poussière sur les meubles, le lit mal fait, et les effets du bébé en désordre. Si un produit quelconque s'était renversé sur la coiffeuse, maman confisquait tous les cosmétiques de Betsy, en disant qu'elle les lui rendrait quand elle aurait appris à ranger ses affaires.

À la fin de la semaine, maman lui fit astiquer la vieille argenterie. Quand elle lui donnait une nouvelle tâche, elle lui faisait toujours miroiter la possibilité d'une récompense, mais cette récompense était accrochée au bout d'une longue, très longue perche, et hors d'atteinte de Betsy. Il en fut de même ce jour-là. Maman trouva encore à redire.

— Frotte plus fort, voyons ! Tu devrais pouvoir te regarder dans les cuillers.

— Cette argenterie est bien trop vieille, gémit Betsy. On ne pourra jamais la ravoir.

Puis elle se retourna pour réclamer les clés de sa voiture et de l'argent, pour aller s'acheter des protections hygiéniques. Au lieu de quoi, maman alla lui en chercher dans l'armoire de sa propre salle de bains, où j'allais me servir moi-même chaque mois ; une chose que, par un accord tacite, nous évitions de mentionner et même de remarquer. Furieuse, Betsy déclara qu'elle irait en ville à pied et finirait l'argenterie plus tard.

— Et qui est censé s'occuper de ton bébé pendant ce temps-là ? répliqua maman.

— Je l'emmènerai avec moi. Il faut bien que je m'échappe de temps en temps de ce... ce trou à rats.

— Si tu mets seulement un pied sur la route, je considérerai cela comme de l'insubordination, et chaque pas que tu feras te coûtera mille dollars.

— Vous ne pouvez pas faire ça !

Avec un sourire pincé, maman ouvrit un tiroir sous le plan de travail de la cuisine et en tira une carte de visite.

— Le numéro de notre avocat, M. Nokleby-Cook, est inscrit là. Veux-tu l'appeler pour savoir ce que j'ai ou n'ai pas le droit de faire ? Il sera très heureux de te l'expliquer clairement.

— Quel est le montant de mon compte ? Je ne le sais même pas.

Maman remit la carte dans le tiroir.

— Ton père avait deux contrats d'assurance vie. Il t'a attribué la somme de deux mille cinq cents dollars, qui te seront versés, comme je te l'ai déjà dit, quand tu auras vingt-cinq ans.

Betsy haussa les sourcils.

— Deux mille cinq cents dollars ?

— Et avec les intérêts, cela fera beaucoup plus.

— Alors pourquoi n'ai-je pas le droit d'avoir cet argent tout de suite ?

— Si tu fais preuve de responsabilité et que ta conduite s'améliore, je te donnerai ce dont tu auras besoin pour des achats raisonnables. Ton père ignorait l'existence de Panther, évidemment, puisque tu n'as pas pris la peine de l'en informer. Il ne l'a donc pas inclus dans son testament, mais ses besoins ne devraient pas écorner beaucoup ton budget Quand il grandira, bien sûr, il te coûtera de plus en plus cher.

Betsy fit la grimace.

— C'est à moi de décider ce dont il aura ou n'aura pas besoin. Je suis sa mère.

— C'est vrai. Et tu en décideras lorsque tu seras capable de prendre des décisions raisonnables et mûrement réfléchies.

— J'en suis très capable maintenant !

— Ce n'est pas mon avis. Je ne vois toujours qu'une jeune fille exigeante, égoïste, irresponsable. Mais je crois qu'avec le temps tu pourras progresser, si tu t'acquittes de tes devoirs en personne sensée.

« Ton père m'a chargée d'un lourd fardeau en faisant de moi l'unique curatrice de ton héritage, et en me confiant la tâche de t'aider à devenir quelqu'un de mature. Et crois-moi, je prends mes obligations très, très au sérieux.

« Maintenant, il est l'heure de nourrir Panther. Ne lui donne pas son biberon à toute vitesse comme tu le fais d'habitude, et prends le temps de lui faire faire son rot. Tu ne vas nulle part aujourd'hui. Quand tu en auras fini avec l'argenterie, nous devrons encore aérer les tapis, cirer les meubles du salon, et passer tout le rez-de-chaussée à l'aspirateur. »

Betsy ne répondit rien, mais ses yeux parlaient pour elle. Ils brûlaient d'une telle rage et d'une telle haine qu'ils en paraissaient rouges.

— Je vais donner un coup de fil, annonça-t-elle abruptement, courant déjà vers le téléphone du hall.

Quelques secondes plus tard, elle rentrait précipitamment dans la cuisine.

— Où est passé le téléphone ?

— Utiliser le téléphone est un privilège, dans cette maison. C'est moi qui décide quand on peut ou ne peut pas s'en servir. Mais comme je te l'ai dit, si tu veux téléphoner à notre avocat, tu peux.

— Je me moque bien de l'avocat, c'est à quelqu'un d'autre que je veux parler. Ce n'est pas à vous de me dire qui j'ai le droit d'appeler ou non. Mon père n'a jamais fait ça. Où est ce téléphone ?

Maman se détourna et prit un saladier dans le placard.

— J'ai du travail, marmonna-t-elle entre ses dents.

— Et si quelqu'un m'appelle ?

— Je te préviendrai.

Betsy tourna vers moi un visage crispé, reflétant la défaite et la frustration.

— Je t'ai dit d'aller t'occuper de ton bébé, lui rappela maman en ouvrant un pot de sauge.

Betsy parvint à contenir sa fureur pendant quelques instants, étouffa un cri de rage et sortit comme un ouragan de la cuisine.

— Où est le téléphone ? demandai-je à mon tour.

— Celui d'en bas est enfermé dans le placard du hall, et il a un système de verrouillage, de toute façon. Ne te tracasse pas pour tout ça, Lionel, ajouta maman d'une voix radoucie. En ce qui concerne Betsy, nous avons des années de négligence et de laxisme outrancier à corriger. Mais nous sommes tellement aidés par ceux qui nous entourent ! Ce n'est qu'une question de temps, conclut-elle en effleurant tendrement ma joue du bout du doigt. Veux-tu aller voir si Bébé Céleste a fini sa sieste, s'il te plaît ?

Sur ce, elle m'embrassa sur la joue, et mon cœur s'emplit de joie et d'espoir. Il y avait si longtemps qu'elle ne l'avait pas fait ! Elle a raison, approuvai-je en moi-même. Parfaitement raison. Betsy a été outrageusement gâtée.

Betsy m'entendit monter. Elle apparut sur le pas de sa porte, tenant Panther dans les bras. Il n'avait pas l'air très en forme.

— Je sais très bien ce qu'elle fait. Elle me vole mon argent ! explosa-t-elle. Mais j'obtiendrai de l'aide et elle aura de gros ennuis, tu peux me croire.

— Ce n'est pas vrai, Betsy. Tout est parfaitement légal.

— Ben voyons. Bon sang, Lionel ! C'est comme ça que tu veux passer ta vie, à travailler tout le temps sans jamais t'amuser ?

— Je ne suis pas malheureux, dis-je en me dirigeant vers la chambre de Bébé Céleste.

Elle était réveillée. Je la pris dans mes bras, la descendis et nous sortîmes ensemble. Betsy avait suivi l'allée jusqu'au bout et se tenait au bord de la route ; on aurait dit qu'elle la regardait à travers un écran de barbelés. Je croyais entendre le débat qui avait lieu dans sa tête. Sauve-toi. Reste. Mais se sauver pour aller où ? Et si elle était obligée de revenir ? Si maman agissait légalement, après tout, et que sa fuite lui coûte deux mille cinq cents dollars ?

En revenant à la maison, elle s'était certainement attendue à recevoir une aide considérable de son père, maintenant qu'elle avait un enfant à charge. Sans argent et avec Panther à entretenir, elle ne pourrait pas continuer à faire tout ce qu'elle faisait autrefois. Combien de jeunes hommes voudraient d'elle, avec un enfant sur les bras ? Apparemment, elle était libre... autant qu'on peut l'être avec un boulet au pied.

Elle revint lentement vers la maison, la tête basse et le corps affaissé tel un drapeau en berne. Je pris la main de Bébé Céleste et m'éloignai avant qu'elle nous aperçoive. En dépit de tout, je ne pouvais pas soutenir son regard noyé d'angoisse. On aurait dit un animal pris au piège, torturé par le souvenir et la vue du monde qu'il avait connu et aimé. Un monde tout proche mais hors de son atteinte, juste assez loin pour que sa proximité lui soit un supplice.

Quand nous rentrâmes, un peu plus tard, elle était en train de cirer les meubles du salon. Panther dormait en haut. Elle ne leva pas les yeux sur nous. Elle frotta plus fort encore, décidée, je suppose, à faire tout ce qu'exigeait maman pour voir si elle obtiendrait la récompense promise. Elle accomplit ainsi toutes ses tâches sans émettre une seule plainte. Maman la suivait en inspectant son travail. Elle me regarda en haussant les sourcils pour m'exprimer sa satisfaction.

Le soir, à table, elle la félicita.

— Tu as bien travaillé aujourd'hui, Betsy. Tu t'es montrée capable de faire de grands progrès.

— Je pourrai avoir de l'argent bientôt, alors ?

— Bientôt.

— Mais quand ?

Maman eut un sourire encourageant.

— Très bientôt. Attendons de voir si ce changement va durer.

La colère de Betsy gronda en elle comme une bête enchaînée. Elle ne prononça pas une seule parole désagréable, mais si ses yeux avaient été des pistolets maman serait morte sur le coup. Elle avala péniblement ce qu'elle avait dans la bouche et acheva son repas. Un peu plus tard elle débarrassa la table, fit la vaisselle et acheva de fourbir l'argenterie. Puis, même sans en avoir reçu l'ordre, elle lava le carrelage de la cuisine et sortit la poubelle.

Cela fait, elle vint s'asseoir au salon en tenant Panther dans ses bras, jusqu'à ce qu'il soit prêt à s'endormir. Puis elle monta le mettre au lit et redescendit, car maman m'avait permis d'allumer la télévision. Betsy était furieuse que nous n'ayons accès qu'à quelques chaînes, mais cela valait toujours mieux que rien.

— Vous devriez aller dormir, tous les deux, déclara maman au bout d'une bonne heure. N'oubliez pas que demain nous faisons les vitres, et que tu as promis de passer une couche de vernis sur le plancher de la galerie, Lionel.

Je me levai pour aller éteindre la télévision. Betsy, elle, resta assise en fixant l'écran vide, comme si elle y voyait toujours le programme que nous avions regardé.

— Bonne nuit, Betsy, dit maman d'un ton sec.

Betsy répondit par une question.

— Pourrai-je me servir du téléphone demain, quand nous aurons fini de laver les vitres ?

Maman, qui s'éloignait déjà vers l'escalier, lança d'un ton désinvolte :

— Nous verrons.

Betsy se retourna vers moi.

— Si elle ne me le permet pas, tu pourras essayer de trouver ce garçon que j'ai connu en ville, quand tu iras faire les courses ? Il s'appelle Greg Richards.

— Je n'ai pas de courses à faire, demain.

— Alors quand tu pourras ? implora-t-elle.

J'écoutai le pas de maman dans l'escalier, avant de répondre :

— Nous verrons.

Je me rendis compte que je m'étais exprimée exactement comme maman. Le visage de Betsy s'empourpra et elle insista :

— Je t'en prie.

— Nous verrons, répétai-je, et je me hâtai de suivre maman.

Elle m'attendait devant la porte de sa chambre. Je devinai, en la voyant sourire, qu'elle avait surpris la requête de Betsy, et le ton aimable de sa voix me le confirma.

— Bonne nuit, Lionel. Dors bien, me dit-elle en rentrant dans sa chambre.

J'étais au lit avant d'entendre le pas de Betsy dans l'escalier. Depuis son arrivée, j'avais pris l'habitude de mettre un pyjama et de garder la poitrine sanglée la nuit. Je n'avais pas de verrou dans ma chambre. Toutes les portes de la maison avaient des serrures à l'ancienne, mais je n'avais jamais eu de clé. Avant sa fugue, Betsy était souvent entrée dans ma chambre à l'improviste. Je ne pouvais pas m'empêcher de craindre qu'elle ne recommence.

Je venais de fermer les yeux et glissais déjà dans le sommeil quand j'entendis son cri. Tout d'abord, je crus que c'était le début d'un rêve, tant il fut bref et assourdi, mais quand il se répéta je m'assis dans mon lit. Cette fois, elle était dans le couloir. Que se passait-il encore ? Je me levai, enfilai ma robe de chambre et mes pantoufles et ouvris la porte.

En soutien-gorge et en petite culotte, Betsy était assise par terre en face de sa chambre, les coudes en appui sur les genoux et la tête enfouie dans les mains. La porte de maman était fermée ; Betsy sanglotait tout bas, et elle eut un hoquet avant de relever la tête.

— Que se passe-t-il, Betsy ?

— Tous mes habits... Mes plus jolis vêtements, mes jeans et mes chemisiers... tout a disparu. Entre et, va voir ce qu'il y a dans mon placard, à la place.

Je coulai un regard prudent en direction de la porte de maman, traversai le couloir et entrai dans la chambre de Betsy. Le plus étonnant, c'est que, malgré le bruit, Panther dormait toujours. La lumière était allumée, la porte du placard grande ouverte. Les jolies toilettes que j'y avais vues ne s'y trouvaient plus, elles devaient être dans la chambre de la tourelle. De vieux habits fanés les avaient remplacées, longues robes à collet montant et aux couleurs falotes.

Betsy se tenait sur le seuil, les bras croisés sur la poitrine.

— Qu'est-ce qu'elle a fait de mes affaires ?

Je secouai la tête en signe d'ignorance.

— Maintenant, tu peux voir toi-même qu'elle ne sait plus ce qu'elle fait.

— Tu lui poseras la question demain matin.

— Je n'ai pas envie d'attendre jusqu'à demain matin. Je veux qu'on me rende mes affaires, tout de suite, exigea-t-elle en se retournant vers la chambre de maman.

— Ne la réveille pas. Elle se mettra en colère

et Bébé Céleste se réveillera sûrement aussi, ce qui n'arrangera rien.

Betsy hésita.

— Qu'est-ce qu'elle fera ? Elle me mettra à l'amende ?

— Ça se peut. Tu t'en sors si bien, maintenant. Ne gâche pas tout. Bientôt, tu obtiendras plus de privilèges et...

— Comment ça : plus ? Je n'en ai aucun !

Je reportai mon attention sur les vêtements du placard. J'avais essayé certains d'entre eux et j'en avais retiré un plaisir intense, excitant. J'avais trouvé ça merveilleux.

Betsy rentra dans la chambre.

— En quoi essaie-t-elle de me transformer ? Elle a même pris mes chaussures et les a remplacés par ces affreux godillots. Comment a-t-elle eu le toupet de faire ça ? Où va-t-elle chercher des idées pareilles ?

Que pouvais-je répondre ? Quelle explication pouvais-je lui donner qui ait un sens pour elle ?

— Je suis sûr qu'elle croit agir pour ton bien, me hâtai-je de répliquer.

Betsy me regarda d'un air incrédule.

— Dans tout ce qu'elle peut faire, y a-t-il une seule chose qui soit capable de te fâcher ?

— Quand cela arrive, elle ne le fait pas exprès.

— C'est ça, bien sûr. Elle ne le fait pas exprès.

Betsy essuya ses dernières larmes. Panther gémit.

— Ne réveille pas le bébé. Essaie de dormir, Betsy. Nous avons une dure journée devant nous. Il y a je ne sais combien de fenêtres dans cette maison, et il faut faire l'intérieur et l'extérieur, les rebords et les châssis.

Les lèvres de Betsy tremblèrent.

— Je croyais faire ce qu'elle voulait. J'ai cédé. J'ai décidé de faire ses corvées idiotes et de m'appliquer, mais regarde ce qu'elle m'a fait.

Elle pointa le menton en direction du placard.

— Voilà ma récompense !

Sans répondre, j'ébauchai un mouvement de retraite mais elle me saisit le bras et approcha son visage du mien.

— Je ne peux pas la supporter ! chuchota-t-elle.

Ses doigts me serraient à me faire mal.

— Betsy, ne fais rien que tu regretterais ensuite, la mis-je en garde. S'il te plaît.

Elle relâcha mon bras, regagna son lit et s'y laissa tomber sur le côté, le dos tourné vers moi. Elle ne faisait pas le moindre bruit mais ses épaules se soulevaient, secouées de sanglots silencieux. Je gardai un instant les yeux fixés sur elle puis je me retirai, en refermant très doucement derrière moi.

Maman se tenait dans l'encadrement de sa porte. Elle me vit sortir de la chambre de Betsy mais ne dit rien. Elle rentra dans la sienne et je retournai me coucher.

À peine mes yeux s'étaient-ils réhabitués à l'obscurité que je perçus un bruissement tout proche, du côté de la fenêtre.

Elliot était là, il me dévisageait. Puis il parla.

— Ta mère me rend les choses plus faciles, tu sais. Il m'est plus facile de revenir.

Je retins ma respiration. Je sentais, plus que je ne voyais, son sourire de satisfaction.

Le vent qui s'agitait autour de la maison forcit, sous l'effet d'une bourrasque soufflant du nord. Elliot parut s'amenuiser, traversa la vitre pour chevaucher le vent et disparut dans les ténèbres, me laissant méditer le sens de ses paroles.

Le lendemain matin, Betsy mit la jupe et le corsage qui lui déplaisaient le moins. Au cours de la nuit, elle avait fini par cesser de pleurer et de s'attendrir sur elle-même. Ses traits s'étaient durcis. Elle était résolue à ne pas laisser à maman le plaisir de savoir à quel point elle l'avait blessée. Mais ce n'était pas son seul objectif. Elle se rapprocha de moi pour me murmurer à l'oreille :

— Je sais parfaitement ce qui se passe ici, Lionel. Ta mère veut me pousser à bout pour que je me sauve, comme ça elle ne sera pas obligée de me donner le moindre sou de mon héritage. Mais ça ne se passera pas comme ça, oh non !

Sur ce, elle s'attaqua à sa besogne.

— J'étais sûre que ces vêtements t'iraient bien, lui dit maman au petit-déjeuner. Ils appartenaient à l'une de mes cousines qui a eu un enfant hors des liens du mariage, elle aussi.

Betsy resta un instant bouche bée, puis une étincelle brilla dans son regard.

— Et c'est pour ça que vous avez cru qu'ils m'iraient ?

— Évidemment.

Betsy me jeta un coup d'œil éloquent. Et son sourire, étonnamment semblable à celui de son frère Elliot, me glaça le cœur. Je coulai un regard vers maman, pour voir si elle voyait ce que je voyais, mais non. Elle pensait déjà à autre chose et chantonnait pour elle-même.

— Elle est cinglée, me dit Betsy un peu plus tard. Je finirai par lui jeter tout son fourbi à la figure, tu verras. En attendant, tu ferais mieux de lui dire qu'elle doit me donner mon argent.

Une véritable panique s'empara de moi. Le visage de Betsy reflétait la même certitude, la même assurance que celui d'Elliot. Elle se mit à interroger maman à la moindre occasion, afin de la faire parler de son univers secret. Ce fut un soir, après le dîner, qu'elle posa sa première question.

— Quand vous êtes seule dans une pièce et que je vous entends parler, vous ne vous parlez pas à vous-même, n'est-ce pas, Sarah ?

Tout d'abord, maman ne parut pas décidée à répondre, puis elle se ravisa et sourit à Betsy.

— Non, je ne parle pas toute seule.

— Alors... qui vous entend ?

— Ceux qui nous aiment. L'amour les unit à nous.

— Et moi, est-ce qu'ils m'aiment aussi ?

Je guettai la réponse de maman.

— Non, pas encore, mais avec le temps cela pourrait venir.

— Qu'est-ce que je dois faire, pour ça ?

— Devenir quelqu'un de responsable et d'aimant.

Les yeux de Betsy pétillèrent de satisfaction. Maman ne voyait donc pas qu'elle l'incitait à lui révéler ce qu'elle voulait savoir ?

— J'essaierai, Sarah. J'essaierai vraiment. J'aimerais être capable de parler à des gens qui ne sont plus là.

— Mais ils sont là, Betsy.

— Non, je veux dire : à des gens que les autres ne peuvent pas voir. Ils vous parlent aussi, alors ?

— Bien sûr.

— Et c'est grâce à eux que vous savez tant de choses ?

La méfiance de maman s'éveilla enfin : ses yeux s'étrécirent.

— Oui, confirma-t-elle. Et si quelqu'un se moque d'eux ou les offense, de quelque manière que ce soit, leur réaction peut être redoutable.

— Oh, je ne me moquerais jamais d'eux. Qui suis-je pour me permettre de me moquer de quelqu'un ? Est-ce que...

Betsy jeta un bref regard à Bébé Céleste.

— Est-ce que Bébé Céleste peut les voir et les entendre, elle aussi ?

— Bébé Céleste est quelqu'un de très spécial. Elle voit et entend beaucoup plus de choses que la plupart d'entre nous ne le font, ou ne pourront jamais le faire.

Betsy eut un signe de tête approbateur.

— Oui, c'est vraiment spécial. Elle est si intelligente ! J'espère que Panther le sera autant qu'elle.

Maman ne répondit rien. Elle sourit, comme si Betsy venait de proférer une énorme absurdité. Mais Betsy n'eut pas l'air de s'en apercevoir.

— J'aimerais en savoir davantage sur le monde spirituel. J'aimerais vraiment.

— Cela viendra, promit maman.

— Tant mieux. Lionel aussi voit et entend les esprits, j'imagine ?

— En effet, et il en sera toujours ainsi.

— Peut-être que j'ai réellement de la chance d'être ici, commenta Betsy en commençant à débarrasser la table.

Et un peu plus tard, dans le hall, elle me chuchota :

— Je vais te dire ce qui va vraiment se passer ici. Ta mère va être internée, vous le serez peut-être tous les deux, et j'aurai ce qui m'appartient.

Sur cette menace, elle monta dans sa chambre. J'aurais voulu courir avertir maman, mais qu'aurais-je pu lui dire ? De ne pas parler du monde surnaturel avec Betsy ? Elle penserait sans doute que je la trahissais, une fois de plus. Qui pourrait voir en elle une déséquilibrée mentale parce qu'elle croyait en nos esprits familiaux ? Et qu'importait l'opinion de Betsy ?

Bien plus tard, vers le milieu de la nuit, je me réveillai en entendant ma porte s'ouvrir, puis se refermer. Je m'assis, me frottai les yeux et entrevis une vague silhouette.

— Qui est là ?

— À quoi t'attendais-tu ? À un de tes esprits ? railla Betsy.

— Qu'est-ce que tu veux ?

Elle se rapprocha de mon lit.

— As-tu réfléchi à ce que je t'ai dit ?

— Je ne sais pas de quoi tu parles. Retourne te coucher, tu vas réveiller tout le monde.

— Je n'arrive pas à croire que tu sois aussi nul, Lionel. Mon frère devait t'avoir trouvé quelque chose d'intéressant, pourtant, puisqu'il a voulu devenir ton ami.

— Nous parlerons de ça demain. Je suis fatigué.

Loin de s'en aller, elle s'assit sur mon lit.

— Je ne peux pas dormir. Je n'ai jamais tenu aussi longtemps sans boire une bière. Tu n'écoutes pas de musique. Tu n'as jamais envie d'aller au cinéma ni de voir des gens de ton âge. Elle t'a rendu dingue, toi aussi. Tu devrais être de mon côté. Pourquoi ne lui suggères-tu pas de garder le bébé elle-même, un de ces soirs, pour que nous puissions aller voir un film ? Je passerais voir quelques vieux copains et on s'amuserait bien. Qu'est-ce que tu en penses ? À mon avis, c'est ça ton problème.

— Je me passe très bien de tes anciens copains.

— Bien sûr que non. Tu ne sais pas toi-même ce dont tu as ou n'as pas besoin. Quand on ne sait pas ce qu'on perd, on s'en moque, c'est aussi simple que ça. Tu n'es pas d'accord ?

— Non. Retourne dans ta chambre.

Malgré les nuages qui voilaient la lune, je surpris la grimace amusée de Betsy.

— Tu es resté enfermé trop longtemps, Lionel. Tu n'es pas vilain garçon. Tu es même carrément beau, mon cher. Tu as des yeux magnifiques.

Je m'écartai d'elle, ce qui la fit glousser de rire.

— Je me souviens que j'étais très timide, moi aussi. Mais après ma première fois, j'ai envoyé promener la timidité au diable, et je suis bien contente de l'avoir fait. On ne reste pas jeune toute sa vie, Lionel. C'est le meilleur moment de ton existence et tu le laisses filer.

— Je ne suis pas malheureux. Retourne chez toi, maintenant, et laisse-moi tranquille.

— Tu ne sais même pas que tu es malheureux, Lionel. Je peux te rendre heureux.

— Je ne veux pas que tu fasses quoi que ce soit pour moi.

Elle se leva. Les nuages qui occultaient la lune s'entrouvrirent, son éclat illumina la chambre. Pendant quelques secondes, Betsy ne fit que me regarder. Je m'attendais à ce qu'elle me lance une remarque déplaisante avant de s'en aller, comme à son habitude, mais je me trompais. Elle dégagea ses épaules de sa chemise de nuit et, d'une légère torsion du buste, la fit glisser jusqu'au sol. Et elle était debout devant moi, les seins et le ventre baignant dans la clarté de la lune.

— Arrête ça, dis-je d'une voix sourde dont la faiblesse me fit honte.

— Non. Je vais te montrer ce que tu manques et alors... peut-être que tu trouveras plus intéressant de t'amuser avec moi et mes amis.

— Va-t'en, ordonnai-je, mais le plus bas possible pour ne pas réveiller maman.

Elle s'en aperçut aussitôt.

— Si tu n'es pas sage, Lionel, je crierai, ta mère viendra et elle nous trouvera ensemble. Je dirai que c'est toi qui m'as invitée dans ta chambre.

— Je t'en prie. Je n'ai pas envie qu'on me montre quoi que ce soit.

— J'aime bien que tu me supplies comme ça Lionel, susurra-t-elle en se penchant vers le lit. Ça m'excite encore plus.

Je songeai à me lever d'un bond et à me ruer hors de la pièce. Si je faisais ça, maman ne penserait pas que j'avais attiré Betsy dans ma chambre. Je repoussai la couverture et me tournai de côté pour sauter hors du lit, mais Betsy fut plus rapide que moi. Elle me jeta les bras autour du cou, me força à me recoucher sur le dos et plaqua ses lèvres sur les miennes. Elle les y pressa fortement et balança une jambe sur moi. Je me débattis pour me libérer, mais elle ne fit qu'en rire et se remit à m'embrasser. Je me contorsionnai pour tenter de me tourner sur le côté, elle m'arracha la couverture et, avant que j'aie pu l'en empêcher, glissa la main entre mes jambes. Pendant un long moment, elle demeura immobile et moi aussi. Ses doigts seuls remuèrent, telles les pattes d'une énorme araignée, puis elle retira brusquement sa main.

À la lueur diffuse de la lune, je vis ses traits se convulser, ses yeux s'agrandir, puis ses lèvres se tordirent en un sourire oblique. La réalité l'atteignit comme un choc et, d'un geste violent, elle déchira le haut de mon pyjama en faisant sauter les boutons. Bouche bée, elle fixa longuement ma poitrine bandée.

— Tu es... commença-t-elle, mais les mots lui manquèrent.

Avec une intense expression de dégoût, elle retomba en arrière et ordonna :

— Enlève ça !

Je secouai la tête. Ma voix semblait enfouie au plus profond de moi.

— Enlève ça ! répéta-t-elle, ou je le fais moi-même.

Comme elle tendait la main vers moi, je m'assis et déroulai en hâte les bandes qui me sanglaient. Mes seins jaillirent et, instantanément, retrouvèrent leur volume et leur galbe.

— Bon sang de bois ! Tu es une fille, s'esclaffa Betsy. Tu es une fille !

Je remontai la couverture pour cacher ma poitrine mais, une fois de plus, elle me l'arracha des mains.

— Non mais regarde-moi ça ! Tu es dingue ou c'est moi qui le deviens ? Pourquoi as-tu fait ça ?

Je retombai sur mon oreiller et regardai fixement le plafond noyé d'ombre.

— Est-ce que mon père était au courant ? Il a dû avoir un sacré choc en découvrant ça, non ?

Betsy s'écarta du lit et commença à remettre sa chemise de nuit.

— Alors, à quoi ça rime, tout ça ? Est-ce que ça a quelque chose à voir avec les esprits ? C'est ta mère qui t'a dit de faire ça ?

— Non.

— Comment ça : non ? Elle ne sait pas ce que tu es vraiment ?

— Je n'ai pas dit ça.

— Tu es vraiment barge, et elle aussi. Comme

tarées, vous faites la paire. Je vais appeler cet avocat, maintenant. Je vais le dire à tout le monde.

— Ne fais pas ça, implorai-je.

— Ne fais pas ça ? Ne fais pas ça ? Non, je ne vais pas le faire. Je vais rester ici à jouer les esclaves, c'est évident.

Elle marchait déjà vers la porte quand elle se retourna brusquement.

— Est-ce que mon frère savait ça ? Eh bien ? Il savait ou pas ? Tu ferais aussi bien de me dire toute la vérité. Il savait ?

— Oui.

Elle revint auprès de mon lit.

— Quand est-ce qu'il s'en est rendu compte ?

— Je ne me rappelle pas très bien.

Elle resta plantée là, les yeux baissés sur moi. Je pouvais presque entendre fonctionner son cerveau. Son regard fila vers la porte puis revint se poser sur moi.

— Et Céleste, c'est le bébé de qui ? C'est ta fille, n'est-ce pas ? Ta fille et celle d'Elliot. C'est ma nièce. C'est la petite-fille de mon père. Eh bien ? Réponds ! ordonna-t-elle en haussant la voix.

Mon cœur manqua un battement. Maman pouvait très bien l'avoir entendue. Si elle entrait maintenant et voyait ça…

— S'il te plaît, implorai-je encore.

— S'il te plaît ? Quand je t'ai suppliée de m'aider, qu'est-ce que tu as répondu ? On verra ! Tu l'as laissée me traiter comme ça, confisquer mes affaires, garder mon argent, et tu dis : s'il te plaît ?

Je me mordis la lèvre inférieure, si fort que je sentis le goût du sang. Près de la fenêtre, Elliot observait et écoutait en souriant jusqu'aux oreilles. Je lui adressai un signe de dénégation et Betsy se retourna vers la fenêtre.

— Qu'est-ce que tu regardes comme ça ?

Je voulus respirer, mais les poumons me brûlaient, ils refusaient de se gonfler d'air ; le sang me martelait les tempes. Je hoquetai avec un bruit sifflant et cela effraya Betsy.

— Qu'est-ce qui te prend ? Arrête ça !

Je me penchai en avant, en étreignant mon torse. Je crus que j'allais vomir.

— Arrête ça ! répéta Betsy.

Et comme je n'arrêtais pas, elle changea de ton.

— Ça va, ça va. Je le garderai, ton fichu secret. Relax, je t'ai dit que je garderai ton secret, insista-t-elle en me tirant par l'épaule.

Je retombai sur l'oreiller. Ma respiration s'améliora et mes poumons cessèrent de me faire mal.

— Tu es un cas désespéré, déclara Betsy.

Puis, après quelques secondes de réflexion, elle ajouta :

— Écoute. Ce que ta foldingue de mère et toi pouvez vous faire à vous-mêmes, ou encore à cette enfant « spéciale », je m'en moque. Tu peux te rouler autant que tu veux dans ces histoires de fous, ça te regarde. Mais à partir d'aujourd'hui, tu vas m'aider, compris ? Tu vas t'arranger pour qu'elle me lâche. Tu vas m'emmener voir mes copains. Et tu vas te débrouiller pour qu'elle me donne mon argent, sinon je la fais enfermer et toi avec. Ensuite...

Ensuite ? Qu'allait-elle encore exiger ?

— ... demain, dès que tu te lèves, tâche de trouver où elle a mis mes habits et apporte-les-moi immédiatement. Et à partir de maintenant, quand elle me donnera une de ses corvées débiles, c'est toi qui la feras. En plus, nous allons en ville demain soir, tâche de te fourrer ça dans le crâne. C'est toi qui m'y conduis. Tu la préviendras, et ne la laisse pas refuser.

« Ne la laisse plus rien refuser de ce que je veux. Fais-lui comprendre ce qui arrivera dans ce cas-là. C'est clair ? Je veux t'entendre dire oui ou je hurle. Alors ?

— Oui.

— Oui. À la bonne heure ! »

Elle eut un sourire soudain.

— Tout ça pourrait finir mieux que je ne le pensais, mieux que tu ne le pensais toi-même. Pour commencer, tu n'as plus besoin de me cacher tes nichons, gloussa-t-elle. Maintenant que nous avons plus de choses en commun, nous pourrions être plus proches qu'avant.

Elle reprit le chemin de la porte et lança en sortant :

— Bonsoir, Lionel... ou devrais-je dire Céleste ?

Sur un dernier rire, elle s'esquiva sans faire de bruit.

— Je t'avais prévenue que ça arriverait, me dit Elliot.

Il traversa la chambre et j'éprouvai un choc quand il se glissa dans mon lit pour s'allonger à mes côtés.

— Maintenant, nous pouvons être de nouveau ensemble, murmura-t-il.

Au matin, il était parti, mais j'étais certaine d'avoir senti toute la nuit son souffle sur ma joue, dans mon cou...

Et sa main qui serrait la mienne.

18

Betsy change la donne

Quand je fus prête à descendre, ce matin-là, Betsy m'attendait devant sa porte, Panther dans les bras. Il ne dormait pas, ses yeux grands ouverts étincelaient, tels des cailloux noirs sous l'eau. Il n'avait pas, comme Céleste, l'habitude de sourire à tous ceux qu'il voyait, bien au contraire. Il avait toujours l'air anxieux. La plupart du temps, son regard me semblait lourd de méfiance et de colère. Je me demandais toujours combien de fois on avait dû le laisser seul, pleurant jusqu'à ce que les yeux lui sortent des orbites, mal à l'aise et affamé.

— N'oublie pas, je veux que tu retrouves mes affaires et que tu me les rapportes ce matin, pour que je puisse enlever ce déguisement grotesque, ordonna Betsy en descendant les premières marches.

La panique me glaça le sang. Maman était déjà en bas, avec Bébé Céleste. Comment pourrais-je obéir à Betsy ? Comment pourrais-je ne pas lui obéir ?

Je n'étais pas certaine que maman ait caché ses vêtements dans la chambre de la tourelle, mais je ne voyais pas d'autre endroit possible. Quand je montai y jeter un coup d'œil, la porte était fermée à clé, ce qui me donna la certitude que je ne m'étais pas trompée. Cette porte n'était verrouillée que lorsque Bébé Céleste et moi étions cachées dans la pièce, pour n'en sortir que lorsque les visiteurs ou les ouvriers n'étaient plus là. Je ne savais plus à quel saint me vouer. J'avais espéré rendre ses vêtements à Betsy, et dire à maman qu'elle les avait dénichés toute seule. Comment allais-je dérober la clé à maman, ou lui proposer de rendre ses vêtements à Betsy sans provoquer sa colère ?

Quand je descendis, je les trouvai toutes les trois à la table du petit-déjeuner.

— Qu'est-ce qui t'a retardé à ce point-là, Lionel ? s'enquit maman.

Je lançai un rapide coup d'œil à Betsy.

— Oui, pourquoi es-tu si en retard, Lionel ? ironisa-t-elle.

— Je n'ai pas vu passer le temps, maman.

Elle me fixa quelques instants puis détourna le regard vers Bébé Céleste. Betsy, elle, ne m'avait pas quittée des yeux depuis mon entrée dans la pièce. Elle me dévisageait toujours quand elle demanda tout à trac :

— Au fait, pendant combien de temps avez-vous fait des recherches pour savoir ce qui était arrivé à Céleste, la sœur jumelle de Lionel ?

Maman leva vivement les yeux de son bol de céréales et affronta le regard de Betsy.

— Nous n'avons jamais cessé de chercher à savoir ce qui lui était arrivé.

— Justement, c'est ce que je ne comprends pas. Je n'ai jamais vu sa photo dans les magasins ni aucun lieu public. Pourquoi ça ? Vous devriez appeler la police toutes les semaines, et leur demander où ils en sont.

— Qu'est-ce qui te fait croire que je ne l'ai pas fait, et que je ne continue pas à le faire ? riposta maman.

Betsy haussa les épaules.

— Vous ne parlez jamais d'elle, et Lionel non plus.

— Je crois t'avoir déjà dit combien il nous était pénible de revivre tout ça.

Betsy ne se laissa pas intimider. Avec un sourire goguenard, elle continua comme si elle menait un interrogatoire.

— Qu'est-ce qu'elle faisait ce jour-là ? Tu n'étais pas tout le temps avec elle, Lionel ?

Je ne regardais pas maman mais je la sentis se raidir.

— Ça suffit. Je n'ai pas envie d'aborder ce sujet, ni avec toi, ni à ma table.

— J'essayais de me montrer plus prévenante, c'est tout. Perdre un enfant de cet âge a dû vous porter un coup terrible. Je ne peux même pas imaginer ce que j'éprouverais si, un beau jour, quelqu'un m'enlevait Panther. Je crois que je n'aurais pas un instant de repos, ni le goût de rien faire, tant que je ne l'aurais pas retrouvé.

Maman foudroya Betsy du regard.

— Je ne connais pas de repos, et elle ne quitte pas mes pensées, mais j'ai de nombreuses responsabilités, rétorqua-t-elle d'un ton coupant.

Betsy eut un petit sourire rentré. Elle baissa les yeux et maman se détendit, mais je devinai que nous n'en avions pas fini avec tout ça.

— C'est bien ce qui m'étonne, Sarah. Vous avez tellement foi en vos esprits, pourquoi ne vous ont-ils pas dit où était Céleste ?

Betsy avait relevé les yeux. Elle affichait un intérêt sincère, ou du moins s'efforçait d'y parvenir. Mon regard se tourna aussitôt vers maman. Qu'allait-elle répondre à une question pareille ?

— Les esprits qui nous guident et qui sont parmi nous ne vivent qu'ici, dit-elle avec douceur. Ils n'errent pas à travers le monde, comme des âmes en peine cherchant un foyer. Leur foyer est ici. Nous sommes leur famille.

— Mais...

— Assez !

Maman abattit sa main sur la table, si violemment que la vaisselle trembla. Les yeux de Bébé Céleste s'agrandirent et je baissai les miens. Un silence plana. Maman se remit à manger.

— En tout cas, reprit tranquillement Betsy, Lionel a proposé de nous emmener en ville aujourd'hui, Panther et moi. J'ai besoin de faire certains achats personnels maintenant, et pas plus tard.

Maman nous regarda tour à tour, Betsy et moi.

— Lionel, as-tu vraiment dit une chose pareille ?

Les mots se tortillèrent au fond de ma gorge comme des élastiques. Betsy persévéra.

— Il m'a dit ça ce matin, pas vrai Lionel ? Je lui avais demandé d'y réfléchir hier soir, quand nous avons fait cette bonne petite causette, tu te souviens, Lionel ?

Je crus sentir le canon d'un pistolet presser ma tempe.

— Oui, avouai-je, osant à peine regarder maman. Je me suis dit que, si elle avait fini son travail, nous pourrions faire un petit tour au supermarché.

Betsy me reprit aussitôt.

— Non, c'est au centre commercial que j'ai besoin d'aller, Lionel. Je te l'ai dit.

— Eh bien, tu n'as pas fini ton travail, répliqua maman. Aujourd'hui je veux que tu nettoies le placard de cuisine, que tu époussettes les étagères et que tu remettes tout exactement à sa place. Le sol aussi a besoin d'être nettoyé. Il n'est pas question d'aller où que ce soit aujourd'hui. D'ailleurs, fit observer maman, comme si elle avait prévu la requête de Betsy et préparé sa réponse, j'aurai besoin de la voiture, aujourd'hui. Je dois me rendre chez M. Bogart pour discuter de nos affaires.

Les yeux de Betsy lancèrent des éclairs, mais elle garda son calme et sourit.

— Très bien. Quand vous rentrerez, j'aurai terminé tout ça et Lionel pourra m'emmener, n'est-ce pas Lionel ?

Je cherchai le regard de maman.

— Est-ce que ça te convient, maman ?

— Nous verrons, répliqua-t-elle en pinçant les lèvres.

Elle était furieuse contre moi, mais je me sentais comme une mouche prise dans une toile d'araignée. Plus je me débattais, plus le piège se refermait sur moi.

Un peu plus tard, quand Betsy alla aux toilettes, maman voulut savoir ce qui m'avait poussée à faire cette promesse.

— Elle était si malheureuse, elle me suppliait et pleurait tellement... je ne savais pas quoi lui dire d'autre, maman.

Elle médita ma réponse.

— Bien, je ne vais pas te reprocher ta compassion, Lionel, mais sois prudent avec cette fille. Elle sait comment profiter des gens et mise sur leur bonté. Il n'y a qu'à voir ce qu'elle a fait à son pauvre père.

— Je sais, maman. Mais je crois que tout serait plus facile pour nous tous si elle était récompensée pour ses efforts. Elle fait tout ce que tu lui demandes, maintenant.

— Hmm... nous verrons.

— Peut-elle récupérer ses vêtements ?

— Je ne vois pas comment ce serait possible, rétorqua maman en se dirigeant vers la porte d'entrée, prête à partir.

Je trouvai le courage d'insister.

— Pourquoi pas, maman ?

Elle se retourna, le sourire aux lèvres.

— Parce que j'ai dû les brûler et les enterrer.

— Tu les as brûlés !

— Naturellement. Ne t'ai-je pas toujours enseigné que le feu était la plus efficace des purifications ? Sois prudent. Ne donne pas trop facilement ta confiance et ta générosité, Lionel. Prends bien soin de Bébé Céleste. Je serai de retour avant le dîner, conclut-elle en sortant.

Je restai figée sur place, les yeux fixés sur la porte fermée. Brûlés ? Elle les avait brûlés ?

Je regardai Bébé Céleste, qui s'était préparée à aller au jardin.

— L'heure de travailler, annonça-t-elle.

Je marchais déjà vers la porte quand la voix de Betsy me fit pivoter sur moi-même.

— Et où crois-tu aller comme ça ? Ramène-toi en vitesse et va nettoyer ce placard.

— Mais si je ne fais pas ce qui doit être fait dans le jardin...

— Je me fiche pas mal de ce fichu jardin. As-tu trouvé où étaient mes affaires ?

— Brûlées, dit Bébé Céleste.

Je me retournai si promptement vers elle que je me fis mal au cou. L'expression résolue, le regard ferme et sombre, elle paraissait bien plus âgée qu'elle n'était, tout à coup.

— Qu'est-ce qu'elle a dit ?

— Rien. Je n'ai pas eu la moindre occasion de chercher.

— Bien, admettons. Dès que ta mère rentrera, nous filerons au centre commercial, Lionel. Mais pourquoi est-ce que je continue à t'appeler comme ça ? Peut-être que je ferais bien d'oublier ce nom et de t'appeler Céleste, non ?

De toute évidence, elle prenait le plus grand plaisir à me tourmenter.

Panther se mit à pleurer dans la cuisine. Elle l'avait laissé dans son couffin.

— Oh, ce gosse est tellement braillard, ici ! En fait, il braille partout, reconnut-elle. Je suis trop jeune pour avoir un bébé. Occupe-toi de lui. Je vais emprunter un peu de maquillage à ta mère et me coiffer.

— Tu ne peux pas aller dans la salle de bains de maman !

— C'est ce qu'on va voir. Elle m'a pris le mien, non ? En plus, j'ai envie de me faire les ongles. Je meurs à petit feu, dans cette maison. Tu m'apporteras mon déjeuner plus tard, je prendrai un sandwich aux œufs. Je dois reconnaître que le pain de ta mère est plutôt bon. Elle devrait abandonner toutes ces âneries et se faire boulangère.

Les cris de Panther augmentèrent. Betsy plaqua les mains sur ses oreilles.

— À toi de jouer, lança-t-elle en se précipitant dans l'escalier.

Je revins dans la cuisine. Bébé Céleste me suivit, mais il était clair qu'elle n'appréciait pas. Elle attendit pendant que je calmais Panther, mais sans cacher son impatience. Et ce fut sur un ton presque impérieux qu'elle articula :

— Nous devons aller au jardin.

— Pas tout de suite. Nous devons d'abord nettoyer le placard.

— Non, protesta-t-elle fermement.

— Écoute-moi et fais ce que je dis, Céleste !

J'avais parlé avec irritation, c'était l'effet que Betsy produisait sur moi. Elle me rendait intolérante, mais je n'y pouvais rien.

Bébé Céleste me jeta un regard de défi et marcha vers la porte de la cuisine.

— Ne t'avise pas de sortir, Céleste ! Attends d'abord que j'aie terminé ici. Tu peux m'aider à nettoyer le placard, si tu veux.

— Nous devons aller au jardin.

Panther hurla de plus belle. Que voulait-il encore ? Il avait eu son biberon et ne me semblait pas mouillé.

— Ch-chuut ! murmurai-je en le berçant doucement.

Il n'en cria que plus fort.

— Le jardin, exigea Bébé Céleste en tapant du pied.

Puis elle repartit vers la porte d'entrée.

Je courus derrière elle, Panther sous un bras, lui empoignai l'épaule de ma main libre et la fis pivoter vers moi. Elle grimaça de douleur mais ne pleura pas.

— Tu restes avec moi, Céleste. Je t'ai dit que nous irions au jardin plus tard.

Elle me jeta un coup d'œil meurtrier, puis tourna la tête vers l'escalier, comme si elle savait que tout était la faute de Betsy. Son regard se fit méfiant et sombre, ses lèvres se pincèrent. Comme elle ressemblait à maman, constatai-je une fois de plus.

— Aide-moi à calmer Panther, lui demandai-je plus gentiment. S'il pouvait s'arrêter de hurler !

Elle réfléchit un moment puis, avec une répugnance manifeste, tendit le bras vers lui. À l'instant où elle lui toucha la main, il cessa de pleurer. Ses sanglots s'apaisèrent peu à peu en la regardant. Elle ne l'avait pas quitté des yeux.

— Tu vois, il t'aime bien. Tu peux m'aider

beaucoup, lui dis-je en regagnant la cuisine, où elle me suivit.

Je remis Panther dans son couffin que je posai sur le sol. Bébé Céleste le regardait toujours. Il leva le bras vers elle et elle prit sa main dans la sienne.

— Merci, Céleste.

Soulagée, je m'attaquai aussitôt au nettoyage du placard. Avant même que j'aie terminé, Panther dormait. Assise à côté de lui, lovée contre le couffin, Bébé Céleste aussi s'était endormie.

Quand j'eus vidé et épousseté les étagères, comme l'avait ordonné maman, je lavai le sol du placard. Je venais de finir quand j'entendis Betsy m'appeler du haut de l'escalier.

— Lionel Céleste, j'ai faim. Apporte-moi mon déjeuner, vociféra-t-elle, et en vitesse !

Bébé Céleste s'éveilla mais pas Panther, heureusement. Je préparai le sandwich à l'œuf de Betsy et j'en fis un aussi pour Bébé Céleste.

— Quand tu auras fini de déjeuner, nous irons au jardin, lui dis-je en la servant.

Je montai le plateau de Betsy dans sa chambre, mais elle ne s'y trouvait pas.

— Je suis là ! hurla-t-elle depuis la chambre de maman.

Très lentement, prévoyant une catastrophe, je m'avançai vers la chambre. Betsy était assise à la coiffeuse, jonchée de pots et de tubes de rouge ouverts. Parmi des traînées de poudre, copieusement répandue, s'éparpillaient des mouchoirs à jeter sales et chiffonnés. Elle avait fait de nombreux essais avant de se maquiller, mais ce n'était pas le pire. Elle portait l'une des plus jolies robes de maman, une de celles qu'elle avait achetées quand elle commençait à sortir avec Dave.

— Elle était un peu juste, fit observer Betsy en se levant, mais j'ai arrangé ça.

Elle avait fendu le haut de la robe dans le dos et rabattu les pans coupés à l'intérieur.

— Le haut n'est pas mal. Ce qui m'étonne, c'est que ta mère porte des toilettes aussi décolletées.

Je ne pouvais penser qu'à une chose : que dirait maman quand elle découvrirait tout ça ?

Je contemplai tristement le désastre.

— Il faut que tu nettoies cette chambre et que tu enlèves cette robe, maintenant.

— Ah oui ? Et qu'arrivera-t-il si je ne le fais pas ? Elle me mettra à l'amende ? Elle retiendra de l'argent sur mon compte ? Elle me donnera de nouvelles corvées ? Le genre de corvées que, bien sûr, elle ne t'aurait jamais données, Lionel Céleste.

— Je t'en prie, remets toutes les choses en place. Je t'ai monté ton déjeuner.

— Dépose-le sur la table et occupe-toi de mes vêtements. Tâche de les trouver avant qu'elle rentre, sinon je l'attendrai à la porte avec des nouvelles sensationnelles qui lui feront mal au ventre, crois-moi !

Je restai clouée sur place, confrontée à un problème insoluble. Devais-je lui apprendre ce que m'avait dit maman, et que Bébé Céleste avait à demi révélé ? Je n'eus pas le temps d'en décider. Panther poussa un hurlement si perçant que, jetant pratiquement le plateau sur la table, je me ruai dans l'escalier.

En arrivant dans la cuisine, je vis Bébé Céleste debout près du couffin, les yeux fixés sur Panther. Il criait toujours autant.

— Que se passe-t-il, Céleste ? questionnai-je en m'approchant.

Panther avait le visage cramoisi, les pommettes rouges comme de la viande crue. Les larmes ruisselaient sur ses joues en un flot incessant. Il n'avait pas cessé un instant de crier. Tout d'abord, je fus incapable de comprendre ce qui se passait, puis j'aperçus la bougie noire, tout près de son talon gauche. La pointe de la mèche rougeoyait encore, et une cicatrice écarlate se détachait nettement sur la plante du pied de Panther. J'éprouvai un tel choc à cette vue que le souffle me manqua.

Betsy m'avait suivie à contrecœur, en se pavanant dans la robe de maman, la moitié de son sandwich à la main. Elle se rapprocha du couffin.

— Qu'est-ce qu'il a, ce gosse ? Pourquoi est-ce qu'il braille comme ça ?

Elle baissa les yeux et resta un moment à mâchouiller son sandwich, en regardant fixement Panther. Puis elle aperçut la bougie, se baissa et la prit en main.

— Qu'est-ce que c'est que ça ?

Je haussai les épaules, en signe d'ignorance. Bébé Céleste arborait une expression satisfaite et assurée, sans la moindre trace de crainte.

— C'était allumé. Regarde son pied ! s'écria Betsy en découvrant la brûlure.

Aussitôt, elle se retourna vers Bébé Céleste.

— C'est toi qui lui as fait ça ?

Au lieu de répondre, Bébé Céleste leva les yeux sur moi.

— Nous devons aller au jardin.

— Le jardin ! glapit Betsy.

Elle jeta la bougie par terre, saisit Bébé Céleste par les épaules et la secoua sans douceur.

— C'est toi qui as allumé cette bougie et l'as mise dans le couffin ? Eh bien, réponds, espèce de sale petite…

— Arrête ! ordonnai-je à Betsy en délivrant Bébé Céleste de sa poigne. Il faut mettre immédiatement quelque chose sur cette brûlure.

Panther avait tellement crié que sa voix s'enrouait. Betsy cria pour lui.

— Qu'est-ce qu'il lui a pris de faire ça ? Elle est dingue, elle aussi. Vous êtes tous dingues !

J'allai sans attendre à l'armoire aux remèdes naturels de maman, et j'y trouvai un baume aux plantes qui, je le savais, guérissait les brûlures. Je posai d'abord un cube de glace sous le talon de Panther pour soulager la douleur, puis j'essuyai sa peau et y appliquai le remède. Céleste et moi, nous balançâmes le couffin comme un berceau et Panther finit par s'endormir, exténué.

Un peu à l'écart, Betsy observait la scène, sans faire le moindre effort pour se rendre utile ou consoler son fils.

— Cette fois j'en ai ma claque, grinça-t-elle quand j'eus terminé. Tu me ramènes mes affaires et nous obligeons ta mère à me rendre mon argent. Pas question que je reste ici. Je vous ai assez vus tous autant que vous êtes, bande de détraqués !

— Je ne peux pas te rendre tes vêtements, annonçai-je d'une voix calme et abattue.

— Et pourquoi ça ?

— Ma mère m'a dit qu'elle les avait brûlés et enterrés.

Betsy jeta un regard écœuré à Bébé Céleste.

— C'est bien ce que je croyais avoir entendu dire par cette... ce petit monstre. Arrange-toi pour qu'elle ne s'approche plus de Panther, sinon tout ce qui arrivera sera ta faute.

Sur ce, Betsy remonta vivement l'escalier. Je m'agenouillai près de Bébé Céleste et lui pris la main.

— Pourquoi as-tu fait ça, Céleste ? Pourquoi as-tu fait mal au petit Panther ? Dis-le-moi.

— Pour le nettoyer.

— Le nettoyer ?

Elle avait vu trop souvent maman se servir du feu pour chasser le mal, raisonnai-je. Était-ce arrivé à cause de tout ce que maman lui avait raconté ?

— C'était méchant, Céleste. Tu as été méchante.

— Non, répliqua-t-elle en libérant brutalement sa main.

— Si, tu l'as été. Tu ne dois jamais recommencer une chose comme ça.

— Toi aussi tu as été méchant. Nous devons aller travailler au jardin, répéta-t-elle avec obstination.

Et elle sortit en courant de la cuisine.

Betsy était vraiment méchante, et égoïste, mais en l'occurrence elle n'avait peut-être pas tort, m'avouai-je avec tristesse. En grandissant, Bébé Céleste changeait, et pas en bien. Je soulevai le couffin et l'emmenai au salon, où Bébé Céleste était couchée en chien de fusil sur le canapé. Elle avait le pouce à la bouche et me tournait le dos. Je posai délicatement le couffin par terre, puis je m'approchai du canapé et caressai les cheveux de ma fille.

— Nous allons retourner au jardin, mais tu n'aurais pas dû faire mal au petit Panther, Céleste. Ce n'est pas la bonne façon de le nettoyer.

Elle secoua la tête, garda le pouce à la bouche et ferma les yeux. Je n'abandonnai pas.

— Tu me comprends ? Ce n'est qu'un bébé. Qu'est-ce qu'il a fait pour que tu veuilles lui faire ça ? Explique-moi.

Elle garda le silence, le pouce toujours vissé dans la bouche. Une pensée me traversa l'esprit, à la fois terrifiante et intrigante. Lentement, je fis pivoter Bébé Céleste vers moi.

— Est-ce que quelqu'un t'a dit de faire ça, Céleste ?

Elle fit signe que oui.

— Qui ça ? Qui te l'a dit ?

Son bras se tendit vers la porte mais je ne vis rien.

— C'était un homme ?

Une fois de plus, elle hocha la tête.

— À quoi ressemblait-il ? De quelle couleur étaient ses cheveux ?

— Comme les miens, dit-elle en touchant sa tête.

Puis, de nouveau, elle me tourna le dos et ferma les yeux.

Je m'assis tout près d'elle et restai là, incapable de bouger ou de prononcer un mot, jusqu'à ce que j'entende arriver la voiture de maman. À l'instant où elle entra et nous regarda, elle sut que quelque chose allait de travers.

— Pourquoi n'êtes-vous pas dehors par une si belle journée, Lionel ? s'enquit-elle sans me laisser le temps de parler.

Je ressentis une impression d'immense fatigue et de vide. Je n'avais pas la force de trouver les réponses qui auraient plu à maman. Cette sensation d'impuissance m'engourdissait. Je ne fus capable que d'une chose : dévisager maman à mon tour. Elle s'avança dans la pièce, vit d'abord Panther et ensuite Céleste, qui s'était retournée, puis assise, et qui la fixait. Son regard se posa tour à tour sur chacune de nous, passant rapidement de l'une à l'autre.

— Que s'est-il passé, ici ?

— Pendant que je ne la surveillais pas, Bébé Céleste a allumé l'une de tes bougies noires et l'a mise dans le couffin, sous le pied de Panther, pour le brûler.

— Pourquoi ne la surveillais-tu pas ?

— J'étais en haut.

— Pour quoi faire ?

— J'apportais quelque chose à Betsy.

Maman fronça les sourcils.

— Est-ce qu'elle a fait son travail ? Le placard est propre et en ordre.

— Oui, maman.

Je n'en revenais pas. Pourquoi maman semblait-elle si peu concernée par ce qu'avait fait Bébé Céleste ? Ses yeux s'agrandirent et elle me regarda fixement.

— Où est cette fille ? Pourquoi ne s'occupe-t-elle pas de son bébé elle-même ?

Betsy, qui avait entendu rentrer maman, était descendue sans bruit. Elle portait toujours la même robe et ne s'était pas démaquillée.

— Vous croyez que vous allez me mettre ça sur le dos ? attaqua-t-elle, faisant pivoter maman sur ses talons.

En la voyant dans sa propre robe et fardée avec son maquillage, maman laissa échapper une exclamation de stupeur

Betsy eut un sourire satisfait.

— Tout ça, c'est votre cher bébé si... si spécial, qui l'a fait. Pardon, je voulais dire : le bébé de votre cousine.

— Qu'est-ce que tout ça signifie ? Pourquoi portes-tu cette robe et où t'es-tu procuré le maquillage ?

— Vous ne reconnaissez pas la robe ? railla Betsy en tournant sur elle-même. Oh, désolée. J'ai dû faire quelques retouches. J'espère que ça ne vous ennuie pas ?

Son audace laissa maman pantoise. Elle la dévisagea un instant sans mot dire, puis s'en prit à moi.

— Que se passe-t-il ici, Lionel ?

— Oui, Lionel, que se passe-t-il ici ? singea Betsy. Ta mère a le droit de savoir. Explique-lui.

Cette fois, j'explosai.

— Assez ! Arrête ça !

— Arrêter ça ? C'est exactement ce que je compte faire, renvoya Betsy, les poings aux hanches.

Maman tenta de reprendre le contrôle de la situation.

— Je ne sais pas ce que tu as en tête, Betsy, mais tu as perdu deux mois de privilèges en te conduisant comme ça. Rien ne justifierait que je t'alloue le moindre centime sur ton héritage.

Le sourire de Betsy ne vacilla pas.

— Oh, vous allez me donner bien plus que ça, Sarah. N'est-ce pas, Lionel, ou devrais-je dire : Céleste ? Comment dois-je t'appeler ? Comment devrais-je l'appeler, Sarah ?

Maman émit un hoquet nettement audible et porta ses mains à sa gorge. Elle recula d'un pas en faisant de grands signes de dénégation.

— Qu'est-ce que tu racontes ? Qu'est-ce qu'elle raconte, Lionel ?

— Dis-lui donc, Lionel !

— Je t'en prie, implorai-je, arrête ça. Je fais tout ce que tu m'as demandé de faire.

— Ça ne suffit plus. Ma patience est à bout. Vous allez m'écouter, Sarah, ordonna Betsy, encouragée et fortifiée par le trouble de maman. Tout le monde va savoir quelle insanité vous avez commise ici, en forçant Céleste à se faire passer pour un garçon. Et tout le monde saura la vérité sur votre précieuse Bébé Céleste, qui est tout aussi détraquée que vous deux. À moins que...

Elle s'était rapprochée lentement de maman, et n'était plus qu'à un pas d'elle à présent. Elle poursuivit tranquillement :

— À moins que vous ne me rendiez immédiatement tout mon argent. Allez à ce téléphone verrouillé, appelez l'avocat et dites-lui d'être prêt à me rendre ses comptes dès demain. Vous m'entendez ?

Maman fut incapable de proférer un son, et Betsy sourit encore.

— Que s'est-il réellement passé ici, Sarah ? Si c'est bien Céleste qui est là, où est Lionel ? Eh bien ? Dites-le-moi ! vociféra-t-elle à la figure de maman.

Je m'avançai aussitôt pour écarter Betsy.

— Non ! criai-je aussi fort qu'elle.

Bébé Céleste se mit à pleurer, ce qui réveilla Panther dont les braillements se joignirent à ses pleurs, tandis que je m'efforçais d'éloigner Betsy de maman.

— Allez donner ce coup de fil, Sarah. Immédiatement. Je vous aurais prévenue, menaça-t-elle en agitant le poing sous le nez de maman.

Pendant quelques secondes maman continua de secouer la tête, puis elle s'élança vers l'escalier. Betsy hurla plus fort que jamais.

— Où allez-vous, Sarah ? Vous feriez mieux de donner ce coup de téléphone.

Maman ne se retourna pas. Elle commença à monter, s'arrêta à mi-chemin et se retint à la balustrade branlante. Elle semblait sur le point de s'évanouir.

— Maman ! appelai-je.

Cette fois elle se retourna, et me lança un regard accusateur, si chargé de haine que le cœur me fit mal. J'en eus les larmes aux yeux et la suppliai d'une voix sourde :

— Maman, je t'en prie...

— Téléphonez ! rugit Betsy. Je veux être partie de cette maison demain.

Maman atteignit la dernière marche et disparut.

— Comment as-tu pu faire ça ? criai-je à Betsy. Je faisais tout ce que tu voulais.

— Oh, ça va ! Tu devrais me remercier à genoux. Tu n'auras plus besoin de te déguiser en garçon, mais je te conseille de t'arranger pour qu'elle fasse tout ce que je lui ai demandé. Qu'elle comprenne bien que je ne plaisante pas, d'accord ? Ça l'impressionnera. Et je veux un peu d'argent et les clés de la voiture, tout de suite. Je te donne dix minutes. Monte et reviens avec l'argent. Allez, vas-y !

Par la porte du salon, je vis Bébé Céleste assise sur le canapé, étreignant ses épaules et les joues mouillées de larmes. Panther sanglotait si fort que le couffin remuait. J'attirai sur eux l'attention de Betsy.

— Les enfants...

— Oh, ils survivront. Contente-toi de faire ce que je te dis. Maintenant ! ordonna-t-elle en me poussant vers l'escalier.

Je commençai à monter sans trop de hâte.

— Active un peu, Lionel Céleste. Je savais bien que quelque chose n'était pas normal, chez toi. J'étais sûre que tu étais gay. Au fait, tu l'es peut-être, s'esclaffa Betsy.

Puis elle se retourna en direction des enfants et vociféra :

— Taisez-vous ! Taisez-vous, taisez-vous, taisez-vous !

Je courus jusqu'à la chambre de maman, espérant obtenir l'argent et les clés, pour que Betsy s'en aille le plus vite possible. Pour l'instant, je ne voyais pas d'autre solution. La porte était ouverte. Je m'arrêtai sur le seuil et observai maman. Avec des gestes lents, elle nettoya la coiffeuse, remit pots et flacons à leur place, puis entreprit de ranger tout ce qui traînait. Elle se déplaçait comme si elle marchait dans son sommeil, parmi le linge et les vêtements éparpillés dans toute la pièce.

— Maman, je suis désolé, elle est entrée chez moi par surprise, la nuit... Maman...

Un son léger me parvint, qui m'intrigua d'abord, mais en m'avançant dans la chambre je compris qu'elle fredonnait pour elle-même. Je reconnus aussitôt la mélodie, qu'elle nous chantait souvent quand nous étions petits, Lionel et moi.

— Maman ?

Au lieu de me répondre, elle se mit à chanter.

Si tu vas dans les bois aujourd'hui,
Tu auras sûrement une grande surprise...

Je posai la main sur son bras.

— Maman, écoute-moi, s'il te plaît.

Elle se retourna et sourit.

— Maman ?

Tu ferais mieux de venir déguisé...

De nouveau elle se retourna, reprit son nettoyage et se remit à chanter. Je l'observai encore quelques instants, puis j'entendis Betsy aboyer au bas des marches :

— Lionel Céleste ! Je ne vais pas attendre ici toute la journée !

Je regardai fébrilement autour de moi et aperçus le porte-monnaie de maman. Profitant de sa distraction, je l'ouvris, pris les clés de sa voiture et un peu d'argent, puis je le refermai. Elle s'était remise à chanter.

Je me hâtai de quitter sa chambre et descendis les marches quatre à quatre. Betsy me guettait.

— Tu as tout ?

— Oui.

Je lui jetai les clés, qu'elle attrapa au vol avec un sourire triomphant.

— Et l'argent ?

— C'est tout ce que j'ai pu trouver, grommelai-je en lui tendant les billets.

Elle les compta rapidement.

— Bon. Ça suffira pour le moment. Quand je reviendrai, il vaut mieux pour ta mère qu'elle ait donné ce coup de téléphone, sinon...

Elle laissa la menace en suspens.

— Les enfants ! cria-t-elle à l'adresse de Bébé Céleste et de Panther, que le sommeil avait gagné. Je vous laisse en bonnes mains. Dormez bien.

Et juste avant de sortir, elle lança une dernière flèche.

— Je vais réfléchir à ton cas, Lionel Céleste !

À l'instant où la porte se referma, le cri de maman me déchira le cœur avec la violence d'un coup de tonnerre.

19

La fin est proche

Quand je me ruai dans sa chambre, je la trouvai sans connaissance, étendue sur le sol. Son corps se trouvait dans une position bizarre, le bras droit étendu et le gauche replié sous son torse. Je m'agenouillai près d'elle et compris que sa chute avait été brutale. Son front était tout écorché d'un côté ; un minuscule filet de sang suintait des éraflures. Je me relevai en hâte et allai chercher un gant de toilette humide pour laver les blessures. Heureusement, elle ne pesait pas lourd. En fait, je m'étonnai de n'avoir jamais remarqué sa minceur, sous ses vêtements. En la soulevant pour la déposer sur son lit, je pus sentir ses côtes. Je plaçai le gant humide et froid sur son front et lui caressai la main.

— Maman, réveille-toi. Je t'en prie, la suppliai-je en gémissant.

En bas, Panther s'était remis à crier mais Bébé Céleste m'avait suivie. Elle se tenait sur le pas de la porte et regardait dans la chambre d'un air soucieux.

— Nous devons travailler au jardin, dit-elle

encore, comme si c'était la solution de tous les problèmes.

Tout au fond de moi, je me demandai vaguement si ce n'était pas le cas. Si le travail au jardin n'avait pas un effet magique et, je ne sais comment, le pouvoir d'inciter les esprits bienveillants à nous venir en aide.

Je secouai la main de maman, qui geignit.

— Maman, s'il te plaît, réveille-toi.

Ses paupières battirent, s'ouvrirent, se refermèrent et s'ouvrirent à nouveau. Bébé Céleste se rapprocha.

— Le jardin, articula-t-elle.

— Céleste, je t'en prie. Tu ne vois pas que maman ne se sent pas bien ?

Son regard se posa sur maman, puis sur moi, avec une telle expression de reproche que je crus l'entendre penser : *Tout ça, c'est ta faute.*

Maman gémit encore, puis ses yeux s'ouvrirent. Elle me dévisagea en silence.

— Maman, tout va bien ? Qu'est-ce que je peux faire ?

Elle me fixait toujours, et toujours en silence, puis son regard s'évada. Je tamponnai ses écorchures et sortis pour aller chercher une pommade cicatrisante. Quand je revins, Bébé Céleste était partie, ce qui fit naître en moi une véritable panique. J'eus l'impression que mes nerfs s'effilochaient. Le souffle court, je m'empressai d'aller soigner les éraflures de maman. Pendant tout ce temps-là elle contempla fixement le mur, évitant mon regard. Je la suppliai de m'écouter, de me parler, mais elle demeura muette.

Inquiète pour Bébé Céleste, et surtout pour Panther, maintenant que j'avais vu ce dont elle était capable, je quittai maman – bien à regret – et descendis au plus vite. Panther dormait profondément dans son couffin, mais Bébé Céleste était invisible. Je sortis et la découvris en train de travailler dans le jardin.

— Céleste ! Pourquoi es-tu sortie sans moi ?

Courbée vers la terre, elle creusait avec sa petite bêche et m'ignora complètement. Cette fois, la colère me prit. Je dévalai les marches de la galerie, courus à elle et la soulevai du sol.

— Je t'avais dit de m'attendre, il me semble. Eh bien ? Je ne te l'avais pas dit ?

Elle me jeta un regard mauvais.

— Nous devons d'abord nous occuper de maman, et ensuite nous sortirons, Céleste.

— Nous devons travailler au jardin, s'obstina-t-elle.

Je la ramenai à la maison, criant et se débattant dans mes bras.

— Tu es très vilaine, l'admonestai-je. Tu sais ce qui arrive aux gens qui ne se conduisent pas bien dans cette maison.

Je montai à l'étage avec elle et la déposai de force dans son lit.

— Maintenant, fais la sieste. Il faut que je m'occupe de maman.

Elle me lança un coup d'œil furibond et je quittai sa chambre. J'avais bien fermé la porte, mais je craignais qu'elle ne se faufile dehors, une fois de plus. Dans le tiroir de la penderie de maman, je trouvai le passe-partout qui s'adaptait à toutes les serrures de la maison. Avant cela, je n'aurais jamais osé y toucher sans permission. Je retournai à la porte de Bébé Céleste et la fermai à double tour. À peine eut-elle entendu tourner la clé dans la serrure qu'elle se mit à hurler, en martelant la porte à coups de poing.

— Fais ta sieste ! lui criai-je.

Puis je repris mon calme, descendis chercher Panther dans son couffin et le couchai dans son berceau, dans la chambre de Betsy. Il gémit et gigota un peu mais ne s'éveilla pas. Combien de journées semblables à celle-ci avait-il déjà vécues ? me demandai-je. Mais je n'avais pas le temps d'y réfléchir pour le moment. Il fallait que je retourne voir maman.

Elle était toujours couchée sur son lit, la tête tournée vers le mur et les yeux ouverts. Ses paupières battaient à un rythme lent. Je m'assis près d'elle et lui pris la main, espérant qu'elle se retournerait vers moi, me dirait ce qu'elle voulait que je fasse. Mais l'après-midi s'écoula, céda la place au crépuscule, sans que maman ait fait un mouvement ou prononcé un mot. À la fin, ses paupières se fermèrent et elle sombra dans un profond sommeil.

Je me levai, ressentant moi aussi la fatigue. Les enfants étaient calmes, l'obscurité régnait dans la maison. Il était temps de m'occuper du dîner, me dis-je avec un regard d'envie pour mon propre lit. J'aurais bien voulu m'endormir, et rêver que rien de tout cela n'était jamais arrivé. Au lieu de quoi je descendis à la cuisine pour nous préparer à toutes les trois de quoi manger.

Les jours d'antan où j'étais Céleste, une fille qui travaillait souvent aux cotés de sa mère dans la cuisine, me revinrent à la mémoire. En tant que Lionel je n'avais pas eu grand-chose à faire dans cette cuisine, mais curieusement, tout ce que j'avais fait avec maman, des années et des années plus tôt, restait vivace dans mon souvenir. Je fis cuire du riz complet et quelques aubergines parfumées aux herbes, puis je mis la table. La grande horloge campagnarde sonna et je tendis l'oreille, guettant les bruits qui m'annonceraient que maman se levait. Elle serait contente de ce que j'avais fait, j'en étais sûre. Et cela lui rendrait des forces.

Mais quand je montai la voir, elle dormait toujours aussi profondément. Fallait-il la réveiller ? J'hésitai. Elle avait besoin de se restaurer, décidai-je. Si elle ne s'éveillait pas tout de suite, je donnerais son biberon à Panther et ferais manger Bébé Céleste, puis je monterais quelque chose à maman. Au moins, cela lui ferait plaisir.

J'ouvris la porte de Bébé Céleste et la trouvai couchée derrière, roulée en boule. Elle s'assit, se frotta les yeux et me regarda d'un air furieux.

— Si tu es sage, nous pourrons sortir. Tu seras bien sage ?

Elle acquiesça d'un signe de tête, mais sans un mot.

— Alors viens. Je nous ai préparé de quoi dîner. Nous devons aller chercher Panther et le nourrir, lui aussi.

Panther se tortillait de malaise dans son berceau, secoué de sanglots et pleurant de douleur.

Je passai une autre couche de pommade calmante sur sa brûlure, le remis dans son couffin et descendis avec lui à la salle à manger.

— Aide-moi à apporter les plats, demandai-je à Bébé Céleste.

Elle le fit, mais sans l'enthousiasme qu'elle y apportait quand maman lui demandait de le faire. Puis elle s'assit en silence et mangea, tout en me regardant nourrir Panther en mangeant moi-même quand je le pouvais. Je n'aimais pas le regard rageur qu'elle attachait sur moi. C'était comme si je voyais le visage coléreux de maman plaqué sur le sien, tel un masque qu'elle pouvait mettre et retirer à volonté.

— Nous devons tous nous conduire bien, la sermonnai-je, et aider maman. Elle ne se sent pas bien, et si nous ne sommes pas sages, Céleste, elle ira encore plus mal.

Les coins de ses lèvres, d'ordinaire si douces et si tendres, se crispèrent mais elle ne dit ni oui, ni rien d'autre. Elle finit son repas et, sans attendre que je le lui demande, commença à débarrasser la table.

Panther but son biberon, mais il avait l'air très mal à l'aise. Que faisait Betsy ? Quand allait-elle rentrer ? Jusqu'à ce que j'aie pu parler tranquillement avec maman, je ne pouvais pas faire grand-chose pour la satisfaire ni l'empêcher de nous causer des ennuis. J'installai Panther dans son berceau et allai voir maman. Elle avait changé de position et ouvert les yeux, mais elle regardait fixement le plafond. Je tentai ma chance.

— Maman, comment vas-tu ? Est-ce que tu as faim ? Je t'ai préparé un dîner.

Je n'obtins pas de réponse.

— Je vais te le monter, insistai-je, en me disant que, quand elle le verrait, elle serait contente et me parlerait.

Bébé Céleste me suivait comme une ombre mais elle restait aussi muette que maman, sans jamais réagir à ce que je pouvais lui dire ou lui demander. Je redressai les oreillers de maman de façon à pouvoir l'asseoir, mais elle se laissait aller mollement, sans faire le moindre effort pour m'aider. Même lorsque j'eus déposé le plateau sur ses genoux, elle garda son regard absent et resta muette.

— Il faut que tu boives et que tu manges quelque chose, maman. Il le faut.

Je commençai à lui donner à manger. Elle leva les yeux sur moi et mâcha lentement sa nourriture. J'y vis un bon signe, elle reprenait ses esprits. Je la fis manger tant qu'elle le voulut bien, et lui fis boire tout ce qu'elle accepta de boire. Mais après cela, elle détourna la tête et ferma les yeux. Pendant tout ce temps-là, Bébé Céleste était restée assise par terre, écoutant, observant. Je retapai les oreillers de maman, l'allongeai de nouveau et sortis avec le plateau, Bébé Céleste sur mes talons.

— Descendons, Céleste. Je lirai avec toi, lui proposai-je.

En arrivant à la cuisine, j'avais la tête remplie de pensées confuses et inquiétantes. Il me fallut quelques minutes pour m'apercevoir que Bébé

Céleste ne m'avait pas suivie. Quand j'eus débarrassé le plateau et lavé la vaisselle, je remontai en espérant la trouver chez maman. Elle n'y était pas. J'allai jeter un coup d'œil dans sa chambre, où j'eus la surprise de la voir au lit, apparemment endormie. Elle s'était préparée toute seule pour la nuit, comme si elle était en accord parfait avec les sentiments et l'humeur de maman. Brusquement, cette pensée me glaça. Mon instinct m'avertissait que ce n'était pas une bonne chose.

J'allai m'occuper de Panther, passai un moment à lui parler et à le distraire, jusqu'à ce que le sommeil le gagne, lui aussi. Puis je descendis au salon. Assise dans le rocking-chair de Granpa Jordan, j'attendis, le cœur serré d'angoisse, que Betsy se décide à revenir. Le silence était lourd de menaces comme à l'approche d'une tornade.

— Papa, murmurai-je à l'obscurité du dehors, viens à moi. Aide-moi. Aide-nous...

Je retins ma respiration, écoutai, attendis, mais je n'entendis que le battement de mon cœur, tel un tambour lointain assourdi par la distance. Sans trop savoir pourquoi, je me mis à fredonner la chanson de maman, puis je la chantonnai moi-même.

— *Si tu vas dans les bois aujourd'hui...*

Bercée par la mélodie je finis par m'endormir, et ne me réveillai qu'à l'entrée de Betsy qui secoua toute la maison. Elle riait bruyamment sous l'effet de l'ivresse, et les murs tremblèrent quand elle claqua la porte. Elle me regarda un instant, vacillant sur ses jambes à l'entrée du salon. J'étais sur le point de lui parler quand un jeune homme aux cheveux d'un blond sale, en jean et chemise de sport bleue, s'avança jusqu'à elle et la prit par la taille. Des tatouages recouvraient ses deux avant-bras. On aurait dit des serpents, dont les corps enlacés formaient une sorte de chaîne.

Apparemment, Betsy était allée directement dans une boutique de confection et s'était acheté un jean, un chemisier et des souliers rose et blanc. Le chemisier, largement ouvert, découvrait son buste jusqu'au creux des seins.

— Voilà mon demi-frère, annonça-t-elle en gloussant.

Le souffle suspendu, je me préparai au pire. Qu'avait-elle raconté à cet inconnu ?

— Salut ! lança-t-il en agitant la main, juste avant de pouffer de rire, lui aussi.

— Et voilà...

Betsy se retourna vers le jeune homme. Ses yeux trop rapprochés encadraient un nez épais, qui semblait avoir été cassé.

— C'est comment ton nom, déjà ? Brad ou Tad ? Je ne me rappelle plus, s'égaya-t-elle.

— Tad.

— Brad fait partie d'un groupe de rock qui s'appelle...

Betsy leva sur son compagnon un regard embrumé.

— Les Cœurs Affamés, compléta-t-il.

— C'est ça. Les Cœurs Affamés. Ils sont super. Peut-être que je t'emmènerai les écouter un soir, quand tu ne seras pas en train de bosser dans ton jardin, de casser du bois ou de peindre des poteaux.

Une fois de plus elle s'esclaffa bruyamment, puis elle reprit brusquement son sérieux et fit un pas vers moi.

— As-tu fait ce que je t'avais demandé de faire ?

— Oui.

Vu les circonstances, mentir était la solution la plus raisonnable, estimai-je.

— Bien. Bien. Lionel est parfait, dit-elle à Tad.

Sur quoi, elle lui tira le bras d'un petit coup sec pour l'entraîner dans la pièce.

— Allez viens. On dormira dans sa chambre. Ça ne te dérange pas j'espère, Lionel ? Je ne voudrais pas réveiller qui tu sais, acheva-t-elle sur un ton de conspirateur.

Je secouai la tête en fuyant son regard. Elle n'avait probablement pas dit à Tad que Panther était son fils.

Elle remorqua le dénommé Tad jusqu'à l'escalier. Je les entendis monter d'un pas vacillant, riant toujours, en me demandant s'ils n'allaient pas réveiller maman. Je le souhaitais presque, finalement. Au moins, elle recommencerait à parler et à bouger. Mais apparemment, ce ne fut pas le cas. Quand ils se furent enfermés dans ma chambre, la maison retomba dans son calme inquiétant.

Je fermai les yeux et priai en silence. Quand je les rouvris, Elliot était assis en face de moi.

— C'est presque fini, déclara-t-il. Toute cette histoire, tout ça... c'est presque fini.

Je me contentai de le regarder. Il ne m'effrayait plus et ne me surprenait plus, à présent, et je vis que cela l'ennuyait. Son sourire se mua en grimace de confusion.

— Ça te fait plaisir, hein ? C'est ce que tu voulais. Tu voulais que je réussisse.

Je ne répondis rien. Je fermai les yeux et quand je les rouvris, beaucoup plus tard, il était parti.

À sa place il ne restait plus que le vide, un vide sombre, profond, qui avait déjà pris possession de mon cœur et m'étreignait étroitement, avec une surprenante douceur, jusqu'à l'âme. Je ne pouvais plus rien faire d'autre que dormir, m'abandonner à ce vide tel un soldat qui, après avoir combattu de son mieux, se résigne à la défaite tout en aspirant au repos.

Aux premières lueurs du jour, je fus réveillée par un petit coup frappé sur ma main. J'ouvris les yeux et rencontrai le regard de Bébé Céleste.

— Céleste ! m'exclamai-je en me frottant les joues avec énergie. Panther est réveillé, lui aussi ?

Elle fit signe que non.

— C'est maman qui t'a réveillée ? lui demandai-je avec espoir.

Nouveau signe de dénégation.

— Alors viens, allons voir comment elle va.

Je me dirigeai vers l'escalier, mais elle ne me suivit pas. Je me retournai et la vis debout au pied des marches.

— Ne va nulle part maintenant, Céleste. Nous

allons préparer le petit-déjeuner dans quelques minutes.

Elle n'ouvrit pas la bouche mais garda les yeux fixés sur moi. Je me hâtai vers la chambre de maman, en notant au passage que la porte de la mienne était fermée. Heureusement. Cela aurait causé un choc à maman de voir que Betsy avait osé introduire quelqu'un dans la maison, surtout de cette façon.

Maman était réveillée, mais elle avait toujours le même regard lointain. Ce qui m'effraya le plus, toutefois, fut de m'apercevoir qu'elle s'était mouillée, comme un bébé.

— Oh mon Dieu, maman ! m'écriai-je, consternée.

Elle ne tourna pas les yeux vers moi, ne fit aucun signe qui indiquât qu'elle m'avait entendue. Pendant un moment, je ne fis que tourner en rond, en m'efforçant de décider ce qu'il fallait faire en premier. Et puis, Panther se mit à pleurer. Je m'attendais à ce que Betsy se lève pour s'occuper de lui, mais la porte de ma chambre resta obstinément fermée. Je ne savais pas par quoi commencer.

— Maman, il faut que tu te lèves, la suppliai-je. Il faut que tu fasses ta toilette et que tu te changes. Je t'en prie, maman.

Elle ferma les yeux, les rouvrit, me regarda... et sourit.

— Maman. Oh merci, merci ! m'écriai-je, à l'adresse de chacun des esprits qui entouraient notre maison ou l'habitaient.

— Lionel ?

— Oui, maman. Oui, c'est Lionel. Écoute-moi, maintenant. Tu as eu un petit accident, lève-toi s'il te plaît. Nous devons changer ta literie et tu dois te laver.

— Un accident ? Oh, je vieillis, je suppose, commenta-t-elle en se rendant compte de ce qu'elle avait fait.

Les pleurs de Panther devinrent des hurlements.

— Qui est-ce qui crie ? s'enquit maman.

— C'est Panther.

Elle se souleva légèrement sur les coudes.

— Panther ? Qui est Panther ?

— Le Panther de Betsy, maman. Son bébé.

Elle me regarda d'un air troublé, sans comprendre.

— Tout va bien, maman. Peux-tu te lever et te déshabiller toute seule ? J'irai m'occuper du bébé, d'accord ?

— Le bébé ? Ah oui, se souvint-elle. Bébé Céleste.

— Oui, maman. Elle est en bas, elle attend que nous servions le petit-déjeuner.

Maman inclina la tête et je l'aidai à se mettre debout. Elle chancela un peu puis retrouva son équilibre. Je l'accompagnai jusqu'à sa salle de bains, après quoi j'allai voir ce que devenait Panther. Il avait besoin d'être changé. Je fis le plus de bruit possible afin de réveiller Betsy, puis je me souvins qu'elle avait le sommeil lourd. Une bombe pourrait exploser dans la maison sans l'éveiller, nous avait dit Dave. Et même si elle se levait, je dus reconnaître qu'elle ne me serait pas d'un grand secours.

Bébé Céleste était déjà dans la cuisine et s'efforçait de mettre la table pour le petit-déjeuner. Elle avait sorti le jus d'orange du réfrigérateur et trouvé son petit bol à céréales. Je souris devant ses efforts et posai le couffin de Panther sur deux chaises. Je préparai son biberon, du porridge pour maman et fis griller quelques tranches de son pain maison. Quand j'eus terminé, Betsy n'était toujours pas réveillée. Je montai chez maman et la trouvai assise, nue... dans la baignoire vide. Elle promenait un gant de toilette sur ses bras et son buste comme s'il y avait de l'eau et du savon. J'éprouvai un tel choc que je crus sentir mon corps se liquéfier.

— Maman... il n'y a pas d'eau dans la baignoire.

Elle leva les yeux sur moi et me sourit.

— Tu viens me frotter le dos ?

C'était une chose qu'elle avait souvent fait faire par Lionel, quand il était petit. C'était aussi la seule qu'il prenait au sérieux, en dehors de ses jeux imaginaires, bien sûr. Elle me tendit le gant et je baissai la tête, au comble de l'embarras. Qu'allais-je bien pouvoir faire ?

Le rire de Betsy résonna dans le couloir et je pivotai sur moi-même.

— Lionel ! glapit-elle. Où diable es-tu passé ?

Je me précipitai pour voir ce qu'elle voulait.

Elle se tenait à l'entrée de ma chambre, un oreiller plaqué sur son corps nu.

— Monte-nous du café et fais-nous griller quelques tranches de ce pain que j'aime, avec de la confiture de mûres. Et en vitesse, ordonna-t-elle. Après ça, nous aurons une petite discussion, toi et moi. Au fait, où est la reine mère ?

J'eus l'impression qu'un essaim d'abeilles bourdonnait autour de ma tête. Je regardai derrière moi, en direction de la chambre de maman, puis dans celle de l'escalier.

— Oh, ne joue pas les abrutis, gouailla Betsy. Contente toi de faire ce que je te dis.

— Hé ! appela son nouveau compagnon, où est-ce qu'on peut bien être ?

— Au paradis des amateurs d'herbe ! s'esclaffa-t-elle.

Puis, après m'avoir jeté un regard furibond, elle rentra dans ma chambre.

Je retournai dans la salle de bains de maman. Elle était sortie de la baignoire et se frictionnait avec une serviette. Il fallait que j'aille voir ce que devenaient les enfants. Ils étaient restés seuls trop longtemps.

— Je reviens tout de suite, maman. Je t'ai préparé du porridge.

— Vraiment ? Comme c'est gentil. Mais dis-moi... c'est toi qui l'as préparé ou Céleste ?

— Céleste, répondis-je dans un murmure.

— Je m'en doutais. C'est très bien, Lionel. Je sais que tu désirais le faire et c'est l'intention qui compte le plus.

Elle s'assit à sa coiffeuse et, toujours nue, commença à se brosser les cheveux. Ses mouvements étaient d'une lenteur extrême. Cela va l'occuper pour un moment, me rassurai-je, et je sortis, puis descendis en toute hâte.

Panther avait arraché la tétine de son biberon

et le secouait avec frénésie, projetant du lait partout. Quant à Bébé Céleste, elle l'observait en terminant tranquillement ses céréales. J'en fus choquée.

— Pourquoi le laisses-tu faire, Céleste ?

Elle leva la tête et me gratifia d'un petit sourire pincé.

— Tu continues à être vilaine, tu ne sortiras pas aujourd'hui. Tu passeras la journée dans ta chambre.

Je préférais la savoir là qu'ailleurs, de toute façon. Je voulais la tenir à l'écart de tout ce qui se passait.

Apparemment, mes remarques la laissèrent totalement indifférente. J'essuyai rapidement le visage de Panther et le lait répandu sur lui et autour de lui. Je fis du café, sortis du placard la confiture de mûres et coupai quelques tranches de pain pour les toasts. Avant que j'aie terminé, Bébé Céleste débarrassa la table et mit la vaisselle sur la paillasse, y compris le biberon de Panther. Puis elle me jeta un regard de dégoût et monta dans sa chambre.

Aussitôt après, Betsy cogna au plancher de la mienne en réclamant à grands cris d'être servie. Je montai le plateau et frappai à la porte de ma chambre.

— Entre ! entendis-je en réponse, et je me débrouillai tant bien que mal pour ouvrir.

Betsy était au lit avec Tad et s'assit aussitôt.

— Mets ça ici, petit frère.

Un œil fermé, Tad souriait béatement. Je posai le plateau entre eux.

— Et fais-moi couler un bain, ordonna-t-elle encore. Bien chaud, avec cette camelote de produit moussant que fabrique Sarah. Ça m'a l'air assez bon pour la peau. Pas vrai, Brad ?

— Tad, rectifia-t-il.

— Tad. Est-ce que je n'ai pas la peau douce ?

— Comme des fesses de bébé, rétorqua-t-il, et ils éclatèrent de rire en même temps.

J'étais presque sortie quand Betsy cria derrière moi :

— Ferme cette fichue porte !

— Avec plaisir, grommelai-je en m'exécutant.

Quand j'entrai dans la chambre de maman, elle avait mis sa chemise de nuit et se préparait à se glisser dans son lit.

— Mais qu'est-ce que tu fais, maman ? Il faut changer ta literie, et d'ailleurs... tu ne veux sûrement pas te recoucher ?

— Je suis fatiguée, et il est tard. Tu devrais te coucher, toi aussi.

— Non, maman. C'est le matin. Lève-toi. Habille-toi.

Elle secoua la tête et, malgré l'état des draps, se faufila sous la couverture.

Pendant un moment, je restai plantée là sans savoir que faire. Il fallait que j'appelle quelqu'un. J'avais besoin d'aide. Les seules personnes auxquelles je pensai furent M. Bogart et sa femme, ou encore Tani Austin. Commençons par le commencement, décidai-je. Il n'était pas question que maman sorte. Je devais négocier avec Betsy et régler la question moi-même.

J'allais voir ce que devenait Bébé Céleste. Je la

trouvai assise à sa table, plongée dans de vieux albums de photos de famille. Elle était parfaitement tranquille et je me retirai, pour aller mettre en route le bain de Betsy. Puis j'allais chercher Panther et remontai à l'étage pour lui faire sa toilette et le changer des pieds à la tête. Avant que j'aie terminé, Betsy entra dans la chambre et tira la porte derrière elle.

— Ton bain va déborder, la mis-je en garde.

— Je vais m'occuper de ça. Surtout ne va pas raconter devant Tad que ce gosse est à moi, tu m'entends ? Je lui ai dit que c'était celui de ta cousine, lui aussi. Et mon argent, quand est-ce qu'il arrive ?

Je plaquai les mains sur mon visage.

— Eh bien ? aboya-t-elle.

J'abaissai lentement mes mains.

— Maman ne va pas bien. Ce que tu as fait lui a...

— Lui a quoi ?

— ... lui a causé un choc terrible. Son état mental est désastreux. Elle est complètement désorientée, comme hébétée. Je vais sans doute être obligée de demander de l'aide.

Betsy médita quelques instants l'information.

— N'appelle personne pour le moment. J'y réfléchirai, nous nous débrouillerons. Après mon bain, j'irai en ville avec Tad, pour m'acheter tout ce dont j'aurai besoin avant de partir d'ici. Il me faudra plus d'argent, des cartes de crédit. Prends tout ça à ta mère. Tu sais où elle range son chéquier. Signe-moi un chèque pour tout ce qu'elle a sur son compte. Quand je reviendrai, nous

nous occuperons du reste. C'est compris ? Eh bien ? Tu vas rester longtemps à me regarder comme ça ?

— Je ferai ce que je pourrai.

— Tu feras plus que ça ! renvoya-t-elle en tournant les talons.

Je me retrouvai seule avec Panther. Quand je l'eus habillé, je descendis avec lui, et le déposai dans le parc que nous avions installé pour lui au salon. Il pleurnicha quand je le laissai seul, mais je n'y pouvais rien. Je retournai dans la chambre de maman : elle s'était rendormie. Je cherchai dans ses affaires, trouvai d'autres billets, son carnet de chèques et deux cartes de crédit. J'étais décidée à satisfaire Betsy pour qu'elle ne nous crée plus d'ennuis.

Il semblait y avoir un solde créditeur de deux mille quatre cents dollars sur le compte. Je rédigeai un chèque pour un montant de deux mille dollars et j'apportai le tout à Betsy, qui se prélassait dans la baignoire, la tête renversée en arrière et les yeux fermés.

— Il faut rendre justice à Sarah, dit-elle en m'entendant entrer. Son bain moussant aux herbes fait un bien fou.

Elle se redressa et ouvrit les yeux.

— Eh bien ?

— J'ai un chèque de deux mille dollars que tu devrais pouvoir toucher en espèces à la banque. S'ils appellent ici pour vérifier, je leur dirai que tout est en ordre. Ces cartes sont les deux seules que nous ayons, et avec celle-là tu peux retirer quatre cents dollars dans un distributeur, expliquai-je en lui montrant le relevé de compte.

— C'est déjà un début. Tu deviens très dégourdi, Lionel Céleste. Comment va la reine mère ?

— Maman vient de s'endormir.

— Elle ferait mieux de se rétablir vite pour téléphoner à cet avocat, menaça-t-elle. Passe-moi la serviette.

Je la lui tendis et elle sortit de la baignoire.

— Tu vois, dit-elle en se tournant vers moi pour me montrer sa poitrine, elle est toujours ferme. Si jamais tu deviens la femme que tu es, ne nourris jamais au sein.

Je sortis précipitamment, poursuivie par son rire gouailleur. Quand j'arrivai sur le palier, j'entendis le piano.

— Maman ? appelai-je.

La musique était différente de ce qu'elle jouait d'habitude, semblait-il. Je trouvai Tad au salon, assis au clavier.

— Ce truc est complètement désaccordé, fit-il observer.

Puis, désignant du menton Panther qui le regardait tranquillement, couché sur un coussin dans son parc, il ajouta en riant :

— Les gosses aiment le rock'n'roll, on dirait.

Sur ce, il se remit à plaquer des accords.

J'entrai dans la cuisine et débarrassai la table. Je n'avais d'appétit pour rien, et me contentai d'un café. À peine l'avais-je fini que j'entendis Betsy descendre.

— On y va ! cria-t-elle du hall.

Je m'avançai jusqu'à la porte d'entrée, où ils attendaient tous les deux. Betsy me signifia d'un ton sans réplique :

— Je reviens dans l'après-midi et nous ferons nos affaires, c'est compris ?

Je ne répondis rien. Ils sortirent aussitôt et le calme régna de nouveau dans la maison. Puis Panther lança un cri, comme s'il appelait sa mère, et je retournai le voir. Il avait beaucoup progressé depuis que je m'occupais de lui et le faisais jouer. Il s'accrochait aux barreaux comme s'il voulait se hisser sur ses jambes. Ce n'était pas la première fois qu'on l'abandonnait ainsi, et ce ne serait certainement pas la dernière, méditai-je.

Tout à coup, je me sentis si piégée, si recluse, que j'eus la sensation oppressante d'être moi-même enfermée dans un parc. Je sortis sur la galerie et respirai à longs traits l'air frais du matin. Le ciel était plutôt nuageux, mais il y avait assez de soleil pour offrir un peu de répit à mon cœur inquiet, le délivrer un instant des ombres qui le hantaient.

Mon regard s'évada en direction des bois, et soudain je fus certaine de voir papa. Il s'avança vers la maison, mais quelque chose l'arrêta et il rentra sous le couvert des arbres. Je restai aux aguets.

De nouveau, il s'avança, et de nouveau quelque chose l'arrêta et il regagna l'orée du bois.

— Papa ! implorai-je, les joues ruisselantes de larmes.

Il tenta une dernière sortie, s'arrêta et secoua

la tête. Une fois de plus il se retrouva dans le bois… et je compris enfin.

Il ne pouvait pas venir chez nous.

Autour de moi, des ombres allaient et venaient en tous sens, s'arrêtaient, se figeaient. Comme si… comme si elles étaient toutes enfermées dehors.

Quelque chose allait mal, terriblement mal. Et tant qu'elles ne rentreraient pas dans l'ordre, nous serions seuls.

Nous étions tous abandonnés.

20

Danse de mort

Dormir ne fit aucun bien à maman, ce fut plutôt l'inverse : elle sembla s'enfoncer de plus en plus dans les abîmes de la démence. Quand elle s'éveillait, elle bredouillait des paroles incohérentes et se rendormait, passant continuellement de la veille au sommeil et vice versa. Je tentai de lui faire boire un peu d'eau, mais le liquide s'écoulait aussitôt par les coins de sa bouche. Sa langue était comme un bouchon qui obstruait sa gorge. Je savais qu'elle ne pourrait pas rester longtemps dans cet état, mais je conservais l'espoir de la ramener à la raison, d'une façon ou d'une autre.

Je passai la journée à m'occuper de Panther. Quant à Bébé Céleste, elle ne quitta pas son expression boudeuse et renfrognée. Finalement, profitant de la sieste de Panther et du sommeil momentané de maman, j'essayai de satisfaire Bébé Céleste en l'emmenant au jardin. Elle parut d'abord toute contente ; mais en comprenant que nous ne pouvions pas rester longtemps dehors, elle reprit son air maussade, mangea du bout des dents et m'ignora. Finalement, elle monta s'enfermer dans sa chambre. Quand je vins y jeter un coup d'œil, elle dormait dans son lit.

Plus tard dans l'après-midi, Betsy revint seule et chargé d'innombrables sacs. Elle s'était acheté des vêtements, des chaussures, des produits de beauté, tout ce dont elle avait été privée. Je dus l'aider à monter tout cela dans sa chambre, et il me fallut faire deux voyages. Elle n'alla même pas voir Panther, ne prit pas non plus la peine de demander s'il allait bien. Elle ne fit que vanter les merveilleux vêtements qu'elle s'était offerts. Je m'efforçai de me montrer intéressée, voire enthousiaste, uniquement pour lui faire plaisir. Quand enfin elle s'arrêta, ce fut pour s'informer de maman et de M. Nokleby-Cook, notre avocat.

— J'ai décidé de faire partie du groupe de Tad, m'annonça-t-elle. Je voyagerai avec eux et je serai leur manager. La première chose que j'achèterai quand j'aurai mon argent, ce sera un de ces camping-cars équipés d'un cabinet de toilette. On peindra le nom du groupe sur les côtés. On est tous emballés par cette idée. Alors, où en es-tu ?

— J'essaie de faire ce que tu m'as demandé, mais maman dort toujours.

— Comment ça, elle dort toujours ? s'emporta Betsy. C'est de la frime, oui ! Elle fait semblant, et j'aime autant te dire qu'avec moi, ça ne prend pas.

Elle jeta son sac de chemisiers neufs par terre et sortit de la pièce à grands pas.

— Betsy ! la rappelai-je. Ne fais pas ça !

Elle fonça littéralement vers la chambre de maman et y fit une entrée fracassante. Maman était toujours au lit, les yeux fermés. Betsy marcha droit sur elle. Je m'élançai à sa suite mais elle arriva la première et se mit à secouer maman.

— Réveillez-vous, Sarah. Cette comédie ne marche pas avec moi. Je veux mon argent et je le veux tout de suite. Réveillez-vous, bon sang ! s'époumona-t-elle en secouant maman, si fortement que sa tête oscilla comme un pendule.

Je la retins par le bras, mais elle était si déterminée qu'elle se libéra d'un coup sec et secoua maman de plus belle. Les yeux de maman s'ouvrirent, mais elle ne dit pas un mot et n'eut pas un regard pour Betsy, qui hurla.

— Arrêtez de faire semblant d'être dans les vapes ! Vous allez m'obéir et en vitesse, nom d'un chien !

Maman resta muette, sans même tenter de protester ou de se défendre. Ses yeux se refermèrent.

— Si vous ne faites pas ce que je veux, je descends faire bouillir de l'eau et je vous la jette en pleine figure, menaça Betsy.

Les paupières de maman frémirent, mais ne s'ouvrirent pas. Betsy la laissa retomber sur son oreiller, se retourna et me jeta un regard venimeux.

— J'en ai marre de toi. Marre de cette dingue. Marre de cette baraque ! Si elle me vole mon argent, elle s'en mordra les doigts.

— Elle ne te le vole pas, dis-je aussi calmement

que possible. C'est ton père qui a voulu prendre ces dispositions.

— Sûrement pas. C'est elle qui l'y a poussé. Elle l'a hypnotisé, ou un truc comme ça. Vous ne vous en tirerez pas comme ça, Sarah ! glapit Betsy à l'adresse de maman. La comédie ne prend plus.

— Elle ne joue pas la comédie, elle va très mal. Je n'arrive même pas à la faire boire.

— Oh, ça va ! Je sais ce qu'elle manigance. Elle s'imagine peut-être que ses esprits vont la sauver, mais pas cette fois. Vous n'êtes plus la patronne, Sarah. Vous ne forcerez plus personne à vous obéir. Je veux mon argent !

Les lèvres de maman remuèrent faiblement, mais ses yeux ne s'ouvrirent pas.

— Elle ne fait pas semblant, insistai-je. Tu vas devoir attendre qu'elle aille mieux.

Betsy eut un sourire inquiétant.

— C'est vrai, Lionel Céleste ? Je vais devoir attendre ? Moi ? C'est moi qui dois attendre pour avoir mon argent ?

— Tu ne vois pas dans quel état elle est ?

Betsy se retourna vers maman.

— Je vois une comédienne et une cinglée, voilà ce que je vois. Vous voulez jouer au plus fort avec moi, Sarah ? D'accord. Je descends faire bouillir l'eau.

Elle tourna les talons et fonça vers la porte, me bousculant sans égards au passage. Maman gémit mais n'ouvrit pas les yeux.

Je la suppliai.

— S'il te plaît, maman, qu'elle ait son argent et qu'elle s'en aille, une fois pour toutes.

Pas un trait de maman ne bougea. J'effleurai tendrement son visage et l'appelai, mais elle ne réagit pas.

Elle ne m'entend pas, me désolai-je. C'était ce que j'avais toujours redouté. Affronter la réalité de la mort de Lionel l'avait détruite. Elle avait été si durement, si profondément atteinte que son propre corps était devenu son cercueil, et elle l'avait refermé sur elle.

— Oh, maman, me lamentai-je, en me penchant pour presser ma joue contre la sienne. Ne pouvons-nous pas être heureuses ensemble en étant ce que nous sommes vraiment ? Ne puis-je pas redevenir ta Céleste ? S'il te plaît, maman.

Mes larmes roulèrent de mes joues sur les siennes, mais elle n'ouvrit toujours pas les yeux. Je perçus la vibration d'une longue plainte au fond d'elle-même, une vibration qui sonnait comme un cri douloureux, caverneux. *Nonon-on-on-on-on !* Puis je me relevai, reculai, et attendis pour voir si elle allait réagir avant que je ne quitte la pièce. Il fallait que je parte. Que j'apaise Betsy et trouve une solution quelconque, jusqu'à ce que je sois en mesure d'aider maman. Peut-être devais-je appeler M. Bogart ? Il saurait quoi faire, lui. Ou alors le révérend Austin et sa femme ? Ils étaient si bons, si compréhensifs. Ils nous viendraient en aide.

Je ferais part de mes intentions à Betsy. Elle se calmerait en voyant que je faisais de mon mieux. Je me mis à sa recherche et la trouvai dans la cuisine. Elle avait rempli une casserole d'eau et l'avait fait bouillir. En m'entendant arriver, elle se retourna.

— La reine mère a-t-elle décidé de jouer le jeu ? Est-elle prête à donner ce coup de fil ?

— Non, Betsy. Je te l'ai dit, elle ne fait pas semblant. Je vais appeler M. Bogart ou le révérend Austin. Ils sauront quoi faire.

— C'est ça, ta solution ? Appeler son représentant attitré ou cet idiot de révérend, qui viendra nous faire un beau sermon sur la chance que nous avons de vivre ensemble ? Peut-être qu'elle ne fait pas semblant. Peut-être qu'elle est en pleine crise, mais je vais lui faire passer ça, moi, et vite. Tout le monde m'attend. Tad a réuni tout le groupe. Nous partons demain, dès que j'aurai mon argent.

Elle saisit une manique et retira la casserole du feu.

— Tu ne peux pas faire ça, voyons ! Elle ne sait même pas de quoi tu la menaces.

— Oh, elle le saura. Quand j'aurai laissé tomber quelques gouttes sur sa figure, elle comprendra vite, jubila Betsy. Laisse-moi passer ou je t'arrose la première.

— Je t'en prie, donne-moi une chance de trouver de l'aide. C'est la meilleure chose à faire.

— Pousse-toi de là ! aboya-t-elle.

Elle m'aurait vraiment aspergée d'eau bouillante, je n'en doutai pas une seconde et m'écartai en hâte. Elle sortit de la cuisine et je la suivis, en la suppliant d'être raisonnable, de m'accorder au moins une chance de faire ce qu'elle attendait de moi. Elle ne s'arrêta qu'au milieu de l'escalier pour me répondre.

— Si mon idée ne donne rien, on suivra la tienne, mais ça marchera, fais-moi confiance.

Là-dessus, elle repartit, mais parvenue à trois marches du haut de l'escalier, elle s'arrêta encore. Bébé Céleste avait quitté sa chambre et se tenait au bord du palier, la toisant d'un œil mauvais.

— Ôte cette gosse de mon chemin ou je l'ébouillante.

— Céleste, laisse-la passer ! m'écriai-je en me précipitant vers elle pour la mettre hors de danger.

Mais, loin de reculer devant Betsy, Bébé Céleste tendit les bras pour l'empêcher de passer. Puis, à ma plus grande frayeur, elle descendit à sa rencontre, la défiant littéralement d'aller plus loin.

— Elle est aussi givrée que ta mère, grinça Betsy en brandissant la casserole pour jeter un peu d'eau à Bébé Céleste.

D'un bond, je franchis la distance qui me séparait de Betsy et lui saisis le bras droit.

— Non ! hurlai-je en le tordant brutalement en arrière.

Elle manqua une marche, et la brusquerie de mon geste la précipita contre le mur. Elle le heurta violemment du front, tournoya sur elle-même comme une ballerine et retomba deux marches plus bas. Ses jambes cédant sous son poids, elle se roula en boule et dégringola jusqu'au bas de l'escalier. L'espace d'un instant, la casserole parut suspendue en l'air, puis suivit le même chemin que Betsy, rebondissant de marche en marche et crachant de l'eau sur ses jambes. Betsy atterrit dans une position bizarre, la tête rejetée en arrière et formant un angle curieux avec son torse. La casserole eut encore quelques soubresauts bruyants et arrêta sa course.

Le bras droit de Betsy paraissait légèrement tordu, le gauche avait heurté très rudement le sol et je vis que son avant-bras était cassé. L'os avait percé la peau, un filet de sang coulait de la déchirure. Je la fixai avec stupeur, médusée par l'étrange ballet que j'avais mis en branle. Un ballet qui, j'en pris subitement conscience, était une danse de mort.

J'étais sous le choc. Pendant une bonne minute, je ne m'aperçus même pas que Bébé Céleste m'avait rejointe et me tenait par la main. Elle aussi regardait fixement Betsy.

— Oh mon Dieu, je crois qu'elle est morte ! m'exclamai-je, atterrée.

C'est alors que je pris conscience de la présence de Bébé Céleste. Figée comme une statue, elle paraissait plus intriguée qu'effrayée par ce qu'elle voyait. Je la pris dans mes bras et, très doucement, descendis vers le corps disloqué de Betsy. Ses yeux, toujours grands ouverts, avaient déjà pris une apparence vitreuse ; ils ne reflétaient plus la moindre émotion ni la moindre conscience. Ils me firent penser à deux chandelles éteintes qu'on venait juste de souffler. Les ténèbres étaient entrées en elle, noyant aussitôt chaque pensée, chaque souvenir.

— Qu'est-ce que nous allons faire ? me lamentai-je.

Bébé Céleste releva la tête et me regarda en battant des paupières.

— Mets-la dans le jardin.

Cette suggestion me causa un choc, comme si je venais d'être frappée par la foudre. Mais au lieu de me sentir brûlée par l'éclair, j'eus l'impression qu'il me glaçait le sang et le cœur. Portant toujours Bébé Céleste, je fis demi-tour et remontai les marches. Maman saura quoi faire, me répétais-je. Il faut qu'elle me le dise, qu'elle s'éveille tout de suite. Il faut qu'elle m'aide.

Je gagnai sa chambre aussi vite que possible, m'approchai d'elle et posai Bébé Céleste à terre. Elle resta debout à côté de moi, les yeux fixés sur maman. Je pris la main de maman dans les miennes, m'agenouillai, inclinai la tête comme pour prier et lui parlai à mi-voix.

— Maman, une chose terrible est arrivée. J'ai voulu empêcher Betsy de jeter de l'eau bouillante sur Bébé Céleste et de venir t'en jeter aussi, et je l'ai fait tomber dans l'escalier. Je suis sûr qu'elle s'est brisé la nuque. Je suis sûr qu'elle est morte, maman. Elle est morte. Qu'est-ce que je dois faire ? Je t'en prie, maman, réveille-toi et aide-moi. Aide-nous.

J'attendis mais elle ne bougea pas, ne parla pas non plus. Je restai quand même auprès d'elle et l'implorai encore. J'ignore combien de temps je restai ainsi, sans changer de position, mais il faisait noir quand je pris conscience d'avoir mal aux genoux et relevai la tête. Bébé Céleste n'était plus là, j'entendais crier Panther. Sa voix était rauque, et je compris qu'il avait dû crier longtemps sans que je l'entende.

Je me levai et baissai les yeux sur maman.

Elle avait la tête légèrement tournée sur le côté, ce qui m'effraya. Je lui tâtai fébrilement le pouls. Il était perceptible mais très, très faible. Peu à peu, elle perdait toute force et toute énergie, telle une batterie qui se décharge. Il fallait qu'elle prenne un peu de nourriture.

Je vais lui préparer des céréales au miel, décidai-je. Si j'arrive à la faire manger, elle ira mieux. Oui, c'est tout ce que j'ai à faire : réussir à lui faire avaler quelque chose.

Et aussi à m'occuper de Panther et de Bébé Céleste, me rappelai-je subitement. Je me précipitai hors de la chambre. Procédons par ordre, raisonnai-je. Quand j'aurai fini tout ce que j'ai à faire, j'irai m'asseoir dans le fauteuil de Grandpa Jordan et j'attendrai que les esprits me conseillent. Ils me diront ce que je dois faire. Tout s'arrangera. J'aurais dû y penser plus tôt. Comme j'ai été stupide ! Ils ne laisseront rien de mauvais nous arriver. Jamais.

J'allai directement voir Panther et commençai par le changer. Puis je le calmai et le descendis pour lui donner sa bouillie. Il regarda le corps de Betsy avec curiosité, mais sans émotion. Il n'appela pas, ne tendit pas les bras vers elle. Au contraire, il les noua encore plus étroitement autour de mon cou.

— Allons, allons, murmurai-je. Tout va s'arranger. Tout ira bien pour nous.

Dans la cuisine, Bébé Céleste grignotait un cracker.

— J'ai faim, dit-elle d'un ton revêche.

— Je sais bien, Céleste. Je vais préparer le dîner tout de suite. Pendant ce temps-là, tiens Panther occupé, tu veux ?

Je le déposai dans la chaise haute, où il commençait à se tenir droit, et lui donnai sa tétine à suçoter. Bébé Céleste s'assit gentiment près de lui et lui parla, tandis que je m'attaquais au dîner.

Tout allait s'arranger, me répétais-je pour me rassurer. Je les fis manger tous les deux, puis je montai un bol de céréales et une tasse de tisane à maman. Elle n'avait absolument pas bougé, sa position était exactement la même. Je retapai ses oreillers et la redressai en position assise, mais elle laissa tomber sa tête en avant. Très doucement, je lui relevai le menton.

— S'il te plaît, maman, essaie de manger. Je t'ai apporté quelque chose de très bon.

Je glissai une cuillerée de céréales dans sa bouche, mais sa mâchoire ne bougea pas. Les céréales restèrent sur sa langue. Peut-être parviendrais-je à les lui faire avaler avec de l'eau ? Je remplis son verre, lui soutins la tête et laissai couler l'eau dans sa bouche. Elle eut un haut-le-cœur, recracha les céréales et l'eau mais ses yeux ne s'ouvrirent pas. Que pouvais-je bien faire, à présent ? demandai-je en silence à son visage muet.

Je reculai un peu, la contemplai longuement et quittai lentement la pièce, accablée par mon échec. Toutes sortes de pensées décousues, inachevées, ricochaient dans ma tête comme des balles de ping-pong. J'étais plongée dans une sorte d'hébétude, moi aussi, quand j'atteignis le bas des marches et que j'évitai le corps désarticulé de Betsy.

Je déposai Panther dans son parc. Bébé Céleste s'assit à côté de lui, ouvrit un de ses livres, et je m'installai dans le fauteuil de Grandpa Jordan. Le dos appuyé au dossier, je fermai les yeux et attendis. Je sais que je m'assoupis car lorsque je rouvris les yeux, Panther dormait dans son parc et Bébé Céleste était allongée sur le canapé, endormie elle aussi. Le silence et l'obscurité régnaient dans la maison.

C'est alors qu'il me vint une idée. Elle s'imposa d'une façon si forte, si vivace, qu'elle ne pouvait m'être envoyée que par nos esprits protecteurs. Elle m'arracha un sourire. C'était évident, bien sûr. Comment n'y avais-je pas pensé plus tôt ? Je me levai, m'approchai de la fenêtre et n'eus plus aucun doute. Ils étaient là, tous ensemble, et regardaient la maison en parlant entre eux. Papa était là, lui aussi. Mais quelqu'un manquait. Quelqu'un que je devais aller chercher et ramener.

D'un regard, je m'assurai que tout allait bien pour les enfants. Puis je montai rapidement à l'étage, sans même prêter attention à Betsy, cette fois, et j'allai directement à la chambre de maman. Sans bruit, j'ouvris le tiroir de sa penderie et y pris la clé de la chambre de la tourelle. Maman était toujours assise, appuyée à ses oreillers, mais sa tête penchait mollement vers sa poitrine.

— Tout va bientôt s'arranger, maman, dis-je à voix basse. Attends un peu et tu verras.

Pleine d'une ardeur soudaine, je montai quatre à quatre le petit escalier de la tourelle et ouvris la porte. Je savais exactement où aller et que chercher. Il ne me fallut que quelques minutes pour le faire sortir et redescendre. Je retournai dans la chambre de maman, me déshabillai entièrement et passai dans sa salle de bains. Sous la douche, je me savonnai avec énergie, savourant la douceur de la mousse parfumée. Et dès que je me fus essuyée, je brossai mes cheveux d'une façon différente de l'ordinaire. Puis je m'assis devant la coiffeuse et me maquillai, exactement comme je l'avais fait quelque temps plus tôt. Encouragée par le résultat, je mis le soutien-gorge, la petite culotte et la robe que j'avais choisis longtemps auparavant, au cours de l'une de mes visites secrètes à la chambre de la tourelle. J'avais également des chaussures préférées. Sitôt chaussée, je me contemplai dans le grand miroir en pied.

— Oh, maman ! m'écriai-je, émerveillée. Je suis belle ! Regarde-moi. Regarde-moi une seule fois et vois-moi, vois-moi vraiment, implorai-je.

Elle leva la tête, me regarda... et sourit. Elle me sourit, j'en eus la certitude, et je lui rendis ce sourire. Je fus tout aussi certaine de l'entendre murmurer :

— Céleste, ma chère petite Céleste. Tu es revenue.

— Oui, maman. Je suis revenue, pour de bon.

Je la serrai contre moi, et je pourrais jurer qu'elle répondit à mon étreinte.

Puis je quittai la pièce en courant et dévalai l'escalier. Il fallait que tout le monde me voie. C'était très, très important. Je sortis sur la galerie, m'avançai jusqu'au bord des marches et criai :

— Regardez-moi !

Ils se retournèrent tous. Papa souriait.

— Mon bras gauche ! s'exclama-t-il.

Plus loin, sur ma droite, une ombre se leva d'une tombe sans nom. Chacun se retourna pour l'observer. L'ombre sortit du petit cimetière et, très lentement, s'avança en direction de la maison. Quand elle fut assez proche, nous la reconnûmes tous. C'était Lionel, et lui aussi souriait.

— Mon bras droit ! s'écria papa.

Lionel marcha jusqu'à lui et papa le prit par les épaules. Je descendis les marches pour les rejoindre et tous deux me donnèrent l'accolade.

D'un même mouvement, nous nous retournâmes tous les trois vers la maison, en levant les yeux vers une fenêtre de l'étage. De là-haut, maman nous regardait, j'en étais certaine.

— C'est merveilleux, dit joyeusement papa. Nous sommes de nouveau réunis.

— Oui, papa.

— Et tu joueras avec moi ? me demanda Lionel d'un ton méfiant.

— Mais oui, je te le promets.

Il se détendit et ses traits s'éclairèrent.

— Nous pouvons tous entrer dans la maison, maintenant, dit papa. Conduis-nous, Céleste.

Je lui pris la main et il prit celle de Lionel. Derrière nous, les membres de notre famille applaudirent avec des cris de joie. J'ouvris la porte, et papa et Lionel passèrent devant moi. Quand je me retournai, je regardai du côté de la forêt. Je vis Elliot, la tête basse, reculer précipitamment vers les ténèbres d'où il était venu, et où il allait retourner pour toujours. Puis j'entrai dans la maison et, papa et Lionel à mes côtés, je déshabillai les enfants, les changeai pour la nuit et les mis au lit. J'allai aussi m'occuper de maman et l'installai confortablement pour dormir.

Papa s'assit près d'elle et lui tint la main, Lionel et moi nous assîmes sur le lit. À voix basse, nous parlâmes longuement entre nous, jusqu'à ce que je sente mes yeux se fermer tout seuls.

— Va te coucher, me dit papa. Je resterai avec elle.

— Moi aussi, ajouta Lionel.

J'acquiesçai, embrassai maman sur la joue, regagnai ma chambre et me laissai tomber sur mon lit. Je m'endormis tout habillée.

Je m'éveillai très tard le lendemain matin. Panther ne dormait plus, il s'amusait tout seul, sans pleurnicher ni appeler comme il le faisait d'ordinaire. Ce fut le cri de Bébé Céleste qui me réveilla.

Je m'assis en me frottant les yeux. Debout dans l'embrasure de la porte, elle me regardait fixement.

Et elle pleurait.

Je me levai en hâte et courus à elle.

— Qu'y a-t-il, Céleste. Pourquoi pleures-tu ?

— Je veux Lionel.

— Lionel ? répétai-je, intriguée.

— Je veux maman.

— Maman. Très bien, allons voir comment elle va.

Je tendis le bras pour la prendre par la main, mais elle recula, regagna vivement sa chambre et me claqua la porte au nez.

— Céleste ! appelai-je. Que se passe-t-il ?

Cette enfant n'est décidément pas facile, m'avouai-je, et elle ne changera jamais.

J'allai dans la chambre de maman et jetai un coup d'œil vers son lit. Elle était exactement telle que je l'avais laissée, mais en m'approchant je m'aperçus qu'elle était très pâle, et qu'elle avait les lèvres bleues. Je me précipitai vers elle et touchai son visage. Il était froid, et ses doigts étaient raides.

Maman est morte, m'entendis-je penser. Maman est morte. Ils l'ont emmenée la nuit dernière. Papa et Lionel l'ont emmenée avec eux.

Je ne pleurai pas. Maman voulait s'en aller, sinon elle ne serait jamais partie. Elle reviendrait, de toute façon. Ils revenaient tous. En attendant, j'avais des tas de choses à faire. Ce serait la dernière fois que je travaillerais aussi dur dans le jardin.

Ce travail m'occupa tellement que j'en oubliai les enfants. Quand je retournai les voir, Panther s'était rendormi, sans doute épuisé d'avoir crié.

Bébé Céleste était couchée en chien de fusil, le pouce à la bouche. Elle semblait absolument terrifiée. Je dus presque la tirer hors du lit et la traîner en bas pour lui faire avaler quelque chose.

— Tu feras des caprices plus tard, la gourmandai-je. Pour l'instant, il faut que tu manges.

Je préparai le biberon de Panther et remontai pour le lui donner. Il était réveillé, affamé, et il ne se fit pas prier pour l'engloutir. Je le changeai, l'habillai et redescendis avec lui.

Bébé Céleste refusait toujours de me parler, mais elle voulut bien aller au salon pour s'occuper avec ses jouets et ses livres.

— J'ai beaucoup de ménage à faire, annonçai-je, et je veux que vous soyez sages pendant que je travaille. Si vous êtes gentils, vous aurez de la glace un peu plus tard.

Bébé Céleste leva sur moi un regard sceptique, Panther trépigna de joie dans son parc. Je ne l'avais jamais vu aussi plein d'énergie ni aussi heureux.

Tout va s'arranger pour nous, me répétai-je une fois de plus. Puis je me mis à la besogne.

En fin d'après-midi, j'entendis une voiture freiner devant la maison, et quelques secondes plus tard on cognait à la porte. Je venais de finir de transporter les effets de Betsy dans la chambre de la tourelle, et j'avais déjà descendu la moitié de l'escalier. Bébé Céleste s'avança jusqu'à la porte du salon pour voir qui arrivait.

— Lionel, dit-elle avec espoir.

Je secouai la tête.

— Non, Céleste. Ce n'est pas Lionel. Lionel n'a pas besoin de frapper avant d'entrer.

J'ouvris la porte et vis Tad sur le seuil. Il portait un blouson de jean à même la peau, un jean déchiré et des tennis, sans chaussettes. Il n'était pas coiffé, et ses cheveux en bataille pointaient dans toutes les directions.

— Betsy est là ? s'enquit-il sans même dire bonjour.

— Betsy ? Non, Betsy est partie.

— Partie ? Où est-elle allée ?

— Je n'en sais rien, elle ne l'a pas dit. Elle a simplement fait ses bagages et elle est partie.

Tad haussa un sourcil.

— Qui êtes-vous ?

— Je m'appelle Céleste.

— Et où est... comment s'appelle-t-il, déjà... Lionel ?

— Il n'est pas là pour l'instant. Il est parti à la pêche.

L'étonnement de Tad parut redoubler.

— À la pêche ?

Juste à ce moment-là, Panther poussa un de ses cris perçants.

— Un moment, je vous prie, dis-je en rentrant au salon.

Panther voulait les crayons de Bébé Céleste, mais elle avait sagement refusé de les lui donner. Il aurait essayé de les manger. Je le pris dans les bras et le sortis de son parc. En me retournant, je vis que Tad était entré dans la maison et se tenait à la porte du salon.

— Elle a sûrement laissé un message pour

moi, affirma-t-il. Je suis Tad. Elle ne vous a pas parlé de moi ?

— Non, je suis désolée. Elle n'a pas parlé de vous ni laissé de message pour vous.

— Vous habitez ici ?

— Bien sûr que j'habite ici, répondis-je avec un grand sourire.

— Alors où étiez-vous l'autre jour, quand je suis venu ?

Je haussai les épaules.

— Je n'en sais rien. Dans le jardin, peut-être.

— Dans le jardin ? Vous n'avez pas pu passer tout ce temps-là dans le jardin !

— En effet. Je n'y suis pas tout le temps mais j'y vais souvent.

— Et là, tout de suite, est-ce que vous y étiez ?

— Je vous demande pardon ?

Il baissa les yeux sur ma robe tachée de boue.

— Oh, fis-je d'un ton désinvolte. J'ai fait beaucoup de ménage aujourd'hui.

— La maison devait être drôlement sale, remarqua-t-il avec sécheresse.

Il se tourna vers l'escalier et leva la tête. De toute évidence il ne me croyait pas et mourait d'envie d'appeler Betsy. Je devançai sa demande.

— Allez-y, ne vous gênez pas.

— Comment ?

— Appelez-la si vous voulez.

Il parut un instant déconcerté puis leva la tête et hurla :

— Betsy !

Le nom se répercuta en écho, du moins dans mes oreilles. Tad attendit un moment, puis se retourna vers nous. Bébé Céleste l'observait si intcnsément qu'il nous dévisagea l'une après l'autre.

— Il y a quelque chose de pas net, ici. Betsy était très emballée à l'idée de partir avec moi et mon groupe. S'il y avait eu quoi que ce soit, elle m'aurait appelé ou laissé un message.

— On ne peut jamais compter sur Betsy.

Tad réfléchit rapidement.

— Est-ce qu'elle a eu son argent ?

— Quel argent ?

— Son héritage.

— Oh ? Vous n'avez pas cru ça ? m'esclaffai-je. Il n'y a pas d'héritage.

Il me regarda pensivement.

— Où est ce Lionel, déjà ?

— À la rivière, il pêche. C'est à environ huit cents mètres d'ici, à travers bois.

Tad fit la grimace.

— Huit cents mètres à travers bois...

— Oui. Je regrette que nous ne puissions pas vous aider.

— Oui, moi aussi ! lança-t-il en sortant.

J'allai à la fenêtre et le vis monter dans une voiture, dans laquelle se trouvaient un garçon de son âge et une fille. Il leur parla très vite, avec une grande animation, puis démarra sur les chapeaux de roues.

— Je ne pense pas qu'ils reviendront, marmonnai-je.

Bébé Céleste secoua la tête pour montrer

qu'elle était de mon avis. Je regagnai le fauteuil de Grandpa Jordan, elle retourna à ses livres et à ses jouets, et Panther continua de s'amuser tranquillement dans son parc.

Tout va bien, pensai-je avec soulagement.

Tout va très bien pour nous tous.

Épilogue

M. Bogart fut le premier à venir chez nous. Je ne m'étais pas rendu compte que presque deux semaines s'étaient écoulées. Il m'apprit qu'il avait appelé tous les jours et fini par s'inquiéter.

Le jour qui précéda son arrivée, tous les esprits familiaux se rassemblèrent autour de moi au salon, et nous discutâmes du proche avenir. Je fus très étonnée de voir qu'ils n'étaient pas tous d'accord entre eux. Les uns trouvaient que les choses étaient très bien ainsi, mais d'autres estimaient que la maison avait été irrémédiablement souillée. Tante Hélène Roe, venue en chaise roulante, était d'avis qu'il fallait la purifier et l'incendier. Grandpa Jordan fut outré par cette suggestion, au point que les veines de son cou me parurent sur le point d'éclater, même si je savais que cela n'était plus possible. Papa ne dit rien. Il se contenta de sourire à maman pendant que tous les autres se disputaient. Je devinai ce qu'il était en train de se dire. *Ta famille est vraiment bizarre, Sarah. Je te l'ai toujours dit.*

Ce fut maman qui trancha la question. Elle décida que si je parcourais la maison de fond en comble, avec deux bougies blanches allumées, en nettoyant tous les murs à la fumée, cela suffirait. Ils recommencèrent aussitôt à discuter au sujet du nombre de bougies nécessaires, et pour savoir s'il fallait en faire brûler dans toutes les pièces. Maman se laissa convaincre.

— Très bien. Quand Céleste aura nettoyé les murs, elle mettra une bougie allumée dans chaque pièce et l'y laissera pendant deux jours et deux nuits.

Tante Sophie estima qu'il valait mieux trois nuits, car trois était un chiffre sacré.

Maman, tout en n'ayant pas l'air d'y croire, acquiesça pour mettre fin à la discussion.

Grandpa Jordan fut très heureux qu'on ait trouvé une autre solution que de brûler la maison. Avant de partir, chacun d'eux me serra dans ses bras, m'embrassa et me souhaita bonne chance. Puis je me mis en devoir de suivre leurs instructions.

M. Bogart remarqua immédiatement les bougies et me demanda pourquoi elles étaient là. Je me contentai d'expliquer pour quelle raison j'avais fait cela, et il m'approuva. Puis, après s'être enquis de maman, il monta à l'étage où je le suivis. En voyant qu'il y avait des bougies également dans le couloir, il m'adressa un signe de tête approbateur. Ensuite, il entra dans la chambre de maman et, quelques instants plus tard, je l'entendis téléphoner au révérend Austin. Après quoi, lui et moi allâmes nous occuper des enfants, puis nous redescendîmes pour attendre le révérend Austin qui arriva en un temps record.

À peine entré, il grimaça comme si l'odeur lui faisait mal.

Quand il m'aperçut, il eut un sourire confus et regarda M. Bogart.

— Qui est cette jeune personne ?

— C'est Céleste, lui dit M. Bogart. Depuis toujours.

Les yeux du révérend s'agrandirent, mais il ne fit aucune remarque déplaisante.

— Je vous expliquerai, ajouta M. Bogart, et le révérend se contenta de cette assurance.

Puis il demanda des nouvelles des enfants, et je lui répondis qu'ils faisaient la sieste.

— Ils vont bien, affirma M. Bogart. Nous parlerons d'eux un peu plus tard.

Puis il invita le révérend à monter avec lui dans la chambre de maman. Pendant qu'ils étaient en haut, Bébé Céleste s'éveilla et les appela. M. Bogart la portait dans ses bras quand ils redescendirent, et elle avait une expression de fureur effrayante à voir. Le révérend semblait sous le choc et complètement perdu.

— Où est le téléphone d'en bas ? voulut savoir M. Bogart.

J'expliquai comment maman l'avait mis sous clé, pour empêcher Betsy de s'en servir, et ils me demandèrent où se trouvait Betsy. Je répondis qu'elle était partie, mais Bébé Céleste me foudroya du regard et leur dit qu'elle était dans le jardin. Le révérend s'en étonna.

— Dans le jardin ? Je n'y ai vu personne, en arrivant.

M. Bogart et lui échangèrent un regard. Puis

ils sortirent pour se rendre au jardin, M. Bogart portant toujours Bébé Céleste. Pendant leur absence, papa, Lionel et maman me rejoignirent au salon pour attendre avec moi.

— C'est très bien, déclara papa. Tu as fait exactement ce qu'il fallait.

— Bien sûr qu'elle a fait ce qu'il fallait ! approuva maman. La maison est à nouveau un lieu sacré.

— Et quand tu auras fini avec tout ça, je veux qu'on joue aux chevaliers et aux dragons ! exigea Lionel. Tu as promis.

— Je jouerai avec toi, réaffirmai-je.

Mais il garda cet air méfiant et impatient qu'il avait toujours.

Le révérend et M. Bogart revinrent. Le révérend était très pâle, il tirait sans arrêt sur son col comme s'il avait rétréci et l'étranglait. M. Bogart posa Bébé Céleste à terre et elle alla directement au canapé, où elle s'assit, les mains croisées sur les genoux comme une vraie petite demoiselle.

M. Bogart m'adressa un sourire rassurant et déclara que tout se passerait bien, ce que je savais bien avant leur visite. Il regagna ensuite la chambre de maman, pour utiliser le téléphone. Peu de temps après qu'il fut redescendu, deux voitures de police remontèrent l'allée, se garèrent devant la maison, et M. Bogart sortit avec le révérend pour aller parler aux policiers. Bébé Céleste et moi les observions de la fenêtre du salon. Ils discutèrent avec animation, et je vis le révérend désigner tour à tour, de son bras tendu, le jardin et la maison. Le plus grand des deux policiers ôta sa casquette et secoua la tête, retourna à sa voiture et parla dans son microphone. Puis les quatre hommes se dirigèrent vers le jardin.

— Beaucoup d'agitation pour rien, si tu veux mon avis, commenta Grandpa Jordan.

Jusque-là, je ne m'étais pas rendu compte qu'il était dans la pièce. Il m'adressa un signe de tête et sortit, pour aller voir ce qui se passait dehors. Maman me rejoignit près de la fenêtre et s'assit à côté de moi.

— Tout va bien, dit-elle en me prenant la main.

Une autre voiture apparut bientôt. Un petit homme chauve en complet-cravate en descendit, suivi d'une femme vêtue comme une infirmière.

— C'est bien une infirmière, me dit papa, dont l'aptitude à deviner mes pensées m'avait toujours étonnée.

Tante Roe eut une moue désapprobatrice.

— Qu'est-ce qu'une infirmière vient faire ici ? grogna-t-elle, en roulant sa chaise jusqu'à la fenêtre où nous nous tenions, papa et moi.

Plissant le nez et fronçant les sourcils, elle ajouta :

— Il y a beaucoup trop d'étrangers qui viennent fourrer leur nez dans nos affaires.

— Ça c'est bien vrai, approuva le grand-oncle Samuel en venant se placer derrière elle. De nos jours, tout le monde se mêle de ce qui ne le regarde pas.

Les policiers, l'homme en complet et l'infirmière discutaient entre eux, quand une quatrième voiture arriva. Un autre homme en complet et une femme en tailleur gris en sortirent. Ils échangèrent quelques mots avec les autres, et tous entrèrent dans la maison.

J'étais retournée m'asseoir sur le canapé, et le petit homme chauve s'adressa d'abord à moi.

— Bonjour ! Je suis le Dr Lévy. Et qui est cette ravissante petite fille ? s'enquit-il en désignant Bébé Céleste.

Elle répondit avec un sérieux au-dessus de son âge :

— Je m'appelle Céleste.

— Eh bien, bonjour à toi aussi, Céleste. Voici Mme Newman, poursuivit-il en présentant l'infirmière. Tu peux l'appeler Patty. Elle est ici pour vous aider.

— Nous aider à quoi faire ? questionnai-je aussitôt.

— Oh… à vous organiser, à vous installer confortablement. Nous devons vous conduire à ma clinique, le temps de vous remettre sur pied.

— Je tiens très bien sur mes pieds, répliquai-je, en me levant pour le lui prouver.

Il chercha le regard de Patty Newman, qui eut un sourire apitoyé. La femme en tailleur gris s'avança d'un air impatient.

— Où se trouve l'autre enfant ?

Le révérend se tenait sur le seuil, derrière le groupe. Il lui expliqua que Panther était en haut, dans son berceau. Elle plaqua son mouchoir sur son visage et monta rapidement au premier.

— J'ai besoin que vous veniez avec moi maintenant, pour quelque temps, m'annonça le Dr Lévy.

— Je ne peux pas quitter la maison et les enfants.

— On s'occupera très bien d'eux, me promit-il. Et la police est là, maintenant. Ils feront en sorte que la maison soit protégée.

— La maison est toujours protégée, répliquai-je en souriant. Nous n'avons pas besoin de la police pour ça.

Le Dr Lévy haussa les sourcils.

— Je suis certain qu'elle l'est. Et cela m'intéresserait beaucoup d'apprendre comment vous le savez.

Je regardai maman, qui m'avait rejointe sur le canapé.

— Que faut-il que je fasse ? lui demandai-je dans un souffle.

Elle ne me répondit pas. Ce fut papa qui me conseilla.

— Il faut que tu ailles avec eux, maintenant. Je veillerai sur les enfants.

— Mais elle a promis de jouer avec moi ! gémit Lionel.

Je m'emparai aussitôt de ce prétexte.

— Je dois jouer avec mon frère, docteur Lévy.

— Eh bien, qu'il vienne avec nous. J'ai tout ce qu'il faut pour jouer et se distraire, dans mes bureaux.

Lionel parut intrigué. Après tout, il n'avait pas souvent l'occasion de quitter la propriété.

— Y a-t-il d'autres enfants, là-bas ? questionnai-je, sachant que Lionel voudrait le savoir.

— Oh oui ! Des garçons et des filles. Patty s'occupe également d'eux, n'est-ce pas, Patty ?

— Absolument. Vous n'aurez pas le temps de vous ennuyer.

Je me tournai vers Lionel. Il approuvait de la tête, de plus en plus intéressé.

— Alors c'est d'accord, acquiesçai-je sans enthousiasme. Mais il faudra que je rentre à temps pour préparer le dîner.

— Je comprends.

Le Dr Lévy se tourna vers l'infirmière.

— Madame Newman, je crois qu'il est temps d'emmener ces enfants.

Patty tendit la main vers moi.

— Venez, mon petit.

Je cherchai le regard de maman, mais elle baissait la tête. Papa lui entourait les épaules de son bras.

— Tout ira bien pour elle, murmura-t-il. Tout ira bien pour toutes les deux.

Nous nous dirigeâmes vers la porte. La femme en tailleur gris tenait Panther dans ses bras ; l'homme qui était venu avec elle s'était agenouillé devant Bébé Céleste et lui parlait tout bas. Au regard qu'elle me jeta par-dessus son épaule, je vis qu'elle était toujours fâchée contre moi. Peut-être que tout cela changerait les choses. Elle hocha la tête, acquiesçant à ce que cet homme venait de lui dire et il en parut satisfait.

— Tu es une petite fille très intelligente, lui dit-il.

Nous sortîmes tous sur la galerie.

Ai-je dit qu'il faisait un temps resplendissant ? Je crois qu'il n'y avait pas un nuage dans le ciel, dont la transparence hésitait entre l'azur et le bleu turquoise. Des ombres palpitaient dans le sous-bois ; tout baignait dans un tel calme, un tel silence que je croyais distinguer, du côté de la rivière, le froissement lointain de l'eau, sur les cailloux. Un grand corbeau s'élança d'une haute branche et piqua droit vers le soleil.

C'est dans la voiture du Dr Lévy que nous montâmes, Lionel et moi, sur la banquette arrière. Il était surexcité. Il y avait si longtemps qu'il n'était pas monté dans une voiture ! Je me retournai, et vis que Panther et Bébé Céleste étaient installés dans la seconde voiture. Dans le jardin, deux policiers creusaient la terre. J'espérai qu'ils ne causeraient aucun mal aux plantes.

Nous n'étions pas encore partis quand une ambulance arriva. Deux auxiliaires médicaux en descendirent, portant un brancard, et s'avancèrent vers la porte d'entrée, restée ouverte, où un autre policier les attendait. Je pus voir, en me retournant, qu'ils se dirigeaient vers l'escalier pour monter chez maman.

Patty Newman prit place à nos côtés, sur le siège arrière ; le Dr Lévy se glissa derrière le volant et mit le contact.

Patty Newman se pencha vers moi.

— Tout va bien, mon petit ?

— Oui, tout à fait bien.

Lionel se tortillait comme un ver. Il n'avait jamais su rester tranquille et attendait impatiemment que nous partions.

Bien des années plus tôt, quand j'avais son âge, papa nous avait emmenés voir quelque chose de spécial ; une découverte qu'il avait faite sur un terrain où, avec son associé, il construisait une maison. Maman n'était pas venue avec nous, mais ce n'était pas inhabituel. Nous faisions souvent de petites sorties avec papa, sans elle.

Une fois sur place, il nous emmena derrière les fondations que ses ouvriers venaient de terminer, jusqu'à un grand arbre tombé. Sous le tronc, un trou avait été creusé, qu'on avait tapissé d'herbes sèches avec un soin manifeste. Dans le trou se blottissait une nichée de bébés campagnols, encore tout roses et aveugles, qui tétaient leur mère. Lionel voulut en prendre un, mais papa lui dit que ce geste alarmerait la mère. Que nous pouvions seulement les regarder un moment, et encore : pas de trop près.

— Dans quelque temps, ils verront clair et seront assez grands pour partir chacun de leur côté, nous expliqua-t-il.

— Et que deviendra leur maison ? questionnai-je.

— Elle n'aura plus d'importance pour eux. Plus tard, chacun d'eux bâtira la sienne et les femelles y mettront bas leurs petits.

— Pourquoi ne reviennent-ils pas dans celle-ci, tout simplement ?

— Ils en veulent une qui soit à eux, me répondit papa. Parfois, il nous faut partir pour nous trouver nous-mêmes. Nous sommes tous plus ou moins différents les uns des autres, et nous voulons quelque chose qui soit bien à nous ; pas quelque chose qui ait appartenu à nos ancêtres, mais quelque chose que nous ayons construit nous-mêmes.

— Toi, tu construis des maisons pour les gens.

Papa eut un signe d'assentiment.

— Oui. Alors tu vois, si tout le monde restait dans celle où il a grandi, je serais au chômage.

Lionel plissa les paupières comme le faisait maman.

— Maman veut que nous restions toujours à la propriété.

— Je sais, nous dit papa. Mais un jour... un jour vous partirez. Vous serez poussés à le faire, tout simplement. Et cela ne doit pas vous effrayer.

— Je ne veux pas partir ! s'emporta Lionel.

Papa me fit un clin d'œil.

— Nous verrons, dit-il d'une voix pénétrée de sagesse.

J'en restai toute songeuse, une seule question en tête. Où irions-nous, Lionel et moi ?

Mon regard se porta sur les montagnes, à l'horizon.

Partir... c'était exactement ce que j'étais en train de faire. Je souris en revoyant papa nous prendre par la main, ce jour-là, et nous ramener vers la voiture, les cheveux doucement agités par la brise et le regard brillant, plein d'espoir pour nous tous.

Et en un instant, je sus ce qu'il voulait dire.

Nous quitterions notre foyer un jour, peut-être.

Mais jamais nous ne nous quitterions les uns les autres. Jamais.

Composition et mise en pages réalisées
par IND - 39100 Brevans

Achevé d'imprimer par N.I.I.A.G.
en octobre 2007
pour le compte de France Loisirs, Paris

N° d'éditeur : 49825
Dépôt légal : novembre 2007

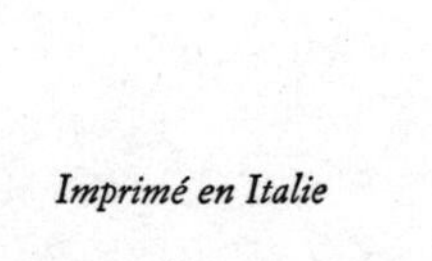

Imprimé en Italie

The
Oxford Book
Of Modern Verse
1892–1935

The Oxford Book Of Modern Verse

1892–1935

Chosen by

W. B. Yeats

New York

Oxford University Press

1937

First Edition November 1936
Second Printing, 1937
Third Printing, 1947

PRINTED IN THE UNITED STATES OF AMERICA

INTRODUCTION

I

I HAVE tried to include in this book all good poets who have lived or died from three years before the death of Tennyson to the present moment, except some two or three who belong through the character of their work to an earlier period. Even a long-lived man has the right to call his own contemporaries modern. To the generation which began to think and read in the late eighties of the last century the four poets whose work begins this book were unknown, or, if known, of an earlier generation that did not stir its sympathy. Gerard Hopkins remained unpublished for thirty years. Fifty-odd years ago I met him in my father's studio on different occasions, but remember almost nothing. A boy of seventeen, Walt Whitman in his pocket, had little interest in a querulous, sensitive scholar. Thomas Hardy's poems were unwritten or unpublished. Robert Bridges seemed a small Victorian poet whose poetry, published in expensive hand-printed books, one could find behind glass doors in the houses of wealthy friends. I will consider the genius of these three when the development of schools gives them great influence. Wilfred Blunt one knew through the report of friends as a fashionable amateur who had sacrificed a capacity for literature and the visible arts to personal adventure. Some ten years had to pass before anybody understood that certain sonnets, lyrics, stanzas of his were permanent in our literature. A young man, London bred or just arrived there, would have felt himself repelled by the hard, cold energy of Henley's verse, called it rhetoric, or associated it in some way with that propaganda whereby Henley, through the vehicle of a weekly review and a magazine that were financial failures, had turned the young men at Oxford and Cambridge into imperialists. 'Why should I respect Henley?' said to me Clement Shorter. 'I sell two hundred thousand copies a week of *The Sphere;* the circulation of *The National Observer* fell to two hundred at the end.' Henley lay upon the sofa, crippled by his incautious youth, dragged his body, crutch-supported, between two rooms, imagining imperial might. For a young man, struggling for expression, despairing of achievement, he remained hidden behind his too obvious effectiveness. Nor would that young man have felt anything but contempt for the poetry of Oscar Wilde, considering it an exaggeration of every Victorian fault, nor, except in the case of one poem not then written, has time corrected the verdict. Wilde, a man of action, a born dramatist, finding himself overshadowed by old famous men he could not attack, for he was of their time and shared its admirations, tricked and clowned to draw attention to himself. Even when disaster struck him down it could not wholly clear his soul. Now that I have plucked from the *Ballad of Reading Gaol* its foreign feathers it shows a stark realism akin to that of Thomas Hardy, the contrary to all its author deliberately sought. I plucked out even famous lines because, effective in themselves, put into the Ballad they become artificial, trivial, arbitrary; a work of art can have but one subject.

> Yet each man kills the thing he loves,
> By each let this be heard,
> Some do it with a bitter look,
> Some with a flattering word.
> The coward does it with a kiss,
> The brave man with a sword!
>
> Some kill their love when they are young,
> And some when they are old;
> Some strangle with the hands of Lust,
> Some with the hands of Gold:
> The kindest use a knife, because
> The dead so soon grow cold.

I have stood in judgement upon Wilde, bringing into the light a great, or almost great poem, as he himself had done had he lived; my work gave me that privilege.

II

All these writers were, in the eye of the new generation, in so far as they were known, Victorian, and the new generation was in revolt. But one writer, almost unknown to the general public — I remember somebody saying at his death 'no newspaper has given him an obituary notice' — had its entire uncritical admiration, Walter Pater. That is why I begin this book with the famous passage from his essay on Leonardo da Vinci. Only by printing it in *vers libre* can one show its revolutionary importance. Pater was accustomed to give each sentence a separate page of manuscript, isolating and analysing its rhythm; Henley wrote certain 'hospital poems,' not included in this book, in *vers libre*, thinking of his dramatic, everyday material, in that an innovator, but did not permit a poem to arise out of its own rhythm as do Turner and Pound at their best and as, I contend, Pater did. I shall presently discuss the meaning of this passage which dominated a generation, a domination so great that all over Europe from that day to this men shrink from Leonardo's masterpiece as from an over-flattered woman.

For the moment I am content to recall one later writer:

> O wha's been here afore me, lass,
> And hoo did he get in?

The revolt against Victorianism meant to the young poet a revolt against irrelevant descriptions of nature, the scientific and moral discursiveness of *In Memoriam* — 'When he should have been broken-hearted', said Verlaine, 'he had many reminiscences' — the political eloquence of Swinburne, the psychological curiosity of Browning, and the poetical diction of everybody. Poets said to one another over their black coffee — a recently imported fashion — 'We must purify poetry of all that is not poetry', and by poetry they meant poetry as it had been written by Catullus, a great name at that time, by the Jacobean writers, by Verlaine, by Baudelaire. Poetry was a tradition like religion and liable to corruption, and it seemed that they could best restore it by writing lyrics technically perfect, their emotion pitched high, and as Pater offered instead of moral earnestness life lived as 'a pure gem-like flame' all accepted him for master.

But every light has its shadow, we tumble out of one pickle into another, the 'pure gem-like flame' was an insufficient motive; the sons of men who had admired Garibaldi or applauded the speeches of John Bright, picked Ophelias out of the gutter, who knew exactly what they wanted and had no intention of committing suicide. My father gave these young men their right name. When I had described a supper with Count Stenbock, scholar, connoisseur, drunkard, poet, pervert, most charming of men, he said 'they are the Hamlets of our age'. Some of these Hamlets went mad, some drank, drinking not as happy men drink but in solitude, all had courage, all suffered public opprobrium — generally for their virtues or for sins they did not commit — all had good manners. Good manners in written and spoken word were an essential part of their tradition — 'Life', said Lionel Johnson, 'must be a ritual'; all in the presence of women or even with one another put aside their perplexities; all had gaiety, some had wit:

> Unto us they belong,
> To us the bitter and gay,
> Wine and woman and song.

Some turned Catholic — that too was a tradition. I read out at a meeting of The Rhymers' Club a letter describing Meynell's discovery of Francis Thompson, at that time still bedded under his railway arch, then his still unpublished *Ode to the Setting Sun*. But Francis Thompson had been born a Catholic; Lionel Johnson was the first convert; Dowson adopted a Catholic point of view without, I think, joining that church, an act requiring energy and decision.

Occasionally at some evening party some young woman asked a poet what he thought of strikes, or declared that to paint pictures or write poetry at such a moment was to resemble the fiddler Nero, for great meetings of revolutionary Socialists were disturbing Trafalgar Square on Sunday afternoons; a young man known to most of us told some such party that he had stood before a desk in an office not far from Southampton Row resolved to protect it with his life because it contained documents that would hang William Morris, and wound up by promising a revolution in six months. Shelley must have had some such immediate circle when he wrote to friends urging them to withdraw their money from the Funds. We poets continued to write verse and read it out at 'The Cheshire Cheese', convinced that to take part in such movements would be only less disgraceful than to write for the newspapers.

III

Then in 1900 everybody got down off his stilts; henceforth nobody drank absinthe with his black coffee; nobody went mad; nobody committed suicide; nobody joined the Catholic church; or if they did I have forgotten.

Victorianism had been defeated, though two writers dominated the movement who had never heard of that defeat or did not believe in it; Rudyard Kipling and William Watson. Indian residence and associations had isolated the first, he was full of opinions, of politics, of impurities — to use our word — and the word must have been right, for he interests a critical audience to-day by the grotesque tragedy of 'Danny Deever', the matter but not the form of old street ballads, and by songs traditional in matter and form like the '*St. Helena Lullaby*'. The second had reached maturity before the revolt began, his first book had been published in the early eighties. 'Wring the neck of rhetoric' Verlaine had said, and the public soon turned against William Watson, forgetting that at his best he had not rhetoric but noble eloquence. As I turn his pages I find verse after verse read long ago and still unforgettable, this to some journalist who, intoxicated perhaps by William Archer's translations from Ibsen, had described, it may be, some lyric elaborating or deepening its own tradition as of 'no importance to the age':

> Great Heaven! When these with clamour shrill
> Drift out to Lethe's harbour bar

> A verse of Lovelace shall be still
> As vivid as a pulsing star:

this, received from some Miltonic cliff that had it from a Roman voice:

> The august, inhospitable, inhuman night
> Glittering magnificently unperturbed.

IV

Conflict bequeathed its bias. Folk-song, unknown to the Victorians as their attempts to imitate it show, must, because never declamatory or eloquent, fill the scene. If anybody will turn these pages attending to poets born in the 'fifties, 'sixties, and 'seventies, he will find how successful are their folk-songs and their imitations. In Ireland, where still lives almost undisturbed the last folk tradition of western Europe, the songs of Campbell and Colum draw from that tradition their themes, return to it, and are sung to Irish airs by boys and girls who have never heard the names of the authors; but the reaction from rhetoric, from all that was prepense and artificial, has forced upon these writers now and again, as upon my own early work, a facile charm, a too soft simplicity. In England came like temptations. The *Shropshire Lad* is worthy of its fame, but a mile further and all had been marsh. Thomas Hardy, though his work lacked technical accomplishment, made the necessary correction through his mastery of the impersonal objective scene. John Synge brought back masculinity to Irish verse with his harsh disillusionment, and later, when the folk movement seemed to support vague political mass excitement, certain poets began to create passionate masterful personality.

V

We remembered the Gaelic poets of the seventeenth and early eighteenth centuries wandering, after the flight of the Catholic nobility, among the boorish and the ignorant, singing their loneliness and their rage; James Stephens, Frank O'Connor made them symbols of our pride:

> The periwinkle, and the tough dog-fish
> At eventide have got into my dish!
> The great, where are they now! the great had
> said —
> This is not seemly, bring to him instead
> That which serves his and serves our dignity —
> And that was done.
>
> I am O'Rahilly:
> Here in a distant place I hold my tongue,
> Who once said all his say, when he was young!

I showed Lady Gregory a few weeks before her death a book by Day Lewis. ' I prefer ', she said, ' those poems translated by Frank O'Connor because they come out of original sin.' A distinguished Irish poet said a month back — I had read him a poem by Turner — ' We cannot become philosophic like the English, our lives are too exciting.' He was not thinking of such passing episodes as civil war, his own imprisonment, but of an always inflamed public opinion that made sonnet or play almost equally perilous; yet civil war has had its effect. Twelve years ago Oliver Gogarty was captured by his enemies, imprisoned in a deserted house on the edge of the Liffey with every prospect of death. Pleading a natural necessity he got into the garden, plunged under a shower of revolver bullets and as he swam the ice-cold December stream promised it, should it land him in safety, two swans. I was present when he fulfilled that vow. His poetry fits the incident, a gay, stoical — no, I will not withhold the word — heroic song. Irish by tradition and many ancestors, I love, though I have nothing to offer but the philosophy they deride, swashbucklers, horsemen, swift indifferent men; yet I do not think that is the sole reason, good reason though it is, why I gave him considerable space, and think him one of the great lyric poets of our age.

VI

We have more affinity with Henley and Blunt than with other modern English poets, but have not felt their influence; we are what we are because almost without exception we have had some part in public life in a country where public life is simple and exciting. We are not many; Ireland has had few poets of any kind outside Gaelic. I think England has had more good poets from 1900 to the present day than during any period of the same length since the early seventeenth century. There are no predominant figures, no Browning, no Tennyson, no Swinburne, but more than I have found room for have written two, three, or half a dozen lyrics that may be permanent.

During the first years of the century the best known were celebrators of the country-side or of the life of ships; I think of Davies and of Masefield; some few wrote in the manner of the traditional country ballad. Others, descended not from Homer but from Virgil, wrote what the young communist scornfully calls 'Belles-lettres': Binyon when at his best, as I think, of Tristram and Isoult: Sturge Moore of centaurs, amazons, gazelles copied from a Persian picture: De la Mare short lyrics that carry us back through *Christabel* or *Kubla Khan.*

Through what wild centuries
Roves back the rose?

The younger of the two ladies who wrote under the name of 'Michael Field' made personal lyrics in the manner of Walter Savage Landor and the Greek anthology.

None of these were innovators; they preferred to keep all the past their rival; their fame will increase with time. They have been joined of late years by Sacheverell Sitwell with his *Canons of Giant Art*, written in the recently rediscovered 'sprung verse', his main theme changes of colour, or historical phase, in Greece, Crete, India. *Agamemnon's Tomb*, however, describes our horror at the presence and circumstance of death and rises to great intensity.

VII

Robert Bridges seemed for a time, through his influence on Laurence Binyon and others less known, the patron saint of the movement. His influence — practice, not theory — was never deadening; he gave to lyric poetry a new cadence, a distinction as deliberate as that of Whistler's painting, an impulse moulded and checked like that in certain poems of Landor, but different, more in the nerves, less in the blood, more birdlike, less human; words often commonplace made unforgettable by some trick of speeding and slowing,

> A glitter of pleasure
> And a dark tomb,

or by some trick of simplicity, not the impulsive simplicity of youth but that of age, much impulse examined and rejected:

> I heard a linnet courting
> His lady in the spring!
> His mates were idly sporting,
> Nor stayed to hear him sing
> His song of love. —
> I fear my speech distorting
> His tender love.

Every metaphor, every thought a commonplace, emptiness everywhere, the whole magnificent.

VIII

A modern writer is beset by what Rossetti called 'the soulless self-reflections of man's skill'; the more vivid his nature, the greater his boredom, a boredom no Greek, no Elizabethan, knew in like degree, if at all. He may escape to the classics with the writers I have just described, or with much loss of self-control and coherence force language against its will into a powerful, artificial vividness. Edith Sitwell has a temperament of a strangeness so high-pitched that only through this artifice could it find expression. One cannot think of her in any other age or country. She has transformed with her metrical virtuosity traditional metres reborn not to be read but spoken, exaggerated metaphors into mythology, carrying them from poem to poem, compelling us to go backward to some first usage for the birth of the myth; if the storm suggest the bellowing of elephants, some later poem will display 'The elephant trunks of the sea'. Nature appears before us in a hashish-eater's dream. This dream is double; in its first half, through separated metaphor, through mythology, she creates, amid crowds and scenery that suggest the Russian Ballet and Aubrey Beardsley's final phase, a perpetual metamorphosis that seems an elegant, artificial childhood; in the other half, driven by a necessity of contrast, a nightmare vision like that of Webster, of the emblems of mortality. A group of writers have often a persistent image. There are 'stars' in poem after poem of certain writers of the 'nineties as though to symbolize an aspiration towards what is inviolate and fixed; and now in poem after poem by Edith Sitwell or later writers are 'bones' — 'the anguish of the skeleton', 'the terrible Gehenna of the bone'; Eliot has:

No contact possible to flesh
Allayed the fever of the bone.

and Eleanor Wylie, an American whose exquisite work is slighter than that of her English contemporaries because she has not their full receptivity to the profound hereditary sadness of English genius:

Live like the velvet mole:
Go burrow underground,

And there hold intercourse
With roots of trees and stones,
With rivers at their source
And disembodied bones.

Laurence Binyon, Sturge Moore, knew nothing of this image; it seems most persistent among those who, throwing aside tradition, seek something somebody has called 'essential form' in the theme itself. A fairly well-known woman painter in September drew my house, at that season almost hidden in foliage; she reduced the trees to skeletons as though it were mid-winter, in pursuit of 'essential form.' Does not intellectual analysis in one of its moods identify man with that which is most persistent in his body? The poets are haunted once again by the Elizabethan image, but there is a difference. Since Poincaré said 'space is the creation of our ancestors', we have found it more and more difficult to separate ourselves from the dead when we commit them to the grave; the bones are not dead but accursed, accursed because unchanging.

> The small bones built in the womb
> The womb that loathed the bones
> And cast out the soul.

Perhaps in this new, profound poetry, the symbol itself is contradictory, horror of life, horror of death.

IX

Eliot has produced his great effect upon his generation because he has described men and women that get out of bed or into it from mere habit; in describing this life that has lost heart his own art seems grey, cold, dry. He is an Alexander Pope, working without apparent imagination, producing his effects by a rejection of all rhythms and metaphors used by the more popular romantics rather than by the discovery of his own, this rejection giving his work an unexaggerated plainness that has the effect of novelty. He has the rhythmical flatness of The *Essay on Man* — despite Miss Sitwell's advocacy I see Pope as Blake and Keats saw him — later, in *The Waste Land*, amid much that is moving in symbol and imagery there is much monotony of accent:

When lovely woman stoops to folly and
Paces about her room again, alone,
She smooths her hair with automatic hand,
And puts a record on the gramophone.

I was affected, as I am by these lines, when I saw for the first time a painting by Manet. I longed for the vivid colour and light of Rousseau and Courbet, I could not endure the grey middle-tint — and even to-day Manet gives me an incomplete pleasure; he had left the procession. Nor can I put the Eliot of these poems among those that descend from Shakespeare and the translators of the Bible. I think of him as satirist rather than poet. Once only does that early work speak in the great manner:

The host with someone indistinct
Converses at the door apart,
The nightingales are singing near
The Convent of the Sacred Heart,

And sang within the bloody wood
When Agamemnon cried aloud,
And let their liquid siftings fall
To stain the stiff dishonoured shroud.

Not until *The Hollow Men* and *Ash-Wednesday*, where he is helped by the short lines, and in the dramatic poems where his remarkable sense of actor, chanter, scene, sweeps him away, is there rhythmical animation. Two or three of my friends attribute the change to an emotional enrichment from religion, but his religion compared to that of John Gray, Francis Thompson, Lionel Johnson in *The Dark Angel*, lacks all strong emotion; a New England Protestant by descent, there is little self-surrender in his personal relation to God and the soul. *Murder in the Cathedral* is a powerful stage play because the actor, the monkish habit, certain repeated words, symbolize what we know, not what the author knows. Nowhere has the author explained how Becket and the King differ in aim; Becket's people have been robbed and persecuted in his absence; like the King he demands strong government. Speaking through Becket's mouth Eliot confronts a world growing always more terrible with a religion like that of some great statesman, a pity not less poignant because it tempers the prayer book with the results of mathematical philosophy.

Peace. And let them be, in their exaltation.
They speak better than they know, and beyond your
 understanding,
They know and do not know, that acting is suffering
And suffering is action. Neither does the actor suffer
Nor the patient act. But both are fixed
In an eternal action, an eternal patience
To which all must consent that it may be willed
And which all must suffer that they may will it,

That the pattern may subsist, for the pattern is the
action
And the suffering, that the wheel may turn and still
Be forever still.

X

Ezra Pound has made flux his theme; plot, characterization, logical discourse, seem to him abstractions unsuitable to a man of his generation. He is mid-way in an immense poem in *vers libre* called for the moment *The Cantos*, where the metamorphosis of Dionysus, the descent of Odysseus into Hades, repeat themselves in various disguises, always in association with some third that is not repeated. Hades may become the hell where whatever modern men he most disapproves of suffer damnation, the metamorphosis petty frauds practised by Jews at Gibraltar. The relation of all the elements to one another, repeated or unrepeated, is to become apparent when the whole is finished. There is no transmission through time, we pass without comment from ancient Greece to modern England, from modern England to medieval China; the symphony, the pattern, is timeless, flux eternal and therefore without movement. Like other readers I discover at present merely exquisite or grotesque fragments. He hopes to give the impression that all is living, that there are no edges, no convexities, nothing to check the flow; but can such a poem have a mathematical structure? Can impressions that are in part visual, in part metrical, be related like the notes of a symphony; has the author been carried beyond reason by a theoretical conception? His belief in his own conception is so great that since the appearance of the first Canto I have tried to suspend judgement.

When I consider his work as a whole I find more style than form; at moments more style, more deliberate nobility and the means to convey it than in any contemporary poet known to me, but it is constantly interrupted, broken, twisted into nothing by its direct opposite, nervous obsession, nightmare, stammering confusion; he is an economist, poet, politician, raging at malignants with inexplicable characters and motives, grotesque figures out of a child's book of beasts. This loss of self-control, common among uneducated revolutionists, is rare — Shelley had it in some degree — among men of Ezra Pound's culture and erudition. Style and its opposite can alternate, but form must be full, sphere-like, single. Even where there is no interruption he is often content, if certain verses and lines have style, to leave unbridged transitions, unexplained ejaculations, that make his meaning unintelligible. He has great influence, more perhaps than any contemporary except Eliot, is probably the source of that lack of form and consequent obscurity which is the main defect of Auden, Day Lewis, and their school, a school which, as will presently be seen, I greatly admire. Even where the style is sustained throughout one gets an impression, especially when he is writing in *vers libre*, that he has not got all the wine into the bowl, that he is a brilliant improvisator translating at sight from an unknown Greek masterpiece:

See, they return; ah, see the tentative
Movements, and the slow feet,
The trouble in the pace and the uncertain
Wavering!

See, they return, one, and by one,
With fear, as half-awakened;
As if the snow should hesitate
And murmur in the wind,
          and half turn back;

These were the Wing'd-with-awe,
          Inviolable.
Gods of the winged shoe!
With them the silver hounds,
          sniffing the trace of air!

XI

When my generation denounced scientific humanitarian pre-occupation, psychological curiosity, rhetoric, we had not found what ailed Victorian literature. The Elizabethans had all these things, especially rhetoric. A friend writes 'all bravado went out of English literature when Falstaff turned into Oliver Cromwell, into England's bad conscience'; but he is wrong. Dryden's plays are full of it. The mischief began at the end of the seventeenth century when man became passive before a mechanized nature; that lasted to our own day with the exception of a brief period between Smart's *Song to David* and the death of Byron, wherein imprisoned man beat upon the door. Or I may dismiss all that ancient history and say it began when Stendhal described a masterpiece as a 'mirror dawdling down a lane'. There are only two long poems in Victorian literature that caught public attention; *The Ring and the Book* where great intellect analyses the suffering of one passive soul, weighs the persecutor's guilt, and *The Idylls of the King* where a poetry in itself an exquisite passivity is built about an allegory where a characterless king represents the soul. I read few modern novels, but I think I am right in saying that in every novel that has created an intellectual fashion from Huysmans's *La Cathédrale* to Ernest Hemingway's *Farewell to Arms*, the chief character is a mirror. It has sometimes seemed of late years, though not in the poems I have selected for this book, as if the poet could at any moment write a poem by recording the fortuitous scene or thought, perhaps it might be enough to put into some fashionable rhythm — 'I am sitting in a chair, there are three dead flies on a corner of the ceiling'.

Change has come suddenly, the despair of my friends in the 'nineties part of its preparation. Nature, steel-bound or stone-built in the nineteenth century, became a flux where man drowned or swam; the moment had come for some poet to cry 'the flux is in my own mind'.

XII

It was Turner who raised that cry, to gain upon the instant a control of plastic material, a power of emotional construction, Pound has always lacked. At his rare best he competes with Eliot in precision, but Eliot's genius is human, mundane, impeccable, it seems to say 'this man will never disappoint, never be out of character. He moves among objects for which he accepts no responsibility, among the mapped and measured.' Generations must pass before man recovers control of event and circumstance; mind has recognized its responsibility, that is all; Turner himself seems the symbol of an incomplete discovery. After clearing up some metaphysical obscurity he leaves obscure what a moment's thought would have cleared; author of a suave, sophisticated comedy he can talk about 'snivelling majorities'; a rich-natured friendly man he has in his satirical platonic dialogue *The Aesthetes* shot upon forbidden ground. The first romantic poets, Blake, Coleridge, Shelley, dazed by new suddenly opening vistas, had equal though different inconsistencies. I think of him as the first poet to read a mathematical equation, a musical score, a book of verse, with an equal understanding; he seems to ride in an observation balloon, blue heaven above, earth beneath an abstract pattern.

We know nothing but abstract patterns, generalizations, mathematical equations, though such the havoc wrought by newspaper articles and government statistics, two abstractions may sit down to lunch. But what about the imagery we call nature, the sensual scene? Perhaps we are always awake and asleep at the same time; after all going to bed is but a habit; is not sleep by the testimony of the poets our common mother? In *The Seven Days of the Sun*, where there is much exciting thought, I find:

But to me the landscape is like a sea
The waves of the hills
And the bubbles of bush and flower
And the springtide breaking into white foam!

It is a slow sea,
Mare tranquillum,
And a thousand years of wind
Cannot raise a dwarf billow to the moonlight.

But the bosom of the landscape lifts and falls
With its own leaden tide,
That tide whose sparkles are the lilliputian stars.

It is that slow sea
That sea of adamantine languor,
Sleep!

I recall Pater's description of the Mona Lisa; had the individual soul of da Vinci's sitter gone down with the pearl divers or trafficked for strange webs? or did Pater foreshadow a poetry, a philosophy, where the individual is nothing, the flux of *The Cantos* of Ezra Pound, objects without contour as in *Le Chef-d'œuvre Inconnu*, human experience no longer shut into brief lives, cut off into this place and that place, the flux of Turner's poetry that within our minds enriches itself, re-dreams itself, yet only in seeming — for time cannot be divided? Yet one theme perplexes Turner, whether in comedy, dialogue, poem. Somewhere in the middle of it all da Vinci's sitter had private reality like that of the Dark Lady among the women Shakespeare had imagined, but because that private soul is always behind our knowledge, though always hidden it must be the sole source of pain, stupefaction, evil. A musician, he imagines Heaven as a musical composition, a mathematician, as a relation of curves, a poet, as a dark, inhuman sea.

> The sea carves innumerable shells
> Rolling itself into crystalline curves
> The cressets of its faintest sighs
> Flickering into filagreed whorls,
> Its lustre into mother-of-pearl
> Its mystery into fishes' eyes
> Its billowing abundance into whales
> Around and under the Poles.

XIII

In *The Mutations of the Phoenix* Herbert Read discovers that the flux is in the mind, not of it perhaps, but in it. The Phoenix is finite mind rising in a nest of light from the sea or infinite; the discovery of Berkeley in 'Siris' where light is 'perception', of Grosseteste, twelfth-century philosopher, who defines it as 'corporeality, or that of which corporeality is made'.

> All existence
> past, present and to be
> is in this sea fringe.
> There is no other temporal scene.

The Phoenix burns spiritually
among the fierce stars
and in the docile brain's recesses.
Its ultimate spark
you cannot trace . . .
Light burns the world in the focus of an eye.

XIV

To Dorothy Wellesley nature is a womb, a darkness; its surface is sleep, upon sleep we walk, into sleep drive the plough, and there lie the happy, the wise, the unconceived;

They lie in the loam
Laid backward by slice of the plough;
They sit in the rock;
In a matrix of amethyst crouches a man . .

but unlike Turner or Read she need not prove or define, that was all done before she began to write and think. As though it were the tale of Mother Hubbard or the results of the last general election, she accepts what Turner and Read accept, sings her joy or sorrow in its presence, at times facile and clumsy, at times magnificent in her masculine rhythm, in the precision of her style. Eliot and Edith Sitwell have much of their intensity from a deliberate re-moulding or checking of past impulse, Turner much of his from a deliberate rejection of current belief, but here is no criticism at all. A new positive belief has given to her, as it gave to Shelley, an uncheckable impulse, and this belief is all the more positive because found, not sought; like certain characters in William Morris she has 'lucky eyes', her sail is full.

I knew nothing of her until a few months ago I read the opening passage in *Horses*, delighted by its changes in pace, abrupt assertion, then a long sweeping line, by its vocabulary modern and precise;

> Who, in the garden-pony carrying skeps
> Of grass or fallen leaves, his knees gone slack,
> Round belly, hollow back,
> Sees the Mongolian Tarpan of the Steppes?
> Or, in the Shire with plaits and feathered feet,
> The war-horse like the wind the Tartar knew?
> Or, in the Suffolk Punch, spells out anew
> The wild grey asses fleet
> With stripe from head to tail, and moderate ears?

The swing away from Stendhal has passed Turner; the individual soul, the betrayal of the unconceived at birth, are among her principal themes, it must go further still; that soul must become its own betrayer, its own deliverer, the one activity, the mirror turn lamp. Not that the old conception is untrue, new literature better than old. In the greater nations every phase has characteristic beauty — has not Nicholas of Cusa said reality is expressed through contradiction?

Yet for me, a man of my time, through my poetical faculty living its history, after much meat fish seems the only possible diet. I have indeed read certain poems by Turner, by Dorothy Wellesley, with more than all the excitement that came upon me when, a very young man, I heard somebody read out in a London tavern the poems of Ernest Dowson's despair — that too living history.

XV

I have a distaste for certain poems written in the midst of the great war; they are in all anthologies, but I have substituted Herbert Read's *End of a War* written long after. The writers of these poems were invariably officers of exceptional courage and capacity, one a man constantly selected for dangerous work, all, I think, had the Military Cross; their letters are vivid and humorous, they were not without joy — for all skill is joyful — but felt bound, in the words of the best known, to plead the suffering of their men. In poems that had for a time considerable fame, written in the first person, they made that suffering their own. I have rejected these poems for the same reason that made Arnold withdraw his *Empedocles on Etna* from circulation; passive suffering is not a theme for poetry. In all the great tragedies, tragedy is a joy to the man who dies; in Greece the tragic chorus danced. When man has withdrawn into the quicksilver at the back of the mirror no great event becomes luminous in his mind; it is no longer possible to write *The Persians*, *Agincourt*, *Chevy Chase:* some blunderer has driven his car on to the wrong side of the road — that is all.

If war is necessary, or necessary in our time and place, it is best to forget its suffering as we do the discomfort of fever, remembering our comfort at midnight when our temperature fell, or as we forget the worst moments of more painful disease. Florence Farr returning third class from Ireland found herself among Connaught Rangers just returned from the Boer War who described an incident over and over, and always with loud laughter: an unpopular sergeant struck by a shell turned round and round like a dancer wound in his own entrails. That too may be a right way of seeing war, if war is necessary; the way of the Cockney slums, of Patrick Street, of the *Kilmainham Minut*, of *Johnny I hardly knew ye*, of the medieval *Dance of Death*.

XVI

Ten years after the war certain poets combined the modern vocabulary, the accurate record of the relevant facts learnt from Eliot, with the sense of suffering of the war poets, that sense of suffering no longer passive, no longer an obsession of the nerves; philosophy had made it part of all the mind. Edith Sitwell with her Russian Ballet, Turner with his *Mare Tranquillum*, Dorothy Wellesley with her ancient names — 'Heraclitus added fire' — her moths, horses and serpents, Pound with his descent into Hades, his Chinese classics, are too romantic to seem modern. Browning, that he might seem modern, created an ejaculating man-of-the-world good humour; but Day Lewis, Madge, MacNeice, are modern through the character of their intellectual passion. We have been gradually approaching this art through that cult of sincerity, that refusal to multiply personality which is characteristic of our time. They may seem obscure, confused, because of their concentrated passion, their interest in associations hitherto untravelled; it is as though their words and rhythms remained gummed to one another instead of separating and falling into order. I can seldom find more than half a dozen lyrics that I like, yet in this moment of sympathy I prefer them to Eliot, to myself — I too have tried to be modern. They have pulled off the mask, the manner writers hitherto assumed, Shelley in relation to his dream, Byron, Henley, to their adventure, their action. Here stands not this or that man but man's naked mind.

Although I have preferred, and shall again, constrained by a different nationality, a man so many years old, fixed to some one place, known to friends and enemies, full of mortal frailty, expressing all things not made mysterious by nature with impatient clarity, I have read with some excitement poets I had approached with distaste, delighted in their pure spiritual objectivity as in something long foretold.

Much of the war poetry was pacificist, revolutionary; it was easier to look at suffering if you had somebody to blame for it, or some remedy in mind. Many of these poets have called themselves communists, though I find in their work no trace of the recognized communist philosophy and the practising communist rejects them. The Russian government in 1930 silenced its Mechanists, put Spinoza on his head and claimed him for grandfather; but the men who created the communism of the masses had Stendhal's mirror for a contemporary, believed that religion, art, philosophy, expressed economic change, that the shell secreted the fish. Perhaps all that the masses accept is obsolete — the Orangeman beats his drum every Twelfth of July — perhaps fringes, wigs, furbelows, hoops, patches, stocks, Wellington boots, start up as armed men; but were a poet sensitive to the best thought of his time to accept that belief, when time is restoring the soul's autonomy, it would be as though he had swallowed a stone and kept it in his bowels. None of these men have accepted it, communism is their *Deus ex Machina*, their Santa Claus, their happy ending, but speaking as a poet I prefer tragedy to tragi-comedy. No matter how great a reformer's energy a still greater is required to face, all activities expended in vain, the unreformed. 'God,' said an old country-woman, 'smiles alike when regarding the good and condemning the lost.' MacNeice, the anti-communist, expecting some descent of barbarism next turn of the wheel, contemplates the modern world with even greater horror than the communist Day Lewis, although with less lyrical beauty. More often I cannot tell whether the poet is communist or anti-communist. On what side is Madge? Indeed I know of no school where the poets so closely resemble each other. Spender has said that the poetry of belief must supersede that of personality, and it is perhaps a belief shared that has created their intensity, their resemblance; but this belief is not political. If I understand aright this difficult art the contemplation of suffering has compelled them to seek beyond the flux something unchanging, inviolate, that country where no ghost haunts, no beloved lures because it has neither past nor future.

This lunar beauty
Has no history
Is complete and early;
If beauty later
Bear any feature
It had a lover
And is another.

XVII

I read Gerard Hopkins with great difficulty, I cannot keep my attention fixed for more than a few minutes; I suspect a bias born when I began to think. He is typical of his generation where most opposed to mine. His meaning is like some faint sound that strains the ear, comes out of words, passes to and fro between them, goes back into words, his manner a last development of poetical diction. My generation began that search for hard positive subject-matter, still a predominant purpose. Yet the publication of his work in 1918 made 'sprung verse' the fashion, and now his influence has replaced that of Hardy and Bridges. In sprung verse a foot may have one or many syllables without altering the metre, we count stress not syllable, it is the metre of the *Samson Agonistes* chorus and has given new vitality to much contemporary verse. It enables a poet to employ words taken over from science or the newspaper without stressing the more unmusical syllables, or to suggest hurried conversation where only one or two words in a sentence are important, to bring about a change in poetical writing like that in the modern speech of the stage where only those words which affect the situation are important. In syllabic verse, lyric, narrative, dramatic, all syllables are important. Hopkins would have disliked increase of realism; this stoppage and sudden onrush of syllables were to him a necessary expression of his slight constant excitement. The defect or limitation of ' sprung verse ', especially in five-stress lines, is that it may not be certain at a first glance where the stress falls. I have to read lines in *The End of a War* as in *Samson Agonistes* several times before I am certain.

XVIII

That I might follow a theme I have given but a bare mention or none at all to writers I greatly admire. There have, for instance, been notable translators. Ezra Pound's *Cathay* created the manner followed with more learning but with less sublety of rhythm by Arthur Waley in many volumes; Tagore's translation from his own Bengali I have praised elsewhere. Æ (George Russell) found in Vedantic philosophy the emotional satisfaction found by Lionel Johnson, John Gray, Francis Thompson in Catholicism and seems despite this identity of aim, and the originality and beauty of his best work, to stand among the translators, so little has he in common with his time. He went to the *Upanishads*, both for imagery and belief. I have been able to say but little of translations and interpretations of modern and medieval Gaelic literature by Lady Gregory, James Stephens, Frank O'Connor. Then again there are certain poets I have left aside because they stand between two or more schools and might have confused the story — Richard Hughes, Robert Nichols, Hugh M'Diarmid. I would, if I could, have dealt at some length with George Barker, who like MacNeice, Auden, Day Lewis, handled the traditional metres with a new freedom — *vers libre* lost much of its vogue some five years ago — but has not their social passion, their sense of suffering. There are one or two writers who are not in my story because they seem to be born out of time. When I was young there were almost as many religious poets as love poets and no philosophers. After a search for religious poetry, among the new poets I have found a poem by Force Stead, until lately chaplain of Worcester, and half a dozen little poems, which remind me of Emily Brontë, by Margot Ruddock, a young actress well known on the provincial stage. I have said nothing of my own work, not from modesty, but because writing through fifty years I have been now of the same school with John Synge and James Stephens, now in that of Sturge Moore and the younger 'Michael Field': and though the concentration of philosophy and social passion of the school of Day Lewis and in MacNeice lay beyond my desire, I would, but for a failure of talent have been in that of Turner and Dorothy Wellesley.

A distinguished American poet urged me not to attempt a representative selection of American poetry; he pointed out that I could not hope to acquire the necessary knowledge: 'If your selection looks representative you will commit acts of injustice.' I have therefore, though with a sense of loss, confined my selections to those American poets who by subject, or by long residence in Europe, seem to English readers a part of their own literature.

Certain authors are absent from this selection through circumstances beyond my control. Robert Graves, Laura Riding, and the executors of Canon John Gray and Sir William Watson have refused permission. Two others, Rudyard Kipling and Ezra Pound, are inadequately represented because too expensive even for an anthologist with the ample means the Oxford University Press puts at his disposal.

W. B. YEATS

September, 1936

ACKNOWLEDGMENTS

I MUST gratefully acknowledge the kindness of authors (or their executors) and of publishers in granting me permission to include copyright poems in this book. I name them here: Mr. Lascelles Abercrombie, Mr. W. H. Auden, Mr. George Barker, Mr. Julian Bell, Mr. Hilaire Belloc, Mr. Laurence Binyon, Mr. Edmund Blunden, Mr. Gordon Bottomley; the executors of the late Mr. Robert Bridges for permission to reprint seven poems; the executors of the late Wilfrid Scawen Blunt for four poems and extracts from a fifth; the literary executors of Rupert Brooke; Mr. Joseph Campbell, Mr. Roy Campbell, Mr. Richard Church, Mr. Padraic Colum, Mr. A. E. Coppard, Mrs. Frances Cornford, Mr. W. H. Davies, Mr. Walter de la Mare; Lady Desborough for the poem by Julian Grenfell; Mr. John Drinkwater, Mr. T. S. Eliot, Mr. William Empson; Mrs. Flecker for permission to include two poems by James Elroy Flecker; Mrs. Freeman for poems by John Freeman; Mr. Wilfrid Gibson; the executors of the late Lady Gregory; Dr. Oliver St. John Gogarty, Mr. F. R. Higgins, Mr. Ralph Hodgson; Captain Vyvyan Beresford Holland for the poem by Oscar Wilde; Mr. Laurence Housman for permission to use the five poems by his brother the late A. E. Housman; Mr. Richard Hughes, Mr. James Joyce; Mrs. Frieda Lawrence for poems by the late D. H. Lawrence; Mr. C. Day Lewis, Mr. Hugh M'Diarmid, Mr. Louis MacNeice, Mr. Charles

Madge; The Poet Laureate, Mr. John Masefield, for permission to reprint six poems from *Collected Poems* (Messrs. Heinemann); Mr. Thomas McGreevy, Mr. Edward Powys Mathers; Mr. Wilfrid Meynell for three poems by Alice Meynell and for the poems by Francis Thompson; Mrs. Harold Monro for the poems by the late Harold Monro and for permission to omit stanzas in *Midnight Lamentation* and *Natural History;* Mr. Thomas Sturge Moore for his own poems and those of ' Michael Field '; Sir Henry Newbolt for his poem and for the poem by Mary Coleridge; Mr. Robert Nichols; V. Sackville-West, Mr. Frank O'Connor; The Marchese Origo for the poems by the late Geoffrey Scott; Professor Vivian de Sola Pinto, Mr. William Plomer, Mr. Ezra Pound; the executors of F. York Powell for two poems; Mr. Herbert Read, Mr. Ernest Rhys, Mr. Michael Roberts, Miss Margot Ruddock, Mr. Diarmuid Russell for poems; G. W. Russell, Mr. Siegfried Sassoon, Mr. Edward Shanks, Miss Edith Sitwell, Mr. Sacheverell Sitwell, Mr. Stephen Spender, Sir John Squire, Mr. William Force Stead, Mr. James Stephens, Mr. L. A. G. Strong, Mr. Frank Pearce Sturm, Shri Purohit Swami, Mr. Arthur Symons; Mr. Edward Synge for permission to use the poems and translations by John Millington Synge; Mr. D. Trench for the poem by his father the late Herbert Trench; Mrs. Thomas for a poem by the late Edward Thomas; Mr. W. J. Turner for twelve poems; Mr. Arthur Waley for the title poem from his book *The Temple* (Messrs. George Allen and Unwin); Mrs. Sylvia Townsend Warner, Lady Gerald Wellesley.

My obligations to publishers are great, and I have to

thank Messrs. Dodd, Mead and Co. for two poems by Edmund Blunden, one by Rupert Brooke, and two by G. K. Chesterton; Messrs. Doubleday, Doran and Co. for *The Looking-Glass* and *A St. Helena Lullaby* by Rudyard Kipling; Messrs. Harper and Brothers for a poem by Edward Davison; Messrs. Houghton, Mifflin and Co. for two poems by John Drinkwater; A. A. Knopf, Inc. for two poems by James Elroy Flecker; The Macmillan Co. for poems by George Russell (Æ), Wilfrid Gibson, Thomas Hardy, Rabindranath Tagore, John Masefield, and for my own poems; The Modern Library Inc. for poems by John Millington Synge; Messrs. Charles Scribner's Sons for poems by W. E. Henley; The Viking Press for poems by Thomas McGreevy.

In two cases it has been impossible to trace the author or his executor and I must therefore apologize for seeming negligence to Thomas Boyd, and to the executors of Edwin J. Ellis.

W. B. Y.

WALTER PATER

1839–1894

1 *Mona Lisa*

SHE is older than the rocks among which she sits;
Like the Vampire,
She has been dead many times,
And learned the secrets of the grave;
And has been a diver in deep seas,
And keeps their fallen day about her;
And trafficked for strange webs with Eastern merchants;
And, as Leda,
Was the mother of Helen of Troy,
And, as St Anne,
Was the mother of Mary;
And all this has been to her but as the sound of lyres and flutes,
And lives
Only in the delicacy
With which it has moulded the changing lineaments,
And tinged the eyelids and the hands.

WILFRID SCAWEN BLUNT

1840–1922

2

Esther (i)

HE who has once been happy is for aye
  Out of destruction's reach. His fortune then
Holds nothing secret, and Eternity,
  Which is a mystery to other men,
Has like a woman given him its joy.
  Time is his conquest. Life, if it should fret,
Has paid him tribute. He can bear to die.
  He who has once been happy! When I set
The world before me and survey its range,
  Its mean ambitions, its scant fantasies,
The shreds of pleasure which for lack of change
  Men wrap around them and call happiness,
The poor delights which are the tale and sum
Of the world's courage in its martyrdom;

3

(ii)

WHEN I hear laughter from a tavern door,
  When I see crowds agape and in the rain
Watching on tiptoe and with stifled roar
  To see a rocket fired or a bull slain,
When misers handle gold, when orators
  Touch strong men's hearts with glory till they weep,
When cities deck their streets for barren wars
  Which have laid waste their youth, and when I keep
Calmly the count of my own life and see
  On what poor stuff my manhood's dreams were fed
Till I too learned what dole of vanity
  Will serve a human soul for daily bread,
— Then I remember that I once was young
And lived with Esther the world's gods among.

4 *Depreciating her Beauty*

I LOVE not thy perfections. When I hear
Thy beauty blazoned, and the common tongue
Cheapening with vulgar praise a lip, an ear,
A cheek that I have prayed to; — when among
The loud world's gods my god is noised and sung,
Her wit applauded, even her taste, her dress,
Her each dear hidden marvel lightly flung
At the world's feet and stripped to nakedness —
Then I despise thy beauty utterly,
Crying, ' Be these your gods, O Israel! '
And I remember that on such a day
I found thee with eyes bleared and cheeks all pale,
And lips that trembled to a voiceless cry,
And that thy bosom in my bosom lay.

5 *Honour Dishonoured*

(' Written in an Irish Prison 1888 ')

HONOURED I lived e'erwhile with honoured men
In opulent state. My table nightly spread
Found guests of worth, peer, priest and citizen,
And poet crowned, and beauty garlanded.
Nor these alone, for hunger too I fed,
And many a lean tramp and sad Magdalen
Passed from my doors less hard for sake of bread.
Whom grudged I ever purse or hand or pen?

To-night, unwelcomed at these gates of woe
I stand with churls, and there is none to greet
My weariness with smile or courtly show
Nor, though I hunger long, to bring me meat.
God! what a little accident of gold
Fences our weakness from the wolves of old!

6 *A Nocturne*

THE Moon has gone to her rest,
A full hour ago.
The Pleiads have found a nest
In the waves below.
Slow, the Hours one by one
In Midnight's footsteps creep.
Lovers who lie alone
Soon wake to weep.
Slow-footed tortoise Hours, will ye not hasten on,
Till from his prison
In the golden East
A new day shall have risen,
And the last stars be gone,
Like guests belated from a bridal feast?
When the long night is done
Then shall ye sleep.

7 *From 'The Wisdom of Merlyn'*

WOULDST thou be wise, O Man? At the knees of a woman begin.
Her eyes shall teach thee thy road, the worth of the thing called pleasure, the joy of the thing called sin.
Else shalt thou go to thy grave in pain for the folly that might have been.

For know, the knowledge of women the beginning of wisdom is.
Who had seven hundred wives and concubines hundreds three, as we read in the book of bliss?
Solomon, wisest of men and kings, and 'all of them princesses.'

Yet, be thou stronger than they. To be ruled of a woman is ill.
Life hath an hundred ways, beside the way of her arms, to give thee of joy thy fill.
Only is love of thy life the flower. Be thine the ultimate will.

What is the motto of youth? There is only one. Be thou strong.
Do thy work and achieve, with thy brain, with thy hands, with thy heart, the deeds which to strength belong.
Strike each day thy blow for the right, or failing strike for the wrong.

Love is of body and body, the physical passion of joy;
The desire of the man for the maid, her nakedness strained to his own; the mother's who suckles her boy
With the passionate flow of her naked breast. All else is a fraudulent toy.

Experience all is of use, save one, to have angered a friend.
Break thy heart for a maid; another shall love thee anon.
The gold shall return thou didst spend,
Ay, and thy beaten back grow whole. But friendship's grave is the end.

Why do I love thee, brother? We have shared what things in our youth,
Battle and siege and triumph, together, always together, in wanderings North and South.
But one thing shared binds nearer than all, the kisses of one sweet mouth.

He that hath loved the mother shall love the daughter no less,
Sister the younger sister. There are tones how sweet to his ear, gestures that plead and press,
Echoes fraught with remembered things that cry in the silences.

Friendship is fostered with gifts. Be it so; little presents? Yes.
Friendship! But ah, not Love, since love is itself Love's gift and it angereth him to have less.
Woe to the lover who dares to bring more wealth than his tenderness.

Whence is our fountain of tears? We weep in childhood for pain,
Anon for triumph in manhood, the sudden glory of praise, the giant mastered and slain.
Age weeps only for love renewed and pleasure come back again.

I have tried all pleasures but one, the last and sweetest; it waits.
Childhood, the childhood of age, to totter again on the lawns, to have done with the loves and the hates,
To gather the daisies, and drop them, and sleep on the nursing knees of the Fates.

THOMAS HARDY

1840–1928

8 *Weathers*

(i)

THIS is the weather the cuckoo likes,
And so do I;
When showers betumble the chestnut spikes,
And nestlings fly:
And the little brown nightingale bills his best,
And they sit outside at 'The Travellers' Rest,'
And maids come forth sprig-muslin drest,
And citizens dream of the south and west,
And so do I.

(ii)

This is the weather the shepherd shuns,
And so do I;
When beeches drip in browns and duns,
And thresh, and ply;
And hill-hid tides throb, throe on throe,
And meadow rivulets overflow,
And drops on gate-bars hang in a row,
And rooks in families homeward go,
And so do I.

9 *Snow in the Suburbs*

EVERY branch big with it,
Bent every twig with it;
Every fork like a white web-foot;
Every street and pavement mute:

Some flakes have lost their way, and grope back upward, when
Meeting those meandering down they turn and descend again.
The palings are glued together like a wall,
And there is no waft of wind with the fleecy fall.

A sparrow enters the tree,
Whereon immediately
A snow-lump thrice his own slight size
Descends on him and showers his head and eyes.
And overturns him,
And near inurns him,
And lights on a nether twig, when its brush
Starts off a volley of other lodging lumps with a rush.

The steps are a blanched slope,
Up which, with feeble hope,
A black cat comes, wide-eyed and thin;
And we take him in.

10 *The Night of Trafalgar (i)*

IN the wild October night-time, when the wind raved round the land,
And the Back-sea [1] met the Front-sea, and our doors were blocked with sand,
And we heard the drub of Dead-man's Bay, where bones of thousands are,
We knew not what the day had done for us at Trafalgár.
(*All*) Had done,
Had done,
For us at Trafalgár!

[1] In those days the hind-part of the harbour adjoining this scene was so named, and at high tides the waves washed across the isthmus at a point called 'The Narrows.'

(ii)

'Pull hard, and make the Nothe, or down we go!' one says,
says he.
We pulled; and bedtime brought the storm; but snug at
home slept we.
Yet all the while our gallants after fighting through the day,
Were beating up and down the dark, sou'-west of Cadiz
Bay.
The dark,
The dark,
Sou'-west of Cadiz Bay!

(iii)

The victors and the vanquished then the storm it tossed and tore,
As hard they strove, those worn-out men, upon that surly shore;
Dead Nelson and his half-dead crew, his foes from near and far,
Were rolled together on the deep that night at Trafalgár!
The deep,
The deep,
That night at Trafalgár!

11 *Former Beauties*

THESE market-dames, mid-aged, with lips thin-drawn,
And tissues sere,
Are they the ones we loved in years agone,
And courted here?

Are these the muslined pink young things to whom
We vowed and swore
In nooks on summer Sundays by the Froom,
Or Budmouth shore?

Do they remember those gay tunes we trod
Clasped on the green;
Aye; trod till moonlight set on the beaten sod
A satin sheen?

They must forget, forget! They cannot know
What once they were,
Or memory would transfigure them, and show
Them always fair.

ROBERT BRIDGES

1844–1930

12

Muse and Poet

Muse.

WILL Love again awake,
That lies asleep so long?

Poet.

O hush! ye tongues that shake
The drowsy night with song.

Muse.

It is a lady fair
Whom once he deigned to praise,
That at the door doth dare
Her sad complaint to raise.

Poet.

She must be fair of face,
As bold of heart she seems,
If she would match her grace
With the delight of dreams.

Muse.

Her beauty would surprise
Gazers on Autumn eves,
Who watched the broad moon rise
Upon the scattered sheaves.

Poet.

O sweet must be the voice
He shall descend to hear,
Who doth in Heaven rejoice
His most enchanted ear.

Muse.

The smile, that rests to play
Upon her lip, foretells
What musical array
Tricks her sweet syllables.

Poet.

And yet her smiles have danced
In vain, if her discourse
Win not the soul entranced
In divine intercourse.

Muse.

She will encounter all
This trial without shame,
Her eyes men Beauty call,
And Wisdom is her name.

Poet.

Throw back the portals then,
Ye guards, your watch that keep,
Love will awake again
That lay so long asleep.

13 *On a Dead Child*

PERFECT little body, without fault or stain on thee,
With promise of strength and manhood full and fair!
Though cold and stark and bare,
The bloom and the charm of life doth awhile remain on thee.

Thy mother's treasure wert thou; — alas! no longer
To visit her heart with wondrous joy; to be
Thy father's pride; — ah, he
Must gather his faith together, and his strength make stronger.

To me, as I move thee now in the last duty,
Dost thou with a turn or gesture anon respond;
Startling my fancy fond
With a chance attitude of the head, a freak of beauty.

Thy hand clasps, as 'twas wont, my finger, and holds it:
But the grasp is the clasp of Death, heartbreaking and stiff;
Yet feels to my hand as if
'Twas still thy will, thy pleasure and trust that enfolds it.

So I lay thee there, thy sunken eyelids closing, —
Go lie thou there in thy coffin, thy last little bed! —
Propping thy wise, sad head,
Thy firm, pale hands across thy chest disposing.

So quiet! doth the change content thee? — Death, whither hath he taken thee?
To a world, do I think, that rights the disaster of this?
The vision of which I miss,
Who weep for the body, and wish but to warm thee and awaken thee?

Ah! little at best can all our hopes avail us
To lift this sorrow, or cheer us, when in the dark,
Unwilling, alone we embark,
And the things we have seen and have known and have heard of, fail us.

14 *The Storm is over*

THE storm is over, the land hushes to rest:
The tyrannous wind, its strength fordone,
Is fallen back in the west
To couch with the sinking sun.
The last clouds fare
With fainting speed, and their thin streamers fly
In melting drifts of the sky.
Already the birds in the air

Appear again; the rooks return to their haunt,
And one by one,
Proclaiming aloud their care,
Renew their peaceful chant.

Torn and shattered the trees their branches again reset,
They trim afresh the fair
Few green and golden leaves withheld from the storm,
And awhile will be handsome yet.
To-morrow's sun shall caress
Their remnant of loveliness:
In quiet days for a time
Sad Autumn lingering warm
Shall humour their faded prime.

But ah! the leaves of summer that lie on the ground!
What havoc! The laughing timbrels of June,
That curtained the birds' cradles, and screened their song,
That sheltered the cooing doves at noon,
Of airy fans the delicate throng, —
Torn and scattered around:
Far out afield they lie,
In the watery furrows die,
In grassy pools of the flood they sink and drown,
Green-golden, orange, vermilion, golden and brown,
The high year's flaunting crown
Shattered and trampled down.

The day is done: the tired land looks for night:
She prays to the night to keep
In peace her nerves of delight:
While silver mist upstealeth silently,
And the broad cloud-driving moon in the clear sky
Lifts o'er the firs her shining shield,

And in her tranquil light
Sleep falls on forest and field.
Sée! sléep hath fallen: the trees are asleep:
The night is come. The land is wrapt in sleep.

15 *Weep not To-day*

WEEP not to-day: why should this sadness be?
Learn in present fears
To o'ermaster those tears
That unhindered conquer thee.

Think on thy past valour, thy future praise:
Up, sad heart, nor faint
In ungracious complaint,
Or a prayer for better days.

Daily thy life shortens, the grave's dark peace
Draweth surely nigh,
When good-night is good-bye;
For the sleeping shall not cease.

Fight, to be found fighting: nor far away
Deem, nor strange thy doom.
Like this sorrow 'twill come,
And the day will be to-day.

16 *I heard a Linnet courting*

I HEARD a linnet courting
His lady in the spring:
His mates were idly sporting,
Nor stayed to hear him sing
His song of love.—
I fear my speech distorting
His tender love.

The phrases of his pleading
  Were full of young delight;
And she that gave him heeding
  Interpreted aright
    His gay, sweet notes,—
So sadly marred in the reading,—
    His tender notes.

And when he ceased, the hearer
  Awaited the refrain,
Till swiftly perching nearer
  He sang his song again,
    His pretty song:—
Would that my verse spake clearer
    His tender song!

Ye happy, airy creatures!
  That in the merry spring
Think not of what misfeatures
  Or cares the year may bring;
    But unto love
Resign your simple natures,
    To tender love.

17

Nightingales

BEAUTIFUL must be the mountains whence ye come,
  And bright in the fruitful valleys the streams, wherefrom
    Ye learn your song:
Where are those starry woods? O might I wander there,
  Among the flowers, which in that heavenly air
    Bloom the year long!

Nay, barren are those mountains and spent the streams:
Our song is the voice of desire, that haunts our dreams,
A throe of the heart,
Whose pining visions dim, forbidden hopes profound,
No dying cadence nor long sigh can sound,
For all our art.

Alone, aloud in the raptured ear of men
We pour our dark nocturnal secret; and then,
As night is withdrawn
From these sweet-springing meads and bursting boughs of May,
Dream, while the innumerable choir of day
Welcome the dawn.

GERARD MANLEY HOPKINS

1844–1889

18 *The Habit of Perfection*

ELECTED Silence, sing to me
And beat upon my whorlèd ear,
Pipe me to pastures still and be
The music that I care to hear.

Shape nothing, lips; be lovely-dumb:
It is the shut, the curfew sent
From there where all surrenders come
Which only makes you eloquent.

Be shellèd, eyes, with double dark
And find the uncreated light:
This ruck and reel which you remark
Coils, keeps, and teases simple sight.

Palate, the hutch of tasty lust,
Desire not to be rinsed with wine:
The can must be so sweet, the crust
So fresh that come in fasts divine!

Nostrils, your careless breath that spend
Upon the stir and keep of pride,
What relish shall the censers send
Along the sanctuary side!

O feel-of-primrose hands, O feet
That want the yield of plushy sward,
But you shall walk the golden street
And you unhouse and house the Lord.

And, Poverty, be thou the bride
And now the marriage feast begun,
And lily-coloured clothes provide
Your spouse not laboured-at nor spun.

19 *Pied Beauty*

GLORY be to God for dappled things —
For skies of couple-colour as a brinded cow;
For rose-moles all in stipple upon trout that swim;

Fresh fire-coal chestnut-falls; finches' wings;
Landscape plotted and pieced — fold, fallow, and plough;
And áll trádes, their gear and tackle and trim.

All things counter, original, spare, strange;
Whatever is fickle, freckled (who knows how?)
With swift, slow; sweet, sour; adazzle, dim;
He fathers-forth whose beauty is past change:
Praise him.

20

Spring

NOTHING is so beautiful as spring —
When weeds, in wheels, shoot long and lovely and lush;
Thrush's eggs look little low heavens, and thrush
Through the echoing timber does so rinse and wring
The ear, it strikes like lightnings to hear him sing;
The glassy peartree leaves and blooms, they brush
The descending blue; that blue is all in a rush
With richness; the racing lambs too have fair their fling.

What is all this juice and all this joy?
A strain of the earth's sweet being in the beginning
In Eden garden. — Have, get, before it cloy,
Before it cloud, Christ, lord, and sour with sinning,
Innocent mind and Mayday in girl and boy,
Most, O maid's child, thy choice and worthy the winning.

21

The Caged Skylark

AS a dare-gale skylark scanted in a dull cage
Man's mounting spirit in his bone-house, mean house, dwells —
That bird beyond the remembering his free fells;
This in drudgery, day-labouring-out life's age.

Though aloft on turf or perch or poor low stage,
Both sing sometímes the sweetest, sweetest spells,
Yet both droop deadly sómetimes in their cells
Or wring their barriers in bursts of fear or rage.

Not that the sweet-fowl, song-fowl, needs no rest —
Why, hear him, hear him babble and drop down to his nest,
But his own nest, wild nest, no prison.

Man's spirit will be flesh-bound when found at best,
But uncumbered: meadow-down is not distressed
For a rainbow footing it nor he for his bónes rísen.

22 *The Sea and the Skylark*

ON ear and ear two noises too old to end
Trench — right, the tide that ramps against the shore;
With a flood or a fall, low lull-off or all roar,
Frequenting there while moon shall wear and wend.

Left hand, off land, I hear the lark ascend,
His rash-fresh re-winded new-skeinèd score
In crisps of curl off wild winch whirl, and pour
And pelt music, till none 's to spill nor spend.

How these two shame this shallow and frail town!
How ring right out our sordid turbid time,
Being pure! We, life's pride and cared-for crown,

Have lost that cheer and charm of earth's past prime:
Our make and making break, are breaking, down
To man's last dust, drain fast towards man's first slime.

23 *Duns Scotus's Oxford*

TOWERY city and branchy between towers;
Cuckoo-echoing, bell-swarmèd, lark-charmèd, rook-racked, river-rounded;
The dappled-eared lily below thee; that country and town did
Once encounter in, here coped and poisèd powers.

Thou hast a base and brickish skirt there, sours
That neighbour-nature thy grey beauty is grounded
Best in; graceless growth, thou hast confounded
Rural rural keeping — folk, flocks, and flowers.

Yet ah! this air I gather and I release
He lived on; these weeds and waters, these walls are what
He haunted who of all men most sways my spirits to peace;

Of realty the rarest-veinèd unraveller; a not
Rivalled insight, be rival Italy or Greece;
Who fired France for Mary without spot.

24 *The Leaden Echo and the Golden Echo*

(*Maidens' song from St. Winefred's Well*)

THE LEADEN ECHO

HOW to kéep — is there ány any, is there none such, nowhere known some, bow or brooch or braid or brace, láce, latch or catch or key to keep
Back beauty, keep it, beauty, beauty, beauty, . . . from vanishing away?
Ó is there no frowning of these wrinkles, rankèd wrinkles deep,

Dówn? no waving off of these most mournful messengers,
still messengers, sad and stealing messengers of grey?
No there 's none, there 's none, O no there 's none,
Nor can you long be, what you now are, called fair,
Do what you may do, what, do what you may,
And wisdom is early to despair:
Be beginning; since, no, nothing can be done
To keep at bay
Age and age's evils, hoar hair,
Ruck and wrinkle, drooping, dying, death's worst, winding
sheets, tombs and worms and tumbling to decay;
So be beginning, be beginning to despair.
O there 's none; no no no there 's none:
Be beginning to despair, to despair,
Despair, despair, despair, despair.

THE GOLDEN ECHO

Spare!
There ís one, yes I have one (Hush there!);
Only not within seeing of the sun,
Not within the singeing of the strong sun,
Tall sun's tingeing, or treacherous the tainting of the earth's
air,
Somewhere elsewhere there is ah well where! one,
Óne. Yes I can tell such a key, I do know such a place,
Where whatever 's prized and passes of us, everything that 's
fresh and fast flying of us, seems to us sweet of us and
swiftly away with, done away with, undone,
Undone, done with, soon done with, and yet dearly and
dangerously sweet
Of us, the wimpled-water-dimpled, not-by-morning-
matchèd face,

The flower of beauty, fleece of beauty, too too apt to, ah! to
fleet,
Never fleets móre, fastened with the tenderest truth
To its own best being and its loveliness of youth: it is an
everlastingness of, O it is an all youth!
Come then, your ways and airs and looks, locks, maiden
gear, gallantry and gaiety and grace,
Winning ways, airs innocent, maiden manners, sweet looks,
loose locks, long locks, lovelocks, gaygear, going gallant,
girlgrace —
Resign them, sign them, seal them, send them, motion them
with breath,
And with sighs soaring, soaring síghs deliver
Them; beauty-in-the-ghost, deliver it, early now, long be-
fore death
Give beauty back, beauty, beauty, beauty, back to God,
beauty's self and beauty's giver.
See; not a hair is, not an eyelash, not the least lash lost;
every hair
Is, hair of the head, numbered.
Nay, what we had lighthanded left in surly the mere mould
Will have waked and have waxed and have walked with the
wind what while we slept,
This side, that side hurling a heavyheaded hundredfold
What while we, while we slumbered.
O then, weary then whý should we tread? O why are we
so haggard at the heart, so care-coiled, care-killed, so
fagged, so fashed, so cogged, so cumbered,
When the thing we freely fórfeit is kept with fonder a care,
Fonder a care kept than we could have kept it, kept
Far with fonder a care (and we, we should have lost it)
finer, fonder

A care kept. — Where kept? Do but tell us where kept, where. —
Yonder. — What high as that! We follow, now we follow. — Yonder, yes yonder, yonder,
Yonder.

WILLIAM ERNEST HENLEY

1849–1903

25 *Ballade of Dead Actors*

I. M.
Edward John Henley
(1861–1898)

WHERE are the passions they essayed,
And where the tears they made to flow?
Where the wild humours they portrayed
For laughing worlds to see and know?
Othello's wrath and Juliet's woe?
Sir Peter's whims and Timon's gall?
And Millamant and Romeo?
Into the night go one and all.

Where are the braveries, fresh or frayed?
The plumes, the armours — friend and foe?
The cloth of gold, the rare brocade,
The mantles glittering to and fro?
The pomp, the pride, the royal show?
The cries of war and festival?
The youth, the grace, the charm, the glow?
Into the night go one and all.

The curtain falls, the play is played:
The Beggar packs beside the Beau;
The Monarch troops, and troops the Maid;
The Thunder huddles with the Snow.
Where are the revellers high and low?
The clashing swords? The lover's call?
The dancers gleaming row on row?
Into the night go one and all.

Envoy

Prince, in one common overthrow
The Hero tumbles with the Thrall:
As dust that drives, as straws that blow,
Into the night go one and all.

26 *Invictus*

OUT of the night that covers me,
Black as the Pit from pole to pole,
I thank whatever gods may be
For my unconquerable soul.

In the fell clutch of circumstance
I have not winced nor cried aloud.
Under the bludgeonings of chance
My head is bloody, but unbowed.

Beyond this place of wrath and tears
Looms but the Horror of the shade,
And yet the menace of the years
Finds, and shall find, me unafraid.

It matters not how strait the gate,
How charged with punishments the scroll,
I am the master of my fate:
I am the captain of my soul.

27 *All in a Garden Green*

I TALKED one midnight with the jolly ghost
Of a gray ancestor, Tom Heywood hight;
And, 'Here 's,' says he, his old heart liquor-lifted —
'Here 's how we did when Gloriana shone:'

All in a garden green
Thrushes were singing;
Red rose and white between,
Lilies were springing;
It was the merry May;
Yet sang my Lady: —
'Nay, Sweet, now nay, now nay!
I am not ready.'

Then to a pleasant shade
I did invite her:
All things a concert made,
For to delight her;
Under, the grass was gay;
Yet sang my Lady: —
'Nay, Sweet, now nay, now nay!
I am not ready.'

28 *Since those we love and those we hate*

SINCE those we love and those we hate,
With all things mean and all things great,
Pass in a desperate disarray
Over the hills and far away:

It must be, Dear, that, late or soon,
Out of the ken of the watching moon,
We shall abscond with Yesterday
Over the hills and far away.

What does it matter? As I deem,
We shall but follow as brave a dream
As ever smiled a wanton May
Over the hills and far away.

We shall remember, and, in pride,
Fare forth, fulfilled and satisfied,
Into the land of Ever-and-Aye,
Over the hills and far away.

EDWIN JOHN ELLIS

1848–1918

29

From 'Himself'

AT Golgotha I stood alone,
And trembled in the empty night:
The shadow of a cross was shown
And Christ thereon who died upright.

The shadow murmured as I went,
'I cannot see thee, — who art thou?
Art thou my friend? or art thou sent
In hate to rail upon me now?

'I cannot see thee. Art thou one
Of those I lived to save, — and saved?
I saved thee; but the sands that run
Have filled the trace of words engraved.

'I wrote with finger on the ground
  One pardon, then with blood on wood.
The priests and elders waited round,
  But none could read of all that stood.

'None read, and now I linger here,
  Only the ghost of one who died,
For God forsakes me, and the spear
  Runs ever cold into my side.

'I have believed in thee when then
  Thou wert not born, nor might I tell
Thy face among the souls of men
  Unborn, but yet I loved thee well.

'Pity me now for this my death;
  Love me a little for my love,
I loved and died, the story saith,
  And telleth over and above

'Of all my early days of want,
  And days of work, and then the end,
But telleth not how still I haunt
  My place of death and seek a friend.

'My God who lived in me to bless
  The earth He made has passed away;
And left me here companionless,
  A weary spectre night and day.

'I am the Ghost of Christ the Less,
  Jesus the man, whose ghost was bound
And banished in the wilderness
  And trodden deep beneath the ground.

'I saw him go, and cried to him,
"Eli, thou hast forsaken me!"
The nails were burning through each limb:
He fled to find felicity.

'Ah! then I knew the foolish wrong
That I upon myself had wrought,
Then floated off that Spirit strong
That once had seemed my own heart's thought.

'Where is the life I might have known
If God had never lit on me?
I might have loved one heart alone,
A woman white as chastity.

'I might have hated devils and fled
Whene'er they came. I might have turned
From sinners, and I might have led
A life where no sin-knowledge burned.

'But between voice and voice I chose,
Of these two selves and clave to this:—
Who left me here where no man knows,
And fled to dwell with light in bliss.

'And left me here with wound of spears,
A cast-off ghostly shade to rave,
And haunt the place for endless years,
Crying, "Himself he cannot save!"'

So spoke the ghost of Joseph's son
Haunting the place where Christ was slain.
I pray that e'er this world be done,
Christ may relieve his piteous pain.

FREDERICK YORK POWELL

1850–1904

30 *The Sailor and the Shark*

THERE was a queen that fell in love with a jolly sailor bold,
But he shipped to the Indies, where he would seek for gold.
All in a good sea-boat, my boys, we fear no wind that blows!

There was a king that had a fleet of ships both tall and tarred;
He carried off this pretty queen, and she jumped overboard.
All in a good sea-boat, my boys, we fear no wind that blows!

The queen, the queen is overboard! a shark was cruising round,
He swallowed up this dainty bit alive and safe and sound.
All in a good sea-boat, my boys, we fear no wind that blows!

Within the belly of this shark it was both dark and cold,
But she was faithful still and true to her jolly sailor bold.
All in a good sea-boat, my boys, we fear no wind that blows!

The shark was sorry for her, and swam away so fast.
In the Indies, where the camels are, he threw her up at last.
All in a good sea-boat, my boys, we fear no wind that blows!

On one of these same goodly beasts, all in a palanquin,
She spied her own true love again — the Emperor of Tonquin.
All in a good sea-boat, my boys, we fear no wind that blows!

She called to him, 'O stay, my love, your queen is come, my dear.'
'Oh I've a thousand queens more fair within my kingdom here.'
All in a good sea-boat, my boys, we fear no wind that blows!

'You smell of the grave so strong, my dear.' 'I've sailed in a shark,' says she.
'It is not of the grave I smell; but I smell of the fish of the sea.'
All in a good sea-boat, my boys, we fear no wind that blows!

'My lady loves they smell so sweet; of rice-powder so fine.
The queen the King of Paris loves no sweeter smells than mine.'
All in a good sea-boat, my boys, we fear no wind that blows!

She got aboard the shark again, and weeping went her way;
The shark swam back again so fast to where the tall ships lay.
All in a good sea-boat, my boys, we fear no wind that blows!

The king he got the queen again, the shark away he swam.
The queen was merry as could be, and mild as any lamb.
All in a good sea-boat, my boys, we fear no wind that blows!

* * * *

Now all you pretty maidens what love a sailor bold,
You'd better ship along with him before his love grows cold.

(*From the French of Paul Fort.*)

31 *The Pretty Maid*

THE pretty maid she died, she died, in love-bed as she lay;
They took her to the churchyard: all at the break of day;
They laid her all alone there: all in her white array;

They laid her all alone there: a'coffin'd in the clay;
And they came back so merrily: all at the dawn of day;
A'singing all so merrily: '*The dog must have his day!*'
The pretty maid is dead, is dead; in love-bed as she lay;
And they are off a-field to work: as they do every day.

(*From the French of Paul Fort.*)

ALICE MEYNELL

1847–1922

32 *I am the Way*

THOU art the Way.
Hadst Thou been nothing but the goal,
I cannot say
If Thou hadst ever met my soul.

I cannot see —
I, child of process — if there lies
An end for me,
Full of repose, full of replies.

I'll not reproach
The road that winds, my feet that err.
Access, approach
Art Thou, Time, Way, and Wayfarer.

33 *The Lady Poverty*

THE Lady Poverty was fair:
But she has lost her looks of late,
With change of times and change of air.
Ah slattern! she neglects her hair,
Her gown, her shoes; she keeps no state
As once when her pure feet were bare.

Or — almost worse, if worse can be —
She scolds in parlours, dusts and trims,
Watches and counts. Oh, is this she
Whom Francis met, whose step was free,
Who with Obedience carolled hymns,
In Umbria walked with Chastity?

Where is her ladyhood? Not here,
Not among modern kinds of men;
But in the stony fields, where clear
Through the thin trees the skies appear,
In delicate spare soil and fen,
And slender landscape and austere.

34 *Renouncement*

I MUST not think of thee; and, tired yet strong,
I shun the thought that lurks in all delight —
The thought of thee — and in the blue Heaven's height,
And in the dearest passage of a song.
Oh, just beyond the fairest thoughts that throng
This breast, the thought of thee waits, hidden yet bright;
But it must never, never come in sight;
I must stop short of thee the whole day long.
But when sleep comes to close each difficult day,
When night gives pause to the long watch I keep,
And all my bonds I needs must loose apart,
Must doff my will as raiment laid away, —
With the first dream that comes with the first sleep
I run, I run, I am gathered to thy heart.

LADY GREGORY

1852–1932

35 *Cold, Sharp Lamentation*

COLD, sharp lamentation
In the cold bitter winds
Ever blowing across the sky;
Oh, there was loneliness with me!

The loud sounding of the waves
Beating against the shore,
Their vast, rough, heavy outcry,
Oh, there was lonelines with me!

The light sea-gulls in the air,
Crying sharply through the harbours,
The cries and screams of the birds
With my own heart! Oh! that was loneliness.

The voice of the winds and the tide,
And the long battle of the mighty war;
The sea, the earth, the skies, the blowing of the winds,
Oh! there was loneliness in all of them together.

(*From the Irish of Douglas Hyde.*)

36 *He meditates on the Life of a Rich Man*

A GOLDEN cradle under you, and you young;
A right mother and a strong kiss.

A lively horse, and you a boy;
A school and learning and close companions.

A beautiful wife, and you a man;
A wide house and everything that is good.

A fine wife, children, substance;
Cattle, means, herds and flocks.

A place to sit, a place to lie down;
Plenty of food and plenty of drink.

After that, an old man among old men;
Respect on you and honour on you.

Head of the court, of the jury, of the meeting,
And the counsellors not the worse for having you.

At the end of your days death, and then
Hiding away; the boards and the church.

What are you better after tonight
Than Ned the beggar or Seaghan the fool?

(*From the Irish of Douglas Hyde.*)

37 *Will you be as hard?*

WILL you be as hard,
  Colleen, as you are quiet?
Will you be without pity
  On me for ever?

Listen to me, Noireen,
  Listen, aroon;
Put healing on me
  From your quiet mouth.

I am in the little road
  That is dark and narrow,
The little road that has led
  Thousands to sleep.

(*From the Irish of Douglas Hyde.*)

38 *I am Ireland*

I AM Ireland,
Older than the Hag of Beara.

Great my pride,
I gave birth to brave Cuchulain.

Great my shame,
My own children killed their mother.

I am Ireland,
Lonelier than the Hag of Beara.

(*From the Irish of Padraig Pearse.*)

39 *A Poem written in Time of Trouble by an Irish Priest who had taken Orders in France*

MY thoughts, my grief! are without strength
My spirit is journeying towards death
My eyes are as a frozen sea
My tears my daily food;
There is nothing in life but only misery.
My poor heart is torn
And my thoughts are sharp wounds within me,
Mourning the miserable state of Ireland.

Misfortune has come upon us all together
The poor, the rich, the weak and the strong
The great lord by whom hundreds were maintained
The powerful strong man, and the man that holds the plough;
And the cross laid on the bare shoulder of every man.

Our feasts are without any voice of priests
And none at them but women lamenting
Tearing their hair with troubled minds
Keening miserably after the Fenians.

The pipes of our organs are broken
Our harps have lost their strings that were tuned
That might have made the great lamentations of Ireland.
Until the strong men come back across the sea
There is no help for us but bitter crying,
Screams, and beating of hands, and calling out.

I do not know of anything under the sky
That is friendly or favourable to the Gael
But only the sea that our need brings us to,
Or the wind that blows to the harbour
The ship that is bearing us away from Ireland;
And there is reason that these are reconciled with us,
For we increase the sea with our tears
And the wandering wind with our sighs.

(*From the Irish.*)

OSCAR WILDE

1856–1900

40 *From 'The Ballad of Reading Gaol'*

He did not wear his scarlet coat,
  For blood and wine are red,
And blood and wine were on his hands
  When they found him with the dead,
The poor dead woman whom he loved,
  And murdered in her bed.

He walked amongst the Trial Men
  In a suit of shabby grey;
A cricket cap was on his head,
  And his step seemed light and gay;
But I never saw a man who looked
  So wistfully at the day.

I never saw a man who looked
  With such a wistful eye
Upon that little tent of blue
  Which prisoners call the sky,
And at every drifting cloud that went
  With sails of silver by.

I walked, with other souls in pain,
  Within another ring,
And was wondering if the man had done
  A great or little thing,
When a voice behind me whispered low,
  '*That fellow's got to swing.*'

* * * *

Six weeks our guardsman walked the yard,
  In the suit of shabby grey:
His cricket cap was on his head,
  And his step seemed light and gay,
But I never saw a man who looked
  So wistfully at the day.

I never saw a man who looked
  With such a wistful eye
Upon that little tent of blue
  Which prisoners call the sky,
And at every wandering cloud that trailed
  Its ravelled fleeces by.

OSCAR WILDE

He did not wring his hands, as do
  Those witless men who dare
To try to rear the changeling Hope
  In the cave of black Despair:
He only looked upon the sun,
  And drank the morning air.

He did not wring his hands nor weep,
  Nor did he peek or pine,
But he drank the air as though it held
  Some healthful anodyne;
With open mouth he drank the sun
  As though it had been wine!

And I and all the souls in pain,
  Who tramped the other ring,
Forgot if we ourselves had done
  A great or little thing,
And watched with gaze of dull amaze
  The man who had to swing.

And strange it was to see him pass
  With a step so light and gay,
And strange it was to see him look
  So wistfully at the day,
And strange it was to think that he
  Had such a debt to pay.

*   *   *   *

For oak and elm have pleasant leaves
  That in the spring-time shoot:
But grim to see is the gallows-tree,
  With its adder-bitten root,
And, green or dry, a man must die
  Before it bears its fruit!

The loftiest place is that seat of grace
For which all worldlings try:
But who would stand in hempen band
Upon a scaffold high,
And through a murderer's collar take
His last look at the sky?

It is sweet to dance to violins
When Love and Life are fair:
To dance to flutes, to dance to lutes
Is delicate and rare:
But it is not sweet with nimble feet
To dance upon the air!

So with curious eyes and sick surmise
We watched him day by day,
And wondered if each one of us
Would end the self-same way,
For none can tell to what red Hell
His sightless soul may stray.

At last the dead man walked no more
Amongst the Trial Men,
And I knew that he was standing up
In the black dock's dreadful pen,
And that never would I see his face
In God's sweet world again.

Like two doomed ships that pass in storm
We had crossed each other's way:
But we made no sign, we said no word,
We had no word to say;
For we did not meet in the holy night,
But in the shameful day.

A prison wall was round us both,
  Two outcast men we were:
The world had thrust us from its heart,
  And God from out His care:
And the iron gin that waits for Sin
  Had caught us in its snare.

* * * *

In Debtors' Yard the stones are hard,
  And the dripping wall is high,
So it was there he took the air
  Beneath the leaden sky,
And by each side a Warder walked,
  For fear the man might die.

Or else he sat with those who watched
  His anguish night and day;
Who watched him when he rose to weep,
  And when he crouched to pray;
Who watched him lest himself should rob
  Their scaffold of its prey.

* * * *

And twice a day he smoked his pipe,
  And drank his quart of beer:
His soul was resolute, and held
  No hiding-place for fear;
He often said that he was glad
  The hangman's hands were near.

But why he said so strange a thing
  No Warder dared to ask:
For he to whom a watcher's doom
  Is given as his task,
Must set a lock upon his lips,
  And make his face a mask.

Or else he might be moved, and try
  To comfort or console:
And what should Human Pity do
  Pent up in Murderers' Hole?
What word of grace in such a place
  Could help a brother's soul?

* * * *

We tore the tarry rope to shreds
  With blunt and bleeding nails;
We rubbed the doors, and scrubbed the floors,
  And cleaned the shining rails:
And, rank by rank, we soaped the plank,
  And clattered with the pails.

We sewed the sacks, we broke the stones,
  We turned the dusty drill:
We banged the tins, and bawled the hymns,
  And sweated on the mill:
But in the heart of every man
  Terror was lying still.

So still it lay that every day
  Crawled like a weed-clogged wave:
And we forgot the bitter lot
  That waits for fool and knave,
Till once, as we tramped in from work,
  We passed an open grave.

With yawning mouth the yellow hole
  Gaped for a living thing;
The very mud cried out for blood
  To the thirsty asphalte ring:
And we knew that ere one dawn grew fair
  Some prisoner had to swing.

Right in we went, with soul intent
  On Death and Dread and Doom:
The hangman, with his little bag,
  Went shuffling through the gloom:
And each man trembled as he crept
  Into his numbered tomb.

* * * *

That night the empty corridors
  Were full of forms of Fear,
And up and down the iron town
  Stole feet we could not hear,
And through the bars that hide the stars
  White faces seemed to peer.

He lay as one who lies and dreams
  In a pleasant meadow-land,
The watchers watched him as he slept,
  And could not understand
How one could sleep so sweet a sleep
  With a hangman close at hand.

But there is no sleep when men must weep
  Who never yet have wept:
So we — the fool, the fraud, the knave —
  That endless vigil kept,
And through each brain on hands of pain
  Another's terror crept.

* * * *

There is no chapel on the day
  On which they hang a man:
The Chaplain's heart is far too sick,
  Or his face is far too wan,
Or there is that written in his eyes
  Which none should look upon.

So they kept us close till nigh on noon,
And then they rang the bell,
And the Warders with their jingling keys
Opened each listening cell,
And down the iron stair we tramped,
Each from his separate Hell.

Out into God's sweet air we went,
But not in wonted way,
For this man's face was white with fear,
And that man's face was gray,
And I never saw sad men who looked
So wistfully at the day.

I never saw sad men who looked
With such a wistful eye
Upon that little tent of blue
We prisoners called the sky,
And at every careless cloud that passed
In happy freedom by.

The Warders strutted up and down,
And kept their herd of brutes,
Their uniforms were spick and span,
And they wore their Sunday suits,
But we knew the work they had been at,
By the quicklime on their boots.

For where a grave had opened wide,
There was no grave at all:
Only a stretch of mud and sand
By the hideous prison-wall,
And a little heap of burning lime,
That the man should have his pall.

For three long years they will not sow
  Or root or seedling there:
For three long years the unblessed spot
  Will sterile be and bare,
And look upon the wondering sky
  With unreproachful stare.

They think a murderer's heart would taint
  Each simple seed they sow.
It is not true! God's kindly earth
  Is kindlier than men know,
And the red rose would but blow more red,
  The white rose whiter blow.

THOMAS WILLIAM ROLLESTON

1857–1920

41 ### *Clonmacnoise*

IN a quiet water'd land, a land of roses,
  Stands Saint Kieran's city fair;
And the warriors of Erin in their famous generations
  Slumber there.

There beneath the dewy hillside sleep the noblest
  Of the clan of Conn,
Each below his stone with name in branching Ogham
  And the sacred knot thereon.

There they laid to rest the seven Kings of Tara,
  There the sons of Cairbrè sleep —
Battle-banners of the Gael that in Kieran's plain of crosses
  Now their final hosting keep.

And in Clonmacnoise they laid the men of Teffia,
  And right many a lord of Breagh;

THOMAS WILLIAM ROLLESTON

Deep the sod above Clan Creidè and Clan Conaill,
    Kind in hall and fierce in fray.
Many and many a son of Conn the Hundred-fighter
    In the red earth lies at rest;
Many a blue eye of Clan Colman the turf covers,
    Many a swan-white breast.

(*From the Irish of Angus O'Gillan.*)

ALFRED EDWARD HOUSMAN

1859–1936

42

Grenadier

THE Queen she sent to look for me,
    The sergeant he did say,
'Young man, a soldier will you be
    For thirteen pence a day?'

For thirteen pence a day did I
    Take off the things I wore,
And I have marched to where I lie,
    And I shall march no more.

My mouth is dry, my shirt is wet,
    My blood runs all away,
So now I shall not die in debt
    For thirteen pence a day.

To-morrow after new young men
    The sergeant he must see,
For things will all be over then
    Between the Queen and me.

And I shall have to bate my price,
    For in the grave, they say,
Is neither knowledge nor device
    Nor thirteen pence a day.

43 *Soldier from the Wars returning*

SOLDIER from the wars returning,
  Spoiler of the taken town,
Here is ease that asks not earning;
  Turn you in and sit you down.

Peace is come and wars are over,
  Welcome you and welcome all,
While the charger crops the clover
  And his bridle hangs in stall.

Now no more of winters biting,
  Filth in trench from fall to spring,
Summers full of sweat and fighting
  For the Kesar or the King.

Rest you, charger, rust you, bridle;
  Kings and kesars, keep your pay;
Soldier, sit you down and idle
  At the inn of night for aye.

44 *The Chestnut casts his Flambeaux*

THE chestnut casts his flambeaux, and the flowers
  Stream from the hawthorn on the wind away,
The doors clap to, the pane is blind with showers.
  Pass me the can, lad; there 's an end of May.

There 's one spoilt spring to scant our mortal lot,
  One season ruined of our little store.
May will be fine next year as like as not:
  Oh ay, but then we shall be twenty-four.

We for a certainty are not the first
Have sat in taverns while the tempest hurled
Their hopeful plans to emptiness, and cursed
Whatever brute and blackguard made the world.

It is in truth iniquity on high
To cheat our sentenced souls of aught they crave,
And mar the merriment as you and I
Fare on our long fool's-errand to the grave.

Iniquity it is; but pass the can.
My lad, no pair of kings our mothers bore;
Our only portion is the estate of man:
We want the moon, but we shall get no more.

If here to-day the cloud of thunder lours
To-morrow it will hie on far behests;
The flesh will grieve on other bones than ours
Soon, and the soul will mourn in other breasts.

The troubles of our proud and angry dust
Are from eternity, and shall not fail.
Bear them we can, and if we can we must.
Shoulder the sky, my lad, and drink your ale.

45 *Could man be drunk for ever*

COULD man be drunk for ever
With liquor, love, or fights,
Lief should I rouse at morning
And lief lie down of nights.

But men at whiles are sober
And think by fits and starts,
And if they think, they fasten
Their hands upon their hearts.

46 *The Deserter*

WHAT sound awakened me, I wonder,
For now 'tis dumb.'
'Wheels on the road most like, or thunder:
Lie down; 'twas not the drum.'

Toil at sea and two in haven
And trouble far:
Fly, crow, away, and follow, raven,
And all that croaks for war.

'Hark, I heard the bugle crying,
And where am I?
My friends are up and dressed and dying,
And I will dress and die.'

'Oh love is rare and trouble plenty
And carrion cheap,
And daylight dear at four-and-twenty:
Lie down again and sleep.'

'Reach me my belt and leave your prattle:
Your hour is gone;
But my day is the day of battle,
And that comes dawning on.

'They mow the field of man in season:
Farewell, my fair,
And, call it truth or call it treason,
Farewell the vows that were.'

'Ay, false heart, forsake me lightly;
'Tis like the brave.
They find no bed to joy in rightly
Before they find the grave.

'Their love is for their own undoing,
And east and west
They scour about the world a-wooing
The bullet to their breast.

'Sail away the ocean over,
Oh sail away,
And lie there with your leaden lover
For ever and a day.'

ERNEST RHYS

1859–

47 *The Song of the Graves*

IN graves where drips the winter rain,
Lie those that loved me most of men:
Cerwyd, Cywrid, Caw, lie slain.

In graves where the grass grows rank and tall,
Lie, well avenged ere they did fall:
Gwrien, Morien, Morial.

In graves where drips the rain, the dead
Lie, that not lightly bowed the head:
Gwrien, Gwen, and Gwried.

In Llan Beuno, where the sullen wave
Sounds night and day, is Dylan's grave,
In Bron Aren, Tydain the brave.

Where Corbre gives Tarw Torment space,
By a grave-yard wall, in a ruined place,
The stones hide Ceri Gledivor's face.

Where the ninth wave flows in Perython,
Is the grave of Gwalchmai, the peerless one:
In Llanbadarn lies Clydno's son.

Seithenin's lost mind sleeps by the shore,
Twixt Cinran and the grey sea's roar;
Where Caer Cenedir starts up before.

After many a death, in cold Camlan
Sleeps well the son of old Osvran:
Bedwyr the Brave lies in Tryvan.

In Abererch lies Rhyther' Hael,
Beneath the earth of Llan Morvael:
But Owain ab Urien in lonelier soil.

Clad in umber and red, the spear at his side,
With his shining horses he went in pride:
From his grave in Llan Heled he cannot ride.

After wounds, and bloody plains and red;
White horses to bear him, his helm on his head:
This, even this, is Cyndylan's bed.

Whose is the grave of the four square stones?
Who lies there, of the mighty ones?
Madawg the warrior, of Gwyneth's sons!

Mid the dreary moor, by the one oak-tree,
The grave of stately Siawn may be:
Stately, treacherous, and bitter was he!

Mid the salt sea-marsh, where the tides have been,
Lie the sweet maid, Sanaw: the warrior, Rhyn;
And Hennin's daughter, the pale Earwyn.

Where 's the grave of Beli, the bed of Braint?
One 's in the plain, and one in Lllednaint;
By Clewaint water lies Dehewaint.

In Ardudwy, I bid my grief
Find the grave of Llia, the Gwythel chief,
Under the grass and the withered leaf.

And this may the grave of Gwythur be;
But who the world's great mystery, —
The grave of Arthur shall ever see?

Three graves on Celvi's ridge are made;
And there are Cynveli and Cynvael laid;
The third holds rough-browed Cynon's head.

The long graves in Gwanas — none has told
Their history — what men they hold,
What deeds, and death, beneath their mould.

Of Oeth's and Anoeth's fame we know:
Who seeks their kin, left naked now,
To dig in Gwanas' graves may go.

(*From the Black Book of Carmarthen.*)

48 *The Lament for Urien*

(*i*)

A HEAD I bear; — the Eagle of Gál,
Whose wing once brushed the mountain wall;
The Pillar of Prydain has come by a fall.

A head I bear by the side of my thigh:
He was the shield of his own country:
A wheel in battle; a sword borne high.

ERNEST RHYS

The Pillar of Prydain is fallen down:
Urien, Prince of our houses, is gone:
His heart was a castle, a walléd town.

A head I bear and hold in my hand,
That late was the Prince of Prydain's land,
That harried the host, as the sea the strand.

A head I bear, from the Riw to the wood:
His lips are closed on a foam of blood;
Woe to Reged! Let Urien be rued!

(*ii*)

The delicate white body will be buried to-day:
The delicate white body, be hidden away
Deep in the earth, and the stones, and the clay.

The delicate white body will be covered to-night,
Under earth and blue stones, from the eye of light:
The nettles shall cover it out of sight.

The delicate white body will be covered to-day,
The tumulus be reared, the green sod give way:
And there, oh Cynvarch, thy son they will lay.

The delicate white body will be covered to-night:
Oh Eurdyl, be sad: no more thy delight,
Thy brother shall rise from his sleep in might.

(*From the Red Book of Hergest.*)

FRANCIS THOMPSON

1859–1907

49 *The Hound of Heaven*

I FLED Him, down the nights and down the days;
I fled Him, down the arches of the years;
I fled Him, down the labyrinthine ways
Of my own mind; and in the mist of tears
I hid from Him, and under running laughter.
Up vistaed hopes I sped;
And shot, precipitated,
Adown Titanic glooms of chasmèd fears,
From those strong Feet that followed, followed after.
But with unhurrying chase,
And unperturbèd pace,
Deliberate speed, majestic instancy,
They beat — and a Voice beat
More instant than the Feet —
'All things betray thee, who betrayest Me.'

I pleaded, outlaw-wise,
By many a hearted casement, curtained red,
Trellised with intertwining charities;
(For, though I knew His love Who followèd,
Yet was I sore adread
Lest, having Him, I must have naught beside);
But, if one little casement parted wide,
The gust of His approach would clash it to.
Fear wist not to evade, as Love wist to pursue.
Across the margent of the world I fled,
And troubled the gold gateways of the stars,
Smiting for shelter on their clangèd bars;

Fretted to dulcet jars
And silvern chatter the pale ports o' the moon.
I said to Dawn: Be sudden — to Eve: Be soon;
With thy young skiey blossoms heap me over
From this tremendous Lover —
Float thy vague veil about me, lest He see!
I tempted all His servitors, but to find
My own betrayal in their constancy,
In faith to Him their fickleness to me,
Their traitorous trueness, and their loyal deceit.
To all swift things for swiftness did I sue;
Clung to the whistling mane of every wind.
But whether they swept, smoothly fleet,
The long savannahs of the blue;
Or whether, Thunder-driven,
They clanged his chariot 'thwart a heaven,
Plashy with flying lightnings round the spurn o' their feet: —
Fear wist not to evade as Love wist to pursue.
Still with unhurrying chase,
And unperturbèd pace,
Deliberate speed, majestic instancy,
Came on the following Feet,
And a Voice above their beat —
'Naught shelters thee, who wilt not shelter Me.'

I sought no more that after which I strayed
In face of man or maid;
But still within the little children's eyes
Seems something, something that replies,
They at least are for me, surely for me!
I turned me to them very wistfully;
But just as their young eyes grew sudden fair

With dawning answers there,
Their angel plucked them from me by the hair.
' Come then, ye other children, Nature's — share
With me ' (said I) ' your delicate fellowship;
Let me greet you lip to lip,
Let me twine with you caresses,
Wantoning
With our Lady-Mother's vagrant tresses,
Banqueting
With her in her wind-walled palace,
Underneath her azured daïs,
Quaffing, as your taintless way is,
From a chalice
Lucent-weeping out of the dayspring.'
So it was done:
I in their delicate fellowship was one —
Drew the bolt of Nature's secrecies.
I knew all the swift importings
On the willful face of skies;
I knew how the clouds arise
Spumèd of the wild sea-snortings;
All that 's born or dies
Rose and drooped with; made them shapers
Of mine own moods, or wailful or divine;
With them joyed and was bereaven.
I was heavy with the even,
When she lit her glimmering tapers
Round the day's dead sanctities.
I laughed in the morning's eyes.
I triumphed and I saddened with all weather,
Heaven and I wept together,
And its sweet tears were salt with mortal mine.

Against the red throb of its sunset-heart
I laid my own to beat,
And share commingling heat;
But not by that, by that, was eased my human smart.
In vain my tears were wet on Heaven's gray cheek.
For ah! we know not what each other says,
These things and I; in sound *I* speak —
Their sound is but their stir, they speak by silences.
Nature, poor stepdame, cannot slake my drouth;
Let her, if she would owe me,
Drop yon blue bosom-veil of sky, and show me
The breasts o' her tenderness:
Never did any milk of hers once bless
My thirsting mouth.
Nigh and nigh draws the chase,
With unperturbèd pace,
Deliberate speed, majestic instancy;
And past those noisèd Feet
A Voice comes yet more fleet —
'Lo! naught contents thee, who content'st not Me.'

Naked I wait Thy love's uplifted stroke!
My harness piece by piece Thou hast hewn from me,
And smitten me to my knee;
I am defenceless utterly.
I slept, methinks, and woke,
And, slowly gazing, find me stripped in sleep.
In the rash lustihead of my young powers,
I shook the pillaring hours
And pulled my life upon me; grimed with smears,
I stand amid the dust o' the mounded years —
My mangled youth lies dead beneath the heap.

My days have crackled and gone up in smoke,
Have puffed and burst as sun-starts on a stream.
Yea, faileth now even dream
The dreamer, and the lute the lutanist;
Even the linked fantasies, in whose blossomy twist
I swung the earth a trinket at my wrist,
Are yielding; cords of all too weak account
For earth with heavy griefs so overplussed.
Ah! is Thy love indeed
A weed, albeit an amaranthine weed,
Suffering no flowers except its own to mount?
Ah! must —
Designer infinite! —
Ah! must Thou char the wood ere Thou canst limn with it?
My freshness spent its wavering shower i' the dust;
And now my heart is as a broken fount,
Wherein tear-drippings stagnate, spilt down ever
From the dank thoughts that shiver
Upon the sighful branches of my mind.
Such is; what is to be?
The pulp so bitter, how shall taste the rind?
I dimly guess what Time in mists confounds;
Yet ever and anon a trumpet sounds
From the hid battlements of Eternity;
Those shaken mists a space unsettle, then
Round the half-glimpsèd turrets slowly wash again.
But not ere him who summoneth
I first have seen, enwound
With glooming robes purpureal, cypress-crowned;
His name I know, and what his trumpet saith.
Whether man's heart or life it be which yields

Thee harvest, must Thy harvest-fields
Be dunged with rotten death?

Now of that long pursuit
Comes on at hand the bruit;
That Voice is round me like a bursting sea:
'And is thy earth so marred,
Shattered in shard on shard?
Lo, all things fly thee, for thou fliest Me!
Strange, piteous, futile thing!
Wherefore should any set thee love apart?
Seeing none but I make much of naught' (He said),
'And human love needs human meriting:
How hast thou merited —
Of all man's clotted clay the dingiest clot?
Alack, thou knowest not
How little worthy of any love thou art!
Whom wilt thou find to love ignoble thee
Save Me, save only Me?
All which I took from thee I did but take,
Not for thy harms,
But just that thou might'st seek it in My arms.
All which thy child's mistake
Fancies as lost, I have stored for thee at home:
Rise, clasp My hand, and come!'

Halts by me that footfall:
Is my gloom, after all,
Shade of His hand, outstretched caressingly?
'Ah, fondest, blindest, weakest,
I am He Whom thou seekest!
Thou dravest love from thee, who dravest Me.'

50 *From 'Sister Songs'*

BUT lo! at length the day is lingered out,
At length my Ariel lays his viol by;
We sing no more to thee, child, he and I;
The day is lingered out:
In slow wreaths folden
Around yon censer, sphered, golden,
Vague Vesper's fumes aspire;
And glimmering to eclipse,
The long laburnum drips
Its honey of wild flame, its jocund spilth of fire.

Now pass your ways, fair bird, and pass your ways
If you will;
I have you through the days!
And flit or hold you still,
And perch you where you list
On what wrist,—
You are mine through the times!
I have caught you fast for ever in a tangle of sweet rhymes.
And in your young maiden morn
You may scorn,
But you must be
Bound and sociate to me;
With this thread from out the tomb my dead hand shall tether thee!

51 *The Heart (i)*

THE heart you hold too small and local thing
Such spacious terms of edifice to bear.
And yet, since Poesy first shook out her wing,
The mighty Love has been impalaced there;
That has she given him as his wide demesne,
And for his sceptre ample empery;
Against its door to knock has Beauty been
Content; it has its purple canopy,
A dais for the sovreign lady spread
Of many a lover, who the heaven would think
Too low an awning for her sacred head.
The world, from star to sea, cast down its brink —
Yet shall that chasm, till He Who these did build
An awful Curtius make Him, yawn unfilled.

(ii)

O nothing, in this corporal earth of man,
That to the imminent heaven of his high soul
Responds with colour and with shadow, can
Lack correlated greatness. If the scroll
Where thoughts lie fast in spell of hieroglyph
Be mighty through its mighty habitants;
If God be in His Name; grave potence if
The sounds unbind of hieratic chants;
All's vast that vastness means. Nay, I affirm
Nature is whole in her least things exprest,
Nor know we with what scope God builds the worm.
Our towns are copies fragments from our breast;
And all man's Babylons strive but to impart
The grandeurs of his Babylonian heart.

MARY COLERIDGE

1861–1907

52

Our Lady

MOTHER of God! no lady thou:
  Common woman of common earth
Our Lady ladies call thee now;
  But Christ was never of gentle birth;
  A common man of the common earth.

For God's ways are not as our ways.
  The noblest lady in the land
Would have given up half her days,
  Would have cut off her right hand,
  To bear the child that was God of the land.

Never a lady did He choose,
  Only a maid of low degree,
So humble she might not refuse
  The carpenter of Galilee:
  A daughter of the people, she.

Out she sang the song of her heart.
  Never a lady so had sung.
She knew no letters, had no art;
  To all mankind, in woman's tongue,
  Hath Israelitish Mary sung.

And still for men to come she sings,
  Nor shall her singing pass away.
'*He hath fillèd the hungry with good things*'—
  Oh, listen, lords and ladies gay!—
  '*And the rich He hath sent empty away.*'

RABINDRANATH TAGORE

1861–1941

53 *Day after Day*

DAY after day, O lord of my life, shall I stand before thee face to face? With folded hands, O lord of all worlds, shall I stand before thee face to face?

Under thy great sky in solitude and silence, with humble heart shall I stand before thee face to face?

In this laborious world of thine, tumultuous with toil and with struggle, among hurrying crowds shall I stand before thee face to face?

And when my work shall be done in this world, O King of kings, alone and speechless shall I stand before thee face to face?

54 *If it is not my Portion*

IF it is not my portion to meet thee in this my life then let me ever feel that I have missed thy sight — let me not forget for a moment, let me carry the pangs of this sorrow in my dreams and in my wakeful hours.

As my days pass in the crowded market of this world and my hands grow full with the daily profits, let me ever feel that I have gained nothing — let me not forget for a moment, let me carry the pangs of this sorrow in my dreams and in my wakeful hours.

When I sit by the roadside, tired and panting, when I spread my bed low in the dust, let me ever feel that the long journey is still before me — let me not forget for a moment, let me carry the pangs of this sorrow in my dreams and in my wakeful hours.

When my rooms have been decked out and the flutes sound and the laughter there is loud, let me ever feel that I have not invited thee to my house — let me not forget for a moment, let me carry the pangs of this sorrow in my dreams and in my wakeful hours.

55 *I have got my Leave*

I HAVE got my leave. Bid me farewell, my brothers! I bow to you all and take my departure.

Here I give back the keys of my door — and I give up all claims to my house. I only ask for last kind words from you.

We were neighbours for long, but I received more than I could give. Now the day has dawned and the lamp that lit my dark corner is out. A summons has come and I am ready for my journey.

56 *On the Slope of the Desolate River*

ON the slope of the desolate river among tall grasses I asked her, 'Maiden, where do you go shading your lamp with your mantle? My house is all dark and lonesome — lend me your light!' She raised her dark eyes for a moment and looked at my face through the dusk. 'I have come to the river,' she said, 'to float my lamp on the stream when the daylight wanes in the west.' I stood alone among tall grasses and watched the timid flame of her lamp uselessly drifting in the tide.

In the silence of gathering night I asked her, 'Maiden, your lights are all lit — then where do you go with your lamp? My house is all dark and lonesome, — lend me your light.' She raised her dark eyes on my face and stood for a moment doubtful. 'I have come,' she said at last, 'to dedicate my lamp to the sky.' I stood and watched her light uselessly burning in the void.

In the moonless gloom of midnight I asked her, 'Maiden, what is your quest holding the lamp near your heart? My house is all dark and lonesome, — lend me your light.' She stopped for a minute and thought and gazed at my face in the dark. 'I have brought my light,' she said, 'to join the carnival of lamps.' I stood and watched her little lamp uselessly lost among lights.

57 *The Yellow Bird sings*

THE yellow bird sings in their tree and makes my heart dance with gladness.

We both live in the same village, and that is our one piece of joy.

Her pair of pet lambs come to graze in the shade of our garden trees.

If they stray into our barley field, I take them up in my arms.

The name of our village is Khanjanā, and Anjanā they call our river.

My name is known to all the village, and her name is Ranjanā.

Only one field lies between us.

Bees that have hived in our grove go to seek honey in theirs.

Flowers launched from their landing-stairs come floating by the stream where we bathe.

Baskets of dried *kusm* flowers come from their fields to our market.

The name of our village is Khanjanā, and Anjanā they call our river.

My name is known to all the village, and her name is Ranjanā.

The lane that winds to their house is fragrant in the spring with mango flowers.

When their linseed is ripe for harvest the hemp is in bloom in our field.

The stars that smile on their cottage send us the same twinkling look.

The rain that floods their tank makes glad our *kadam* forest.

The name of our village is Khanjanā, and Anjanā they call our river.

My name is known to all the village, and her name is Ranjanā.

58 *In the Dusky Path of a Dream*

IN the dusky path of a dream I went to seek the love who was mine in a former life.

Her house stood at the end of a desolate street.

In the evening breeze her pet peacock sat drowsing on its perch, and the pigeons were silent in their corner.

She set her lamp down by the portal and stood before me.

She raised her large eyes to my face and mutely asked, 'Are you well, my friend?'

I tried to answer, but our language had been lost and forgotten.

I thought and thought; our names would not come to my mind.

Tears shone in her eyes. She held up her right hand to me. I took it and stood silent.

One lamp had flickered in the evening breeze and died.

59 *Thou art the Sky*

THOU art the sky and Thou art also the nest.
O Thou Beautiful! how in the nest thy love embraceth the soul with sweet sounds and colour and fragrant odours!
Morning cometh there, bearing in her golden basket the wreath of beauty, silently to crown the earth.
And there cometh Evening, o'er lonely meadows deserted of the herds, by trackless ways, carrying in her golden pitcher cool draughts of peace from the ocean-calms of the west.
But where thine infinite sky spreadeth for the soul to take her flight, a stainless white radiance reigneth; wherein is neither day nor night, nor form nor colour, nor ever any word.

(*All these poems are from his own Bengali.*)

SIR HENRY NEWBOLT

1862–1938

60 *Drake's Drum*

DRAKE he 's in his hammock an' a thousand mile away,
(Capten, art tha sleepin' there below?)
Slung atween the round shot in Nombre Dios Bay,
An' dreamin' arl the time o' Plymouth Hoe.
Yarnder lumes the Island, yarnder lie the ships,
Wi' sailor-lads a-dancin' heel-an'-toe,
An' the shore-lights flashin', an' the night-tide dashin',
He sees et arl so plainly as he saw et long ago.

Drake he was a Devon man, an' rüled the Devon seas,
  (Capten, art tha sleepin' there below?)
Rovin' tho' his death fell, he went wi' heart at ease,
  An' dreamin' arl the time o' Plymouth Hoe.
'Take my drum to England, hang et by the shore,
  Strike et when your powder 's runnin' low;
If the Dons sight Devon, I'll quit the port o' Heaven,
  An' drum them up the Channel as we drumm'd them long ago.'

Drake he 's in his hammock till the great Armadas come,
  (Capten, art tha sleepin' there below?)
Slung atween the round shot, listenin' for the drum,
  An' dreamin' arl the time o' Plymouth Hoe.
Call him on the deep sea, call him up the Sound,
  Call him when ye sail to meet the foe;
Where the old trade 's plyin' an' the old flag flyin'
  They shall find him ware an' wakin', as they found him long ago!

MICHAEL FIELD

Katharine Bradley 1846–1914
Edith Cooper 1862–1913

61 *The Tragic Mary Queen of Scots. I*

AH me, if I grew sweet to man
It was but as a rose that can
No longer keep the breath that heaves
And swells among its folded leaves.

The pressing fragrance would unclose
The flower, and I became a rose,
That unimpeachable and fair
Planted its sweetness in the air.

No art I used men's love to draw;
I lived but by my being's law,
As roses are by heaven designed
To bring the honey to the wind.

62 *The Tragic Mary Queen of Scots. II*

I COULD wish to be dead!
Too quick with life were the tears I shed,
Too sweet for tears is the life I led;
And ah, too lonesome my marriage-bed!
I could wish to be dead.

I could wish to be dead,
For just a word that rings in my head;
Too dear, too dear are the words he said,
They must never be rememberèd.
I could wish to be dead.

I could wish to be dead:
The wish to be loved is all mis-read,
And to love, one learns when one is wed,
Is to suffer bitter shame; instead
I could wish to be dead.

63 *Bury her at Even*

BURY her at even
That the stars may shine
Soon above her,
And the dews of twilight cover:
Bury her at even
Ye that love her.

Bury her at even
In the wind's decline;
Night receive her
Where no noise can ever grieve her!
Bury her at even,
And then leave her!

64 *And on my Eyes Dark Sleep by Night*

'Οφθαλμοῖς δὲ μέλαις νυκτὸς ἄωρος.

COME, dark-eyed Sleep, thou child of Night,
Give me thy dreams, thy lies;
Lead through the horny portal white
The pleasure day denies.

O bring the kiss I could not take
From lips that would not give
Bring me the heart I could not break
The bliss for which I live.

I care not if I slumber blest
By fond delusion; nay,
Put me on Phaon's lips to rest,
And cheat the cruel day!

65 *Gold is the Son of Zeus: neither Moth nor Worm may gnaw It*

Διὸς παῖς ὁ χρυσός·
κεῖνον οὐ σὴς οὐδὲ κὶς δάπτει.

Yea, gold is son of Zeus: no rust
Its timeless light can stain;
The worm that brings man's flesh to dust
Assaults its strength in vain:
More gold than gold the love I sing,
A hard, inviolable thing.

Men say the passions should grow old
With waning years; my heart
Is incorruptible as gold,
'Tis my immortal part:
Nor is there any god can lay
On love the finger of decay.

66 *Sweeter Far than the Harp, More Gold than Gold*

Πολὺ πάκτιδος ἀδυμελεστέρα,
χρυσῶ χρυσοτέρα.

Thine elder that I am, thou must not cling
To me, nor mournful for my love entreat:
And yet, Alcaeus, as the sudden spring
Is love, yea, and to veiled Demeter sweet.

Sweeter than tone of harp, more gold than gold
Is thy young voice to me; yet, ah, the pain
To learn I am beloved now I am old,
Who, in my youth, loved, as thou must, in vain.

67 *If They Honoured Me, Giving Me Their Gifts*

Αἴ με τιμίαν ἐπόησαν ἔργα
τὰ σφὰ δοῖσαι.

They bring me gifts, they honour me,
Now I am growing old;
And wondering youth crowds round my knee,
As if I had a mystery
And worship to unfold.

To me the tender, blushing bride
Doth come with lips that fail;
I feel her heart beat at my side
And cry: 'Like Ares in his pride,
Hail, noble bridegroom, hail!'

68

To The Lord Love

(At the approach of old age)

I AM thy fugitive, thy votary,
Nor even thy mother tempts me from thy shrine:
Mirror, nor gold, nor ornament of mine
Appease her: thou art all my gods to me,
And I so breathless in my loyalty,
Youth hath slipped by and left no footprint sign:
Yet there are footsteps nigh. My years decline.
Decline thy years? Burns thy torch duskily?
Lord Love, to thy great altar I retire;
Time doth pursue me, age is on my brow,
And there are cries and shadows of the night.
Transform me, for I cannot quit thee now:
Love, thou hast weapons visionary, bright —
Keep me perpetual in grace and fire!

69

Aridity

O SOUL, canst thou not understand
Thou art not left alone,
As a dog to howl and moan
His master's absence? Thou art as a book
Left in a room that He forsook,

But returns to by and by,
A book of His dear choice, —
That quiet waiteth for His Hand,
That quiet waiteth for His Eye,
That quiet waiteth for His Voice.

RUDYARD KIPLING

1865–1936

70 *A St. Helena Lullaby*

'HOW far is St. Helena from a little child at play?'
What makes you want to wander there with all the world between?
Oh, Mother, call your son again or else he'll run away.
(*No one thinks of winter when the grass is green!*)

'How far is St. Helena from a fight in Paris street?'
I haven't time to answer now — the men are falling fast.
The guns begin to thunder, and the drums begin to beat.
(*If you take the first step, you will take the last!*)

'How far is St. Helena from the field of Austerlitz?'
You couldn't hear me if I told — so loud the cannons roar.
But not so far for people who are living by their wits.
('*Gay go up*' *means* '*Gay go down*' *the wide world o'er!*)

'How far is St. Helena from an Emperor of France?'
I cannot see — I cannot tell — the crowns they dazzle so.
The Kings sit down to dinner, and the Queens stand up to dance.
(*After open weather you may look for snow!*)

'How far is St. Helena from the Capes of Trafalgar?'
A longish way — a longish way — with ten year more to run.
It's South across the water underneath a falling star.
(*What you cannot finish you must leave undone!*)

'How far is St. Helena from the Beresina ice?'
An ill way — a chill way — the ice begins to crack.
But not so far for gentlemen who never took advice.
(*When you can't go forward you must e'en come back!*)

'How far is St. Helena from the field of Waterloo?'
A near way — a clear way — the ship will take you soon.
A pleasant place for gentlemen with little left to do.
(*Morning never tries you till the afternoon!*)

'How far from St. Helena to the Gate of Heaven's Grace?'
That no one knows — that no one knows — and no one ever will,
But fold your hands across your heart and cover up your face,
And after all your trapesings, child, lie still!

71 The Looking-glass

(*A Country Dance*)

QUEEN Bess was Harry's daughter. Stand forward partners all!
In ruff and stomacher and gown
She danced King Philip down-a-down,
And left her shoe to show 'twas true —
(The very tune I'm playing you)
In Norgem at Brickwall!

The Queen was in her chamber, and she was middling old.
Her petticoat was satin, and her stomacher was gold.
Backwards and forwards and sideways did she pass,
Making up her mind to face the cruel looking-glass.
The cruel looking-glass that will never show a lass
As comely or as kindly as what she was!
Queen Bess was Harry's daughter. Now hand your partners all!

The Queen was in her chamber, a-combing of her hair.
There came Queen Mary's spirit and It stood behind her chair,
Singing ' Backwards and forwards and sideways may you pass,
But I will stand behind you till you face the looking-glass.
The cruel looking-glass that will never show a lass
As lovely or unlucky or as lonely as I was! '
Queen Bess was Harry's daughter. Now turn your partners all!

The Queen was in her chamber, a-weeping very sore,
There came Lord Leicester's spirit and It scratched upon the door,
Singing ' Backwards and forwards and sideways may you pass,
But I will walk beside you till you face the looking-glass.
The cruel looking-glass that will never show a lass,
As hard and unforgiving or as wicked as you was! '
Queen Bess was Harry's daughter. Now kiss your partners all!

The Queen was in her chamber, her sins were on her head.
She looked the spirits up and down and statelily she said:—
' Backwards and forwards and sideways though I've been,
Yet I am Harry's daughter and I am England's Queen! '

And she faced the looking-glass (and whatever else there was)
And she saw her day was over and she saw her beauty pass
In the cruel looking-glass, that can always hurt a lass
More hard than any ghost there is or any man there was!

ARTHUR SYMONS

1865–1945

72 *Mandoline*

THE singers of serenades
Whisper their fated vows
Unto fair listening maids
Under the singing boughs.

Tircis, Aminte, are there,
Clitandre has waited long,
And Damis for many a fair
Tyrant makes many a song.

Their short vests, silken and bright,
Their long pale silken trains,
Their elegance of delight,
Twine soft blue silken chains.

And the mandolines and they,
Faintlier breathing, swoon
Into the rose and grey
Ecstasy of the moon.

(*From Paul Verlaine.*)

73 *Fantoches*

SCARAMOUCHE waves a threatening hand
To Pulcinella, and they stand,
Two shadows, black against the moon.

The old doctor of Bologna pries
For simples with impassive eyes,
And mutters o'er a magic rune.

The while his daughter, scarce half-dressed,
Glides shyly 'neath the trees, in quest
Of her bold pirate lover's sail;

Her pirate from the Spanish main,
Whose passion thrills her in the pain
Of the loud languorous nightingale.

(*From Paul Verlaine.*)

74 *The Obscure Night of the Soul*

UPON an obscure night,
Fevered with love in love's anxiety,
(O hapless-happy plight!)
I went, none seeing me,
Forth from my house where all things quiet be.

By night, secure from sight,
And by the secret stair, disguisedly,
(O hapless-happy plight!)
By night, and privily,
Forth from my house where all things quiet be.

Blest night of wandering,
In secret, where by none might I be spied,
Nor I see anything;
Without a light or guide,
Save that which in my heart burnt in my side.

That light did lead me on,
More surely than the shining of noontide,
Where well I knew that one
Did for my coming bide;
Where he abode might none but he abide.

O night that didst lead thus,
O night more lovely than the dawn of light,
O night that broughtest us,
Lover to lover's sight,
Lover with loved in marriage of delight!

Upon my flowery breast,
Wholly for him, and save himself for none,
There did I give sweet rest
To my beloved one;
The fanning of the cedars breathed thereon.

When the first moving air
Blew from the tower, and waved his locks aside,
His hand, with gentle care,
Did wound me in the side,
And in my body all my senses died.

All things I then forgot,
My cheek on him who for my coming came;
All ceased and I was not,
Leaving my cares and shame
Among the lilies, and forgetting them.

(*From San Juan de la Cruz.*)

HERBERT TRENCH

1865–1923

75 *Jean Richepin's Song*

A POOR lad once and a lad so trim,
Fol de rol de raly O!
Fol de rol!
A poor lad once and a lad so trim
Gave his love to her that loved not him.

And, says she, 'Fetch me to-night you rogue,'
Fol de rol de raly O!
Fol de rol!
And, says she, 'Fetch me to-night, you rogue,
Your mother's heart to feed my dog!'

To his mother's house went that young man
Fol de rol de raly O!
Fol de rol!
To his mother's house went that young man
Killed her, and took the heart, and ran.

And as he was running, look you, he fell
Fol de rol de raly O!
Fol de rol!
And as he was running, look you, he fell
And the heart rolled on the ground as well.

And the lad, as the heart was a-rolling, heard
(Fol de rol de raly O!
Fol de rol!)
And the lad, as the heart was a-rolling, heard
That the heart was speaking, and this was the word —

The heart was a-weeping, and crying so small
(Fol de rol de raly O!
Fol de rol!)
The heart was a-weeping, and crying so small
'Are you hurt my child, are you hurt at all?'

WILLIAM BUTLER YEATS

1865–1939

76 *After Long Silence*

SPEECH after long silence; it is right,
All other lovers being estranged or dead,
Unfriendly lamplight hid under its shade,
The curtains drawn upon unfriendly night,
That we descant and yet again descant
Upon the supreme theme of Art and Song:
Bodily decrepitude is wisdom; young
We loved each other and were ignorant.

77 *Three Things*

'O CRUEL Death, give three things back,'
Sang a bone upon the shore;
'A child found all a child can lack,
Whether of pleasure or of rest,
Upon the abundance of my breast':
A bone wave-whitened and dried in the wind.

'Three dear things that women know,'
Sang a bone upon the shore;
'A man if I but held him so
When my body was alive
Found all the pleasure that life gave':
A bone wave-whitened and dried in the wind.

'The third thing that I think of yet,'
Sang a bone upon the shore;
'Is that morning when I met
Face to face my rightful man
And did after stretch and yawn':
A bone wave-whitened and dried in the wind.

78 *Lullaby*

BELOVED, may your sleep be sound
That have found it where you fed.
What were all the world's alarms
To mighty Paris when he found
Sleep upon a golden bed
That first dawn in Helen's arms?

Sleep, beloved, such a sleep
As did that wild Tristram know
When, the potion's work being done,
Roe could run or doe could leap
Under oak and beechen bough,
Roe could leap or doe could run;

Such a sleep and sound as fell
Upon Eurotas' grassy bank
When the holy bird, that there
Accomplished his predestined will,
From the limbs of Leda sank
But not from her protecting care.

79 *Symbols*

A STORM–BEATEN old watch-tower,
A blind hermit rings the hour.

All-destroying sword-blade still
Carried by the wandering fool.

Gold-sewn silk on the sword-blade,
Beauty and fool together laid.

80 *From 'Vacillation'*

MUST we part, Von Hügel, though much alike, for we
Accept the miracles of the saints and honour sanctity?
The body of Saint Teresa lies undecayed in tomb,
Bathed in miraculous oil, sweet odours from it come,
Healing from its lettered slab. Those self-same hands perchance
Eternalized the body of a modern saint that once
Had scooped out Pharaoh's mummy. I — though heart might find relief
Did I become a Christian man and choose for my belief
What seems most welcome in the tomb — play a predestined part.
Homer is my example and his unchristened heart.
The lion and the honeycomb, what has Scripture said?
So get you gone, Von Hügel, though with blessings on your head.

81 *Sailing to Byzantium*

THAT is no country for old men. The young
In one another's arms; birds in the trees,
— Those dying generations — at their song;
The salmon-falls, the mackerel-crowded seas,

Fish, flesh, or fowl, commend all summer long
Whatever is begotten, born, and dies.
Caught in that sensual music all neglect
Monuments of unageing intellect.

An aged man is but a paltry thing,
A tattered coat upon a stick, unless
Soul clap its hands and sing, and louder sing
For every tatter in its mortal dress,
Nor is there singing school but studying
Monuments of its own magnificence;
And therefore I have sailed the seas and come
To the holy city of Byzantium.

O sages standing in God's holy fire
As in the gold mosaic of a wall,
Come from the holy fire, perne in a gyre,
And be the singing-masters of my soul.
Consume my heart away; sick with desire
And fastened to a dying animal
It knows not what it is; and gather me
Into the artifice of eternity.

Once out of nature I shall never take
My bodily form from any natural thing,
But such a form as Grecian goldsmiths make
Of hammered gold and gold enamelling
To keep a drowsy Emperor awake;
Or set upon a golden bough to sing
To lords and ladies of Byzantium
Of what is past, or passing, or to come.

82 *The Rose Tree*

O WORDS are lightly spoken,'
Said Pearse to Connolly,
' Maybe a breath of politic words
Has withered our Rose Tree;
Or maybe but a wind that blows
Across the bitter sea.'

' It needs to be but watered,'
James Connolly replied,
' To make the green come out again
And spread on every side,
And shake the blossom from the bud
To be the garden's pride.'

' But where can we draw water,'
Said Pearse to Connolly,
' When all the wells are parched away?
O plain as plain can be
There's nothing but our own red blood
Can make a right Rose Tree.'

83 *On a Political Prisoner*

SHE that but little patience knew,
From childhood on, had now so much
A grey gull lost its fear and flew
Down to her cell and there alit,
And there endured her fingers' touch
And from her fingers ate its bit.

Did she in touching that lone wing
Recall the years before her mind
Became a bitter, an abstract thing,
Her thought some popular enmity:
Blind and leader of the blind
Drinking the foul ditch where they lie?

When long ago I saw her ride
Under Ben Bulben to the meet,
The beauty of her country-side
With all youth's lonely wildness stirred,
She seemed to have grown clean and sweet
Like any rock-bred, sea-borne bird:

Sea-borne, or balanced on the air
When first it sprang out of the nest
Upon some lofty rock to stare
Upon the cloudy canopy,
While under its storm-beaten breast
Cried out the hollows of the sea.

84 *In Memory of Eva Gore-Booth and Con Markiewicz*

THE light of evening, Lissadell,
Great windows open to the south,
Two girls in silk kimonos, both
Beautiful, one a gazelle.
But a raving autumn shears
Blossom from the summer's wreath;
The older is condemned to death,
Pardoned, drags out lonely years
Conspiring among the ignorant.

I know not what the younger dreams —
Some vague Utopia — and she seems,
When withered old and skeleton-gaunt,
An image of such politics.
Many a time I think to seek
One or the other out and speak
Of that old Georgian mansion, mix
Pictures of the mind, recall
That table and the talk of youth,
Two girls in silk kimonos, both
Beautiful, one a gazelle.
Dear shadows, now you know it all,
All the folly of a fight
With a common wrong or right.
The innocent and the beautiful
Have no enemy but time;
Arise and bid me strike a match
And strike another till time catch;
Should the conflagration climb,
Run till all the sages know.
We the great gazebo built,
They convicted us of guilt;
Bid me strike a match and blow.

85 *To a Friend whose Work has come to Nothing*

NOW all the truth is out,
Be secret and take defeat
From any brazen throat,
For how can you compete,

Being honour bred, with one
Who, were it proved he lies,
Were neither shamed in his own
Nor in his neighbours' eyes?
Bred to a harder thing
Than Triumph, turn away
And like a laughing string
Whereon mad fingers play
Amid a place of stone,
Be secret and exult,
Because of all things known
That is most difficult.

86 *An Irish Airman foresees his Death*

I KNOW that I shall meet my fate
Somewhere among the clouds above;
Those that I fight I do not hate,
Those that I guard I do not love;
My country is Kiltartan Cross,
My countrymen Kiltartan's poor,
No likely end could bring them loss
Or leave them happier than before.
Nor law, nor duty bade me fight,
Nor public men, nor cheering crowds,
A lonely impulse of delight
Drove to this tumult in the clouds;
I balanced all, brought all to mind,
The years to come seemed waste of breath,
A waste of breath the years behind
In balance with this life, this death.

87 *Coole Park, 1929*

I MEDITATE upon a swallow's flight,
Upon an aged woman and her house,
A sycamore and lime tree lost in night
Although that western cloud is luminous,
Great works constructed there in nature's spite
For scholars and for poets after us,
Thoughts long knitted into a single thought,
A dance-like glory that those walls begot.

There Hyde before he had beaten into prose
That noble blade the Muses buckled on,
There one that ruffled in a manly pose
For all his timid heart, there that slow man,
That meditative man, John Synge, and those
Impetuous men, Shaw Taylor and Hugh Lane,
Found pride established in humility,
A scene well set and excellent company.

They came like swallows and like swallows went,
And yet a woman's powerful character
Could keep a swallow to its first intent;
And half a dozen in formation there,
That seemed to whirl upon a compass-point,
Found certainty upon the dreaming air,
The intellectual sweetness of those lines
That cut through time or cross it withershins.

Here, traveller, scholar, poet, take your stand
When all those rooms and passages are gone,
When nettles wave upon a shapeless mound
And saplings root among the broken stone,

And dedicate — eyes bent upon the ground,
Back turned upon the brightness of the sun
And all the sensuality of the shade —
A moment's memory to that laurelled head.

88 *Coole and Ballylee, 1931*

UNDER my window-ledge the waters race,
Otters below and moor-hens on the top,
Run for a mile undimmed in Heaven's face
Then darkening through 'dark' Raftery's 'cellar' drop,
Run underground, rise in a rocky place
In Coole demesne, and there to finish up
Spread to a lake and drop into a hole.
What's water but the generated soul?

Upon the border of that lake 's a wood
Now all dry sticks under a wintry sun,
And in a copse of beeches there I stood,
For Nature 'd pulled her tragic buskin on
And all the rant a mirror of my mood:
At sudden thunder of the mounting swan
I turned about and looked where branches broke
The glittering reaches of the flooded lake.

Another emblem there! That stormy white
But seems a concentration of the sky;
And, like the soul, it sails into the sight
And in the morning 's gone, no man knows why;
And is so lovely that it sets to right
What knowledge or its lack has set awry,
So arrogantly pure, a child might think
It can be murdered with a spot of ink.

Sound of a stick upon the floor, a sound
From somebody that toils from chair to chair;
Beloved books that famous hands have bound,
Old marble heads, old pictures everywhere;
Great rooms where travelled men and children found
Content or joy; a last inheritor
Where none has reigned that lacked a name and fame
Or out of folly into folly came.

A spot whereon the founders lived and died
Seemed once more dear than life; ancestral trees,
Or gardens rich in memory glorified
Marriages, alliances and families,
And every bride's ambition satisfied.
Where fashion or mere fantasy decrees
Man shifts about — all that great glory spent —
Like some poor Arab tribesman and his tent.

We were the last romantics — chose for theme
Traditional sanctity and loveliness;
Whatever 's written in what poets name
The book of the people; whatever most can bless
The mind of man or elevate a rhyme;
But all is changed, that high horse riderless,
Though mounted in that saddle Homer rode
Where the swan drifts upon a darkening flood.

89 *From 'Oedipus at Colonus'*

ENDURE what life God gives and ask no longer span;
Cease to remember the delights of youth, travel-wearied aged man;
Delight becomes death-longing if all longing else be vain.

Even from that delight memory treasures so,
Death, despair, division of families, all entanglements of mankind grow,
As that old wandering beggar and these God-hated children know.

In the long echoing street the laughing dancers throng,
The bride is carried to the bridegroom's chamber through torchlight and tumultuous song;
I celebrate the silent kiss that ends short life or long.

Never to have lived is best, ancient writers say;
Never to have drawn the breath of life, never to have looked into the eye of day;
The second best 's a gay goodnight and quickly turn away.

ERNEST DOWSON

1867–1900

90 *Villanelle of the Poet's Road*

WINE and woman and song,
Three things garnish our way:
Yet is day over long.

Lest we do our youth wrong,
Gather them while we may:
Wine and woman and song.

Three things render us strong,
Vine leaves, kisses and bay;
Yet is day over long.

Unto us they belong,
Us the bitter and gay,
Wine and woman and song.

We, as we pass along,
  Are sad that they will not stay;
Yet is day over long.

Fruits and flowers among,
  What is better than they:
Wine and woman and song?
  Yet is day over long.

91 *Non sum qualis eram bonae sub regno Cynarae*

LAST night, ah, yesternight, betwixt her lips and mine
  There fell thy shadow, Cynara! thy breath was shed
Upon my soul between the kisses and the wine;
And I was desolate and sick of an old passion,
  Yea, I was desolate and bowed my head:
I have been faithful to thee, Cynara! in my fashion.

All night upon mine heart I felt her warm heart beat,
Night-long within mine arms in love and sleep she lay;
Surely the kisses of her bought red mouth were sweet;
But I was desolate and sick of an old passion,
  When I awoke and found the dawn was gray:
I have been faithful to thee, Cynara! in my fashion.

I have forgot much, Cynara! gone with the wind,
Flung roses, roses riotously with the throng,
Dancing, to put thy pale, lost lilies out of mind;
But I was desolate and sick of an old passion,
  Yea, all the time, because the dance was long:
I have been faithful to thee, Cynara! in my fashion.

I cried for madder music and for stronger wine,
But when the feast is finished and the lamps expire,
Then falls thy shadow, Cynara! the night is thine;
And I am desolate and sick of an old passion,
  Yea hungry for the lips of my desire:
I have been faithful to thee, Cynara! in my fashion.

92 *Flos Lunae*

I WOULD not alter thy cold eyes,
Nor trouble the calm fount of speech
With aught of passion or surprise.
The heart of thee I cannot reach:
I would not alter thy cold eyes!

I would not alter thy cold eyes;
Nor have thee smile, nor make thee weep:
Though all my life droops down and dies,
Desiring thee, desiring sleep,
I would not alter thy cold eyes.

I would not alter thy cold eyes;
I would not change thee if I might,
To whom my prayers for incense rise,
Daughter of dreams! my moon of night!
I would not alter thy cold eyes.

I would not alter thy cold eyes,
With trouble of the human heart:
Within their glance my spirit lies,
A frozen thing, alone, apart;
I would not alter thy cold eyes.

93 *Exchanges*

ALL that I had I brought,
  Little enough I know;
A poor rhyme roughly wrought,
  A rose to match thy snow:
All that I had I brought.

Little enough I sought:
  But a word compassionate,
A passing glance, or thought,
  For me outside the gate:
Little enough I sought.

Little enough I found:
  All that you had, perchance!
With the dead leaves on the ground,
  I dance the devil's dance.
All that you had I found.

94 *O mors! quam amara est memoria tua homini pacem habenti in substantiis suis*

EXCEEDING sorrow
  Consumeth my sad heart!
Because to-morrow
  We must depart,
Now is exceeding sorrow
  All my part!

Give over playing,
  Cast thy viol away:
Merely laying
  Thine head my way:
Prithee, give over playing,
  Grave or gay.

Be no word spoken;
  Weep nothing: let a pale
Silence, unbroken
  Silence prevail!
Prithee, be no word spoken,
  Lest I fail!

Forget to-morrow!
  Weep nothing: only lay
In silent sorrow
  Thine head my way:
Let us forget to-morrow,
  This one day!

95 *Vesperal*

STRANGE grows the river on the sunless evenings!
  The river comforts me, grown spectral, vague and dumb:
Long was the day; at last the consoling shadows come:
Sufficient for the day are the day's evil things!

Labour and longing and despair the long day brings;
Patient till evening men watch the sun go west;
Deferred, expected night at last brings sleep and rest:
Sufficient for the day are the day's evil things!

At last the tranquil Angelus of evening rings
Night's curtain down for comfort and oblivion
Of all the vanities observèd by the sun:
Sufficient for the day are the day's evil things!

So, some time, when the last of all our evenings
Crowneth memorially the last of all our days,
Not loth to take his poppies man goes down and says,
'Sufficient for the day were the day's evil things!'

96 *Dregs*

THE fire is out, and spent the warmth thereof,
(This is the end of every song man sings!)
The golden wine is drunk, the dregs remain,
Bitter as wormwood and as salt as pain;
And health and hope have gone the way of love
Into the drear oblivion of lost things.
Ghosts go along with us until the end;
This was a mistress, this, perhaps, a friend.
With pale, indifferent eyes, we sit and wait
For the dropt curtain and the closing gate:
This is the end of all the songs man sings.

97 *To One in Bedlam*

WITH delicate, mad hands, behind his sordid bars,
Surely he hath his posies, which they tear and twine;
Those scantless wisps of straw, that miserably line
His strait, caged universe, whereat the dull world stares,

Pedant and pitiful. O, how his rapt gaze wars
With their stupidity! Know they what dreams divine
Lift his long, laughing reveries like enchaunted wine,
And make his melancholy germane to the stars'?

O lamentable brother! if those pity thee,
Am I not fain of all thy lone eyes promise me;
Half a fool's kingdom, far from men who sow and reap,
All their days, vanity? Better than mortal flowers,
Thy moon-kissed roses seem: better than love or sleep,
The star-crowned solitude of thine oblivious hours!

98 *Extreme Unction*

UPON the eyes, the lips, the feet,
On all the passages of sense,
The atoning oil is spread with sweet
Renewal of lost innocence.

The feet, that lately ran so fast
To meet desire, are soothly sealed;
The eyes, that were so often cast
On vanity, are touched and healed.

From troublous sights and sounds set free;
In such a twilight hour of breath,
Shall one retrace his life, or see,
Through shadows, the true face of death?

Vials of mercy! Sacring oils!
I know not where nor when I come,
Nor through what wanderings and toils,
To crave of you Viaticum.

Yet, when the walls of flesh grow weak,
In such an hour, it well may be,
Through mist and darkness, light will break,
And each anointed sense will see.

THOMAS BOYD

1867–

99

The King's Son

WHO rideth through the driving rain
At such a headlong speed?
Naked and pale he rides amain
Upon a naked steed.

Nor hollow nor height his going bars,
His wet steed shines like silk,
His head is golden to the stars
And his limbs are white as milk.

But, lo, he dwindles as a light
That lifts from a black mere,
And, as the fair youth wanes from sight,
The steed grows mightier.

What wizard by yon holy tree
Mutters unto the sky
Where Macha's flame-tongued horses flee
On hooves of thunder by?

Ah, 'tis not holy so to ban
The youth of kingly seed:
Ah! woe, the wasting of a man
Who changes to a steed.

Nightly upon the Plain of Kings
When Macha's day is nigh
He gallops; and the dark wind brings
His lonely human cry.

GEORGE WILLIAM RUSSELL (Æ)

1867–1935

100 *Reconciliation*

I BEGIN through the grass once again to be bound to the
Lord;
I can see, through a face that has faded, the face full of
rest
Of the earth, of the mother, my heart with her heart in
accord,
As I lie 'mid the cool green tresses that mantle her breast
I begin with the grass once again to be bound to the Lord.

By the hand of a child I am led to the throne of the King
For a touch that now fevers me not is forgotten and far,
And His infinite sceptred hands that sway us can bring
Me in dreams from the laugh of a child to the song of
a star.
On the laugh of a child I am borne to the joy of the King.

101 *Immortality*

WE must pass like smoke or live within the spirit's fire;
For we can no more than smoke unto the flame
return
If our thought has changed to dream, our will unto desire,
As smoke we vanish though the fire may burn.

Lights of infinite pity star the grey dusk of our days:
Surely here is soul: with it we have eternal breath:
In the fire of love we live, or pass by many ways,
By unnumbered ways of dream to death.

102 *Desire*

WITH Thee a moment! Then what dreams have play!
Traditions of eternal toil arise,
Search for the high, austere and lonely way
The Spirit moves in through eternities.
Ah, in the soul what memories arise!

And with what yearning inexpressible,
Rising from long forgetfulness I turn
To Thee, invisible, unrumoured, still:
White for Thy whiteness all desires burn.
Ah, with what longing once again I turn!

103 *The Great Breath*

ITS edges foamed with amethyst and rose,
Withers once more the old blue flower of day:
There where the ether like a diamond glows
Its petals fade away.

A shadowy tumult stirs the dusky air;
Sparkle the delicate dews, the distant snows;
The great deep thrills, for through it everywhere
The breath of Beauty blows.

I saw how all the trembling ages past,
Moulded to her by deep and deeper breath,
Neared to the hour when Beauty breathes her last
And knows herself in death.

104 *The Gay*

THOSE moon-gilded dancers
Prankt like butterflies,
Theirs was such lovely folly
It stayed my rapt eyes:
But my heart that was pondering
Was sadly wise.

To be so lighthearted
What pain was left behind;
What fetters fallen gave them
Unto this airy mind:
What dark sins were pardoned;
What God was kind!

I with long anguish bought
Joy that was soon in flight;
And wondered what these paid
For years of young delight;
Ere they were born what tears
Through what long night.

All these gay cheeks, light feet,
Were telling over again,
But in a heavenly accent,
A tale of ancient pain
That, the joy spent, must pass
To sorrow again.

I went into the wilderness
Of night to be alone,

Holding sorrow and joy
Hugged to my heart as one,
Lest they fly on those wild ways
And life be undone.

105 *The Cities*

THEY shall sink under water,
They shall rise up again:
They shall be peopled
By millions of men.

Cleansed of their scarlet,
Absolved of their sin,
They shall be like crystal
All stainless within.

Paris and Babel,
London and Tyre,
Reborn from the darkness,
Shall sparkle like fire.

From the folk who throng in
Their gardens and towers
Shall be blown fragrance
Sweeter than flowers.

Faery shall dance in
The streets of the town,
And from sky headlands
The gods looking down.

106 *New York*

WITH these heaven-assailing spires
All that was in clay or stone
Fabled of rich Babylon
By these children is outdone.

Earth has split her fire in these
To make them of her mightier kind;
Has she that precious fire to give,
The starry-pointing Magian mind,

That soared from the Chaldean plains
Through zones of mystic air, and found
The Master of the Zodiac,
The Will that makes the Wheel go round?

107 *Germinal*

CALL not thy wanderer home as yet
Though it be late.
Now is his first assailing of
The invisible gate.
Be still through that light knocking. The hour
Is thronged with fate.

To that first tapping at the invisible door
Fate answereth.
What shining image or voice, what sigh
Or honied breath,
Comes forth, shall be the master of life
Even to death.

Satyrs may follow after. Seraphs
  On crystal wing
May blaze. But the delicate first comer
  It shall be King.
They shall obey, even the mightiest,
  That gentle thing.

All the strong powers of Dante were bowed
  To a child's mild eyes,
That wrought within him that travail
  From depths up to skies,
Inferno, Purgatorio
  And Paradise.

Amid the soul's grave councillors
  A petulant boy
Laughs under the laurels and purples, the elf
  Who snatched at his joy,
Ordering Caesar's legions to bring him
  The world for his toy.

In ancient shadows and twilights
  Where childhood had strayed,
The world's great sorrows were born
  And its heroes were made.
In the lost boyhood of Judas
  Christ was betrayed.

Let thy young wanderer dream on:
  Call him not home.
A door opens, a breath, a voice
  From the ancient room,
Speaks to him now. Be it dark or bright
  He is knit with his doom.

LIONEL JOHNSON

1867–1902

108 *The Dark Angel*

DARK Angel, with thine aching lust
To rid the world of penitence:
Malicious Angel, who still dost
My soul such subtile violence!

Because of thee, no thought, no thing
Abides for me undesecrate:
Dark Angel, ever on the wing,
Who never reachest me too late!

When music sounds, then changest thou
Its silvery to a sultry fire:
Nor will thine envious heart allow
Delight untortured by desire.

Through thee, the gracious Muses turn
To Furies, O mine Enemy!
And all the things of beauty burn
With flames of evil ecstasy.

Because of thee, the land of dreams
Becomes a gathering-place of fears:
Until tormented slumber seems
One vehemence of useless tears.

When sunlight glows upon the flowers,
Or ripples down the dancing sea:
Thou, with thy troop of passionate powers,
Beleaguerest, bewilderest me.

Within the breath of autumn woods,
Within the winter silences:
Thy venomous spirit stirs and broods,
O Master of impieties!

The ardour of red flame is thine,
And thine the steely soul of ice:
Thou poisonest the fair design
Of nature, with unfair device.

Apples of ashes, golden bright;
Waters of bitterness, how sweet!
O banquet of a foul delight,
Prepared by thee, dark Paraclete.

Thou art the whisper in the gloom,
The hinting tone, the haunting laugh:
Thou art the adorner of my tomb,
The minstrel of mine epitaph.

I fight thee, in the Holy Name!
Yet, what thou dost, is what God saith:
Tempter! should I escape thy flame,
Thou wilt have helped my soul from Death:

The second Death, that never dies,
That cannot die, when time is dead:
Live Death, wherein the lost soul cries,
Eternally uncomforted.

Dark Angel, with thine aching lust!
Of two defeats, of two despairs:
Less dread, a change to drifting dust,
Than thine eternity of cares.

Do what thou wilt, thou shalt not so,
Dark Angel! triumph over me:
Lonely, unto the Lone I go;
Divine, to the Divinity.

109 *The Age of a Dream*

IMAGERIES of dreams reveal a gracious age:
Black armour, falling lace, and altar lights at morn.
The courtesy of Saints, their gentleness and scorn,
Lights on an earth more fair, than shone from Plato's page:
The courtesy of knights, fair calm and sacred rage:
The courtesy of love, sorrow for love's sake borne.
Vanished, those high conceits! Desolate and forlorn,
We hunger against hope for the lost heritage.

Gone now, the carven work! Ruined, the golden shrine!
No more the glorious organs pour their voice divine;
No more rich frankincense drifts through the Holy Place:
Now from the broken tower, what solemn bell still tolls,
Mourning what piteous death? Answer, O saddened souls!
Who mourn the death of beauty and the death of grace.

110 *The Church of a Dream*

SADLY the dead leaves rustle in the whistling wind,
Around the weather-worn, grey church, low down the vale:
The Saints in golden vesture shake before the gale;
The glorious windows shake, where still they dwell enshrined;
Old Saints by long-dead, shrivelled hands, long since designed:
There still, although the world autumnal be, and pale,
Still in their golden vesture the old Saints prevail;
Alone with Christ, desolate else, left by mankind.

Only one ancient Priest offers the Sacrifice,
Murmuring holy Latin immemorial:
Swaying with tremulous hands the old censer full of spice,
In grey, sweet incense clouds; blue, sweet clouds mystical:
To him, in place of men, for he is old, suffice
Melancholy remembrances and vesperal.

111 *Te Martyrum Candidatus*

AH, see the fair chivalry come, the companions of Christ!
White Horsemen, who ride on white horses, the Knights of God!
They, for their Lord and their Lover who sacrificed
All, save the sweetness of treading, where He first trod!

These, through the darkness of death, the dominion of night,
Swept, and they woke in white places at morning tide:
They saw with their eyes, and sang for joy of the sight,
They saw with their eyes the Eyes of the Crucified.

Now, whithersoever He goeth, with Him they go:
White Horsemen, who ride on white horses, oh, fair to see!
They ride, where the Rivers of Paradise flash and flow,
White Horsemen, with Christ their Captain: for ever He!

112 *To Morfydd*

A VOICE on the winds,
A voice by the waters,
Wanders and cries:
Oh! what are the winds?
And what are the waters?
Mine are your eyes!

Western the winds are,
And western the waters,
  Where the light lies:
Oh! what are the winds?
And what are the waters?
  Mine are your eyes!

Cold, cold, grow the winds,
And wild grow the waters,
  Where the sun dies:
Oh! what are the winds?
And what are the waters?
  Mine are your eyes!

And down the night winds,
And down the night waters,
  The music flies:
Oh! what are the winds?
And what are the waters?
Cold be the winds,
And wild be the waters,
  So mine be your eyes!

113

By the Statue of King Charles at Charing Cross

SOMBRE and rich, the skies;
  Great glooms, and starry plains.
Gently the night wind sighs;
  Else a vast silence reigns.

The splendid silence clings
Around me: and around
The saddest of all kings
Crowned, and again discrowned.

Comely and calm, he rides
Hard by his own Whitehall:
Only the night wind glides:
No crowds, nor rebels, brawl.

Gone, too, his Court: and yet,
The stars his courtiers are:
Stars in their stations set;
And every wandering star.

Alone he rides, alone,
The fair and fatal king:
Dark night is all his own,
That strange and solemn thing.

Which are more full of fate:
The stars; or those sad eyes?
Which are more still and great:
Those brows; or the dark skies?

Although his whole heart yearn
In passionate tragedy:
Never was face so stern
With sweet austerity.

Vanquished in life, his death
By beauty made amends:
The passing of his breath
Won his defeated ends.

Brief life, and hapless? Nay:
Through death, life grew sublime.
Speak after sentence? Yea:
And to the end of time.

Armoured he rides, his head
Bare to the stars of doom:
He triumphs now, the dead,
Beholding London's gloom.

Our wearier spirit faints,
Vexed in the world's employ:
His soul was of the saints;
And art to him was joy.

King, tried in fires of woe!
Men hunger for thy grace:
And through the night I go,
Loving thy mournful face.

Yet, when the city sleeps;
When all the cries are still:
The stars and heavenly deeps
Work out a perfect will.

LAURENCE BINYON

1869–1943

114

Tristram's End

(i)

TRISTRAM lies sick to death;
Dulled is his kingly eye,
Listless his famed right arm: earth-weary breath
Hath force alone to sigh
The one name that re-kindles life's low flame,

Isoult! — And thou, fair moon of Tristram's eve,
Who with that many-memoried name didst take
A glory for the sake
Of her who shone the sole light of his days and deeds,
Thou canst no more relieve
This heart that inly bleeds
With all thy love, with all thy tender lore,
No, nor thy white hands soothe him any more.
Still, the day long, she hears
Kind words that are more sharp to her than spears.
Ah, loved he more, he had not been so kind!
And still with pricking tears
She watches him, and still must seem resigned;
Though well she knows what face his eyes require,
And jealous pangs, like coiled snakes in her mind,
Cling tighter, as that voice more earnestly
Asks heavy with desire
From out that passionate past which is not hers,
'Sweet wife, is there no sail upon the sea?'

Tenderest hearts by pain grow oft the bitterest,
And haste to wound the thing they love the best.
At evening, at sun-set, to Tristram's bed
News on her lips she brings!
She comes with eyes bright in divining dread,
Hardening her anguished heart she bends above his head.
'O Tristram!' — How her low voice strangely rings! —
'There comes a ship, ah, rise not, turn not pale.
I know not what this means, it is a sail
Black, black as night!' She shot her word, and fled.
But Tristram cried
With a great cry, and rose upon his side.

'It cannot be, it cannot, shall not be!
I will not die until mine own eyes see.'
Despair, more strong than hope, lifts his weak limbs;
He stands and draws deep effort from his breath,
He trembles, his gaze swims,
He gropes his steps in pain,
Nigh fainting, till he gain
Salt air and brightness from the outer door
That opens on the cliff-built bastion floor
And the wide ocean gleaming far beneath.
He gazes, his lips part,
And all the blood pours back upon his heart.

Close thine eyes, Tristram, lest joy blind thee quite!
So swift a splendour burns away thy doubt.
Nay, Tristram, gaze, gaze, lest bright Truth go out
Ere she hath briefly shone.
White, dazzling white,
A sail swells onward, filling all his sight
With snowy light!
As on a gull's sure wing the ship comes on;
She towers upon the wave, she speeds for home.
Tristram on either doorpost must sustain
His arms for strength to gaze his fill again.
She shivers off the wind; the shining foam
Bursts from her pitching prow,
The sail drops as she nears,
Poised on the joyous swell; and Tristram sees
The mariners upon the deck; he hears
Their eager cries: the breeze
Blows a blue cloak; and now
Like magic brought to his divining ears,

A voice, that empties all the earth and sky,
Comes clear across the water, ' It is I! '

Isoult is come! Victorious saints above,
Who suffered anguish ere to bliss you died,
Have pity on him whom Love so sore hath tried,
Who sinned yet greatly suffered for his love.
That dear renouncèd love when now he sees,
Heavy with joy, he sinks upon his knees.
O had she wings to lift her to his side!
But she is far below
Where the spray breaks upon the rusted rail
And rock-hewn steps, and there
Stands gazing up, and lo!
Tristram, how faint and pale!
A pity overcomes her like despair.
How shall her strength avail
To conquer that steep stair,
Dark, terrible, and ignorant as Time,
Up which her feet must climb
To Tristram? His outstretching arms are fain
To help her, yet are helpless; and his pain
Is hers, and her pain Tristram's; with long sighs
She mounts, then halts again,
Till she have drawn strength from his loved-dimmed eyes:
But when that wasted face anew she sees,
Despair anew subdues her knees:
She fails, yet still she mounts by sad degrees,
With all her soul into her gaze upcast,
Until at last, at last . . .
What tears are like the wondering tears
Of that entranced embrace,

When out of desolate and divided years
Face meets belovèd face?
What cry most exquisite of grief or bliss
The too full heart shall tell,
When the new-recovered kiss
Is the kiss of last farewell?

(ii)

Isoult

O Tristram, is this true?
Is it thou I see
With my own eyes, clasp in my arms? I knew,
I knew that this must be.
Thou couldst not suffer so,
And I not feel the smart,
Far, far away. But oh,
How pale, my love, thou art!

Tristram

'Tis I, Isoult, 'tis I
That thee enfold.
I have seen thee, my own life, and yet I die.
O for my strength of old!
O that thy love could heal
This wound that conquers me!
But the night is come, I feel,
And the last sun set for me.

Isoult

Tristram, 'twas I that healed thy hurt,
That old, fierce wound of Morolt's poisoned sword.
Stricken to death, pale, pale as now thou wert:
Yet was thy strength restored.

Have I forgot my skill?
This wound shall yet be healed.
Love shall be master still,
And Death again shall yield!

Tristram

Isoult, if Time could bring me back
That eve, that first eve, and that Irish shore,
Then should I fear not, no nor nothing lack,
And life were mine once more.
But now too late thou art come;
Too long we have dwelt apart;
I have pined in an alien home:
This new joy bursts my heart.

Isoult

Hark, Tristram, to the breaking sea!
So sounded the dim waves, at such an hour
On such an eve, when thy voice came to me
First in my father's tower.
I heard thy sad harp from the shore beneath,
It stirred my soul from sleep.
Then it was bliss to breathe;
But now, but now, I weep.

Tristram

Shipwrecked, without hope, without friend, alone
On a strange shore, stricken with pang on pang,
I stood sad-hearted by that tower unknown,
Yet soon for joy I sang.

For could I see thee and on death believe?
Ah, glad would I die to attain
The beat of my heart, that eve,
And the song in my mouth again!

Isoult

Young was I then and fair,
Thou too wast fair and young;
How comely the brown hair
Down on thy shoulder hung!
O Tristram, all grows dark as then it grew,
But still I see thee on that surge-beat shore;
Thou camest, and all was new
And changed for evermore.

Tristram

Isoult, dost thou regret?
Behold my wasted cheek.
With salt tears it is wet,
My arms how faint, how weak!
And thou, since that far day, what hast thou seen
Save strife, and tears, and failure, and dismay?
Had that hour never been,
Peace had been thine, this day.

Isoult

Look, Tristram, in my eyes!
My own love, I could feed
Life well with miseries
So thou wert mine indeed.

Proud were the tears I wept;
That day, that hour I bless,
Nor would for peace accept
One single pain the less.

Tristram

Isoult, my heart is rent.
What pangs our bliss hath bought!
Only joy we meant,
Yet woe and wrong we have wrought.
I vowed a vow in the dark,
And thee, who wert mine, I gave
For a word's sake, to King Mark!
Words, words have digged our grave.

Isoult

Tristram, despite thy love,
King Mark had yet thine oath.
Ah, surely thy heart strove
How to be true to both.
Blame not thyself! for woe
'Twixt us was doomed to be.
One only thing I know;
Thou hast been true to me.

Tristram

Accurst be still that day,
When lightly I vowed the king
Whatever he might pray
Home to his hands I'd bring!

Thee, thee he asked! And I
Who never feared man's sword,
Yielded my life to a lie,
To save the truth of a word.

Isoult

Think not of that day, think
Of the day when our lips desired,
Unknowing, that cup to drink!
The cup with a charm was fired
From thee to beguile my love:
But now in my soul it shall burn
For ever, nor turn, nor remove,
Till the sun in his course shall turn.

Tristram

Or ever that draught we drank,
Thy heart, Isoult, was mine,
My heart was thine. I thank
God's grace, no wizard wine,
No stealth of a drop distilled
By a spell in the night, no art,
No charm, could have ever filled
With aught but thee my heart.

Isoult

When last we said farewell,
Remember how we dreamed
Wild love to have learned to quell;
Our hearts grown wise we deemed.

Tender, parted friends
We vowed to be; but the will
Of Love meant other ends.
Words fool us, Tristram, still.

Tristram

Not now, Isoult, not now!
I am thine while I have breath.
Words part us not, nor vow —
No, nor King Mark, but death.
I hold thee to my breast.
Our sins, our woes are past;
Thy lips were the first I prest,
Thou art mine, thou art mine at the last!

Isoult

O Tristram, all grows old,
Enfold me closer yet!
The night grows vast and cold,
And the dew on thy hair falls wet.
And never shall Time rebuild
The places of our delight;
Those towers and gardens are filled
With emptiness now, and night!

Tristram

Isoult, let it all be a dream,
The days and the deeds, let them be
As the bough that I cast on the stream
And that lived but to bring thee to me;

As the leaves that I broke from the bough
To float by thy window, and say
That I waited thy coming — O now
Thou art come, let the world be as they!

Isoult

How dark is the strong waves' sound!
Tristram, they fill me with fear!
We two are but spent waves, drowned
In the coming of year upon year.
Long dead are our friends and our foes,
Old Rual, Brangian, all
That helped us, or wrought us woes;
And we, the last, we fall.

Tristram

God and his great saints guard
True friends that loved us well,
And all false foes be barred
In the fiery gates of hell.
But broken be all those towers,
And sunken be all those ships!
Shut out those old, dead hours;
Life, life, is on thy lips!

Isoult

Tristram, my soul is afraid!

Tristram

Isoult, Isoult, thy kiss!
To sorrow though I was made,
I die in bliss, in bliss.

Isoult

Tristram, my heart must break.
O leave me not in the grave
Of the dark world! Me too take!
Save me, O Tristram, save!

(*iii*)

Calm, calm the moving waters all the night
On to that shore roll slow,
Fade into foam against the cliff's dim height,
And fall in a soft thunder, and upsurge
For ever out of unexhausted might,
Lifting their voice below
Tuned to no human dirge;
Nor from their majesty of music bend
To wail for beauty's end
Or towering spirit's most fiery overthrow;
Nor tarrieth the dawn, though she unveil
To weeping eyes their woe,
The dawn that doth not know
What the dark night hath wrought,
And over the far wave comes pacing pale,
Of all that she reveals regarding nought.—
But ere the dawn there comes a faltering tread;
Isoult, the young wife, stealing from her bed,
Sleepless with dread,
Creeps by still wall and blinded corridor,
Till from afar the salt scent of the air
Blows on her brow; and now

In that pale space beyond the open door
What mute, clasped shadow dulls her to despair
By keen degrees aware
That with the dawn her widowhood is there?

Is it wild envy or remorseful fear
Transfixes her young heart, unused to woe,
Crying to meet wrath, hatred, any foe,
Not silence drear!
Not to be vanquished so
By silence on the lips that were so dear!
Ah, sharpest stab! it is another face
That leans to Tristram's piteous embrace,
Another face she knows not, yet knows well,
Whose hands are clasped about his helpless head,
Propping it where it fell
In a vain tenderness,
But dead, — her great dream-hated rival dead,
Invulnerably dead,
Dead as her love, and cold,
And on her heart a grief heavy as stone is rolled.
She bows down, stricken in accusing pain,
And love, long-baffled, surges back again
Over her heart; she wails a shuddering cry,
While the tears blindly rain,
'I, I have killed him, I that loved him, I
That for his dear sake had been glad to die.
I loved him not enough, I could not keep
His heart, and yet I loved him, O how deep!
I cannot touch him. Will none set him free
From those, those other arms and give him me?
Alas, I may not vex him from that sleep.

He is thine in the end, thou proud one, he is thine,
Not mine, not mine!
I loved him not enough, I could not hold
My tongue from stabbing, and forsook him there.
I had not any care
To keep him from the darkness and the cold.
O all my wretched servants, where were ye?
Hath none in my house tended him but she?
Where are ye now? Can ye not hear my call?
Come hither, laggards all!
Nay, hush not so affrighted, nor so stare
Upon your lord; 'tis he!
Put out your torches, for the dawn grows clear.
And set me out within the hall a bier,
And wedding robes, the costliest that are
In all my house, prepare,
And lay upon the silks these princely dead,
And bid the sailors take that funeral bed
And set it in the ship, and put to sea,
And north to Cornwall steer.
Farewell, my lord, thy home is far from here.
Farewell, my great love, dead and doubly dear!
Carry him hence, proud queen, for he is thine,
Not mine, not mine, not mine!'

Within Tintagel walls King Mark awaits his queen.
The south wind blows, surely she comes to-day!
No light hath his eye seen
Since she is gone, no pleasure; he grows gray;
His knights apart make merry and wassail,
With dice and chessboard, hound at knee, they play;
But he sits solitary all the day,

Thinking of what hath been.
And now through all the castle rings a wail;
The king arises; all his knights are dumb;
The queen, the queen is come.
Not as she came of old,
Sweeping with gesture proud
To meet her wronged lord, royally arrayed,
And music ushered her, and tongues were stayed,
And all hearts beat, her beauty to behold;
But mute she comes and cold,
Borne on a bier, apparelled in a shroud,
Daisies about her sprinkled; and now bowed
Is her lord's head; and hushing upon all
Thoughts of sorrow fall,
As the snow softly, without any word;
And every breast is stirred
With wonder in its weeping;
For by her sleeping side,
In that long sleep no morning shall divide,
Is Tristram sleeping;
Tristram who wept farewell, and fled, and swore
That he would clasp his dear love never more,
And sailed far over sea
Far from his bliss and shame,
And dreamed to die at peace in Brittany
And to uncloud at last the glory of his name.
Yet lo, with fingers clasping both are come,
Come again home
In all men's sight, as when of old they came,
And Tristram led Isoult, another's bride,
True to his vow, but to his heart untrue,
And silver trumpets blew

To greet them stepping o'er the flower-strewn floor,
And King Mark smiled upon them, and men cried
On Tristram's name anew,
Tristram, the king's strong champion and great pride.

Silently gazing long
On them that wrought him wrong,
Still stands the stricken king, and to his eyes
Such tears as old men weep, yet shed not, rise:
Lifting his head at last, as from a trance, he sighs.
'Beautiful ever, O Isoult, wast thou,
And beautiful art thou now,
Though never again shall I, reproaching thee,
Make thy proud head more beautiful to me;
But this is the last reproach, and this the last
Forgiveness that thou hast.
Lost is the lost, Isoult, and past the past!
O Tristram, no more shalt thou need to hide
Thy thought from my thought, sitting at my side,
Nor need to wrestle sore
With thy great love and with thy fixèd oath,
For now Death leaves thee loyal unto both,
Even as thou wouldst have been, for evermore.
Now, after all thy pain, thy brow looks glad;
But I lack all things that I ever had,
My wife, my friend, yea, even my jealous rage;
And empty is the house of my old age.
Behold, I have laboured all my days to part
These two, that were the dearest to my heart.
Isoult, I would have fenced thee from men's sight,
My treasure, that I found so very fair,
The treasure I had taken with a snare:

To keep thee mine, this was my life's delight.
And now the end is come, alone I stand,
And the hand that lies in thine is not my hand.'

HILAIRE BELLOC

1870–

115

Tarantella

DO you remember an Inn,
Miranda?
Do you remember an Inn?
And the tedding and the spreading
Of the straw for a bedding,
And the fleas that tease in the High Pyrenees,
And the wine that tasted of the tar?
And the cheers and the jeers of the young muleteers
(Under the dark of the vine verandah)?
Do you remember an Inn, Miranda,
Do you remember an Inn?
And the cheers and the jeers of the young muleteers
Who hadn't got a penny,
And who weren't paying any,
And the hammer at the doors and the Din?
And the Hip! Hop! Hap!
Of the clap
Of the hands to the twirl and the swirl
Of the girl gone chancing,
Glancing,
Dancing,
Backing and advancing,
Snapping of the clapper to the spin
Out and in —

And the Ting, Tong, Tang of the guitar!
Do you remember an Inn,
Miranda?
Do you remember an Inn!

Never more;
Miranda,
Never more.
Only the high peaks hoar:
And Aragon a torrent at the door.
No sound
In the walls of the Halls where falls
The tread
Of the feet of the dead to the ground.
No sound:
Only the boom
Of the far Waterfall like Doom.

WILLIAM HENRY DAVIES

1871–1940

116 *Joy and Pleasure*

NOW, Joy is born of parents poor,
And Pleasure of our richer kind;
Though Pleasure 's free, she cannot sing
As sweet a song as Joy confined.

Pleasure 's a Moth, that sleeps by day
And dances by false glare at night;
But Joy 's a Butterfly, that loves
To spread its wings in Nature's light.

Joy 's like a Bee that gently sucks
Away on blossoms its sweet hour;
But Pleasure 's like a greedy Wasp,
That plums and cherries would devour.

Joy 's like a Lark that lives alone,
Whose ties are very strong, though few;
But Pleasure like a Cuckoo roams,
Makes much acquaintance, no friends true.

Joy from her heart doth sing at home,
With little care if others hear;
But Pleasure then is cold and dumb,
And sings and laughs with strangers near.

117 *Truly Great*

MY walls outside must have some flowers,
My walls within must have some books;
A house that 's small; a garden large,
And in it leafy nooks.

A little gold that 's sure each week;
That comes not from my living kind,
But from a dead man in his grave,
Who cannot change his mind.

A lovely wife, and gentle too;
Contented that no eyes but mine
Can see her many charms, nor voice
To call her beauty fine.

Where she would in that stone cage live,
A self-made prisoner, with me;
While many a wild bird sang around,
On gate, on bush, on tree.

And she sometimes to answer them,
In her far sweeter voice than all;
Till birds, that loved to look on leaves,
Will doat on a stone wall.

With this small house, this garden large,
This little gold, this lovely mate,
With health in body, peace at heart —
Show me a man more great.

118 *Money*

WHEN I had money, money, O!
I knew no joy till I went poor;
For many a false man as a friend
Came knocking all day at my door.

Then felt I like a child that holds
A trumpet that he must not blow
Because a man is dead; I dared
Not speak to let this false world know.

Much have I thought of life, and seen
How poor men's hearts are ever light;
And how their wives do hum like bees
About their work from morn till night.

So, when I hear these poor ones laugh,
  And see the rich ones coldly frown —
Poor men, think I, need not go up
  So much as rich men should come down.

When I had money, money, O!
  My many friends proved all untrue;
But now I have no money, O!
  My friends are real, though very few.

119 *Leisure*

WHAT is this life if, full of care,
We have no time to stand and stare.

No time to stand beneath the boughs
And stare as long as sheep or cows.

No time to see, when woods we pass,
Where squirrels hide their nuts in grass.

No time to see, in broad daylight,
Streams full of stars, like skies at night.

No time to turn at Beauty's glance,
And watch her feet, how they can dance.

No time to wait till her mouth can
Enrich that smile her eyes began.

A poor life this if, full of care,
We have no time to stand and stare.

120

The Sluggard

A JAR of cider and my pipe,
In summer, under shady tree;
A book of one that made his mind
Live by its sweet simplicity:
Then must I laugh at kings who sit
In richest chambers, signing scrolls;
And princes cheered in public ways,
And stared at by a thousand fools.

Let me be free to wear my dreams,
Like weeds in some mad maiden's hair,
When she believes the earth has not
Another maid so rich and fair;
And proudly smiles on rich and poor,
The queen of all fair women then:
So I, dressed in my idle dreams,
Will think myself the king of men.

121

The Best Friend

NOW shall I walk,
Or shall I ride?
'Ride,' Pleasure said;
'Walk,' Joy replied.

Now what shall I —
Stay home or roam?
'Roam,' Pleasure said;
And Joy — 'Stay home.'

Now shall I dance,
    Or sit for dreams?
'Sit,' answers Joy;
    'Dance,' Pleasure screams.

Which of ye two
    Will kindest be?
Pleasure laughed sweet,
    But Joy kissed me.

122 *School 's out*

GIRLS scream,
    Boys shout;
Dogs bark,
    School 's out.

Cats run,
    Horses shy;
Into trees
    Birds fly.

Babes wake
    Open-eyed;
If they can,
    Tramps hide.

Old man,
    Hobble home;
Merry mites,
    Welcome.

MANMOHAN GHOSE

1870–1924

123 *Who is it talks of Ebony?*

WHO is it talks of ebony,
Who of the raven's plume?
The glory of your tresses black
Will yield to neither room.

So thick the ambrosial dusk of you
Glooms in your locks, soul, sight,
The world itself is swallowed up
In darkness and delight.

Tell me no more that black must be
Light's baffle, colour's loss.
Your tresses shoot into the sun
A richly purple gloss.

It was the sunshine white of you
Which cast that wealth of shade.
There from the burning light of you
The world and I am laid.

THOMAS STURGE MOORE

1870–1944

124 *The Dying Swan*

O SILVER-THROATED Swan
Struck, struck! a golden dart
Clean through thy breast has gone
Home to thy heart.

Thrill, thrill, O silver throat!
O silver trumpet, pour
Love for defiance back
On him who smote!
And brim, brim o'er
With love; and ruby-dye thy track
Down thy last living reach
Of river, sail the golden light . . .
Enter the sun's heart . . . even teach,
O wondrous-gifted Pain, teach thou
The god to love, let him learn how.

125 *Kindness*

OF the beauty of kindness I speak,
Of a smile, of a charm
On the face it is pleasure to meet,
That gives no alarm!

Of the soul that absorbeth itself
In discovering good,
Of that power which outlasts health,
As the spell of a wood

Outlasts the sad fall of the leaves,
And in winter is fine,
And from snow and from frost receives
A garment divine.

Oh! well may the lark sing of this,
As through rents of huge cloud,
He broacheth blue gulfs that are bliss,
For they make his heart proud

With the power of wings deployed
In delightfullest air.
Yea, thus among things enjoyed
Is kindness rare.

For even the weak with surprise
Spread wings, utter song,
They can launch . . . in this blue they can rise,
In this kindness are strong, . . .

They can launch like a ship into calm.
Which was penned up by storm,
Which sails for the islands of balm
Luxuriant and warm.

126 *Response to Rimbaud's Later Manner*

THE cow eats green grass;
Alas, alas!
Nothing to eat
Surrounds my feet!

Diamond clad
In the stream the naïad
Never sips, dips
All save her lips.

They, they, and not I,
Never ask why
The Cathedral tower
Dreams like a flower.

They, they, are healed
From thought congealed
That ploughs up the heart
Which takes its own part.

They, they, have refound
Eternity;
Which is the sun bound
In the arms of the sea.

127 *Variation on Ronsard*

TIME flits away, time flits away, lady;
Alas, not time, but we
Whose childish limbs once skipped so fairily,
And still to dance are free.

Things are forgot, things are forgot, lady;
Alas, not things alone,
But dames whose sweet, sweet names chimed airily
Are no more loved or known.

How bright those stars! and think, each bright star stays,
Though all else fair be brief;
Leisure have they and peace and length of days
And love, 'tis my belief.

For Love gives light, Love vows his light will last,
And Love instilleth peace . . .
As lake returns the star-rays downward cast,
Be thou the Love, Love sees.

128 *The Event*

SHAPED and vacated
See rhythms lie scattered like shells!
Heed one and through it
What stimulus swells!

Let meaning now mate it;
As pallor may quit a hushed face
And health re-endue it
With courage and grace,

Lilt, pulsed to a tune when
Some storm has been lulled on the deep,
Resurgent can capture
Words from their sleep.

T'ward him who shall croon them
Lo! Psyche herself rides the wave
With ear all rapture
At a thought in its cave.

— Knees bend you before
Vision woven of sound,
That floats like a shell to the shore,
Both given and found.

129 *The Gazelles*

WHEN the sheen on tall summer grass is pale,
Across blue skies white clouds float on
In shoals, or disperse and singly sail,
Till, the sun being set, they all are gone:

Yet, as long as they may shine bright in the sun,
They flock or stray through the daylight bland,
While their stealthy shadows like foxes run
Beneath where the grass is dry and tanned:

And the waste, in hills that swell and fall,
Goes heaving into yet dreamier haze;
And a wonder of silence is over all
Where the eye feeds long like a lover's gaze:

Then, cleaving the grass, gazelles appear
(The gentler dolphins of kindlier waves)
With sensitive heads alert of ear;
Frail crowds that a delicate hearing saves,

That rely on the nostrils' keenest power,
And are governed from trance-like distances
By hopes and fears, and, hour by hour,
Sagacious of safety, snuff the breeze.

They keep together, the timid hearts;
And each one's fear with a panic thrill
Is passed to an hundred; and if one starts
In three seconds all are over the hill.

A Nimrod might watch, in his hall's wan space,
After the feast, on the moonlit floor,
The timorous mice that troop and race,
As tranced o'er those herds the sun doth pour;

Like a wearied tyrant sated with food
Who envies each tiniest thief that steals
A crumb from his abstracted mood,
For the zest and daring it reveals.

He alone, save the quite dispassionate moon,
Sees them; she stares at the prowling pard
Who surprises their sleep and, ah! how soon
Is riding the weakest or sleepiest hard!

Let an agony's nightmare course begin,
Four feet with five spurs a-piece control,
Like a horse thief reduced to save his skin
Or a devil that rides a human soul!

The race is as long as recorded time,
Yet brief as the flash of assassin's knife;
For 'tis crammed as history is with crime
'Twixt the throbs at taking and losing life;

Then the warm wet clutch on the nape of the neck,
Through which the keen incisors drive;
Then the fleet knees give, down drops the wreck
Of yesterday's pet that was so alive.

Yet the moon is naught concerned, ah no!
She shines as on a drifting plank
Far in some northern sea-stream's flow
From which two numbed hands loosened and sank.

Such thinning their number must suffer; and wors
When hither at times the Shah's children roam,
Their infant listlessness to immerse
In energy's ancient upland home:

For here the shepherd in years of old
Was taught by the stars, and bred a race
That welling forth from these highlands rolled
In tides of conquest o'er earth's face:

On piebald ponies or else milk-white,
Here, with green bridles in silver bound,
A crescent moon on the violet night
Of their saddle cloths, or a sun rayed round,

With tiny bells on their harness ringing,
And voices that laugh and are shrill by starts,
Prancing, curvetting, and with them bringing
Swift chetahs cooped up in light-wheeled carts,

They come, and their dainty pavilions pitch
In some valley, beside a sinuous pool,
Where a grove of cedars towers in which
Herons have built, where the shade is cool;

Where they tether their ponies to low-hung boughs,
Where long through the night their red fires gleam,
Where the morning's stir doth them arouse
To their bath in the lake, as from dreams to a dream.

And thence in an hour their hunt rides forth,
And the chetahs course the shy gazelle
To the east or west or south or north;
And every eve in a distant vale

A hecatomb of the slaughtered beasts
Is piled; tongues loll from breathless throats;
Round large jet eyes the horsefly feasts . . .
Jet eyes, which now a blue film coats:

Dead there they bleed, and each prince there
Is met by his sister, wife, or bride . . .
Delicious ladies with long dark hair,
And soft dark eyes, and brows arched wide,

In quilted jacket, embroidered sash,
And tent-like skirts of pleated lawn;
While their silk-lined jewelled slippers flash
Round bare feet bedded like pools at dawn:

So choicefully prepared to please,
Young, female, royal of race and mood,
In indolent compassion these
O'er those dead beauteous creatures brood:

They lean some minutes against their friend,
A lad not slow to praise himself,
Who tells how this one met his end
Out-raced, or trapped by leopard stealth,

And boasts his chetahs fleetest are;
Through his advice the chance occurred,
That leeward vale by which the car
Was well brought round to head the herd.

Seeing him bronzed by sun and wind,
She feels his power and owns him lord,
Then, that his courage may please her mind,
With a soft coy hand half draws his sword,

Just shudders to see the cold steel gleam,
And drops it back in the long curved sheath;
She will merge his evening meal in a dream
And embalm his slumber like the wreath

Of heavy-lidded flowers bewitched
To murmur words of ecstasy
For king who, though with all else enriched,
Pays warlock for tones the young hear free.

But, while they sleep, the orphaned herd
And wounded stragglers, through the night
Wander in pain, and wail unheard
To the moon and the stars so cruelly bright.

Why are they born? ah! why beget
They in the long November gloom
Heirs of their beauty, their fleetness . . . yet
Heirs of their panics, their pangs, their doom?

That to princely spouses children are born
To be daintily bred and taught to please,
Has a fitness like the return of morn:
But why perpetuate lives like these?

Why, with horns that jar and with fiery eyes,
Should the male stags fight for the shuddering does
Through the drear dark nights, with frequent cries
From tyrant lust or outlawed woes?

Doth the meaningless beauty of their lives
Rave in the spring, when they course afar
Like the shadows of birds, and the young fawn strives
Till its parents no longer the fleetest are?

Like the shadows of flames which the sun's rays throw
On a kiln's blank wall, where glaziers dwell,
Pale shadows as those from glasses they blow,
Yet that lap at the blank wall and rebel . . .

Even so to my curious trance-like thought
Those herds move over those pallid hills,
With fever as of a frail life caught
In circumstance o'er-charged with ills;

More like the shadow of lives than life,
Or most like the life that is never born
From baffled purpose and foredoomed strife,
That in each man's heart must be hidden from scorn,

Yet with something of beauty very rare
Unseizable, fugitive, half discerned;
The trace of intentions that might have been fair
In action, left on a face that yearned

But long has ceased to yearn, alas!
So faint a trace do they leave on the slopes
Of hills as sleek as their coats with grass;
So faint may the trace be of noblest hopes.

Yet why are they born to roam and die?
Can their beauty answer thy query, O soul?
Nay, nor that of hopes which were born to fly,
But whose pinions the common and coarse day stole.

Like that region of grassy hills outspread,
A realm of our thought knows days and nights
And summers and winters, and has fed
Ineffectual herds of vanished delights.

JOHN MILLINGTON SYNGE

1871–1909

130

Queens

SEVEN dog-days we let pass
Naming Queens in Glenmacnass,
All the rare and royal names
Wormy sheepskin yet retains:
Etain, Helen, Maeve and Fand,
Golden Deirdre's tender hand;

Bert, the big-foot, sung by Villon,
Cassandra, Ronsard found in Lyon.
Queens of Sheba, Meath and Connaught,
Coifed with crown, or gaudy bonnet;
Queens whose finger once did stir men,
Queens were eaten of fleas and vermin,
Queens men drew like Monna Lisa,
Or slew with drugs in Rome and Pisa.
We named Lucrezia Crivelli,
And Titian's lady with amber belly,
Queens acquainted in learned sin,
Jane of Jewry's slender shin:
Queens who cut the bogs of Glanna,
Judith of Scripture, and Gloriana,
Queens who wasted the East by proxy,
Or drove the ass-cart, a tinker's doxy.
Yet these are rotten — I ask their pardon —
And we've the sun on rock and garden;
These are rotten, so you're the Queen
Of all are living, or have been.

131 *On an Anniversary*

After reading the dates in a book of Lyrics

WITH Fifteen-ninety or Sixteen-sixteen
We end Cervantes, Marot, Nashe or Green:
Then Sixteen-thirteen till two score and nine,
Is Crashaw's niche, that honey-lipped divine.
They'll say I came in Eighteen-seventy-one,
And died in Dublin . . . What year will they write
For my poor passage to the stall of night?

132 *On a Birthday*

FRIEND of Ronsard, Nashe and Beaumont,
Lark of Ulster, Meath, and Thomond,
Heard from Smyrna and Sahara
To the surf of Connemara,
Lark of April, June, and May,
Sing loudly this my Lady-day.

133 *A Question*

I ASKED if I got sick and died, would you
With my black funeral go walking too,
If you'd stand close to hear them talk or pray
While I'm let down in that steep bank of clay.

And, No, you said, for if you saw a crew
Of living idiots pressing round that new
Oak coffin — they alive, I dead beneath
That board — you'd rave and rend them with your teeth.

134 *In Glencullen*

THRUSH, linnet, stare and wren,
Brown lark beside the sun,
Take thought of kestrel, sparrow-hawk,
Birdlime and roving gun.

You great-great-grand-children
Of birds I've listened to,
I think I robbed your ancestors
When I was young as you.

135

I've Thirty Months

I'VE thirty months, and that 's my pride,
Before my age 's a double score,
Though many lively men have died
At twenty-nine or little more.

I've left a long and famous set
Behind some seven years or three,
But there are millions I'd forget
Will have their laugh at passing me.

136

Prelude

STILL south I went and west and south again,
Through Wicklow from the morning till the night,
And far from cities, and the sights of men,
Lived with the sunshine, and the moon's delight.

I knew the stars, the flowers, and the birds,
The grey and wintry sides of many glens,
And did but half remember human words,
In converse with the mountains, moors, and fens.

137

Winter

(*With little money in a great city*)

THERE 'S snow in every street
Where I go up and down,
And there 's no woman, man, or dog
That knows me in the town.

I know each shop, and all
These Jews, and Russian Poles,
For I go walking night and noon
To spare my sack of coals.

138 *He wishes he might die and follow Laura*

IN the years of her age the most beautiful and the most flowery — the time Love has his mastery — Laura, who was my life, has gone away leaving the earth stripped and desolate. She has gone up into the Heavens, living and beautiful and naked, and from that place she is keeping her Lordship and her rein upon me, and I crying out: Ohone, when will I see that day breaking that will be my first day with herself in Paradise?

My thoughts are going after her, and it is that way my soul would follow her, lightly, and airily, and happily, and I would be rid of all my great troubles. But what is delaying me is the proper thing to lose me utterly, to make me a greater weight on my own self.

Oh, what a sweet death I might have died this day three years to-day!

(*From Petrarch.*)

139 *He understands the Great Cruelty of Death*

MY flowery and green age was passing away, and I feeling a chill in the fires had been wasting my heart, for I was drawing near the hillside that is above the grave.

Then my sweet enemy was making a start, little by little, to give over her great wariness, the way she was wringing a sweet thing out of my sharp sorrow. The time was coming when Love and Decency can keep company, and lovers may sit together and say out all the things are in their hearts. But Death had his grudge against me, and he got up in the way, like an armed robber, with a pike in his hand.

(*From Petrarch.*)

140 *Laura waits for him in Heaven*

THE first day she passed up and down through the Heavens, gentle and simple were left standing, and they in great wonder, saying one to the other:
'What new light is that? What new beauty at all? The like of her hasn't risen up these long years from the common world.'
And herself, well pleased with the Heavens, was going forward, matching herself with the most perfect that were before her, yet one time, and another, waiting a little, and turning her head back to see if myself was coming after her. It 's for that I'm lifting up all my thoughts and will into the Heavens, because I do hear her praying that I should be making haste for ever.

(*From Petrarch.*)

141 *An Old Woman's Lamentations*

THE man I had a love for — a great rascal would kick me in the gutter — is dead thirty years and over it, and it is I am left behind, grey and aged.

When I do be minding the good days I had, minding what I was one time, and what it is I'm come to, and when I do look on my own self, poor and dry, and pinched together, it wouldn't be much would set me raging in the streets.

Where is the round forehead I had, and the fine hair, and the two eyebrows, and the eyes with a big gay look out of them would bring folly from a great scholar? Where is my straight, shapely nose, and two ears, and my chin with a valley in it, and my lips were red and open?

Where are the pointed shoulders were on me, and the long arms and nice hands to them? Where is my bosom was as white as any, or my straight rounded sides?

It 's the way I am this day — my forehead is gone away into furrows, the hair of my head is grey and whitish, my eyebrows are tumbled from me, and my two eyes have died out within my head — those eyes that would be laughing to the men — my nose has a hook on it, my ears are hanging down, and my lips are sharp and skinny.

That 's what 's left over from the beauty of a right woman — a bag of bones, and legs the like of two shrivelled sausages going beneath it.

It 's of the like of that we old hags do be thinking, of the good times are gone away from us, and we crouching on our hunkers by a little fire of twigs, soon kindled and soon spent, we that were the pick of many.

(*From Villon.*)

RALPH HODGSON

1872–

142

The Bull

SEE an old unhappy bull,
Sick in soul and body both,
Slouching in the undergrowth
Of the forest beautiful,
Banished from the herd he led,
Bulls and cows a thousand head.

Cranes and gaudy parrots go
Up and down the burning sky;
Tree-top cats purr drowsily
In the dim-day green below;
And troops of monkeys, nutting, some,
All disputing, go and come;

And things abominable sit
Picking offal buck or swine,
On the mess and over it
Burnished flies and beetles shine,
And spiders big as bladders lie
Under hemlocks ten foot high;

And a dotted serpent curled
Round and round and round a tree,
Yellowing its greenery,
Keeps a watch on all the world,
All the world and this old bull
In the forest beautiful.

Bravely by his fall he came:
One he led, a bull of blood
Newly come to lustihood,
Fought and put his prince to shame,
Snuffed and pawed the prostrate head
Tameless even while it bled.

There they left him, every one,
Left him there without a lick,
Left him for the birds to pick,
Left him there for carrion,
Vilely from their bosom cast
Wisdom, worth and love at last.

When the lion left his lair
And roared his beauty through the hills,
And the vultures pecked their quills
And flew into the middle air,
Then this prince no more to reign
Came to life and lived again.

He snuffed the herd in far retreat,
He saw the blood upon the ground,
And snuffed the burning airs around
Still with beevish odours sweet,
While the blood ran down his head
And his mouth ran slaver red.

Pity him, this fallen chief,
All his splendour, all his strength,
All his body's breadth and length
Dwindled down with shame and grief,
Half the bull he was before,
Bones and leather, nothing more.

RALPH HODGSON

See him standing dewlap-deep
In the rushes at the lake,
Surly, stupid, half asleep,
Waiting for his heart to break
And the birds to join the flies
Feasting at his bloodshot eyes;

Standing with his head hung down
In a stupor, dreaming things:
Green savannas, jungles brown,
Battlefields and bellowings,
Bulls undone and lions dead
And vultures flapping overhead.

Dreaming things: of days he spent
With his mother gaunt and lean
In the valley warm and green,
Full of baby wonderment,
Blinking out of silly eyes
At a hundred mysteries;

Dreaming over once again
How he wandered with a throng
Of bulls and cows a thousand strong,
Wandered on from plain to plain,
Up the hill and down the dale,
Always at his mother's tail;

How he lagged behind the herd,
Lagged and tottered, weak of limb,
And she turned and ran to him
Blaring at the loathly bird
Stationed always in the skies,
Waiting for the flesh that dies.

Dreaming maybe of a day
When her drained and drying paps
Turned him to the sweets and saps,
Richer fountains by the way,
And she left the bull she bore
And he looked to her no more;

And his little frame grew stout,
And his little legs grew strong,
And the way was not so long;
And his little horns came out,
And he played at butting trees
And boulder-stones and tortoises,

Joined a game of knobby skulls
With the youngsters of his year,
All the other little bulls,
Learning both to bruise and bear,
Learning how to stand a shock
Like a little bull of rock.

Dreaming of a day less dim,
Dreaming of a time less far,
When the faint but certain star
Of destiny burned clear for him,
And a fierce and wild unrest
Broke the quiet of his breast,

And the gristles of his youth
Hardened in his comely pow,
And he came to fighting growth,
Beat his bull and won his cow,
And flew his tail and trampled off
Past the tallest, vain enough,

And curved about in splendour full
And curved again and snuffed the airs
As who should say Come out who dares!
And all beheld a bull, a Bull,
And knew that here was surely one
That backed for no bull, fearing none.

And the leader of the herd
Looked and saw, and beat the ground,
And shook the forest with his sound,
Bellowed at the loathly bird
Stationed always in the skies,
Waiting for the flesh that dies.

Dreaming, this old bull forlorn,
Surely dreaming of the hour
When he came to sultan power,
And they owned him master-horn,
Chiefest bull of all among
Bulls and cows a thousand strong;

And in all the tramping herd
Not a bull that barred his way,
Not a cow that said him nay,
Not a bull or cow that erred
In the furnace of his look
Dared a second, worse rebuke;

Not in all the forest wide,
Jungle, thicket, pasture, fen,
Not another dared him then,
Dared him and again defied;
Not a sovereign buck or boar
Came a second time for more;

Not a serpent that survived
Once the terrors of his hoof
Risked a second time reproof,
Came a second time and lived,
Not a serpent in its skin
Came again for discipline;

Not a leopard bright as flame,
Flashing fingerhooks of steel
That a wooden tree might feel,
Met his fury once and came
For a second reprimand,
Not a leopard in the land;

Not a lion of them all,
Not a lion of the hills,
Hero of a thousand kills,
Dared a second fight and fall,
Dared that ram terrific twice,
Paid a second time the price.

Pity him, this dupe of dream,
Leader of the herd again
Only in his daft old brain,
Once again the bull supreme
And bull enough to bear the part
Only in his tameless heart.

Pity him that he must wake;
Even now the swarm of flies
Blackening his bloodshot eyes
Bursts and blusters round the lake,
Scattered from the feast half-fed,
By great shadows overhead;

And the dreamer turns away
From his visionary herds
And his splendid yesterday,
Turns to meet the loathly birds
Flocking round him from the skies,
Waiting for the flesh that dies.

WALTER DE LA MARE

1873–

143 *The Listeners*

'IS there anybody there?' said the Traveller,
  Knocking on the moonlit door;
And his horse in the silence champed the grasses
  Of the forest's ferny floor:
And a bird flew up out of the turret,
  Above the Traveller's head:
And he smote upon the door again a second time;
  'Is there anybody there?' he said.
But no one descended to the Traveller;
  No head from the leaf-fringed sill
Leaned over and looked into his grey eyes,
  Where he stood perplexed and still.
But only a host of phantom listeners
  That dwelt in the lone house then
Stood listening in the quiet of the moonlight
  To that voice from the world of men:
Stood thronging the faint moonbeams on the dark stair,
  That goes down to the empty hall,
Hearkening in an air stirred and shaken
  By the lonely Traveller's call.
And he felt in his heart their strangeness,
  Their stillness answering his cry,

While his horse moved, cropping the dark turf,
'Neath the starred and leafy sky;
For he suddenly smote on the door, even
Louder, and lifted his head: —
'Tell them I came, and no one answered,
That I kept my word,' he said.
Never the least stir made the listeners,
Though every word he spake
Fell echoing through the shadowiness of the still house
From the one man left awake:
Ay, they heard his foot upon the stirrup,
And the sound of iron on stone,
And how the silence surged softly backward,
When the plunging hoofs were gone.

144 *Winter*

CLOUDED with snow
The cold winds blow,
And shrill on leafless bough
The robin with its burning breast
Alone sings now.

The rayless sun,
Day's journey done,
Sheds its last ebbing light
On fields in leagues of beauty spread
Unearthly white.

Thick draws the dark,
And spark by spark,
The frost-fires kindle, and soon
Over that sea of frozen foam
Floats the white moon.

145

The Scribe

WHAT lovely things
  Thy hand hath made:
The smooth-plumed bird
  In its emerald shade,
The seed of the grass,
  The speck of stone
Which the wayfaring ant
  Stirs — and hastes on!

Though I should sit
  By some tarn in thy hills,
Using its ink
  As the spirit wills
To write of Earth's wonders,
  Its live, willed things,
Flit would the ages
  On soundless wings
Ere unto Z
  My pen drew nigh;
Leviathan told,
  And the honey-fly:

And still would remain
  My wit to try —
My worn reeds broken,
  The dark tarn dry,
All words forgotten —
  Thou, Lord, and I.

146 *All that's Past*

VERY old are the woods;
And the buds that break
Out of the brier's boughs,
When March winds wake,
So old with their beauty are —
Oh, no man knows
Through what wild centuries
Roves back the rose.

Very old are the brooks;
And the rills that rise
Where snow sleeps cold beneath
The azure skies
Sing such a history
Of come and gone,
Their every drop is as wise
As Solomon.

Very old are we men;
Our dreams are tales
Told in dim Eden
By Eve's nightingales;
We wake and whisper awhile,
But, the day gone by,
Silence and sleep like fields
Of amaranth lie.

147 *Echo*

'WHO called?' I said, and the words
Through the whispering glades,
Hither, thither, baffled the birds —
'Who called? Who called?'

The leafy boughs on high
  Hissed in the sun;
The dark air carried my cry
  Faintingly on:

Eyes in the green, in the shade,
  In the motionless brake,
Voices that said what I said,
  For mockery's sake:

'Who cares?' I bawled through my tears:
  The wind fell low:
In the silence, 'Who cares? who cares?'
  Wailed to and fro.

148

The Silver Penny

SAILORMAN, I'll give to you
  My bright silver penny,
If out to sea you'll sail me
  And my dear sister Jenny.'

'Get in, young sir, I'll sail ye
  And your dear sister Jenny,
But pay she shall her golden locks
  Instead of your penny.'

They sail away, they sail away,
  O fierce the winds blew!
The foam flew in clouds,
  And dark the night grew!

And all the wild sea-water
  Climbed steep into the boat;
Back to the shore again
  Sail they will not.

Drowned is the sailorman,
  Drowned is sweet Jenny,
And drowned in the deep sea
  A bright silver penny.

GORDON BOTTOMLEY

1874–

149 *To Iron-Founders and Others*

WHEN you destroy a blade of grass
  You poison England at her roots:
Remember no man's foot can pass
  Where evermore no green life shoots.

You force the birds to wing too high
  Where your unnatural vapours creep:
Surely the living rocks shall die
  When birds no rightful distance keep.

You have brought down the firmament
  And yet no heaven is more near;
You shape huge deeds without event,
  And half made men believe and fear.

Your worship is your furnaces,
  Which, like old idols, lost obscenes,
Have molten bowels; your vision is
  Machines for making more machines.

O, you are busied in the night,
  Preparing destinies of rust;
Iron misused must turn to blight
  And dwindle to a tettered crust.

The grass, forerunner of life, has gone,
But plants that spring in ruins and shards
Attend until your dream is done:
I have seen hemlock in your yards.

The generations of the worm
Know not your loads piled on their soil;
Their knotted ganglions shall wax firm
Till your strong flagstones heave and toil.

When the old hollowed earth is cracked,
And when, to grasp more power and feasts,
Its ores are emptied, wasted, lacked,
The middens of your burning beasts

Shall be raked over till they yield
Last priceless slags for fashionings high,
Ploughs to make grass in every field,
Chisels men's hands to magnify.

GILBERT KEITH CHESTERTON

1872–1936

150 *The Rolling English Road*

BEFORE the Roman came to Rye or out to Severn strode,
The rolling English drunkard made the rolling English road.
A reeling road, a rolling road, that rambles round the shire,
And after him the parson ran, the sexton and the squire;
A merry road, a mazy road, and such as we did tread
The night we went to Birmingham by way of Beachy Head.

I knew no harm of Bonaparte and plenty of the Squire,
And for to fight the Frenchman I did not much desire;
But I did bash their baggonets because they came arrayed

To straighten out the crooked road an English drunkard
made,
Where you and I went down the lane with ale-mugs in our
hands,
The night we went to Glastonbury by way of Goodwin
Sands.

His sins they were forgiven him; or why do flowers run
Behind him; and the hedges all strengthening in the sun?
The wild thing went from left to right and knew not which
was which,
But the wild rose was above him when they found him in
the ditch.
God pardon us, nor harden us; we did not see so clear
The night we went to Bannockburn by way of Brighton
Pier.

My friends, we will not go again or ape an ancient rage,
Or stretch the folly of our youth to be the shame of age,
But walk with clearer eyes and ears this path that wandereth,
And see undrugged in evening light the decent inn of
death;
For there is good news yet to hear and fine things to be seen,
Before we go to Paradise by way of Kensal Green.

151 *Lepanto*

WHITE founts falling in the courts of the sun,
And the Soldan of Byzantium is smiling as they run;
There is laughter like the fountains in that face of all men
feared,

It stirs the forest darkness, the darkness of his beard,
It curls the blood-red crescent, the crescent of his lips,
For the inmost sea of all the earth is shaken with his ships.
They have dared the white republics up the capes of Italy,
They have dashed the Adriatic round the Lion of the Sea,
And the Pope has cast his arms abroad for agony and loss,
And called the kings of Christendom for swords about the
Cross,
The cold queen of England is looking in the glass;
The shadow of the Valois is yawning at the Mass;
From evening isles fantastical rings faint the Spanish gun,
And the Lord upon the Golden Horn is laughing in the sun.
Dim drums throbbing, in the hills half heard,
Where only on a nameless throne a crownless prince has
stirred,
Where, risen from a doubtful seat and half-attainted stall,
The last knight of Europe takes weapons from the wall,
The last and lingering troubadour to whom the bird has
sung,
That once went singing southward when all the world was
young,
In that enormous silence, tiny and unafraid,
Comes up along a winding road the noise of the Crusade.
Strong gongs groaning as the guns boom far,
Don John of Austria is going to the war,
Stiff flags straining in the night-blasts cold
In the gloom black-purple, in the glint old-gold,
Torchlight crimson on the copper kettle-drums,
Then the tuckets, then the trumpets, then the cannon, and
he comes.
Don John laughing in the brave beard curled,
Spurning of his stirrups like the thrones of all the world,

Holding his head up for a flag of all the free.
Love-light of Spain — hurrah!
Death-light of Africa!
Don John of Austria
Is riding to the sea.

Mahound is in his paradise above the evening star,
(*Don John of Austria is going to the war.*)
He moves a mighty turban on the timeless houri's knees,
His turban that is woven of the sunset and the seas.
He shakes the peacock gardens as he rises from his ease,
And he strides among the tree-tops and is taller than the
trees,
And his voice through all the garden is a thunder sent to
bring
Black Azrael and Ariel and Ammon on the wing.
Giants and the Genii,
Multiplex of wing and eye,
Whose strong obedience broke the sky
When Solomon was king.

They rush in red and purple from the red clouds of the
morn,
From temples where the yellow gods shut up their eyes in
scorn;
They rise in green robes roaring from the green hells of the
sea
Where fallen skies and evil hues and eyeless creatures be;
On them the sea-valves cluster and the grey sea-forests curl,
Splashed with a splendid sickness, the sickness of the pearl;
They swell in sapphire smoke out of the blue cracks of the
ground, —

They gather and they wonder and give worship to Mahound.
And he saith, ' Break up the mountains where the hermit-folk can hide,
And sift the red and silver sands lest bone of saint abide,
And chase the Giaours flying night and day, not giving rest,
For that which was our trouble comes again out of the west.
We have set the seal of Solomon on all things under sun,
Of knowledge and of sorrow and endurance of things done,
But a noise is in the mountains, in the mountains, and I know
The voice that shook our palaces — four hundred years ago:
It is he that saith not ' Kismet '; it is he that knows not Fate;
It is Richard, it is Raymond, it is Godfrey in the gate!
It is he whose loss is laughter when he counts the wager worth,
Put down your feet upon him, that our peace be on the earth.'
For he heard drums groaning and he heard guns jar,
(*Don John of Austria is going to the war.*)
Sudden and still — hurrah!
Bolt from Iberia!
Don John of Austria
Is gone by Alcalar.

St. Michael 's on his Mountain in the sea-roads of the north
(*Don John of Austria is girt and going forth.*)
Where the grey seas glitter and the sharp tides shift
And the sea folk labour and the red sails lift.
He shakes his lance of iron and he claps his wings of stone;
The noise is gone through Normandy; the noise is gone alone;

The North is full of tangled things and texts and aching
eyes
And dead is all the innocence of anger and surprise,
And Christian killeth Christian in a narrow dusty room,
And Christian dreadeth Christ that hath a newer face of
doom,
And Christian hateth Mary that God kissed in Galilee,
But Don John of Austria is riding to the sea.
Don John calling through the blast and the eclipse
Crying with the trumpet, with the trumpet of his lips,
Trumpet that sayeth ha!
Domino Gloria!
Don John of Austria
Is shouting to the ships.

King Philip's in his closet with the Fleece about his neck
(*Don John of Austria is armed upon the deck.*)
The walls are hung with velvet that is black and soft as sin,
And little dwarfs creep out of it and little dwarfs creep in.
He holds a crystal phial that has colours like the moon,
He touches, and it tingles, and he trembles very soon,
And his face is as a fungus of a leprous white and grey
Like plants in the high houses that are shuttered from the
day,
And death is in the phial, and the end of noble work,
But Don John of Austria has fired upon the Turk.
Don John's hunting, and his hounds have bayed —
Booms away past Italy the rumour of his raid.
Gun upon gun, ha! ha!
Gun upon gun, hurrah!
Don John of Austria
Has loosed the cannonade.

The Pope was in his chapel before day or battle broke,
(*Don John of Austria is hidden in the smoke.*)
The hidden room in man's house where God sits all the
year,
The secret window whence the world looks small and very
dear.
He sees as in a mirror on the monstrous twilight sea
The crescent of his cruel ships whose name is mystery;
They fling great shadows foe-wards, making Cross and
Castle dark,
They veil the plumèd lions on the galleys of St. Mark;
And above the ships are palaces of brown, black-bearded
chiefs,
And below the ships are prisons, where with multitudinous
griefs,
Christian captives sick and sunless, all a labouring race re-
pines
Like a race in sunken cities, like a nation in the mines.
They are lost like slaves that swat, and in the skies of morn-
ing hung
The stairways of the tallest gods when tyranny was young.
They are countless, voiceless, hopeless as those fallen or flee-
ing on
Before the high Kings' horses in the granite of Babylon.
And many a one grows witless in his quiet room in hell
Where a yellow face looks inward through the lattice of his
cell,
And he finds his God forgotten, and he seeks no more a
sign —
(*But Don John of Austria has burst the battle-line!*)
Don John pounding from the slaughter-painted poop,
Purpling all the ocean like a bloody pirate's sloop,

Scarlet running over on the silvers and the golds,
Breaking of the hatches up and bursting of the holds,
Thronging of the thousands up that labour under sea
White for bliss and blind for sun and stunned for liberty.
Vivat Hispania!
Domino Gloria!
Don John of Austria
Has set his people free!

Cervantes on his galley sets the sword back in the sheath
(*Don John of Austria rides homeward with a wreath.*)
And he sees across a weary land a straggling road in Spain,
Up which a lean and foolish knight forever rides in vain,
And he smiles, but not as Sultans smile, and settles back the
blade. . . .
(*But Don John of Austria rides home from the Crusade.*)

ALFRED EDGAR COPPARD

1878–

152

Mendacity

TRUTH is love and love is truth,
Either neither in good sooth:
Truth is truth and love is love,
Give us grace to taste thereof;
But if truth offend my sweet,
Then I will have none of it,
And if love offend the other,
Farewell truth, I will not bother.

Happy truth when truth accords
With the love in lovers' words!
Harm not truth in any part,
But keep its shadow from love's heart.

Men must love, though lovers' lies
Outpoll the stars in florid skies,
And none may keep, and few can merit,
The fond joy that they inherit.

Who with love at his command
Dares give truth a welcome hand?
Believe it, or believe it not,
'Tis a lore most vainly got.
Truth requites no penny-fee,
Niggard's honey feeds no bee;
Ere this trick of truth undo me,
Little love, my love, come to me.

153 *The Apostate*

I'LL go, said I, to the woods and hills,
In a park of doves I'll make my fires,
And I'll fare like the badger and fox, I said,
And be done with mean desires.

Never a lift of the hand I'll give
Again in the world to bidders and buyers;
I'll live with the snakes in the hedge, I said,
And be done with mean desires.

I'll leave — and I left — my own true love.
O faithful heart that never tires!
I will return, tho' I'll not return
To perish of mean desires.

Farewell, farewell to my kinsmen all,
The worst were thieves and the best were liars,
But the devil must take what he gave, I said,
For I'm done with mean desires.

But the snake, the fox, the badger and I
Are one in blood, like sons and sires,
And as far from home as kingdom come
I follow my mean desires.

154

Epitaph

LIKE silver dew are the tears of love,
Like gold the smile of joy,
But I had neither, silver, gold,
Nor wit for their employ.

I had no gifts or fancies fair
This poverty to mend:
I was the son of my father,
And had no other friend.

Though he that brings no grist to mill
May con the reckoning o'er,
Who comes into the world with naught
Can scarce go out with more.

WILFRID GIBSON

1878–

155

Breakfast

WE ate our breakfast lying on our backs
Because the shells were screeching overhead.
I bet a rasher to a loaf of bread
That Hull United would beat Halifax
When Jimmy Stainthorpe played full-back instead
Of Billy Bradford. Ginger raised his head
And cursed, and took the bet, and dropt back dead.
We ate our breakfast lying on our backs
Because the shells were screeching overhead.

156 *Old Skinflint*

'Twixt Carrowbrough Edge and Settlingstones
See old daddy Skinflint dance in his bones,
Old Skinflint on the gallows-tree,
Old daddy Skinflint, the father of me.

Why do you dance, do you dance so high?
Why do you dance in the windy sky?
Why do you dance in your naked bones
'Twixt Carrowbrough Edge and Settlingstones?

Old daddy Skinflint, the father of me,
Why do you dance on the gallows-tree,
Who never tripped on a dancing-floor
Or flung your heels in a reel before?

You taught me many a cunning thing,
But never taught me to dance and sing;
Yet I must do whatever you do,
So when you dance I must dance too.

'Twixt Carrowbrough Edge and Settlingstones
See old daddy Skinflint dance in his bones,
Old Skinflint on the gallows-tree,
Old daddy Skinflint, the father of me.

157 *Luck*

What bring you, sailor, home from the sea —
Coffers of gold and of ivory?

When first I went to sea as a lad
A new jack-knife was all I had:

And I've sailed for fifty years and three
To the coasts of gold and of ivory:

And now at the end of a lucky life,
Well, still I've got my old jack-knife.

158 *The Parrot*

LONG since I'd ceased to care
Though he should curse and swear
The little while he spent at home with me:
And yet I couldn't bear
To hear his parrot swear
The day I learned my man was drowned at sea.

He'd taught the silly bird
To jabber word for word
Outlandish oaths that he'd picked up at sea;
And now it seemed I heard
In every wicked word
The dead man from the deep still cursing me.

A flood of easing tears,
Though I'd not wept for years,
Brought back old long-forgotten dreams to me,
The foolish hopes and fears
Of the first half-happy years
Before his soul was stolen by the sea.

OLIVER ST. JOHN GOGARTY

1878–

159 *Portrait with Background*

DERVORGILLA'S supremely lovely daughter,
Recalling him, of all the Leinstermen Ri,
Him whose love and hate brought o'er the water,
Strongbow and Henry;

Brought rigid law, the long spear and the horsemen
Riding in steel; and the rhymed, romantic, high line;
Built those square keeps on the forts of the Norsemen,
Still on our sky-line.

I would have brought, if I saw a chance of losing
You, many more — we are living in War-rife time —
Knights of the air and submarine men cruising,
Trained through a life-time;

Brought the implacable hand with law-breakers,
Drilled the Too-many and broken their effrontery;
Broken the dream of the men of a few acres
Ruling a country;

Brought the long day with its leisure and its duty,
Built once again the limestone lordly houses —
Founded on steel is the edifice of Beauty,
All it avows is.

Here your long limbs and your golden hair affright men,
Slaves are their souls, and instinctively they hate them,
Knowing full well that such charms can but invite men,
Heroes to mate them.

160 *Ringsend*

(*After reading Tolstoi*)

I WILL live in Ringsend
With a red-headed whore,
And the fan-light gone in
Where it lights the hall-door;
And listen each night
For her querulous shout,
As at last she streels in
And the pubs empty out.
To soothe that wild breast
With my old-fangled songs,
Till she feels it redressed
From inordinate wrongs,
Imagined, outrageous,
Preposterous wrongs,
Till peace at last comes,
Shall be all I will do,
Where the little lamp blooms
Like a rose in the stew;
And up the back-garden
The sound comes to me
Of the lapsing, unsoilable,
Whispering sea.

161 *Marcus Curtius*

In response to an oracle which declared that a gulf recently opened in the Forum could only be closed by casting into it that which Rome held dearest, Marcus Curtius, fully armed, mounted his war-horse and plunged, for that which Rome held dearest was her chivalry.

'TIS not by brooding on delight
That men take heart of pride, and force
To pull the saddle-girthings tight
And close the gulf on staring horse.

From softness only softness comes;
Urged by a bitterer shout within,
Men of the trumpets and the drums
Seek, with appropriate discipline,

That Glory past the pit or wall
Which contradicts and stops the breath,
And with immortalizing gall
Builds the most stubborn things on death.

162 *The Conquest*

SINCE the Conquest none of us
Has died young except in battle.'
I knew that hers was no mean house,
And that beneath her innocent prattle
There was likely hid in words
What could never anger Fame;
The glory of continuous swords,
The obligations of a name.
Had I grown incredulous,
Thinking for a little space:
Though she has the daring brows,
She has not the falcon face;
In the storm from days of old

It is hard to keep at poise,
And it is the over-bold,
Gallant-hearted Fate destroys:
Could I doubt that her forbears
Kept their foot-hold on the sands,
Triumphed through eight hundred years,
From the hucksters kept their lands,
And still kept the conquering knack —
I who had myself gone down
Without waiting the attack
Of their youngest daughter's frown?

163 *Per Iter Tenebricosum*

ENOUGH! Why should a man bemoan
A Fate that leads the natural way?
Or think himself a worthier one
Than those who braved it in their day?
If only gladiators died,
Or heroes, Death would be his pride;
But have not little maidens gone,
And Lesbia's sparrow — all alone?

164 *Verse*

WHAT should we know,
For better or worse,
Of the Long Ago,
Were it not for Verse:
What ships went down;
What walls were razed;
Who won the crown;

What lads were praised?
A fallen stone,
Or a waste of sands;
And all is known
Of Art-less lands.
But you need not delve
By the sea-side hills
Where the Muse herself
All Time fulfills,
Who cuts with his scythe
All things but hers;
All but the blithe
Hexameters.

165 *After Galen*

ONLY the Lion and the Cock,
As Galen says, withstand Love's shock.
So, Dearest, do not think me rude
If I yield now to lassitude,
But sympathize with me. I know
You would not have me roar, or crow.

166 *With a Coin from Syracuse*

WHERE is the hand to trace
The contour of her face:
The nose so straight and fine
Down from the forehead's line;

The curved and curtal lip
Full in companionship
With that lip's overplus,
Proud and most sumptuous,

Which draws its curve within,
Swelling the faultless chin?
What artist knows the tech-
nique of the Doric neck:

The line that keeps with all
The features vertical,
Crowned with the thickly rolled
And corrugated gold?

The curious hands are lost
On the sweet Asian coast,
That made the coins enwrought
(Fairer than all they bought)

With emblems round the proud
Untroubled face of god
And goddess. Or they lie
At Syracuse hard by

The Fountain Arethuse.
Therefore from Syracuse
I send this face to her
Whose face is lovelier,

Alas, and as remote
As hers around whose throat
The curving fishes swim,
As round a fountain's brim.

It shows on the reverse
Pherenikos the horse;
And that 's as it should be:
Horses she loves, for she

Is come of the old stock,
Lords of the limestone rock
And acres fit to breed
Many a likely steed,

Straight in the back and bone,
With head high, like her own,
And blood that, tamed and mild,
Can suddenly go wild.

167 *Non Dolet*

OUR friends go with us as we go
Down the long path where Beauty wends,
Where all we love forgathers, so
Why should we fear to join our friends?

Who would survive them to outlast
His children; to outwear his fame —
Left when the Triumph has gone past —
To win from Age, not Time, a name?

Then do not shudder at the knife
That Death's indifferent hand drives home,
But with the Strivers leave the Strife,
Nor, after Caesar, skulk in Rome.

168 *O Boys! O Boys!*

O BOYS, the times I've seen!
The things I've done and known!
If you knew where I have been?
Or half the joys I've had,
You never would leave me alone;

But pester me to tell,
Swearing to keep it dark,
What . . . but I know quite well:
Every solicitor's clerk
Would break out and go mad;
And all the dogs would bark!

There was a young fellow of old
Who spoke of a wonderful town,
Built on a lake of gold,
With many a barge and raft
Afloat in the cooling sun,
And lutes upon the lake
Played by such courtesans . . .
The sight was enough to take
The reason out of a man's
Brain; and to leave him daft,
Babbling of lutes and fans.

The tale was right enough:
Willows and orioles,
And ladies skilled in love.
But they listened only to smirk,
For he spoke to incredulous fools,
And, maybe, was sorry he spoke;
For no one believes in joys,
And Peace on Earth is a joke,
Which, anyhow, telling destroys;
So better go on with your work:
But Boys! O Boys! O Boys!

169

To Petronius Arbiter

PROCONSUL of Bithynia,
Who loved to turn the night to day,
Yet for your ease had more to show
Than others for their push and go,
Teach us to save the Spirit's expense,
And win to Fame through indolence.

170

The Image-Maker

HARD is the stone, but harder still
The delicate preforming will
That, guided by a dream alone,
Subdues and moulds the hardest stone,
Making the stubborn jade release
The emblem of eternal peace.

If but the will be firmly bent,
No stuff resists the mind's intent;
The adamant abets his skill
And sternly aids the artist's will,
To clothe in perdurable pride
Beauty his transient eyes descried.

171

Palinode

TWENTY years are gone
Down the winding road,
Years in which it shone
More often than it snowed;
And now old Time brings on,
Brings on the palinode.

I have been full of mirth;
  I have been full of wine;
And I have trod the earth
  As if it all were mine;
And laughed to bring to birth
  The lighter lyric line.

Before it was too late,
  One thing I learnt and saw:
Prophets anticipate
  What Time brings round by law;
Call age before its date
  To darken Youth with awe.

Why should you drink the rue?
  Or leave in righteous rage
A world that will leave you
  Howe'er you walk the stage?
Time needs no help to do
  His miracle of age.

A few years more to flow
  From miracle-working Time,
And surely I shall grow
  Incapable of rhyme,
Sans Love and Song, and so
  An echo of a mime.

Yet if my stone set forth
  The merry Attic blade's
Remark, I shall have worth
  Achieved before Life fades:
'A gentle man on Earth
  And gentle 'mid the Shades.'

172

To Death

BUT for your Terror
Where would be Valour?
What is Love for
But to stand in your way?
Taker and Giver,
For all your endeavour
You leave us with more
Than you touch with decay!

173

To a Boon Companion

IF medals were ordained for drinks,
Or soft communings with a minx,
Or being at your ease belated,
By Heavens, you'd be decorated.
And not Alcmena's chesty son
Have room to put your ribands on!

174

Dedication

TALL unpopular men,
Slim proud women who move
As women walked in the islands when
Temples were built to Love,
I sing to you. With you
Beauty at best can live,
Beauty that dwells with the rare and few,
Cold and imperative.
He who had Caesar's ear
Sang to the lonely and strong.
Virgil made an austere
Venus Muse of his song.

175

Colophon

WHILE the Tragedy's afoot,
Let us play in the high boot;
Once the trumpets' notes are gone,
Off, before the Fool comes on!

JOHN MASEFIELD

1878–

176

Sea-Change

GONEYS an' gullies an' all o' the birds o' the sea
They ain't no birds, not really,' said Billy the Dane.
' Not mollies, nor gullies, nor goneys at all,' said he,
' But simply the sperrits of mariners livin' again.

' Them birds goin' fishin' is nothin' but souls o' the drowned,
Souls o' the drowned an' the kicked as are never no more;
An' that there haughty old albatross cruisin' around,
Belike he's Admiral Nelson or Admiral Noah.

' An' merry 's the life they are living. They settle and dip,
They fishes, they never stands watches, they waggle their wings;
When a ship comes by, they fly to look at the ship
To see how the nowaday mariners manages things.

' When freezing aloft in a snorter, I tell you I wish —
(Though maybe it ain't like a Christian) — I wish I could be
A haughty old copper-bound albatross dipping for fish
And coming the proud over all o' the birds o' the sea.'

177 *'Port of Many Ships'*

IT 'S a sunny pleasant anchorage, is Kingdom Come,
Where crews is always layin' aft for double-tots o' rum,
'N' there 's dancin' 'n' fiddlin' of ev'ry kind o' sort,
It 's a fine place for sailor-men is that there port.
'N' I wish —
I wish as I was there.

'The winds is never nothin' more than jest light airs,
'N' no-one gets belayin'-pinned, 'n' no-one never swears,
Yer free to loaf an' laze around, yer pipe atween yer lips,
Lollin' on the fo'c's'le, sonny, lookin' at the ships.
'N' I wish —
I wish as I was there.

'For ridin' in the anchorage the ships of all the world
Have got one anchor down 'n' all sails furled.
All the sunken hookers 'n' the crews as took 'n' died
They lays there merry, sonny, swingin' to the tide.
'N' I wish —
I wish as I was there.

'Drowned old wooden hookers green wi' drippin' wrack,
Ships as never fetched to port, as never came back,
Swingin' to the blushin' tide, dippin' to the swell,
'N' the crews all singin', sonny, beatin' on the bell.
'N' I wish —
I wish as I was there.'

178 *A Valediction (Liverpool Docks)*

A CRIMP. A DRUNKEN SAILOR.

IS there anything as I can do ashore for you
When you've dropped down the tide? —

You can take 'n' tell Nan I'm goin' about the world agen,
'N' that the world's wide.
'N' tell her that there ain't no postal service
Not down on the blue sea.
'N' tell her that she'd best not keep her fires alight
Nor set up late for me.
'N' tell her I'll have forgotten all about her
Afore we cross the Line.
'N' tell her that the dollars of any other sailorman
Is as good red gold as mine.

Is there anything as I can do aboard for you
Afore the tow-rope's taut?

I'm new to this packet and all the ways of her,
'N' I don't know of aught;
But I knows as I'm goin' down to the seas agen
'N' the seas are salt 'n' drear;
But I knows as all the doin' as you're man enough for
Won't make them lager-beer.

'N' ain't there nothin' *as I can do ashore for you*
When you've got fair afloat? —

You can buy a farm with the dollars as you've done me of
'N' cash my advance-note.

Is there anythin' you'd fancy for your breakfastin'
When you're home across Mersey Bar? —

I wants a red herrin' 'n' a prairie oyster
'N' a bucket of Three Star,
'N' a girl with redder lips than Polly has got,
'N' prettier ways than Nan —

Well, so-long, Billy, 'n' a spankin' heavy pay-day to you!

So-long, my fancy man!

179 *Trade Winds*

IN the harbour, in the island, in the Spanish Seas,
Are the tiny white houses and the orange-trees,
And day-long, night-long, the cool and pleasant breeze
Of the steady Trade Winds blowing.

There is the red wine, the nutty Spanish ale,
The shuffle of the dancers, the old salt's tale,
The squeaking fiddle, and the soughing in the sail
Of the steady Trade Winds blowing.

And o' nights there 's fire-flies and the yellow moon,
And in the ghostly palm-trees the sleepy tune
Of the quiet voice calling me, the long low croon
Of the steady Trade Winds blowing.

180 *Cargoes*

QUINQUIREME of Nineveh from distant Ophir
Rowing home to haven in sunny Palestine,
With a cargo of ivory,
And apes and peacocks,
Sandalwood, cedarwood, and sweet white wine.

Stately Spanish galleon coming from the Isthmus,
Dipping through the Tropics by the palm-green shores,
With a cargo of diamonds,
Emeralds, amethysts,
Topazes, and cinnamon, and gold moidores.

Dirty British coaster with a salt-caked smoke stack
Butting through the Channel in the mad March days,
With a cargo of Tyne coal,
Road-rail, pig-lead,
Firewood, iron-ware, and cheap tin trays.

Tettenhall.

181 *Port of Holy Peter*

THE blue laguna rocks and quivers,
Dull gurgling eddies twist and spin,
The climate does for people's livers,
It 's a nasty place to anchor in
Is Spanish port,
Fever port,
Port of Holy Peter.

The town begins on the sea-beaches,
And the town 's mad with the stinging flies,
The drinking water's mostly leeches,
It 's a far remove from Paradise
Is Spanish port,
Fever port,
Port of Holy Peter.

JOHN MASEFIELD

There 's sand-bagging and throat-slitting,
  And quiet graves in the sea slime,
Stabbing, of course, and rum-hitting,
  Dirt, and drink, and stink, and crime,
    In Spanish port,
    Fever port,
    Port of Holy Peter.

All the day the wind 's blowing
  From the sick swamp below the hills,
All the night the plague 's growing,
  And the dawn brings the fever chills,
    In Spanish port,
    Fever port,
    Port of Holy Peter.

You get a thirst there 's no slaking,
  You get the chills and fever-shakes,
Tongue yellow and head aching,
  And then the sleep that never wakes.
And all the year the heat 's baking,
  The sea rots and the earth quakes,
    In Spanish port,
    Fever port,
    Port of Holy Peter.

Tettenhall.

EDWARD THOMAS

1878–1917

182 *If I should ever by Chance*

IF I should ever by chance grow rich
I 'll buy Codham, Cockridden, and Childerditch,
Roses, Pyrgo, and Lapwater,
And let them all to my elder daughter.
The rent I shall ask of her will be only
Each year's first violets, white and lonely,
The first primroses and orchises —
She must find them before I do, that is.
But if she finds a blossom on furze
Without rent they shall all for ever be hers,
Codham, Cockridden, and Childerditch,
Roses, Pyrgo, and Lapwater, —
I shall give them all to my elder daughter.

JOSEPH CAMPBELL

1879–

183 *The Dancer*

THE tall dancer dances
With slowly taken breath:
In his feet music,
And on his face death.

His face is a mask,
It is so still and white:
His withered eyes shut,
Unmindful of light.

The old fiddler fiddles
The merry '*Silver Tip*'
With softly beating foot
And laughing eye and lip.

And round the dark walls
The people sit and stand,
Praising the art
Of the dancer of the land.

But he dances there
As if his kin were dead:
Clay in his thoughts,
And lightning in his tread!

HAROLD MONRO

1879–1932

184 *Milk for the Cat*

WHEN the tea is brought at five o'clock,
And all the neat curtains are drawn with care,
The little black cat with bright green eyes
Is suddenly purring there.

At first she pretends, having nothing to do,
She has come in merely to blink by the grate,
But, though tea may be late or the milk may be sour,
She is never late.

And presently her agate eyes
Take a soft large milky haze,
And her independent casual glance
Becomes a stiff, hard gaze.

Then she stamps her claws or lifts her ears,
Or twists her tail and begins to stir,
Till suddenly all her lithe body becomes
One breathing, trembling purr.

The children eat and wriggle and laugh;
The two old ladies stroke their silk:
But the cat is grown small and thin with desire,
Transformed to a creeping lust for milk.

The white saucer like some full moon descends
At last from the clouds of the table above;
She sighs and dreams and thrills and glows,
Transfigured with love.

She nestles over the shining rim,
Buries her chin in the creamy sea;
Her tail hangs loose; each drowsy paw
Is doubled under each bending knee.

A long, dim ecstasy holds her life;
Her world is an infinite shapeless white,
Till her tongue has curled the last holy drop,
Then she sinks back into the night,

Draws and dips her body to heap
Her sleepy nerves in the great arm-chair,
Lies defeated and buried deep
Three or four hours unconscious there.

185 *Cat's Meat*

HO, all you cats in all the street;
Look out, it is the hour of meat:

The little barrow is crawling along,
And the meat-boy growling his fleshy song.

Hurry, Ginger! Hurry, White!
Don't delay to court or fight.

Wandering Tabby, vagrant Black,
Yamble from adventure back!

Slip across the shining street,
Meat! Meat! Meat! Meat!

Lift your tail and dip your feet;
Find your penny — Meat! Meat!

Where 's your mistress? Learn to purr:
Pennies emanate from her.

Be to her, for she is Fate,
Perfectly affectionate.

(You, domestic Pinkie-Nose,
Keep inside and warm your toes.)

Flurry, flurry in the street —
Meat! Meat! Meat! Meat!

186 *Hearthstone*

I WANT nothing but your fire-side now.
Friend, you are sitting there alone I know,
And the quiet flames are licking up the soot,
Or crackling out of some enormous root:
All the logs on your hearth are four feet long.
Everything in your room is wide and strong
According to the breed of your hard thought.
Now you are leaning forward; you have caught
That great dog by his paw and are holding it,
And he looks sidelong at you, stretching a bit,

Drowsing with open eyes, huge, warm and wide,
The full hearth-length on his slow-breathing side.
Your book has dropped unnoticed: you have read
So long you cannot send your brain to bed.
The low quiet room and all its things are caught
And linger in the meshes of your thought.
(Some people think they know time cannot pause).
Your eyes are closing now though not because
Of sleep. You are searching something with your brain;
You have let the old dog's paw drop down again. . . .
Now suddenly you hum a little catch,
And pick up the book. The wind rattles the latch;
There 's a patter of light cool rain and the curtain shakes;
The silly dog growls, moves, and almost wakes.
The kettle near the fire one moment hums.
Then a long peace upon the whole room comes.
So the sweet evening will draw to its bedtime end.
I want nothing now but your fire-side, friend.

187 *Bitter Sanctuary*

(*i*)

SHE lives in the porter's room; the plush is nicotined.
Clients have left their photos there to perish.
She watches through green shutters those who press
To reach unconsciousness.

She licks her varnished thin magenta lips,
She picks her foretooth with a finger nail,
She pokes her head out to greet new clients, or
To leave them (to what torture) waiting at the door.

(*ii*)

Heat has locked the heavy earth,
Given strength to every sound,
He, where his life still holds him to the ground,
In anaesthesia, groaning for re-birth,
Leans at the door.
From out the house there comes the dullest flutter;
A lackey; and thin giggling from behind that shutter.

(*iii*)

His lost eyes lean to find and read the number.
Follows his knuckled rap, and hesitating curse.
He cannot wake himself; he may not slumber;
While on the long white wall across the road
Drives the thin outline of a dwindling hearse.

(*iv*)

Now the door opens wide.

He: 'Is there room inside?'
She: 'Are you past the bounds of pain?'
He: 'May my body lie in vain
Among the dreams I cannot keep!'
She: 'Let him drink the cup of sleep.'

(*v*)

Thin arms and ghostly hands; faint sky-blue eyes;
Long drooping lashes, lids like full-blown moons,
Clinging to any brink of floating skies:
What hope is there? What fear? — Unless to wake and see
Lingering flesh, or cold eternity.

O yet some face, half living, brings
Far gaze to him and croons:
She: 'You 're white. You are alone.
Can you not approach my sphere? '
He: 'I 'm changing into stone.'
She: 'Would I were! Would *I* were! '
Then the white attendants fill the cup.

(vi)

In the morning through the world,
Watch the flunkeys bring the coffee;
Watch the shepherds on the downs,
Lords and ladies at their toilet,
Farmers, merchants, frothing towns.

But look how he, unfortunate, now fumbles
Through unknown chambers, unheedful stumbles.
Can he evade the overshadowing night?
Are there not somewhere chinks of braided light?

(vii)

How do they leave who once are in those rooms?
Some may be found, they say, deeply asleep
In ruined tombs.
Some in white beds, with faces round them. Some
Wander the world, and never find a home.

188 From 'Midnight Lamentation'

WHEN you and I go down
Breathless and cold,
Our faces both worn back
To earthly mould,

How lonely we shall be!
What shall we do,
You without me,
I without you?

I cannot bear the thought
You, first, may die,
Nor of how you will weep,
Should I.
We are too much alone;
What can we do
To make our bodies one:
You, me; I, you?

We are most nearly born
Of one same kind;
We have the same delight,
The same true mind.
Must we then part, we part;
Is there no way
To keep a beating heart,
And light of day?

I cannot find a way
Through love and through;
I cannot reach beyond
Body, to you.
When you or I must go
Down evermore,
There 'll be no more to say
— But a locked door.

189 *From 'Natural History'*

THE vixen woman,
Long gone away,
Came to haunt me
Yesterday.

I sit and faint
Through year on year.
Was it yesterday
I thought her dear?

Is hate then love?
Can love be hate?
Can they both rule
In equal state?

Young, young she was,
And young was I.
We cried: Love! Come!
Love heard our cry.

Her whom I loved
I loathe to-day:
The vixen woman
Who came my way.

JOHN FREEMAN

1880–1929

190 *Asylum*

A HOUSE ringed round with trees and in the trees
One lancet where the crafty light slides through;
Comely, forsaken, unhusbanded,
Blind-eyed and mute, unlamped and smokeless, yet
Safe from the humiliation of death.

The porch is mossy, the roof-shingles are mossy,
Green furs the window-sills and beards the drip-stones,
A staring board, *To Let*, leans thigh-deep in
Grave-clothes of grass; and no one sees or cares.

One day, may be, a school will open here,
Or hospital, or home for fallen girls—
A fallen house for fallen girls, may be.
Laughter will shrill these silences away,
Break every pane of peace with foolishness,
And all the waiting, anxious memories
Abashed will slink through the trees away, away.

So calm a house should not be given to noise,
Nor scornful feet. But old men here should come,
When apprehension first shall haunt their eyes.
Fire should warm all the rooms and smoke the chimneys,
Creeper renew its blood on the cold stones,
A porch light shine on the rain-sodden path
And watery ruts; and wise men here should find
Asylum from the thought and fear of Death.

191 To end her Fear

BE kind to her
O Time.
She is too much afraid of you
Because yours is a land unknown,
Wintry, dark and lone.

'Tis not for her
To pass
Boldly upon your roadless waste.
Roads she loves, and the bright ringing
Of quick heels, and clear singing.

She is afraid
Of Time,
Forty to seventy sadly fearing . . .
O, all those unknown years,
And these sly, stoat-like fears!

Shake not on her
Your snows,
But on the rich, the proud, the wise
Who have that to make them glow
With warmth beneath the snow.

If she grow old
At last,
Be it yet unknown to her; that she
Not until her last prayer is prayed
May whisper, 'I am afraid!'

192 *The Hounds*

FAR off a lonely hound
Telling his loneliness all round
To the dark woods, dark hills, and darker sea;

And, answering, the sound
Of that yet lonelier sea-hound
Telling his loneliness to the solitary stars.

Hearing, the kennelled hound
Some neighbourhood and comfort found,
And slept beneath the comfortless high stars.

But that wild sea-hound
Unkennelled, called all night all round —
The unneighboured and uncomforted cold sea.

LASCELLES ABERCROMBIE

1881–1938

193 *Hope and Despair*

SAID God, 'You sisters, ere ye go
Down among men, my work to do,
I will on each a badge bestow:
Hope I love best, and gold for her,
Yet a silver glory for Despair,
For she is my angel too.'

Then like a queen, Despair
Put on the stars to wear.
But Hope took ears of corn, and round
Her temples in a wreath them bound. —
Which think ye lookt the more fair?

194 *The Fear*

AS over muddy shores a dragon flock
Went, in an early age from ours discrete,
Before the grim race found oblivion meet;
And as Time harden'd into iron rock
That unclean mud, and into cliffs did lock
The story of those terrifying feet
With hooked claws and wrinkled scale complete,
Till quarrying startles us with amaz'd shock:

So there was something wont to pass along
The plashy marge of early consciousness.
Now the quagmires are turned to pavement strong;
Those outer twilight regions bold I may
Explore, — yet still I shudder with distress
To find detested tracks of his old way.

195

The Stream's Song

MAKE way, make way,
You thwarting stones;
Room for my play,
Serious ones.

Do you not fear,
O rocks and boulders,
To feel my laughter
On your grave shoulders?

Do you not know
My joy at length
Will all wear out
Your solemn strength?

You will not for ever
Cumber my play;
With joy and a song
I clear my way.

Your faith of rock
Shall yield to me,
And be carried away
By the song of my glee.

Crumble, crumble,
Voiceless things;
No faith can last
That never sings.

For the last hour
To joy belongs;
The steadfast perish,
But not the songs.

Yet for a while
Thwart me, O boulders;
I need for laughter
Your serious shoulders.

And when my singing
Has razed you quite,
I shall have lost
Half my delight.

196 *Mary and the Bramble*

THE great blue ceremony of the air
Did a new morrow for the earth prepare;
The silver troops of mist were almost crept
Back to the streams where through the day they slept;
And, high up on his tower of song, the glad
Galloping wings of a lark already had
A message from the sun, to give bright warning
That he would shortly make a golden morning.
It was a dawn when the year is earliest.
Mary, in her rapt girlhood, from her rest
Came for the hour to wash her soul. Now she
Beheld, with eyes like the rain-shadowed sea,
Of late an urgency disturb the world;
Her thought that, like a curtain wide unfurl'd
With stir of a hurrying throng against it prest,
Seen things flutter'd with spiritual haste
Behind them, as a rush of winged zeal
Made with its gusty passage shiver and reel,
Like a loose weaving, all the work of sense.
Surely not always could such vehemence

Of Spirit stay all shrouded in the green
Appearance of earth's knowledgeable mien:
Ay, see this morning trembling like a sail!
Can it still hold the strain? must it not fail
Even now? for lo how it doth thrill and bend!
Will not, as a torn cloth, earth's season rend
Before this shaking wind of Heaven's speed,
And show her God's obediences indeed
Burning along behind it? Never yet
Was such a fever in the frail earth set
By those hid throngs posting behind its veil!

Unfearing were her eyes; yet would they quail
A little when the curtain seemed nigh torn,
The shining weft of kind clear-weather'd morn,
In pressure of near Spirit forcing it.
And as she walkt, the marvel would permit
Scarce any love for the earth's delighted dress.
Through meadows flowering with happiness
Went Mary, feeling not the air that laid
Honours of gentle dew upon her head;
Nor that the sun now loved with golden stare
The marvellous behaviour of her hair,
Bending with finer swerve from off her brow
Than water which relents before a prow:
Till in the shining darkness many a gleam
Of secret bronze-red lustres answered him.

The Spirit of Life vaunted itself: 'Ho ye
Who wear the Heavens, now look down to me!
I too can praise. My dark encumberment
Of earth, whereinto I was hardly sent,

I have up-wielded as the fire wields flame,
And turned it into glory of God's name:
Till now a praise as good as yours I can,
For now my speech, the long-stammer'd being of Man,
Rises into its mightiest, sweetest word.'
Not vain his boast: for seemly to the Lord,
Blue-robed and yellow-kerchieft, Mary went.
There never was to God such worship sent
By any angel in the Heavenly ways,
As this that Life had utter'd for God's praise,
This girlhood — as the service that Life said
In the beauty and the manners of this maid.
Never the harps of Heaven played such song
As her grave walking through the grasses long.
Yea, out of Jewry came the proof in her
That the angel Life was God's best worshipper.

Now in her vision'd walk beside a brake
Is Mary passing, wherein brambles make
A tangled malice, grown to such a riddle
That any grimness crouching in the middle
Were not espied. Bewildered was the place,
Like a brain full of folly and disgrace;
And with its thorny toils it seemed to be
A naughty heart devising cruelty.
Ready it was with all its small keen spite
To catch at anything that walkt upright,
Although a miching weasel safely went
Therethrough. And close to this entanglement,
This little world out of unkindness made,
With eyes beyond her path young Mary strayed.

As an unheeded bramble's reach she crost,
Her breast a spiny sinew did accost
With eager thorns, tearing her dress to seize
And harm her hidden white virginities.
To it she spake, with such a gentle air
That the thing might not choose but answer her.

'What meanest thou, O Bramble,
So to hurt my breast?
Why is thy sharp cruelty
Against my heart prest?'

'How can I help, O Mary,
Dealing wound to thee?
Thou hast Heaven's favour:
I am mortality.'

'If I, who am thy sister,
Am in Heaven's love,
If it be so, then should it not
Thee to gladness move?'

'Nay, nay, it moves me only
Quietly to wait,
Till I can surely seize thy heart
In my twisting hate.'

'Ah, thou hast pierced my paps, bramble,
Thy thorns are in my blood;
Tell me for why, thou cruel growth,
Thy malice is so rude.'

'Thou art looking, Mary,
  Beyond the world to be:
If I cannot grapple thee down to the world,
  I can injure thee.'

'Ah, thy wicked daggers now
  Into my nipple cling:
It is like guilt, so to be held
  In thy harsh fingering.'

The little leaves were language still,
And gave their voice to Mary's will;
But till the bramble's word was said,
Thorns clutcht hard upon the maid.
'Yes, like guilt, for guilt am I,
Sin and wrong and misery.
For thy heart guilt is feeling;
Hurt for which there is no healing
Must the bramble do to thee,
If thou wilt not guilty be.
Know'st thou me? These nails of hate
Are the fastenings of the weight
Of substance which thy God did bind
Upon thy upward-meaning mind.
Life has greatly sworn to be
High as the brows of God in thee;
But I am heaviness, and I
Would hold thee down from being high.
Thou thyself by thy straining
Hast made my weight a wicked thing;
Here in the bramble now I sit
And tear thy flesh with the spines of it.

Yet into my desires come,
And like a worshipping bridegroom
I will turn thy life to dream,
All delicious love to seem.
But if in Heaven God shall wear
Before any worship there
Thy Spirit, and Life boasteth this,
Thou must break through the injuries
And shames I will about thee wind,
The hooks and thickets of my kind;
The whole earth's nature will come to be
Full of my purpose against thee:
Yea, worse than a bramble's handling, men
Shall use thy bosom, Mary, then.
And yet I know that by these scars
I make thee better than the stars
For God to wear; and thou wilt ride
On the lusts that have thee tried,
The murders that fell short of thee,
Like charioting in a victory;
Like shafted horses thou wilt drive
The crimes that I on earth made thrive
Against thee, into Heaven to draw
Thy soul out of my heinous law.
But now in midst of my growth thou art,
And I have thee by the heart;
And closer shall I seize on thee
Even than this; a gallows-tree
Shall bear a bramble-coil on high;
Then twisted about thy soul am I,
Then a withe of my will is bound
Strangling thy very ghost around.'

Homeward went Mary, nursing fearfully
The bleeding badges of that cruelty.
Now closer spiritual turbulence whirled
Against her filmy vision of the world,
Which was like shaken silk, so gravely leant
The moving of that throng'd astonishment
On the far side: the time was near at hand
When Gabriel with the fiery-flower'd wand
Would part the tissue of her bodily ken,
And to the opening all God's shining men
Would crowd to watch the message that he took
To earthly life: 'Hail, Mary, that dost look
Delightful to the Lord; I bid thee know
That answering God's own love thy womb shall throe.'

FRANK PEARCE STURM

197

Still-heart

DREAD are the death-pale Kings
Who bend to the oar,
Dread is the voice that sings
On the starless shore,
Lamentations and woes:
Cold on the wave
Beautiful Still-heart goes
To the rock-hewn grave.
The limbs are bound, and the breasts
That I kissed are cold;
Beautiful Still-heart rests
With the queens of old.

PADRAIC COLUM

1881–

198 *Old Soldier*

WE wander now who marched before,
Hawking our bran from door to door,
While other men from the mill take their flour:
So it is to be an Old Soldier.

Old, bare and sore, we look on the hound
Turning upon the stiff frozen ground,
Nosing the mould, with the night around:
So it is to be an Old Soldier.

And we who once rang out like a bell,
Have nothing now to show or to sell;
Old bones to carry, old stories to tell:
So it is to be an Old Soldier.

199 *A Drover*

TO Meath of the pastures,
From wet hills by the sea,
Through Leitrim and Longford,
Go my cattle and me.

I hear in the darkness
Their slipping and breathing —
I name them the by-ways
They're to pass without heeding;

Then the wet, winding roads,
Brown bogs with black water,
And my thoughts on white ships
And the King o' Spain's daughter.

O farmer, strong farmer!
You can spend at the fair,
But your face you must turn
To your crops and your care;

And soldiers, red soldiers!
You've seen many lands,
But you walk two by two,
And by captain's commands!

O the smell of the beasts,
The wet wind in the morn,
And the proud and hard earth
Never broken for corn!

And the crowds at the fair,
The herds loosened and blind,
Loud words and dark faces,
And the wild blood behind!

(O strong men with your best
I would strive breast to breast,
I could quiet your herds
With my words, with my words!)

I will bring you, my kine,
Where there 's grass to the knee,
But you'll think of scant croppings
Harsh with salt of the sea.

200 *The Poor Girl's Meditation*

I AM sitting here
Since the moon rose in the night,
Kindling a fire,
And striving to keep it alight;
The folk of the house are lying
In slumber deep;
The geese will be gabbling soon:
The whole of the land is asleep.

May I never leave this world
Until my ill-luck is gone;
Till I have cows and sheep,
And the lad that I love for my own;
I would not think it long,
The night I would lie at his breast,
And the daughters of spite, after that,
Might say the thing they liked best.

Love takes the place of hate,
If a girl have beauty at all:
On a bed that was narrow and high,
A three-month I lay by the wall:
When I bethought on the lad
That I left on the brow of the hill,
I wept from dark until dark,
And my cheeks have the tear-tracks still.

And, O young lad that I love,
I am no mark for your scorn;
All you can say of me is
Undowered I was born:

And if I've no fortune in hand,
Nor cattle and sheep of my own,
This I can say, O lad,
I am fitted to lie my lone!

201 *No Child*

I HEARD in the night the pigeons
Stirring within their nest:
The wild pigeons' stir was tender,
Like a child's hand at the breast.

I cried, 'O stir no more!
(My breast was touched with tears)
O pigeons, make no stir —
A childless woman hears.'

JOHN DRINKWATER

1882–1937

202 *Moonlit Apples*

AT the top of the house the apples are laid in rows,
And the skylight lets the moonlight in, and those
Apples are deep-sea apples of green. There goes
A cloud on the moon in the autumn night.

A mouse in the wainscot scratches, and scratches, and then
There is no sound at the top of the house of men
Or mice; and the cloud is blown, and the moon again
Dapples the apples with deep-sea light.

They are lying in rows there, under the gloomy beams;
On the sagging floor; they gather the silver streams
Out of the moon, those moonlit apples of dreams,
And quiet is the steep stair under.

In the corridors under there is nothing but sleep,
And stiller than ever on orchard boughs they keep
Tryst with the moon, and deep is the silence, deep
On moon-washed apples of wonder.

203 *Who were before me*

LONG time in some forgotten churchyard earth of Warwickshire,
My fathers in their generations lie beyond desire,
And nothing breaks the rest, I know, of John Drinkwater now,
Who left in sixteen-seventy his roan team at plough.

And James, son of John, is there, a mighty ploughman too,
Skilled he was at thatching and the barleycorn brew,
And he had a heart-load of sorrow in his day,
But ten score of years ago he put it away.

Then Thomas came, and played a fiddle cut of mellow wood,
And broke his heart, they say, for love that never came to good.
A hundred winter peals and more have rung above his bed —
O, poor eternal grief, so long, so lightly, comforted.

And in the gentle yesterday these were but glimmering tombs,
Or tales to tell on fireside eves of legendary dooms;
I being life while they were none, what had their dust to bring
But cold intelligence of death upon my tides of Spring?

Now grief is in my shadow, and it seems well enough
To be there with my fathers, where neither fear nor love
Can touch me more, nor spite of men, nor my own teasing
blame,
While the slow mosses weave an end of my forgotten name.

JAMES JOYCE

1882–1941

204 *A Flower given to my Daughter*

FRAIL the white rose and frail are
Her hands that gave
Whose soul is sere and paler
Than time's wan wave.

Rosefrail and fair — yet frailest
A wonder wild
In gentle eyes thou veilest,
My blueveined child.

Trieste 1913.

205 *Tutto è Sciolto*

A BIRDLESS heaven, seadusk, one lone star
Piercing the west,
As thou, fond heart, love's time, so faint, so far,
Rememberest.

The clear young eyes' soft look, the candid brow,
The fragrant hair,
Falling as through the silence falleth now
Dusk of the air.

Why then, remembering those shy
Sweet lures, repine
When the dear love she yielded with a sigh
Was all but thine?

Trieste 1914.

206 *On the Beach at Fontana*

WIND whines and whines the shingle,
The crazy pierstakes groan;
A senile sea numbers each single
Slimesilvered stone.

From whining wind and colder
Grey sea I wrap him warm
And touch his trembling fineboned shoulder
And boyish arm.

Around us fear, descending
Darkness of fear above
And in my heart how deep unending
Ache of love!

Trieste 1914.

JAMES STEPHENS

1882–

207 *Deirdre*

DO not let any woman read this verse!
It is for men, and after them their sons,
And their sons' sons!

The time comes when our hearts sink utterly;
When we remember Deirdre, and her tale,
And that her lips are dust.

Once she did tread the earth: men took her hand;
They looked into her eyes and said their say,
And she replied to them.

More than two thousand years it is since she
Was beautiful: she trod the waving grass;
She saw the clouds.

Two thousand years! The grass is still the same;
The clouds as lovely as they were that time
When Deirdre was alive.

But there has been again no woman born
Who was so beautiful; not one so beautiful
Of all the women born.

Let all men go apart and mourn together!
No man can ever love her! Not a man
Can dream to be her lover!

No man can bend before her! No man say—
What could one say to her? There are no words
That one could say to her!

Now she is but a story that is told
Beside the fire! No man can ever be
The friend of that poor queen!

208 *Blue Blood*

WE thought at first, this man is a king for sure,
Or the branch of a mighty and ancient and famous lineage
—That silly, sulky, illiterate, black-avisèd boor
Who was hatched by foreign vulgarity under a hedge!

The good men of Clare were drinking his health in a flood,
And gazing, with me, in awe at the princely lad;
And asking each other from what bluest blueness of blood
His daddy was squeezed, and the pa of the da of his dad?

We waited there, gaping and wondering, anxiously,
Until he'd stop eating, and let the glad tidings out;
And the slack-jawed booby proved to the hilt that he
Was lout, son of lout, by old lout, and was da to a lout!

(*From the Irish.*)

209 *A Glass of Beer*

THE lanky hank of a she in the inn over there
Nearly killed me for asking the loan of a glass of beer;
May the devil grip the whey-faced slut by the hair,
And beat bad manners out of her skin for a year.

That parboiled ape, with the toughest jaw you will see
On virtue's path, and a voice that would rasp the dead,
Came roaring and raging the minute she looked at me,
And threw me out of the house on the back of my head!

If I asked her master he'd give me a cask a day;
But she, with the beer at hand, not a gill would arrange!
May she marry a ghost and bear him a kitten, and may
The High King of Glory permit her to get the mange.

(*From the Irish.*)

210 *Egan O Rahilly*

HERE in a distant place I hold my tongue;
I am O Rahilly!

When I was young,
Who now am young no more,

I did not eat things picked up from the shore:
The periwinkle, and the tough dog-fish
At even-tide have got into my dish!

The great, where are they now! the great had said —
This is not seemly! Bring to him instead
That which serves his and serves our dignity —
And that was done.

I am O Rahilly!
Here in a distant place he holds his tongue,
Who once said all his say, when he was young!

(*From the Irish.*)

211 *Inis Fál*

NOW may we turn aside and dry our tears!
And comfort us! And lay aside our fears,
For all is gone!

All comely quality!
All gentleness and hospitality!
All courtesy and merriment

Is gone!
Our virtues, all, are withered every one!
Our music vanished, and our skill to sing!

Now may we quiet us and quit our moan!
Nothing is whole that could be broke! No thing
Remains to us of all that was our own.

(*From the Irish.*)

212 *The Rivals*

I HEARD a bird at dawn
Singing sweetly on a tree,
That the dew was on the lawn,
And the wind was on the lea;
But I didn't listen to him,
For he didn't sing to me!

I didn't listen to him,
For he didn't sing to me
That the dew was on the lawn,
And the wind was on the lea!
I was singing at the time,
Just as prettily as he!

I was singing all the time,
Just as prettily as he,
About the dew upon the lawn,
And the wind upon the lea!
So I didn't listen to him,
As he sang upon a tree!

213 *In the Night*

THERE always is a noise when it is dark!
It is the noise of silence, and the noise
Of blindness!

The noise of silence, and the noise of blindness
Do frighten me!
They hold me stark and rigid as a tree!

These frighten me!
These hold me stark and rigid as a tree!
Because at last their tumult is more loud
Than thunder!

Because
Their tumult is more loud than thunder,
They terrify my soul! They tear
My heart asunder!

214 *The Main-deep*

THE long-rólling,
Steady-póuring,
Deep-trenchéd
Green billów:

The wide-topped,
Unbróken,
Green-glacid,
Slow-sliding,

Cold-flushing,
— On — on — on —
Chill-rushing,
Hush — hushing,

. . . Hush — hushing . . .

SHRI PUROHIT SWAMI

1882–

215 *I Know that I am a Great Sinner*

I KNOW that I am a great sinner,
That there is no remedy,
But let Thy will be done.
If my Lord wishes He need not speak to me.
All I ask is that of His bounty

He walk by my side through my life.
I will behave well
Though He never embrace me —
O Lord, Thou art my Master
And I Thy slave.

(*From his own Hindi.*)

216 *Shall I do this*

SHALL I do this?
Shall I do that?
My hands are empty,
All that talk amounts to nothing.
Never will I do anything,
Never, never will I do anything;
Having been commanded to woo Thee
I should keep myself wide awake
Or else sleep away my life.
I am unfit to do the first,
But I can sleep with open eyes,
And I can always pretend to laugh,
And I can weep for the state I am in;
But my laugh has gone for good,
And gone the charm of tears.

(*From his own Urdu.*)

217 *A Miracle indeed*

A MIRACLE indeed!
Thou art Lord of All Power.
I asked a little power,
Thou gavest me a begging-bowl.

(*From his own Urdu.*)

JAMES ELROY FLECKER

1884–1915

218

Santorin

(A Legend of the Ægean)

WHO are you, Sea Lady,
And where in the seas are we?
I have too long been steering
By the flashes in your eyes.
Why drops the moonlight through my heart,
And why so quietly
Go the great engines of my boat
As if their souls were free? '
' Oh ask me not, bold sailor;
Is not your ship a magic ship
That sails without a sail:
Are not these isles the Isles of Greece
And dust upon the sea?
But answer me three questions
And give me answers three.
What is your ship? ' ' A British.'
' And where may Britain be? '
' Oh it lies north, dear lady;
It is a small country.'

' Yet you will know my lover,
Though you live far away:
And you will whisper where he has gone,
That lily boy to look upon
And whiter than the spray.'
' How should I know your lover,
Lady of the sea? '

'Alexander, Alexander,
The King of the World was he.'
'Weep not for him, dear lady,
But come aboard my ship.
So many years ago he died,
He 's dead as dead can be.'
'O base and brutal sailor
To lie this lie to me.
His mother was the foam-foot
Star-sparkling Aphrodite;
His father was Adonis
Who lives away in Lebanon,
In stony Lebanon, where blooms
His red anemone.
But where is Alexander,
The soldier Alexander,
My golden love of olden days
The King of the world and me?'

She sank into the moonlight
And the sea was only sea.

219 *The Old Ships*

I HAVE seen old ships sail like swans asleep
Beyond the village which men still call Tyre,
With leaden age o'ercargoed, dipping deep
For Famagusta and the hidden sun
That rings black Cyprus with a lake of fire;
And all those ships were certainly so old
Who knows how oft with squat and noisy gun,
Questing brown slaves or Syrian oranges,
The pirate Genoese

Hell-raked them till they rolled
Blood, water, fruit and corpses up the hold.
But now through friendly seas they softly run,
Painted the mid-sea blue or shore-sea green,
Still patterned with the vine and grapes in gold.

But I have seen,
Pointing her shapely shadows from the dawn
And image tumbled on a rose-swept bay,
A drowsy ship of some yet older day;
And, wonder's breath indrawn,
Thought I — who knows — who knows — but in that
same
(Fished up beyond Ææa, patched up new
— Stern painted brighter blue —)
That talkative, bald-headed seaman came
(Twelve patient comrades sweating at the oar)
From Troy's doom-crimson shore,
And with great lies about his wooden horse
Set the crew laughing, and forgot his course.

It was so old a ship — who knows, who knows?
— And yet so beautiful, I watched in vain
To see the mast burst open with a rose,
And the whole deck put on its leaves again.

220 *The Golden Journey to Samarkand*

PROLOGUE

WE who with songs beguile your pilgrimage
And swear that Beauty lives though lilies die,
We Poets of the proud old lineage
Who sing to find your hearts, we know not why, —

What shall we tell you? Tales, marvellous tales
  Of ships and stars and isles where good men rest,
Where nevermore the rose of sunset pales,
  And winds and shadows fall toward the West:

And there the world's first huge white-bearded kings
  In dim glades sleeping, murmur in their sleep,
And closer round their breasts the ivy clings,
  Cutting its pathway slow and red and deep.

(ii)

And how beguile you? Death has no repose
  Warmer and deeper than that Orient sand
Which hides the beauty and bright faith of those
  Who made the Golden Journey to Samarkand.

And now they wait and whiten peaceably,
  Those conquerors, those poets, those so fair:
They know time comes, not only you and I,
  But the whole world shall whiten, here or there;

When those long caravans that cross the plain
  With dauntless feet and sound of silver bells
Put forth no more for glory or for gain,
  Take no more solace from the palm-girt wells.

When the great markets by the sea shut fast
  All that calm Sunday that goes on and on:
When even lovers find their peace at last,
  And Earth is but a star, that once had shone.

GEOFFREY SCOTT

1884–1929

221 *From 'The Skaian Gate'*

HECTOR, the captain bronzed, from simple fight
Passing to herd his trembling pallid host,
Scorned a blind beggar in the Skaian Gate,
Rattled a blade, then flung his rags a gift.
And, turning his void eyes to the black sun,
In price of alms the beggar prayed — 'Long light,
Loud name attend, O captain, your stern ghost:
Blind prayers may not be lost,
For of each one
Zeus keeps the count and token.'

Homer blind
Filled the huge world with Hector like a wind.
Comely, clean of the crust
Of Earth like bud from a root,
Blade clear of its rust,
Smouldering crest afire,
Out of darkness. From dust
Iron risen in ire;
To a lifted horn's long note
Hector 's afoot!

Words ghostly; the windy ones;
Thin tones: — outwearing stones
Tall Troy and Skaian Gate
Helen and Hector's hate —
Mouth of air; ghost of breath;
What a stone you have builded, what bronze
You have moulded, blown out of death!

222 *What was Solomon's Mind?*

WHAT was Solomon's mind?
If he was wise in truth,
'Twas something hard to find
And delicate: a mouse
Tingling, and small, and smooth,
Hid in vast haunted house.

By smallness quite beset —
Stillest when most alive —
Shrinking to smaller yet
And livelier, until,
Gladly diminutive,
Still smoother, and more still,

He centres to an Eye,
A clean expectancy,
That, from the narrow black
Safe velvet of his crack,
Quivering, quiet, dumb,
Drinks up the lighted room.

223 *All our Joy is enough*

ALL we make is enough
Barely to seem
A bee's din,
A beetle-scheme —
Sleepy stuff
For God to dream:
Begin.

All our joy is enough
At most to fill
A thimble cup
A little wind puff
Can shake, can spill:
Fill it up;
Be still.

All we know is enough;
Though written wide,
Small spider yet
With tangled stride
Will soon be off
The page's side:
Forget.

224

Frutta di Mare

I AM a sea-shell flung
Up from the ancient sea;
Now I lie here, among
Roots of a tamarisk tree;
No one listens to me.

I sing to myself all day
In a husky voice, quite low,
Things the great fishes say
And you most need to know;
All night I sing just so.

But lift me from the ground,
And hearken at my rim,
Only your sorrow's sound
Amazed, perplexed and dim,
Comes coiling to the brim;

For what the wise whales ponder
Awaking out from sleep,
The key to all your wonder,
The answers of the deep,
These to myself I keep.

SIR JOHN SQUIRE

1884–

225 *Ballade of the Poetic Life*

THE fat men go about the streets,
The politicians play their game,
The prudent bishops sound retreats
And think the martyrs much to blame;
Honour and love are halt and lame
And Greed and Power are deified,
The wild are harnessed by the tame;
For this the poets lived and died.

Shelley 's a trademark used on sheets:
Aloft the sky in words of flame
We read 'What porridge had John Keats?
Why, Brown's! A hundred years the same!'
Arcadia 's an umbrella frame,
Milton 's a toothpaste; from the tide
Sappho 's been dredged to rouge my Dame —
For this the poets lived and died.

And yet, to launch ideal fleets
   Lost regions in the stars to claim,
To face all ruins and defeats,
   To sing a beaten world to shame,
   To hold each bright impossible aim
Deep in the heart; to starve in pride
   For fame, and never know their fame —
For this the poets lived and died.

Envoi

   Princess, inscribe beneath my name
'He never begged, he never sighed,
   He took his medicine as it came' —
For this the poets lived — and died.

WILLIAM FORCE STEAD

1884–

226 *How Infinite are Thy Ways*

I THOUGHT the night without a sound was falling;
   But standing still,
No stem or leaf I stirred,
And soon in the hedge a cricket chirred;
A robin filled a whole silence with calling;
An owl went hovering by,
Haunting the spacious twilight with tremulous cry;
Far off where the woods were dark
A ranging dog began to bark;
Down by the water-mill,
A cock, boasting his might,
Shouted a loud good-night;
A heifer lowed upon the lone-tree hill.

I had not known, were I not still,
How infinite are Thy ways.
I wondered what Thy life could be,
O Thou unknown Immensity:
Voice after voice, and every voice was Thine.
So I stood wondering,
Until a child began to sing,
Going late home, awed by the gathering haze. . . .
I said, Her life at one with Thine,
At one with mine.
But compassing Thy many voices now,
Lo I, somehow,
Am Thou.

227 *I closed my Eyes To-day and saw*

I CLOSED my eyes to-day and saw
A dark land fringed with flame,
A sky of grey with ochre swirls
Down to the dark land came.

No wind, no sound, no man, no bird,
No grass, no hill, no wood:
Tall as a pine amid the plain
One giant sunflower stood.

Its disk was large with ripened seed:
A red line on the grey,
The flames, as yet afar, I knew
Would gnaw the world away.

In vain the seeds were ripe; the stem,
With singed leaves hung around,
Relaxed; and all the big flower stooped
And stared upon the ground.

DAVID HERBERT LAWRENCE

1885–1930

228 *Work*

THERE is no point in work
unless it absorbs you
like an absorbing game.

If it doesn't absorb you
if it 's never any fun,
don't do it.

When a man goes out into his work
he is alive like a tree in spring,
he is living, not merely working.

When the Hindus weave thin wool into long, long lengths of stuff
with their thin dark hands and their wide dark eyes and their still souls absorbed
they are like slender trees putting forth leaves, a long white web of living leaf,
the tissue they weave,
and they clothe themselves in white as a tree clothes itself in its own foliage.

As with cloth, so with houses, ships, shoes, wagons or cups or loaves.
Men might put them forth as a snail its shell, as a bird that leans
its breast against its nest, to make it round,
as the turnip models his round root, as the bush makes flowers and gooseberries,
putting them forth, not manufacturing them,
and cities might be as once they were, bowers grown out from the busy bodies of people.
And so it will be again, men will smash the machines.

At last, for the sake of clothing himself in his own leaf-like cloth
tissued from his life,
and dwelling in his own bowery house, like a beaver's nibbled mansion
and drinking from cups that came off his fingers like flowers off their five-fold stem,
he will cancel the machines we have got.

229 *Hymn to Priapus*

My love lies underground
With her face upturned to mine,
And her mouth unclosed in a last long kiss
That ended her life and mine.

I dance at the Christmas party
Under the mistletoe
Along with a ripe, slack country lass
Jostling to and fro.

The big, soft country lass,
Like a loose sheaf of wheat
Slipped through my arms on the threshing floor
At my feet.

The warm, soft country lass,
Sweet as an armful of wheat
At threshing-time broken, was broken
For me, and ah, it was sweet!

Now I am going home
Fulfilled and alone,
I see the great Orion standing
Looking down.

He 's the star of my first beloved
Love-making.
The witness of all that bitter-sweet
Heart-aching.

Now he sees this as well,
This last commission.
Nor do I get any look
Of admonition.

He can add the reckoning up
I suppose, between now and then,
Having walked himself in the thorny, difficult
Ways of men.

He has done as I have done
No doubt:
Remembered and forgotten
Turn and about.

My love lies underground
With her face upturned to mine,
And her mouth unclosed in the last long kiss
That ended her life and mine.

She fares in the stark immortal
Fields of death;
I in these goodly, frozen
Fields beneath.

Something in me remembers
And will not forget.
The stream of my life in the darkness
Deathward set!

And something in me has forgotten,
Has ceased to care.
Desire comes up, and contentment
Is debonair.

I, who am worn and careful,
How much do I care?
How is it I grin then, and chuckle
Over despair?

Grief, grief, I suppose and sufficient
Grief makes us free
To be faithless and faithful together
As we have to be.

230

Twilight

DARKNESS comes out of the earth
And swallows dip into the pallor of the west;
From the hay comes the clamour of children's mirth;
Wanes the old palimpsest.

The night-stock oozes scent,
And a moon-blue moth goes flittering by:
All that the worldly day has meant
Wastes like a lie.

The children have forsaken their play;
A single star in a veil of light
Glimmers: litter of day
Is gone from sight.

231 *Suburbs on a Hazy Day*

O STIFFLY shapen houses that change not,
What conjurer's cloth was thrown across you, and raised
To show you thus transfigured, changed,
Your stuff all gone, your menace almost rased?

Such resolute shapes so harshly set
In hollow blocks and cubes deformed, and heaped
In void and null profusion, how is this?
In what strong aqua regia now are you steeped?

That you lose the brick-stuff out of you
And hover like a presentment, fading faint
And vanquished, evaporate away
To leave but only the merest possible taint!

232 *Sorrow*

WHY does the thin grey strand
Floating up from the forgotten
Cigarette between my fingers,
Why does it trouble me?

Ah, you will understand;
When I carried my mother downstairs,
A few times only, at the beginning
Of her soft-foot malady,

I should find, for a reprimand
To my gaiety, a few long grey hairs
On the breast of my coat; and one by one
I watched them float up the dark chimney.

233 *In Trouble and Shame*

I LOOK at the swaling sunset
And wish I could go also
Through the red doors beyond the black-purple bar.

I wish that I could go
Through the red doors where I could put off
My shame like shoes in the porch,
My pain like garments,
And leave my flesh discarded lying
Like luggage of some departed traveller
Gone one knows not whither.

Then I would turn round,
And seeing my cast-off body lying like lumber,
I would laugh with joy.

EZRA POUND

1885–

234 *The River-merchant's Wife: a Letter*

WHILE my hair was still cut straight across my forehead
I played about the front gate, pulling flowers.
You came by on bamboo stilts, playing horse,
You walked about my seat, playing with blue plums.
And we went on living in the village of Chokan:
Two small people, without dislike or suspicion.

At fourteen I married My Lord you.
I never laughed, being bashful.
Lowering my head, I looked at the wall.
Called to, a thousand times, I never looked back.

At fifteen I stopped scowling,
I desired my dust to be mingled with yours
Forever and forever and forever.
Why should I climb the look out?

At sixteen you departed,
You went into far Ku-to-yen, by the river of swirling eddies,
And you have been gone five months.
The monkeys make sorrowful noise overhead.

You dragged your feet when you went out.
By the gate now, the moss is grown, the different mosses,
Too deep to clear them away!
The leaves fall early this autumn, in wind.
The paired butterflies are already yellow with August
Over the grass in the West garden;

They hurt me. I grow older.
If you are coming down through the narrows of the river
Kiang,
Please let me know beforehand,
And I will come out to meet you
As far as Cho-fu-Sa.
(From the Chinese of Rihaku.)

235 *From 'Homage to Sextus Propertius'*

WHEN, when, and whenever death closes our eyelids,
Moving naked over Acheron
Upon the one raft, victor and conquered together,
Marius and Jugurtha together,
one tangle of shadows.

Caesar plots against India,
Tigris and Euphrates shall, from now on, flow at his bidding,
Tibet shall be full of Roman policemen,
The Parthians shall get used to our statuary
and acquire a Roman religion;

One raft on the veiled flood of Acheron,
Marius and Jugurtha together.
Nor at my funeral either will there be any long trail,
bearing ancestral lares and images;
No trumpets filled with my emptiness,
Nor shall it be on an Atalic bed;
The perfumed cloths shall be absent.
A small plebeian procession.
Enough, enough and in plenty
There will be three books at my obsequies
Which I take, my not unworthy gift, to Persephone.

You will follow the bare scarified breast
Nor will you be weary of calling my name, nor too weary
        To place the last kiss on my lips
When the Syrian onyx is broken.

            ' He who is now vacant dust
            ' Was once the slave of one passion: '
Give that much inscription
            ' Death why tardily come? '

You, sometimes, will lament a lost friend,
        For it is a custom:
This care for past men,

Since Adonis was gored in Idalia, and the Cytherean
Ran crying with out-spread hair,
        In vain, you call back the shade,
In vain, Cynthia. Vain call to unanswering shadow,
        Small talk comes from small bones.

236 *Canto XVII*

SO that the vines burst from my fingers
And the bees weighted with pollen
Move heavily in the vine-shoots:
        chirr — chirr — chir-rikk — a purring sound,
And the birds sleepily in the branches.
        ZAGREUS! IO ZAGREUS!
With the first pale-clear of the heaven
And the cities set in their hills,
And the goddess of the fair knees
Moving there, with the oak-wood behind her,

The green slope, with white hounds
                leaping about her;
And thence down to the creek's mouth, until evening,
Flat water before me,
            and the trees growing in water,
Marble trunks out of stillness,
On past the palazzi,
                    in the stillness,
The light now, not of the sun.
                    Chrysoprase,
And the water green clear, and blue clear;
On, to the great cliffs of amber.
                              Between them,
Cave of Nerea,
    she like a great shell curved,
And the boat drawn without sound,
Without odour of ship-work,
Nor bird-cry, nor any noise of wave moving,
Nor splash of porpoise, nor any noise of wave moving,
Within her cave, Nerea,
                      she like a great shell curved
In the suavity of the rock,
                      cliff green-gray in the far,
In the near, the gate-cliffs of amber,
And the wave
            green clear, and blue clear,
And the cave salt-white, and glare-purple,
            cool, porphyry smooth,
            the rock sea-worn.
No gull-cry, no sound of porpoise,
Sand as of malachite, and no cold there,
            the light not of the sun.

Zagreus, feeding his panthers,
 the turf clear as on hills under light.
And under the almond-trees, gods,
 with them, *choros nympharum*. Gods,
Hermes and Athene,
 As shaft of compass,
Between them, trembled —
To the left is the place of fauns,
 sylva nympharum;
The low wood, moor-scrub,
 the doe, the young spotted deer,
 leap up through the broom-plants,
 as dry leaf amid yellow.
And by one cut of the hills,
 the great alley of Memnons.
Beyond, sea, crests seen over dune
Night sea churning shingle,
To the left, the alley of cypress.
 A boat came,
One man holding her sail,
Guiding her with oar caught over gunwale, saying:
 'There, in the forest of marble,
 the stone trees — out of water —
 the arbours of stone —
 marble leaf, over leaf,
 silver, steel over steel,
 silver beaks rising and crossing,
 prow set against prow,
 stone, ply over ply,
 the gilt beams flare of an evening'
Borso, Carmagnola, the men of craft, *i vitrei*,
Thither, at one time, time after time,

And the waters richer than glass,
Bronze gold, the blaze over the silver,
Dye-pots in the torch-light,
The flash of wave under prows,
And the silver beaks rising and crossing.
                    Stone trees, white and rose-white in the darkness,
Cypress there by the towers,
                    Drift under hulls in the night.

                              ' In the gloom the gold
Gathers the light about it.' . . .

Now supine in burrow, half over-arched bramble,
One eye for the sea, through that peek-hole,
Gray light, with Athene.
Zothar and her elephants, the gold loin-cloth,
The sistrum, shaken, shaken,
                    the cohort of her dancers.
And Aletha, by bend of the shore,
                              with her eyes seaward,
                    and in her hands sea-wrack
Salt-bright with the foam.
Koré through the bright meadow,
                              with green-gray dust in the grass:
' For this hour, brother of Circe.'
Arm laid over my shoulder,
Saw the sun for three days, the sun fulvid,
As a lion lift over sand-plain;
                                        and that day,
And for three days, and none after,
Splendour, as the splendour of Hermes,
And shipped thence
                                   to the stone place,

EZRA POUND

Pale white, over water,
known water,
And the white forest of marble, bent bough over bough,
The pleached arbour of stone,
Thither Borso, when they shot the barbed arrow at him,
And Carmagnola, between the two columns,
Sigismundo, after that wreck in Dalmatia.
Sunset like the grasshopper flying.

ARTHUR WALEY

237 *The Temple*

AUTUMN: the ninth year of Yüan Ho; [1]
The eighth month, and the moon swelling her arc;
It was then I travelled to the Temple of Wu-chēn,
A temple terraced on Wang Shun's Hill.
While still the mountain was many leagues away,
Of scurrying waters we heard the plash and fret.
From here the traveller, leaving carriage and horse,
Begins to wade through the shallows of the Blue Stream,
His hand pillared on a green holly-staff,
His feet treading the torrent's white stones.
A strange quiet stole on ears and eyes,
That knew no longer the blare of the human world.
From mountain-foot gazing at mountain-top,
Now we doubted if indeed it could be climbed;
Who had guessed that a path deep hidden there
Twisting and bending crept to the topmost brow?
Under the flagstaff we made our first halt;

[1] A.D. 814.

Next we rested in the shadow of the Stone Shrine.[1]
The shrine-room was scarce a cubit long,
With doors and windows unshuttered and unbarred.
I peered down, but could not see the dead;
Stalactites hung like a woman's hair.
Waked from sleep, a pair of white bats
Fled from the coffin with a whirr of snowy wings.
I turned away, and saw the Temple gate —
Scarlet eaves flanked by steeps of green;
'Twas as though a hand had ripped the mountain-side
And filled the cleft with a temple's walls and towers.
Within the gate, no level ground;
Little ground, but much empty sky.
Cells and cloisters, terraces and spires
High and low, followed the jut of the hill.
On rocky plateaux with no earth to hold
Were trees and shrubs, gnarled and very lean.
Roots and stems stretched to grip the stone;
Humped and bent, they writhed like a coiling snake.
In broken ranks pine and cassia stood,
Through the four seasons forever shady-green.
On tender twigs and delicate branches breathing
A quiet music played like strings in the wind.
Never pierced by the light of sun or moon,
Green locked with green, shade clasping shade.
A hidden bird sometimes softly sings;
Like a cricket's chirp sounds its muffled song.

At the Strangers' Arbour a while we stayed our steps;
We sat down, but had no mind to rest.
In a little while we had opened the northern door.

[1] Where the mummified bodies of priests were kept, in miniature temples.

Ten thousand leagues suddenly stretched at our feet!
Brushing the eaves, shredded rainbows swept;
Circling the beams, clouds spun and whirled.
Through red sunlight white rain fell;
Azure and storm swam in a blended stream.
In a wild green clustered grasses and trees,
The eye's orbit swallowed the plain of Ch'in.
Wei River was too small to see;
The Mounds of Han,[1] littler than a clenched fist.
I looked back; a line of red fence,
Broken and twisting, marked the way we had trod.
Far below, toiling one by one,
Later climbers straggled on the face of the hill.

Straight before me were many Treasure Towers,
Whose wind-bells at the four corners sang.
At door and window, cornice and architrave,
'Kap, kap,' the tinkle of gold and jade.
Some say that here the Buddha Kāśyapa [2]
Long ago quitted Life and Death.
Still they keep his iron begging-bowl,
With the furrow of his fingers chiselled deep at the base.
To the east there opens the Jade Image Hall,
Where white Buddhas sit like serried trees.
We shook from our garments the journey's grime and dust,
And bowing worshipped those faces of frozen snow
Whose white cassocks like folded hoar-frost hung,
Whose beaded crowns glittered like a shower of hail.
We looked closer; surely Spirits willed
This handicraft, never chisel carved!

[1] The tombs of the Han Emperors.

[2] Lived about 600,000,000,000 years ago and achieved Buddhahood at the age of 20,000.

Next we climbed to the Chamber of Kuan-yin; [1]
From afar we sniffed its odours of sandal-wood.
At the top of the steps each doffed his shoes;
With bated stride we crossed the Jasper Hall.
The Jewelled Mirror on six pillars propped,
The Four Seats cased in hammered gold
Through the black night glowed with beams of their own,
Nor had we need to light candle or lamp.
These many treasures in concert nodded and swayed —
Banners of coral, pendants of cornaline.
When the wind came, jewels chimed and sang
Softly, softly like the music of Paradise.
White pearls like frozen dewdrops hanging;
Dark rubies spilt like clots of blood,
Spangled and sown on the Buddha's twisted hair,
Together fashioned his Sevenfold Jewel-crown.
In twin vases of pallid tourmaline
(Their colour colder than the waters of an autumn stream)
The calcined relics of Buddha's Body rest —
Rounded pebbles, smooth as the Specular Stone.
A jade flute, by angels long ago
Borne as a gift to the Garden of Jetavan! [2]
It blows a music sweet as the crane's song
That Spirits of Heaven earthward well might draw.

It was at autumn's height,
The fifteenth day and the moon's orbit full.
Wide I flung the three eastern gates;

[1] One of the self-denying Bodhisattvas who abstain from entering Buddhahood in order better to assist erring humanity. In Sanskrit, Avalokiteśvara.

[2] Near Benares; here Buddha preached most of his Sūtras and the first monastery was founded.

A golden spectre walked at the chapel-door.
And jewel-beams now with moonbeams strove
In freshness and beauty darting a crystal light
That cooled the spirit and limbs of those it touched,
Nor all night-long needed they to rest.
At dawn I sought the road to the Southern Tope,
Where wild bamboos nodded in clustered grace.
In the lonely forest no one crossed my path;
Beside me faltered a cold butterfly.

Mountain fruits whose names I did not know
With their prodigal bushes hedged the pathway in;
The hungry here copious food had found;
Idly I plucked, to test sour and sweet.

South of the road, the Spirit of the Blue Dell,[1]
With his green umbrella and white paper pence!
When the year is closing, the people are ordered to grow,
As herbs of offering, marsil and motherwort;
So sacred the place, that never yet was stained
Its pure earth with sacrificial blood.

In a high cairn four or five rocks
Dangerously heaped, deep-scarred and heeling —
With what purpose did he that made the World
Pile them here at the eastern corner of the cliff?
Their slippery flank no foot has marked,
But mosses stipple like a flowered writing-scroll.
I came to the cairn, I climbed it right to the top;
Beneath my feet a measureless chasm dropped.
My eyes were dizzy, hand and knee quogged —
I did not dare bend my head and look.

[1] A native, non-Buddhist deity.

A boisterous wind rose from under the rocks,
Seized me with it and tore the ground from my feet.
My shirt and robe fanned like mighty wings,
And wide-spreading bore me like a bird to the sky.
High about me, triangular and sharp,
Like a cluster of sword-points many summits rose.
The white mist that struck them in its airy course
They tore asunder, and carved a patch of blue.

And now the sun was sinking in the north-west;
His evening beams from a crimson globe he shed,
Till far beyond the great fields of green
His sulphurous disk suddenly down he drove.

And now the moon was rising in the south-east;
In waves of coolness the night air flowed.
From the grey bottom of the hundred-fathom pool
Shines out the image of the moon's golden disk!
Blue as its name, the Lan River flows
Singing and plashing forever day and night.
I gazed down; like a green finger-ring
In winding circuits it follows the curves of the hill;
Sometimes spreading to a wide, lazy stream,
Sometimes striding to a foamy cataract.
Out from the deepest and clearest pool of all,
In a strange froth the Dragon's-spittle [1] flows.

I bent down; a dangerous ladder of stones
Paved beneath me a sheer and dizzy path.
I gripped the ivy, I walked on fallen trees,
Tracking the monkeys who came to drink at the stream.
Like a whirl of snowflakes the startled herons rose,
In damask dances the red sturgeon leapt.

[1] Ambergris.

For a while I rested, then plunging in the cool stream,
From my weary body I washed the stains away.
Deep or shallow, all was crystal clear;
I watched through the water my own thighs and feet.
Content I gazed at the stream's clear bed;
Wondered, but knew not, whence its waters flowed.

The eastern bank with rare stones is rife;
In serried courses the dusky chrysoprase,
That outward turns a smooth, glossy face;
In its deep core secret diamonds [1] lie.
Pien of Ch'u [2] died long ago,
And rare gems are often cast aside.
Sometimes a radiance leaks from the hill by night
To link its beams with the brightness of moon and stars.

At the central dome, where the hills highest rise,
The sky is pillared on a column of green jade;
Where even the spotty lizard cannot climb
Can I, a man, foothold hope to find?
In the top is hollowed the White-lotus lake;
With purple cusps the clear waves are crowned.
The name I heard, but the place I could not reach;
Beyond the region of mortal things it lies.

And standing here, a flat rock I saw,
Cubit-square, like a great paving-stone,
Midway up fastened in the cliff-wall;
And down below it, a thousand-foot drop.

[1] The stone mentioned (*yü-fan*), though praised by Confucius and used in the ceremonies of his native state, cannot be identified. Its name evokes vague ideas of rarity and beauty.

[2] Suffered mutilation because he had offered to his prince a gem which experts rejected. Afterwards it turned out to be genuine.

Here they say that a Master in ancient days
Sat till he conquered the concepts of Life and Death.
The place is called the Settled Heart Stone;
By aged men the tale is still told.

I turned back to the Shrine of Fairies' Tryst;
Thick creepers covered its old walls.
Here it was that a mortal [1] long ago
On new-grown wings flew to the dark sky;
Westward a garden of agaric and rue
Faces the terrace where his magic herbs were dried.
And sometimes still on clear moonlit nights
In the sky is heard a yellow-crane's voice.

I turned and sought the Painted Dragon Hall,
Where the bearded figures of two ancient men
By the Holy Lectern at sermon-time are seen
In gleeful worship to nod their hoary heads;
Who, going home to their cave beneath the river,
Of weather-dragons the writhing shapes assume.
When rain is coming they puff a white smoke
In front of the steps, from a round hole in the stone.

Once a priest who copied the Holy Books
(Of purpose dauntless and body undefiled)
Loved yonder pigeons, that far beyond the clouds
Fly in flocks beating a thousand wings.
They came and dropped him water in his writing-bowl;
Then sipped afresh in the river under the rocks.
Each day thrice they went and came,
Nor ever once missed their wonted time.
When the Book was finished, he was named 'Holy Priest';
For like glory in vain his fellows vied.

[1] The wizard Wang Shun, after whom the hill is named.

He sang the hymns of the Lotus Blossom Book,[1]
Again and again, a thousand, a million times.
His body withered, but his mouth still was strong,
Till his tongue turned to a red lotus-flower.
His bones no more are seen;
But the rock where he sat is still carved with his fame.

On a plastered wall are frescoes from the hand of Wu,[2]
Whose pencil-colours never-fading glow.
On a white screen is writing by the master Ch'u,[3]
The tones subtle as the day it first dried.

Magical prospects, monuments divine —
Now all were visited.
Here we had tarried five nights and days;
Yet homeward now with loitering footsteps trod.
I, that a man of the wild hills was born,
Floundering fell into the web of the World's net.
Caught in its trammels, they forced me to study books;
Twitched and tore me down the path of public life.
Soon I rose to be Bachelor of Arts;
In the Record Office, in the Censorate I sat.
My simple bluntness did not suit the times;
A profitless servant, I drew the royal pay.
The sense of this made me always ashamed,
And every pleasure a deep brooding dimmed.
To little purpose I sapped my heart's strength,
Till seeming age shrank my youthful frame.
From the very hour I doffed belt and cap
I marked how with them sorrow slank away.

[1] The verses of the Saddharmapundarīka Sūtra, *Sacred Books of the East*, vol. 21.

[2] The great eighth-century painter, Wu Tao-tzŭ.

[3] The calligrapher, Ch'u Sui-liang, A.D. 596–658.

But now that I wander in the freedom of streams and hills
My heart to its folly comfortably yields.
Like a wild deer that has torn the hunter's net
I range abroad by no halters barred.
Like a captive fish loosed into the Great Sea
To my marble basin I shall not ever return.
My body girt in the hermit's single dress,
My hand holding the Book of Chuang Chou,
On these hills at last I am come to dwell,
Loosed forever from the shackles of a trim world.
I have lived in labour forty years and more;
If Life's remnant vacantly I spend,
Seventy being our span, then thirty years
Of idleness are still left to live.

(*From the Chinese of Po Chü-i.*)

FRANCES CORNFORD

1886–

238 *A Glimpse*

O GRASSES wet with dew, yellow fallen leaves,
Smooth-shadowed waters Milton loved, green banks,
Arched bridges, rooks, and rain-leaved willow-trees,
Stone, serious familiar colleges,
For ever mine.
The figure of a scholar carrying back
Books to the library — absorbed, content,
Seeming as everlasting as the elms
Bark-wrinkled, puddled round their roots, the bells,
And the far shouting in the football fields.

The same since I was born, the same to be
When all my children's children grow old men.

239 *London Despair*

THIS endless gray-roofed city, and each heart —
Each with its problems, urgent and apart —
And hearts unborn that wait to come again,
Each to its problems, urgent, and such pain.

Why cannot all of us together — why? —
Achieve the one simplicity: to die?

240 *Near an old Prison*

WHEN we would reach the anguish of the dead,
Whose bones alone, irrelevant, are dust,
Out of ourselves it seems we must, we must
To some obscure but ever-bleeding thing
Unreconciled, a needed solace bring,
Like a resolving chord, like daylight shed.

Or through thick time must we reach back in vain
To inaccessible pain?

241 *To a Fat Lady seen from the Train*

O WHY do you walk through the fields in gloves,
Missing so much and so much?
O fat white woman whom nobody loves,
Why do you walk through the fields in gloves,
When the grass is soft as the breast of doves
And shivering-sweet to the touch?
O why do you walk through the fields in gloves,
Missing so much and so much?

SIEGFRIED SASSOON

1886–

242 *When I'm alone*

W*HEN I'm alone'* — the words tripped off his tongue
As though to be alone were nothing strange.
'*When I was young*,' he said; '*when I was young*. . . .'

I thought of age, and loneliness, and change.
I thought how strange we grow when we're alone,
And how unlike the selves that meet, and talk,
And blow the candles out, and say good-night.
Alone . . . The word is life endured and known.
It is the stillness where our spirits walk
And all but inmost faith is overthrown.

243 *Grandeur of Ghosts*

WHEN I have heard small talk about great men
I climb to bed; light my two candles; then
Consider what was said; and put aside
What Such-a-one remarked and Someone-else replied.

They have spoken lightly of my deathless friends,
(Lamps for my gloom, hands guiding where I stumble,)
Quoting, for shallow conversational ends,
What Shelley shrilled, what Blake once wildly muttered. . . .

How can they use such names and be not humble?
I have sat silent; angry at what they uttered.
The dead bequeathed them life; the dead have said
What these can only memorize and mumble.

244 *On Passing the New Menin Gate*

WHO will remember, passing through this Gate,
The unheroic Dead who fed the guns?
Who shall absolve the foulness of their fate, —
Those doomed, conscripted, unvictorious ones?
Crudely renewed, the Salient holds its own.
Paid are its dim defenders by this pomp;
Paid, with a pile of peace-complacent stone,
The armies who endured that sullen swamp.

Here was the world's worst wound. And here with pride
'Their name liveth for ever,' the Gateway claims.
Was ever an immolation so belied
As these intolerably nameless names?
Well might the Dead who struggled in the slime
Rise and deride this sepulchre of crime.

245 *The Power and the Glory*

LET there be life, said God. And what He wrought
Went past in myriad marching lives, and brought
This hour, this quiet room, and my small thought
Holding invisible vastness in its hands.

Let there be God, say I. And what I've done
Goes onward like the splendour of the sun
And rises up in rapture and is one
With the white power of conscience that commands.

Let life be God. . . . What wail of fiend or wraith
Dare mock my glorious angel where he stands
To fill my dark with fire, my heart with faith?

RUPERT BROOKE

1887–1915

246 *Clouds*

DOWN the blue night the unending columns press
In noiseless tumult, break and wave and flow,
Now tread the far South, or lift rounds of snow
Up to the white moon's hidden loveliness.
Some pause in their grave wandering comradeless,
And turn with profound gesture vague and slow,
As who would pray good for the world, but know
Their benediction empty as they bless.

They say that the Dead die not, but remain
Near to the rich heirs of their grief and mirth.
I think they ride the calm mid-heaven, as these,
In wise majestic melancholy train,
And watch the moon, and the still-raging seas,
And men, coming and going on the earth.

EDITH SITWELL

1887–

247 *From 'The Sleeping Beauty'*

To OSBERT

WHEN we come to that dark house,
Never sound of wave shall rouse
The bird that sings within the blood
Of those who sleep in that deep wood,
For in that house the shadows now
Seem cast by some dark unknown bough.

The gardener plays his old bagpipe
To make the melons' gold seeds ripe;
The music swoons with a sad sound —
' Keep, my lad, to the good safe ground!
For once, long since, there was a felon
With guineas gold as the seeds of a melon,
And he would sail for a far strand
To seek a waking, clearer land, —
A land whose name is only heard
In the strange singing of a bird.
The sea was sharper than green grass,
The sailors would not let him pass,
For the sea was wroth and rose at him
Like the turreted walls of Jerusalem,
Or like the towers and gables seen
Within a deep-boughed garden green.
And the sailors bound and threw him down
Among those wrathful towers to drown.
And oh, far best,' the gardener said,
' Like fruits to lie in your kind bed, —
To sleep as snug as in the grave
In your kind bed, and shun the wave,
Nor ever sigh for a strange land
And songs no heart can understand.'

I hunted with the country gentlemen
Who, seeing Psyche fly, thought her a hen

And aimed at her; the mocking wingèd one
Laughed at their wingless state, their crooked gun.

Then on the water — green and jewelled leaves
Hiding ripe fruitage — every sportsman grieves,

Sitting and grumbling in their flat boat edged
With the soft feathers of the foam, scarce fledged.

But I will seek again the palace in the wood,
Where never bird shall rouse our sleepy blood

Within the bear-dark forests, far beyond
This hopeless hunting, or Time's sleepy bond.

The wicked fay descended, mopping, mowing
In her wide-hooped petticoat, her water-flowing

Brightly-perfumed silks. . . . 'Ah, ha, I see
You have remembered all the fays but me!'

(She whipped her panthers, golden as the shade
Of afternoon in some deep forest glade.)

'I am very cross because I am old,
And my tales are told,
And my flames jewel-cold.

'I will make your bright birds scream,
I will darken your jewelled dream,
I will spoil your thickest cream.

'I will turn the cream sour,
I will darken the bower,
I will look through the darkest shadows and lour, —

'And sleep as dark as the shade of a tree
Shall cover you. . . . Don't answer me!
For if the Princess prick her finger
Upon a spindle, then she shall be lost.'

* * * *

DO, do,
Princess, do,
Like a tree that drips with gold you flow
With beauty ripening very slow.
Soon beneath that peaceful shade
The whole world dreaming will be laid.
Do, do,
Princess, do,
The years like soft winds come and go.

Do, do,
Princess, do,
How river-thick flow your fleecèd locks
Like the nymphs' music o'er the rocks. . . .
From satyr-haunted caverns drip
These lovely airs on brow and lip.
Do, do,
Princess, do,
Like a tree that drips with gold you flow.

248 *The Hambone and the Heart*

(*To* PAVEL TCHELITCHEW)

A Girl speaks:

HERE in this great house in the barrack square,
The plump and heart-shaped flames all stare
Like silver empty hearts in wayside shrines.
No flame warms ever, shines,
Nor may I ever tire.

Outside, the dust of all the dead,
Thick on the ground is spread
Covering the tinsel flowers
And pretty dove-quick hours,

Among the round leaves, Cupid-small
Upon the trees so wise and tall.
O dust of all the dead, my heart has known
That terrible Gehenna of the bone
Deserted by the flesh, — with Death alone!

Could we foretell the worm within the heart,
That holds the households and the parks of heaven,
Could we foretell that land was only earth,
Would it be worth the pain of death and birth,
Would it be worth the soul from body riven?

For here, my sight, my sun, my sense,
In my gown white as innocence,
I walked with you. Ah, that my sun
Loved my heart less than carrion.

Alas! I dreamed that the bare heart could feed
One who with death's corruption loved to breed, —
This Dead, who fell, that he might satisfy
The hungry grave's blind need, —

That Venus stinking of the Worm!
Deep in the grave, no passions storm:
The worm 's a pallid thing to kiss;
She is the hungering grave that is

Not filled, that is not satisfied!
Not all the sunken Dead that lies
Corrupt there, chills her luxuries.

And fleet, and volatile her kiss,
For all the grave's eternities!
And soon another Dead shall slake
Her passion, till that dust, too, break.

Like little pigeons small dove-breasted flowers,
Were cooing of far-off bird-footed showers,
My coral neck was pink as any rose
Or like the sweet pink honey-wax that grows,
Or the fresh coral beams of clear moonlight,
Where leaves like small doves flutter from our sight.

Beneath the twisted rose-boughs of the heat
Our shadows walked like little foreigners,
Like small unhappy children dressed in mourning,
They listened by the serres-chaudes waterfalls
But could not understand what we were saying,
Nor could we understand their whispered warning, —
There by the waterfalls we saw the Clown,
As tall as Heaven's golden town,
And in his hands, a Heart, and a Hambone
Pursued by loving vermin; but deserted, lone,
The Heart cried to my own:

The Heart speaks:

Young girl, you dance and laugh to see,
The thing that I have come to be.
Oh, once this heart was like your own.
Go, pray that yours may turn to stone.

This is the murdered heart of one
Who bore and loved an only son.
For him, I worked away mine eyes,
My starved breast could not still his cries.

My little lamb, of milk bereft . . .
My heart was all that I had left.
Ah, could I give thee this for food,
My lamb, thou knowest that I would.

Yet lovely was the summer light
Those days . . . I feel it through this night.
Once Judas had a childish kiss,
And still his mother knows but this.

He grew to manhood. Then one came,
False-hearted as Hell's blackest shame
To steal my child from me, and thrust
The soul I loved down to the dust.

Her hungry wicked lips were red
As that dark blood my son's hand shed;
Her eyes were black as Hell's own night;
Her ice-cold breast was winter-white.

I had put by a little gold
To bury me when I was cold.
That fangèd wanton kiss to buy,
My son's love willed that I should die.

The gold was hid beneath my bed, —
So little, and my weary head
Was all the guard it had. They lie
So quiet and still who soon must die.

He stole to kill me while I slept,
The little son who never wept,
But that I kissed his tears away
So fast, his weeping seemed but play.

So light his footfall. Yet I heard
Its echo in my heart and stirred
From out my weary sleep to see
My child's face bending over me.

The wicked knife flashed serpent-wise,
Yet I saw nothing but his eyes
And heard one little word he said,
Go echoing down among the Dead.

* * * *

They say the Dead may never dream.
But yet I heard my pierced heart scream
His name within the dark. They lie
Who say the Dead can ever die.

For in the grave I may not sleep,
For dreaming that I hear him weep.
And in the dark, my dead hands grope
In search of him. O barren hope!

I cannot draw his head to rest,
Deep down upon my wounded breast;
He gave the breast that fed him well
To suckle the small worms of Hell.

The little wicked thoughts that fed
Upon the weary helpless Dead,
They whispered o'er my broken heart, —
They struck their fangs deep in the smart.

'The child she bore with bloody sweat
And agony has paid his debt.
Through that bleak face the stark winds play,
The crows have chased his soul away, —

'His body is a blackened rag
Upon the tree, — a monstrous flag,'
Thus one worm to the other saith,
Those slow mean servitors of Death,

They chuckling, said: 'Your soul grown blind
With anguish, is the shrieking wind
That blows the flame that never dies
About his empty lidless eyes.'

I tore them from my heart, I said:
'The life-blood that my son's hand shed —
That from my broken heart outburst,
I'd give again to quench his thirst.

'He did no sin. But cold blind earth
The body was that gave him birth.
All mine, all mine the sin. The love
I bore him was not deep enough.'

* * * *

The Girl speaks:

O crumbling heart, I too, I too have known
The terrible Gehenna of the bone
Deserted by the flesh. . . . I too have wept
Through centuries like the deserted bone
To all the dust of all the Dead to fill
That place. . . . It would not be the dust I loved.

For underneath the lime-tree's golden town
Of Heaven, where he stood, the tattered Clown
Holding the screaming Heart and the Hambone,
You saw the Clown's thick hambone, life-pink carrion,
That Venus perfuming the summer air.
Old pigs, starved dogs, and long worms of the grave
Were rooting at it, nosing at it there.
Then you, my sun, left me and ran to it
Through pigs, dogs, grave-worms' ramparted tall waves.

* * * *

I know that I must soon have the long pang
Of grave-worms in the heart. . . . You are so changed,
How shall I know you from the other long
Anguishing grave-worms? I can but foretell
The worm where once the kiss clung, and that last less chasm-
deep farewell.

249 *The Lament of Edward Blastock*

For RICHARD ROWLEY

NOTE. — I took this story from the 'Newgate Calendar.' Edward Blastock suffered at Tyburn on the 26th of May, 1738. Being in the direst want, and seeing his sister and her children in an equal misery, he yielded to the solicitations of his sister's husband, and joined with him in becoming highwaymen. They went so far as to rob a gentleman of a few shillings. Then Edward Blastock, finding a warrant was out against him, took refuge in his sister's house.

She betrayed him to his death.

THE pang of the long century of rains,
Melting the last flesh from the bone,
Cries to the heart: 'At least the bone remains, —
If this alone.'

My bone cries to my mother's womb:
Why were you not my tomb?
Why was I born from the same womb as she
Who sold my heart, my blood, who stole even my grave from
me?

I crept to steal in the rich man's street
That my sister's starving babes might eat —

(Death, you have known such rags as hold
The starved man's heart together, — Death, you have
known such cold!)

I crept to hide in my sister's room,
And dreamed it safe as my mother's womb:

But there was a price upon the head
Of one who stole that her babes might feed,

So my sister said, ' I must go to buy
Us bread with this pence . . .' And, for this, I die
— Beyond my Death . . . with no grave to lie

In, hide my heart deep down in that hole.
For my sister went to sell her soul

And my heart, and my life, and the love I gave . . .
She went to rob me of my grave.

And I would, I would the heart I gave
Were dead and mouldering in that grave,

I would my name were quite forgot,
And my death dead beneath Death's rot.

But I'd give the last rag of my flesh
About my heart to the endless cold
Could I know again the childish kiss
My Judas gave of old —
Oh, Christ that hung between two men like me, —
Could I but know she was not this, — not this!

250 *Colonel Fantock*

THUS spoke the lady underneath the trees:
I was a member of a family
Whose legend was of hunting — (all the rare
And unattainable brightness of the air) —

EDITH SITWELL

A race whose fabled skill in falconry
Was used on the small song-birds and a winged
And blinded Destiny. . . . I think that only
Winged ones know the highest eyrie is so lonely.

There in a land, austere and elegant,
The castle seemed an arabesque in music;
We moved in an hallucination born
Of silence, which like music gave us lotus
To eat, perfuming lips and our long eyelids
As we trailed over the sad summer grass,
Or sat beneath a smooth and mournful tree.

And Time passed, suavely, imperceptibly.

But Dagobert and Peregrine and I
Were children then; we walked like shy gazelles
Among the music of the thin flower-bells.
And life still held some promise, — never ask
Of what, — but life seemed less a stranger, then,
Than ever after in this cold existence.
I always was a little outside life, —
And so the things we touch could comfort me;
I loved the shy dreams we could hear and see —
For I was like one dead, like a small ghost,
A little cold air wandering and lost.

All day within the straw-roofed arabesque
Of the towered castle and the sleepy gardens wandered
We; those delicate paladins the waves
Told us fantastic legends that we pondered.

And the soft leaves were breasted like a dove,
Crooning old mournful tales of untrue love.

When night came, sounding like the growth of trees,
My great-grandmother bent to say good night,
And the enchanted moonlight seemed transformed
Into the silvery tinkling of an old
And gentle music-box that played a tune
Of Circean enchantments and far seas;
Her voice was lulling like the splash of these.
When she had given me her good-night kiss,
There, in her lengthened shadow, I saw this
Old military ghost with mayfly whiskers, —
Poor harmless creature, blown by the cold wind,
Boasting of unseen unreal victories
To a harsh unbelieving world unkind, —
For all the battles that this warrior fought
Were with cold poverty and helpless age —
His spoils were shelters from the winter's rage.
And so for ever through his braggart voice,
Through all that martial trumpet's sound, his soul
Wept with a little sound so pitiful,
Knowing that he is outside life for ever
With no one that will warm or comfort him. . . .
He is not even dead, but Death's buffoon
On a bare stage, a shrunken pantaloon.
His military banner never fell,
Nor his account of victories, the stories
Of old apocryphal misfortunes, glories
Which comforted his heart in later life
When he was the Napoleon of the schoolroom
And all the victories he gained were over
Little boys who would not learn to spell.

All day within the sweet and ancient gardens
He had my childish self for audience —

Whose body flat and strange, whose pale straight hair
Made me appear as though I had been drowned —
(We all have the remote air of a legend) —
And Dagobert my brother whose large strength,
Great body and grave beauty still reflect
The Angevin dead kings from whom we spring;
And sweet as the young tender winds that stir
In thickets when the earliest flower-bells sing
Upon the boughs, was his just character;
And Peregrine the youngest with a naïve
Shy grace like a faun's, whose slant eyes seemed
The warm green light beneath eternal boughs.
His hair was like the fronds of feathers, life
In him was changing ever, springing fresh
As the dark songs of birds . . . the furry warmth
And purring sound of fires was in his voice
Which never failed to warm and comfort me.

And there were haunted summers in Troy Park
When all the stillness budded into leaves;
We listened, like Ophelia drowned in blond
And fluid hair, beneath stag-antlered trees;
Then, in the ancient park the country-pleasant
Shadows fell as brown as any pheasant,
And Colonel Fantock seemed like one of these.
Sometimes for comfort in the castle kitchen
He drowsed, where with a sweet and velvet lip
The snapdragons within the fire
Of their red summer never tire.
And Colonel Fantock liked our company;
For us he wandered over each old lie,
Changing the flowering hawthorn, full of bees,

Into the silver helm of Hercules,
For us defended Troy from the top stair
Outside the nursery, when the calm full moon
Was like the sound within the growth of trees.
But then came one cruel day in deepest June,
When pink flowers seemed a sweet Mozartian tune,
And Colonel Fantock pondered o'er a book.
A gay voice like a honeysuckle nook, —
So sweet, — said, 'It is Colonel Fantock's age
Which makes him babble.' . . . Blown by winter's rage
The poor old man then knew his creeping fate,
The darkening shadow that would take his sight
And hearing; and he thought of his saved pence
Which scarce would rent a grave . . . that youthful voice
Was a dark bell which ever clanged 'Too late' —
A creeping shadow that would steal from him
Even the little boys who would not spell, —
His only prisoners. . . . On that June day
Cold Death had taken his first citadel.

251

Ass-face

ASS-FACE drank
The asses' milk of the stars . . .
The milky spirals as they sank
From heaven's saloons and golden bars,
Made a gown
For Columbine,
Spirting down
On sands divine
By the asses' hide of the sea
(With each tide braying free).

And the beavers building Babel
Beneath each tree's thin beard,
Said, 'Is it Cain and Abel
Fighting again we heard?'
It is Ass-face, Ass-face,
Drunk on the milk of the stars,
Who will spoil their houses of white lace —
Expelled from the golden bars!

252 *From 'Gold Coast Customs'*

In Ashantee, a hundred years ago, the death of any rich or important person was followed by several days of national ceremonies, during which the utmost licence prevailed, and slaves and poor persons were killed that the bones of the deceased might be laved with human blood. These ceremonies were called Customs.

ONE fantee wave
Is grave and tall
As brave Ashantee's
Thick mud wall.
Munza rattles his bones in the dust,
Lurking in murk because he must.

Striped black and white
Is the squealing light;
The dust brays white in the market place,
Dead powder spread on a black skull's face.

Like monkey skin
Is the sea — one sin
Like a weasel is nailed to bleach on the rocks
Where the eyeless mud screeched fawning, mocks

At a negro that wipes
His knife . . . dug there
A bugbear bellowing
Bone dared rear —
A bugbear bone that bellows white
As the ventriloquist sound of light,

* * * *

It rears at his head-dress of felted black hair
The one humanity clinging there —
His eyeless face whitened like black and white bones
And his beard of rusty
Brown grass cones.

Hard blue and white
Cowrie shells (the light
Grown hard) outline
The leopardskin musty
Leaves that shine
With an animal smell both thick and fusty.

One house like a ratskin
Mask flaps fleet
In the sailor's tall
Ventriloquist street
Where the rag houses flap —
Hiding a gap.

Here, tier on tier,
Like a black box rear
In the flapping slum
Beside Death's docks.

I did not know this meaner Death
Meant this: that the bunches of nerves still dance
And caper among these slums, and prance.

* * * *

Can a planet tease
With its great gold train,
Walking beside the pompous main —
That great gold planet the heat of the Sun
Where we saw black Shadow, a black man, run,
So a negress dare
Wear long gold hair?
The negress Dorothy one sees
Beside the caverns and the trees
Where her parasol
Throws a shadow tall
As a waterfall —
The negress Dorothy still feels
The great gold planet tease her brain.

And dreaming deep within her blood
Lay Africa like the dark in the wood;
For Africa is the unhistorical
Unremembering, unrhetorical
Undeveloped spirit involved
In the conditions of nature — Man,
That black image of stone hath delved
On the threshold where history began.

Now under the cannibal
Sun is spread
The black rhinoceros-hide of the mud
For endlessness and timelessness . . . dead
Grass creaks like a carrion-bird's voice, rattles,

Squeaks like a wooden shuttle. Battles
Have worn this deserted skeleton black
As empty chain armour . . . lazily back
With only the half of its heart it lies,
With the giggling mud devouring its eyes,
Naught left to fight
But the black clotted night
In its heart, and ventriloquist squealing light.

* * * *

So Lady Bamburgher's Shrunken Head,
Slum hovel, is full of the rat-eaten bones
Of a fashionable god that lived not
Ever, but still has bones to rot:
A bloodless and an unborn thing
That cannot wake, yet cannot sleep,
That makes no sound, that cannot weep,
That hears all, bears all, cannot move —
It is buried so deep
Like a shameful thing
In that plague-spot heart, Death's last dust-heap.

THOMAS STEARNS ELIOT

1888–

253

Preludes

(i)

THE winter evening settles down
With smell of steaks in passageways.
Six o'clock.
The burnt-out ends of smoky days.
And now a gusty shower wraps
The grimy scraps

Of withered leaves about your feet
And newspapers from vacant lots;
The showers beat
On broken blinds and chimney-pots,
And at the corner of the street
A lonely cab-horse steams and stamps.
And then the lighting of the lamps.

(*ii*)

The morning comes to consciousness
Of faint stale smells of beer
From the sawdust-trampled street
With all its muddy feet that press
To early coffee-stands.
With the other masquerades
That time resumes,
One thinks of all the hands
That are raising dingy shades
In a thousand furnished rooms.

(*iii*)

You tossed a blanket from the bed,
You lay upon your back, and waited;
You dozed, and watched the night revealing
The thousand sordid images
Of which your soul was constituted;
They flickered against the ceiling.
And when all the world came back
And the light crept up between the shutters,
And you heard the sparrows in the gutters,
You had such a vision of the street
As the street hardly understands;

Sitting along the bed's edge, where
You curled the papers from your hair,
Or clasped the yellow soles of feet
In the palms of both soiled hands.

(iv)

His soul stretched tight across the skies
That fade behind a city block,
Or trampled by insistent feet
At four and five and six o'clock;
And short square fingers stuffing pipes,
And evening newspapers, and eyes
Assured of certain certainties,
The conscience of a blackened street
Impatient to assume the world.

I am moved by fancies that are curled
Around these images, and cling:
The notion of some infinitely gentle
Infinitely suffering thing.

Wipe your hand across your mouth, and laugh;
The worlds revolve like ancient women
Gathering fuel in vacant lots.

254 *The Hippopotamus*

'And when this epistle is read among you, cause that it be read also in the church of the Laodiceans.'

THE broad-backed hippopotamus
Rests on his belly in the mud;
Although he seems so firm to us
He is merely flesh and blood.

Flesh and blood is weak and frail,
Susceptible to nervous shock;
While the True Church can never fail
For it is based upon a rock.

The hippo's feeble steps may err
In compassing material ends,
While the True Church need never stir
To gather in its dividends.

The 'potamus can never reach
The mango on the mango-tree;
But fruits of pomegranate and peach
Refresh the Church from over sea.

At mating time the hippo's voice
Betrays inflexions hoarse and odd,
But every week we hear rejoice
The Church, at being one with God.

The hippopotamus's day
Is passed in sleep; at night he hunts;
God works in a mysterious way —
The Church can sleep and feed at once.

I saw the 'potamus take wing
Ascending from the damp savannas,
And quiring angels round him sing
The praise of God, in loud hosannas.

Blood of the Lamb shall wash him clean
And him shall heavenly arms enfold,
Among the saints he shall be seen
Performing on a harp of gold.

He shall be washed as white as snow,
By all the martyr'd virgins kist,
While the True Church remains below
Wrapt in the old miasmal mist.

255 *Whispers of Immortality*

WEBSTER was much possessed by death
And saw the skull beneath the skin;
And breastless creatures under ground
Leaned backward with a lipless grin.

Daffodil bulbs instead of balls
Stared from the sockets of the eyes!
He knew that thought clings round dead limbs
Tightening its lusts and luxuries.

Donne, I suppose, was such another
Who found no substitute for sense;
To seize and clutch and penetrate,
Expert beyond experience,

He knew the anguish of the marrow
The ague of the skeleton;
No contact possible to flesh
Allayed the fever of the bone.

* * * *

Grishkin is nice: her Russian eye
Is underlined for emphasis;
Uncorseted, her friendly bust
Gives promise of pneumatic bliss.

The couched Brazilian jaguar
Compels the scampering marmoset
With subtle effluence of cat;
Grishkin has a maisonette;

The sleek Brazilian jaguar
Does not in its arboreal gloom
Distil so rank a feline smell
As Grishkin in a drawing-room.

And even the Abstract Entities
Circumambulate her charm;
But our lot crawls between dry ribs
To keep our metaphysics warm.

256 *Sweeney among the Nightingales*

(ὤμοι, πέπληγμαι καιρίαν πληγὴν ἔσω.)

APENECK SWEENEY spreads his knees
Letting his arms hang down to laugh,
The zebra stripes along his jaw
Swelling to maculate giraffe.

The circles of the stormy moon
Slide westward toward the River Plate,
Death and the Raven drift above
And Sweeney guards the horned gate.

Gloomy Orion and the Dog
Are veiled; and hushed the shrunken seas;
The person in the Spanish cape
Tries to sit on Sweeney's knees

Slips and pulls the table cloth
Overturns a coffee-cup,
Reorganized upon the floor
She yawns and draws a stocking up;

The silent man in mocha brown
Sprawls at the window-sill and gapes;
The waiter brings in oranges
Bananas figs and hothouse grapes;

The silent vertebrate in brown
Contracts and concentrates, withdraws;
Rachel *née* Rabinovitch
Tears at the grapes with murderous paws;

She and the lady in the cape
Are suspect, thought to be in league;
Therefore the man with heavy eyes
Declines the gambit, shows fatigue,

Leaves the room and reappears
Outside the window, leaning in,
Branches of wistaria
Circumscribe a golden grin;

The host with someone indistinct
Converses at the door apart,
The nightingales are singing near
The Convent of the Sacred Heart,

And sang within the bloody wood
When Agamemnon cried aloud,
And let their liquid siftings fall
To stain the stiff dishonoured shroud.

THOMAS STEARNS ELIOT

257

The Hollow Men

(A Penny for the Old Guy)

(i)

WE are the hollow men
We are the stuffed men
Leaning together
Headpiece filled with straw. Alas!
Our dried voices, when
We whisper together
Are quiet and meaningless
As wind in dry grass
Or rats' feet over broken glass
In our dry cellar

Shape without form, shade without colour,
Paralysed force, gesture without motion;

Those who have crossed
With direct eyes, to death's other Kingdom
Remember us — if at all — not as lost
Violent souls, but only
As the hollow men
The stuffed men.

(ii)

Eyes I dare not meet in dreams
In death's dream kingdom
These do not appear:
There, the eyes are
Sunlight on a broken column

There, is a tree swinging
And voices are
In the wind's singing
More distant and more solemn
Than a fading star.

Let me be no nearer
In death's dream kingdom
Let me also wear
Such deliberate disguises
Rat's coat, crowskin, crossed staves
In a field
Behaving as the wind behaves
No nearer —

Not that final meeting
In the twilight kingdom

(*iii*)

This is the dead land
This is cactus land
Here the stone images
Are raised, here they receive
The supplication of a dead man's hand
Under the twinkle of a fading star.

Is it like this
In death's other kingdom
Waking alone
At the hour when we are
Trembling with tenderness
Lips that would kiss
Form prayers to broken stone.

THOMAS STEARNS ELIOT

(*iv*)

The eyes are not here
There are no eyes here
In this valley of dying stars
In this hollow valley
This broken jaw of our lost kingdoms

In this last of meeting places
We grope together
And avoid speech
Gathered on this beach of the tumid river

Sightless, unless
The eyes reappear
As the perpetual star
Multifoliate rose
Of death's twilight kingdom
The hope only
Of empty men.

(*v*)

Here we go round the prickly pear
Prickly pear prickly pear
Here we go round the prickly pear
At five o'clock in the morning.

Between the idea
And the reality
Between the motion
And the act
Falls the Shadow

For Thine is the Kingdom

Between the conception
And the creation
Between the emotion
And the response
Falls the Shadow
Life is very long

Between the desire
And the spasm
Between the potency
And the existence
Between the essence
And the descent
Falls the Shadow
For Thine is the Kingdom

For Thine is
Life is
For Thine is the

This is the way the world ends
This is the way the world ends
This is the way the world ends
Not with a bang but a whimper.

258 *Journey of the Magi*

A COLD coming we had of it,
Just the worst time of the year
For a journey, and such a long journey:
The ways deep and the weather sharp,
The very dead of winter.'
And the camels galled, sore-footed, refractory,
Lying down in the melting snow.

There were times we regretted
The summer palaces on slopes, the terraces,
And the silken girls bringing sherbet.
Then the camel men cursing and grumbling
And running away, and wanting their liquor and women,
And the night-fires going out, and the lack of shelters,
And the cities hostile and the towns unfriendly
And the villages dirty and charging high prices:
A hard time we had of it.
At the end we preferred to travel all night,
Sleeping in snatches,
With the voices singing in our ears, saying
That this was all folly.
Then at dawn we came down to a temperate valley,
Wet, below the snow line, smelling of vegetation;
With a running stream and a water-mill beating the darkness,
And three trees on the low sky,
And an old white horse galloped away in the meadow.

Then we came to a tavern with vine-leaves over the lintel,
Six hands at an open door dicing for pieces of silver,
And feet kicking the empty wine-skins.
But there was no information, and so we continued
And arrived at evening, not a moment too soon
Finding the place; it was (you may say) satisfactory.

All this was a long time ago, I remember,
And I would do it again, but set down
This set down
This: were we led all that way for
Birth or Death? There was a Birth, certainly,
We had evidence and no doubt. I had seen birth and death,

But had thought they were different; this Birth was
Hard and bitter agony for us, like Death, our death.
We returned to our places, these Kingdoms,
But no longer at ease here, in the old dispensation,
With an alien people clutching their gods.
I should be glad of another death.

259 *From 'The Rock'*

THE Eagle soars in the summit of Heaven,
The Hunter with his dogs pursues his circuit.
O perpetual revolution of configured stars,
O perpetual recurrence of determined seasons,
O world of spring and autumn, birth and dying!
The endless cycle of idea and action,
Endless invention, endless experiment,
Brings knowledge of motion, but not of stillness;
Knowledge of speech, but not of silence;
Knowledge of words, and ignorance of the Word.
All our knowledge brings us nearer to our ignorance,
All our ignorance brings us nearer to death,
But nearness to death no nearer to God.
Where is the Life we have lost in living?
Where is the wisdom we have lost in knowledge?
Where is the knowledge we have lost in information?
The cycles of Heaven in twenty centuries
Bring us farther from God and nearer to the Dust.

JULIAN GRENFELL

1888–1915

260

Into Battle

THE naked earth is warm with spring,
And with green grass and bursting trees
Leans to the sun's gaze glorying,
And quivers in the sunny breeze;
And life is colour and warmth and light,
And a striving evermore for these;
And he is dead who will not fight;
And who dies fighting has increase.

The fighting man shall from the sun
Take warmth, and life from the glowing earth;
Speed with the light-foot winds to run,
And with the trees to newer birth;
And find, when fighting shall be done,
Great rest, and fullness after dearth.

All the bright company of Heaven
Hold him in their high comradeship,
The Dog-Star, and the Sisters Seven,
Orion's Belt and sworded hip.

The woodland trees that stand together,
They stand to him each one a friend;
They gently speak in the windy weather;
They guide to valley and ridge's end.

The kestrel hovering by day,
And the little owls that call by night,
Bid him be swift and keen as they,
As keen of ear, as swift of sight.

The blackbird sings to him, ' Brother, brother,
    If this be the last song you shall sing,
Sing well, for you may not sing another;
    Brother, sing.'

In dreary, doubtful, waiting hours,
    Before the brazen frenzy starts,
The horses show him nobler powers;
    O patient eyes, courageous hearts!

And when the burning moment breaks,
    And all things else are out of mind,
And only joy of battle takes
    Him by the throat, and makes him blind,

Through joy and blindness he shall know,
    Not caring much to know, that still
Nor lead nor steel shall reach him, so
    That it be not the Destined Will.

The thundering line of battle stands,
    And in the air death moans and sings;
But Day shall clasp him with strong hands,
    And Night shall fold him in soft wings.

WALTER JAMES TURNER

1889–

261 *Epithalamium*

CAN the lover share his soul,
    Or the mistress show her mind;
Can the body beauty share,
    Or lust satisfaction find?

Marriage is but keeping house,
  Sharing food and company,
What has this to do with love
  Or the body's beauty?

If love means affection, I
  Love old trees, hats, coats and things,
Anything that 's been with me
  In my daily sufferings.

That is how one loves a wife —
  There 's a human interest too,
And a pity for the days
  We so soon live through.

What has this to do with love,
  The anguish and the sharp despair,
The madness roving in the blood
  Because a girl or hill is fair?

I have stared upon a dawn
  And trembled like a man in love,
A man in love I was, and I
  Could not speak and could not move.

262

Romance

WHEN I was but thirteen or so
  I went into a golden land,
Chimborazo, Cotopaxi
  Took me by the hand.

My father died, my brother too,
  They passed like fleeting dreams.
I stood where Popocatapetl
  In the sunlight gleams.

I dimly heard the Master's voice
  And boys far-off at play,
Chimborazo, Cotopaxi
  Had stolen me away.

I walked in a great golden dream
  To and fro from school —
Shining Popocatapetl
  The dusty streets did rule.

I walked home with a gold dark boy
  And never a word I'd say,
Chimborazo, Cotopaxi
  Had taken my speech away:

I gazed entranced upon his face
  Fairer than any flower —
O shining Popocatapetl
  It was thy magic hour:

The houses, people, traffic seemed
  Thin fading dreams by day,
Chimborazo, Cotopaxi
  They had stolen my soul away!

263 *A Love-song*

THE beautiful, delicate bright gazelle
  That bounds upon Night's hills
Has not more lovely, silken limbs
  Than she who my heart fills.

But though this loveliness I lose
  When I shall lie with her,
I do but pass that Image on
  For new eyes to discover.

264 *The Dancer*

THE young girl dancing lifts her face
Passive among the drooping flowers;
The jazz band clatters sticks and bones
In a bright rhythm through the hours.

The men in black conduct her round;
With small sensations they are blind:
Thus Saturn's Moons revolve embraced
And through the cosmos wind.

But Saturn has not that strange look
Unhappy, still, and far away,
As though upon the face of Night
Lay the bright wreck of day.

265 *In Time like Glass*

IN Time like glass the stars are set,
And seeming-fluttering butterflies
Are fixèd fast in Time's glass net
With mountains and with maids' bright eyes.

Above the cold Cordilleras hung
The wingèd eagle and the Moon:
The gold, snow-throated orchid sprung
From gloom where peers the dark baboon:

The Himalayas' white, rapt brows;
The jewel-eyed bear that threads their caves;
The lush plains' lowing herds of cows;
That Shadow entering human graves:

All these like stars in Time are set,
They vanish but can never pass;
The Sun that with them fades is yet
Fast-fixed as they in Time like glass.

266 *The Navigators*

I SAW the bodies of earth's men
Like wharves thrust in the stream of time
Whereon cramped navigators climb
And free themselves in the warm sun:

With outflung arms and shouts of joy
Those spirits tramped their human planks;
Then pressing close, reforming ranks,
They pushed off in the stream again:

Cold darkly rotting lay the wharves,
Decaying in the stream of time;
Slow winding silver tracks of slime
Showed bright where came back none.

267 *Men fade like Rocks*

ROCK-LIKE the souls of men
Fade, fade in time.
Falls on worn surfaces,
Slow chime on chime,

Sense, like a murmuring dew,
Soft sculpturing rain,
Or the wind that blows hollowing
In every lane.

Smooth as the stones that lie
 Dimmed, water-worn,
Worn of the night and day,
 In sense forlorn,

Rock-like the souls of men
 Fade, fade in time;
Smoother than river-rain
 Falls chime on chime.

268 *Tragic Love*

WHO shall invoke when we are gone
 The glory that we knew,
Can we not carve To-Day in stone,
 In diamond this Dawn's dew?

The song that heart to heart has sung
 Write fadeless on the air;
Expression in eyes briefly hung
 Fix in a planet's stare?

Alas, all beauty flies in *Time*
 And only as it goes
Upon death's wind its fleeting chime
 Into sad memory blows.

Is this but presage of re-birth
 And of another Day
When what within our hearts we said
 We once again shall say?

Oh, no! we never could repeat
 Those numbered looks we gave;
But some pure lustre from their light
 All future worlds shall have.

269 *Reflection*

IS it not strange that men can die
  Before their bodies do,
And women's souls fade from their eyes?
  'Tis strange, but it is so.

Where have they gone and what were they,
  Those gleams of tenderer light
Than falls from mere quick shining limbs
  And eyeballs merely bright?

Undying fires removing far
  Their unseen presence show,
Leaving their brightness on dead moons
  As suns less heavenly do.

270 *From 'The Seven Days of the Sun'*

(i)

I HAD watched the ascension and decline of the Moon
And did not realize that it moved only in my own mind.

Or that its distance of 240,000 miles
Could also be .240,000 of an inch.

But now I know that the solar system and the constellations
  of stars
Are contained within me.
Nothing exists outside me. . . .

Death and Birth —
Strange and beautiful Appearances —
Like the Cypress and the Lily
Beside the amaranthine sea,

Where the dark Orange Tree
With its gold suns
Hangs like a solar universe!

Myriads of fading faces

The flowering of the same meadow!

(ii)

That is the last time
I shall call upon that Ancient Mariner,
The God of my youth.

Seated among the stars
I saw Him,
With his hand on the tiller.

Is he not a Graven Image,
A Stone Figure?

Are not the stars
Frozen on his garment?

Is not the Universe
The fixed Expression of his Face?

Henceforth I do not pretend
To know God.

(iii)

If God kept a terrarium
Our world religions
Would be child's guides to the Zoo.

Our scientific textbooks
Catalogues for collectors —
' Many plates missing '!

But in what guide or textbook
Shall *That* which looks out from the eye of the leopard be
found?

If God were a Baptist
He would keep an aquarium.

(*iv*)

What is the meaning of this Ideal
That haunts my intelligence
And charms my senses?

I cannot create her.
Did Rosalind, Cleopatra and Miranda
Satisfy Shakespeare?

Or the Dark Lady of the Sonnets?

Where did *she* come from?

Since they were all emanations of his own mind,
Forms of his creative imagination,
Why did she affect him as flesh and blood?

Yet no doubt he was aware of the flesh of Rosalind:
It was cooler and more white.
And Cleopatra!
He was aware of her warm blood.

Yet ' The Dark Lady ' was a different sensation
She was what is called ' real.'

I have met ' The Dark Lady '
And I assure you she is no more real than Rosalind.

But we get intangled in a confusion of sensations.
When past present and future are mixed in a certain way
The intelligence is bewildered;
And being unanalysed the effect is given a meaningless
name —
Reality.

Reality is bewilderment. . . .

Only in a state of ' complete confusion ' can I beget a
daughter.
Not from Rosalind, Cleopatra and Miranda
But from ' The Dark Lady.'

Evidently there is a difference in these phantoms!

But a daughter is merely the continuation of my bewilderment,
Another ' Dark Lady.'

Are there different kinds of ' complete confusion '?
Is every ' Dark Lady ' the same?

Let me tell of The Dark Lady
With whom I lay down in a corner of my brain!

(*v*)

Dian, Isis, Artemis, whate'er thy name
Thou ghost, thou principle, can thy white stags
Move and beget themselves, eclipse a tree?
Are they not white, the Moon's transparent rags,
Mere insubstantial light! But O how bright,
How milk-opaque, how concrete to the sight —
Chaste negatives, washwhites of chastity!

(*vi*)

Spirits walking everywhere,
Thrown up like fountains
Then sinking into the ground,
Walking among the trees
That seem fast
So slowly do they well up
And sink down.

But to me the landscape is like a sea
the waves of the hills
and the bubbles of bush and flower
and the springtide breaking into white foam!

It is a slow sea,
Mare tranquillum,
And a thousand years of wind
Cannot raise a dwarf billow to the moonlight.

But the bosom of the landscape lifts and falls
With its own leaden tide,
That tide whose sparkles are the lilliputian stars.

It is that slow sea
That sea of adamantine languor,
Sleep!

(*vii*)

I have seen mannequins,
As white and gold as lilies,
Swaying their tall bodies across the burnished floor
Of *Reville* or *Paquin*;
Writhing in colour and line,
Curved tropical flowers
As bright as thunderbolts.

Or hooded in dark furs
The sun's pale splash
In English autumn woods.

And I have watched these soft explosions of life
As astronomers watch the combustion of stars.

The violence of supernatural power
Upon their faces,
White orbits
Of incalculable forces.

And I have had no desire for their bodies
But have felt the whiteness of a lily
Upon my palate;
And the solidity of their slender curves
Like a beautiful mathematical proposition
In my brain.

But in the expression of their faces
Terror.

Cruelty in the eyes, nostrils and lips —

Pain
thou passion-flower, thou wreath, thou orbit,
thou spiritual rotation,
thou smile upon a pedestal
Peony of the garden of paradise!

(*viii*)

What is this tempest
This rumbling of drums!
These yellow stripes of the tiger
Through the dark green leaves!

It is only the Sun
Walking along the river bank.

Can you not hear the *pad pad* of the sunbeams
Through the trees?

And the noiseless hurry of the water?

You would not think they were chained —
Vibrating in the stillness of adamant!

(ix)

Beneath a thundery glaze
The raindrops fall.

What is this new oppression of my heart?

Have I not looked upon this scene before!
These leafy dromedaries
Dark green,
Painted upon that wall
Of livid sky
Where vacancy's bright silent spiders crawl!

The hills' pure outlined contours on that light
Empty my soul.
I watch those spidery lines
Bright violet.

And there 's a poisonous cloud as dark as jet
Pouring from heaven.

271 *The Word made Flesh?*

HOW often does a man need to see a woman?
Once!
Once is enough, but a second time will confirm if it be she,
She who will be a fountain of everlasting mystery,
Whose glance escaping hither and thither
Returns to him who troubles her.

This happens rarely when a man is young;
For the lusts of the young are full of universal gladness
They have no sadness of disillusioning error
But only earth's madness of thunder
And its fading bright crackle of lightning.

But when a man is old, married, and in despair
Has slept with the bodies of many women,
And many women have attempted him vainly;

Then if he meet a woman whose loveliness
Is young and yet troubled with power;
Of the earth and yet not of the earth, homeless
He will find her chained by distance.

No light travelling through space-time immeasurable
Can leap so great a distance as their eyes;
Naked together their spirits commingling
Stir the seed in their genitals —
Like a babe never to be born that leaps up crying.

The children of the flesh are sweet and fair
But sweeter and fairer
Are the children of no flesh but of the spirit,
They are like an ever-living fever

Of the perishable blood
Driving the dark brood of men and women
Who because of these phantoms cannot come to rest in one
another.

For the blood of a man when he is old,
Old and full of power,
Is no longer like the blood of a young man, inflammable,
It is like a serpent and an eagle,
A bull violent and immovable,
And a burning that is without flame or substance.

Terrible is the agony of an old man
The agony of incommunicable power
Holding his potency like a rocket that is full of stars
But his countenance is like a sky;

Or the tranquil countenance of the moon,
The stars like jewels set in everlasting adamant
Transparent as diamond:
Drought, calm, serene, eternal!

His hairs crisp, like a Gorgon,
They are the serpents of the spirit
Curled like the hairs of a chaste body
Emblem of a God who is not creative
Who never from an Adam of dust
Took that white bone, woman.

This the everlasting youth of an old man
For whom there is no illusion.

This it is to be excluded from the bliss
Of the men and women that He made in His image;
But his are the children of the spirit,

Sweeter and fairer are they than the children of the flesh
But they are born solitary
And agony is their making-kiss.

272 *Hymn to her Unknown*

IN despair at not being able to rival the creations of God
I thought on her
Whom I saw on the twenty-fourth of August nineteen
thirty-four
Having tea on the fifth story of Swan and Edgar's
In Piccadilly Circus.

She sat facing me with an older woman and a younger
And a little boy aged about five;
I could see that she was his mother,
Also she wore a wedding-ring and one set with diamonds.

She was about twenty-five years old,
Slim, graceful, disciplined;
She had none of the mannerisms of the suburbs,
No affectations, a low clear speech, good manners,
Hair thick and undyed.

She knew that she was beautiful and exceedingly attractive,
Every line of her dress showed it;
She was cool and determined and laughed heartily,
A wide mouth with magnificent teeth.

And having said this I come to the beginning of my despair,
Despair that I in no way can describe her
Or bring before the eyes of the present or the future
This image that I saw.

Hundreds and hundreds of women do I see
But rarely a woman on whom my eyes linger
As the eyes of Venus lingered on Adonis.

What is the use of being a poet?
Is it not a farce to call an artist a creator,
Who can create nothing, not even re-present what his eyes
have seen?

She never showed a sign that she saw me
But I knew and she knew that I knew —
Our eyes fleeting past, never meeting directly
Like that vernal twinkling of butterflies
To which Coleridge compared Shakespeare's *Venus and Adonis.*

And, like Venus, I lavished my love upon her
I dallied with her hair, her delicate skin and smooth limbs,
On her arms were heavy thick bangles
Like the ropes of my heart's blood.

Could I express the ecstasy of my adoration?
Mating with her were itself a separation!
Only our bodies fusing in a flame of crystal
Burning in an infinite empyrean
Until all the blue of the limitless heaven were drunken
In one globe of united perfection
Like a bubble that is all the oceans of the world ascending
To the fire that is the fire of fires, transcending
The love of God, the love of God, the love of God —
Ah! my pitiful efforts now ending
I remember a bough of coral
Flower of the transparent sea

Delicate pink as though a ray of the sun descending
Pathless into the ocean
Printed the foot of Venus
Where bloomed this asphodel.

DOROTHY WELLESLEY

1889–

273 *Fire*

('*Does not our life consist of the four elements?*'
— SHAKESPEARE.)

THE great stone hearth has gone.
An oblong electric tube is set in the wall
Like a cheap jewel.
Men converge no more to the fire,
Men are one with the isolation:
The pride of science stands, and the final desolation.

No smoke, no danger, you tell me with veneration:
Much dies with the fire, young man,
More than one generation:
Man has known fire more than one generation.

Modern man! the mystical
Core of life, and the carnal
Are one with that you have slain,
One with the fire, Cain!
Truth, Passion, Pain,
And regeneration eternal.

Life ends where life began:
Adam delved and Eve span.

Age-ago beside the hearth,
Son of man, you lay at birth:
When a cave-man carved a horn,
By the cave fire you were born.

The Ionian conceives,
His fraternity declare
(Living with Shelley, plants and leaves,
Their thoughts flowers of the atmosphere)
Life is Water, Fire, and Air.

Empedocles he added Earth
To the elements.

Life ends where life began,
At the death or birth.
'Is it son or daughter, man?'
'Earth, Air, Fire and Water!'

Man, the earth shall grow the bread:
In the dead behold the quick.
In the quick behold the dead.

Thales counted Water,
Aristotle tells,
In the elements.
Thales saw in wells and brine
Some intelligence divine.

Water then for purge of blood,
Man's first purge of flesh is so.
(Put the pan upon the hob

Put the tub beside the fire,
Bathe him so!)
Belly-ache and sweat of blood
Whether we will or no.

Anaxágoras added Air
To the elements.

But where is here the envoy
Of the infinite Air?

(All Man's soul the Air conceives,
All was Air till God began
To mould the gladsome god, the Pan
Who lives among the leaves.)

The Infinite fails you at your birth,
Sorely fails you, man, on earth.
He will fail in direst love,
He'll betray with curse and scorn,
Fame and Substance, Style and Place:
The Infinite fails when you are born.

Fire will never fail you, Man,
Whether you fever or tire.
Adam butchered, but Eve span
For the new life by the fire.

Heraclitus added Fire
To the elements.

Man, at leaping of the wood-ash,
Shaken with desire
Take her, slim with silver flanks:
Heraclitus added Fire.

Woman, you will muse by wood-ash
When your young man sleeps beside:
Mother now of all creation,
Guardian, you, of reincarnation,
Who so lately was a bride.

Woman, by the whitening wood-ash
Is it girl or son?
Have you wedded flesh to spirit?
Carnal in the incarnate
In this new soul begun?

For the Greek he added
Half ethereal Fire.

Butcher, baker, candlestick-maker,
Blood, and bread, and taper,
Meat, and wheat, and light,
Along with Jones the draper
The wife finds these in the little shops
On the right of the undertaker.

Empedocles he added Earth
To the elements.

Heat the meat then, bake the bread,
Woman, as you desire.
Fire 's the fellow for board and bed,
But light the candles at your prayers
For him you lech with, or will wed:
Heraclitus added Fire.

Make the fire up, he is cold.
Dawns are cold in spring.
Easter comes, but he is old
At February-fill-dyke when the water
Is blossoming everything,
Here by fireside sits grand-daughter
Sewing for the coming child.

'Was it son or daughter, Midwife?'
In the roof the rents
Let the years in with the doctor,
And another shouldering past,
Death the tall one come at last!
Entering with men's memories,
Entering with the elements,
With the wind and water,
With the sorrow and snow.
'Woman, was it son or daughter
Eighty years ago?'

Fire was once his crony:
Now his flame 's at fag-end,
Now his fire 's at goal.
Women, sheet him so!
Set the tapers spick-and-spanly,
Candles burn erect and manly
For that whimpering brat the soul!

Doctor, Undertaker, Death,
Mother, Gamp and Sire:
What 's a man at moment's birth?
What 's a man at moment's death?
'Earth, Air, Water, Fire!'

Fire was fierce, dead man, in love,
And in the dread conception.
Fire was truth through passion known
By sweat of blood, by rebel bone;
Fire, sear the last deception!

Send him forth into the night
Alone and unattended.
Send him out alone to Fire,
His rude dignity of man
Untended and unfriended.

Run with torches, blaze the pyre,
Far from town and street:
Burn his body on the shore
Where Earth, Air and Water meet,
As all poets know,
As all dead men know.

Death 's the first and everlasting,
Life the lean time and the fasting,
Birth the end and everlasting,
Whether we will or no.

274

Horses

(*Newmarket or St. Leger*)

WHO, in the garden-pony carrying skeps
Of grass or fallen leaves, his knees gone slack,
Round belly, hollow back,
Sees the Mongolian Tarpan of the Steppes?
Or, in the Shire with plaits and feathered feet,
The war-horse like the wind the Tartar knew?
Or, in the Suffolk Punch, spells out anew
The wild grey asses fleet

With stripe from head to tail, and moderate ears?
In cross sea-donkeys, sheltering as storm gathers,
The mountain zebras maned upon the withers,
With round enormous ears?

And who in thoroughbreds in stable garb
Of blazoned rug, ranged orderly, will mark
The wistful eyelashes so long and dark,
And call to mind the old blood of the Barb?
And that slim island on whose bare campaigns
Galloped with flying manes,
For a king's pleasure, churning surf and scud,
A white Arabian stud?

That stallion, teaser to Hobgoblin, free
And foaled upon a plain of Barbary:
Godolphin Barb, who dragged a cart for hire
In Paris, but became a famous sire,
Covering all lovely mares; and she who threw
Rataplan to the Baron, loveliest shrew;
King Charles's royal mares; the Dodsworth Dam;
And the descendants: Yellow Turk, King Tom;
And Lath out of Roxana, famous foal;
Careless; Eclipse, unbeaten in the race,
With white blaze on his face;
Prunella who was dam to Parasol.

Blood Arab, pony, pedigree, no name,
All horses are the same:
The Shetland stallion stunted by the damp,
Yet filled with self-importance, stout and small;
The Cleveland slow and tall;
New Forests that may ramp

Their lives out, being branded, breeding free
When bluebells turn the Forest to a sea,
When mares with foal at foot flee down the glades,
Sheltering in bramble coverts
From mobs of corn-fed lovers;
Or, at the acorn harvest, in stockades
A round-up being afoot, will stand at bay,
Or, making for the heather clearings, splay
Wide-spread towards the bogs by gorse and whin,
Roped as they flounder in
By foresters.

But hunters as day fails
Will take the short-cut home across the fields;
With slackened rein will stoop through darkening wealds;
With creaking leathers skirt the swedes and kales;
Patient, adventuring still,
A horse's ears bob on the distant hill;
He starts to hear
A pheasant chuck or whirr, having the fear
In him of ages filled with war and raid,
Night gallop, ambuscade;
Remembering adventures of his kin
With giant winged worms that coiled round mountain bases,
And Nordic tales of young gods riding races
Up courses of the rainbow; here, within
The depth of Hampshire hedges, does he dream
How Athens woke, to hear above her roofs
The welkin flash and thunder to the hoofs
Of Dawn's tremendous team?

275 *Asian Desert*

HERE the hills are earth's bones,
Jutting up out of her,
Here she died long since,
Here fell to decay,
Demolished by storm and rain,
Her skeleton hardened to stones
That grow not the flesh again.

There is her spine, dark, rack-a-bones,
Iron-stone ranges her limbs
Zigzagging the sky,
Cleansed and eased is her sex,
Pure, bitter, and rank
The hollow, the dearth of her flank,
Here lies the mother of men.

Here she gave birth, brought forth,
Stretched awry in an acid dawn,
Came here, crowding, trampling, hating,
Came forth her spawn.

Her spawn have abandoned her.
Here is left nothing,
Nothing but bone.

I am in love with her.
No appurtenances are hers;
No trappings are hers, only stone,
Fossil stone she has grown;
No flesh tint is here. The winds blow
Always from Asia, retrieved her flesh
Of ecstasy, long ago.

Here is she old, old.
Here is her structure, her core;
Here the slate, and the surface scree is washed down
Into platforms of shale;
Here she died with her heart bled brown:
No blood coursed from her more.

Here she has no heart,
Lies not as the earth in the other lands
With her limbs apart.

Here strongly the sap is outwrung,
Here the memory divine
Of an old woman is mine,
So old she was never young.

Ah, but see, is she not beautiful?
Hank of stone, wrinkle of rock,
Pared, seared, stark with age?
Is she not tenderer far than when she allures
Man on his pilgrimage?

276

Fishing

I WILL go with the first air of morning
To the land of Palestine.

Once, far from oasis,
Where dates grow costly and fine,
Men gathered the shining shoals,
That rippled up the road to the moon,
The road of the moonshine.

Lovely the mercury, the flutter of the sea,
And the squares of the quicksilver nets,
And the drops of the sea divine,

As the fishes took the road to death;
Little waifs, little souls,
Lovely in their living and dying ever,
For luminous are their fins as feathers in the sun,
Sunny their scales as the sheen of the jay,
— When, silly tomboy, in sunshine he screams —
For inwardly lit are they;
Inwardly lit of their own light it seems,
Knowing a clarity ungiven to the day,
As on the branching reefs undersea they alight and sway
To the swell like swarming starlings in a windy tree.
Yet intimate with shadows that in air cannot be,
Dark are they, brooding, knowing, yet gay,
Shaft of sunlight theirs, deeps the lark never knows,
No, nor even the nightingale crucified
On the spine of the rose!

Beautiful their world, having no purpose, being for ever unseen.
None know that beauty for beauty's sake made,
Alone, content in the depth for ever it dwells;
Unstable as beech-leaves in May that eternal green,
The shifting, tremulous purple and brown of the rock-shade,
The frail light on the shallows,
And the young travelling shells
Like angels gently moving their wings
Over the dappled wells,
Rising and dipping as they swim in the sunlight;
And the waving, wooing anemones like hedgerow mallows,
And the Horned Iridescent whose life and death is a sleep.

Let me learn the wonder
Of those then who dwelt in the deep,

When Jesus went fishing.
When they by Jesus were lifted from the sea;
From the fast-flowing moonlight with His hands hauled He,
Singing a sailor's tune;
A tune men forgot, having short memory,
Or tired of knowing too well all the handcraft songs:
Potter's plaint or huckster's croon.

But a lilt that He knew
When making cork floats at Madonna's knee,
And singing now where sagged the barque side,
Tumbling black oval in the spate of the moon;
With Matthew, Mark, Luke, and the little John behind
Him,
While gaped the rest of the crew;
While broke in hissing bubbles the eternal road of fire,
So the eyes were dazzled looking overside,
From His fingers fled the phosphorus away,
To the road no man may pursue.

For up that road went the feet of the Messiah,
Out of the horizon walked He,
Slim between the fishing smacks glancing not aside,
Gentle in His going, borne slightly on the tide,
Preaching gravely as He went to the groups of gaping fishes,
In the waters of Galilee.

277 *From 'Lenin'*

SO I came down the steps to Lenin.
With a herd of peasants before
And behind me, I saw
A room stained scarlet, and there
A small wax man in a small glass case.

Two sentinels at his feet, and one at his head,
Two little hands on his breast:
Pious spinster asleep; and I said
'Many warrants these delicate hands have signed.'
A lamp shone, red,
An aureole over him, on his red hair;
His uniform clothed him still.

Greedy of detail I saw,
In those two minutes allowed,
The man was not wax, as they said,
But a corpse, for a thumb nail was black,
The thing was Lenin.

Then a woman beside me cried
With a strange voice, foreign, loud.
And I, who fear not life nor death, and those who have died
Only a little, was inwardly shaken with fear,
For I stood in the presence of God;
The voice I heard was the voice of all generations
Acclaiming new faiths, horrible, beautiful faiths;
I knew that the woman wailed as women wailed long ago
For Christ in the sepulchre laid.
Christ was a wax man too,
When they carried Him down to the grave.

278 *From 'Matrix'*

THE spiritual, the carnal, are one.
For when love is greatly found,
It outcries, as men cry
When in pain to be laid on the ground;
As men in pain moan for the grave;
Hear: how in love the lips moan,

For Man must pursue
Love the lamp back to darkness again;
Is not this death too?

* * * *

Earth, back to the earth.

Out of her beauty at birth,
Out of her I came
To lose all that I knew:
Though somehow at birth I died,
One night she will teach me anew:
Peace? The same,
As a woman's, a mother's
Breast undenied, to console
The small bones built in the womb,
The womb that loathed the bones,
And cast out the soul.

279 *The Buried Child*

(*Epilogue to 'Deserted House'*)

HE is not dead nor liveth
The little child in the grave,
And men have known for ever
That he walketh again;
They hear him November evenings,
When acorns fall with the rain.

Deep in the hearts of men
Within his tomb he lieth,
And when the heart is desolate
He desolate sigheth.

Teach me then the heart of the dead child,
Who, holding a tulip, goeth
Up the stairs in his little grave-shift,
Sitting down in his little chair
By his biscuit and orange,
In the nursery he knoweth.

Teach me all that the child who knew life
And the quiet of death,
To the croon of the cradle-song
By his brother's crib
In the deeps of the nursery dusk
To his mother saith.

280 *The Morning after*

BARABBAS, Judas Iscariot,
The night after He died,
The night after He cried
'They know not what they do,'
What did you do?
You two.

Chaste, and sober from prison,
You went to a tavern, Barabbas,
You drank the night through,
You shared thirty pieces of silver,
Judas Iscariot and you.

Barabbas disorderly,
Bawdy Barabbas,
Drank, stole, and swore;
Next day was back in the prison!
By word of a whore.

Judas Iscariot, sun half arisen,
Went out in the gloom.
Beautiful Judas Tree,
April in bloom.

HUGH M'DIARMID

1892–

281 *Parley of Beasts*

AULD Noah was at hame wi' them a',
The lion and the lamb,
Pair by pair they entered the Ark
And he took them as they cam'.

If twa a' ilka beist there is
Into this room s'ud come,
Wad I could welcome them like him,
And no' stand gowpin' dumb!

Be chief wi' them and they wi' me
And a' wi' ane anither
As Noah and his couples were
There in the Ark thegither.

It 's fain I'd mell wi' tiger and tit,
Wi' elephant and eel,
But noo-a'days e'en wi' ain's sel
At hame it 's hard to feel.

282 *O Wha 's been here afore me, Lass*

O WHA 'S been here afore me, lass,
And hoo did he get in?
— A man that deed or I was born
This evil thing has din.

And left as it were on a corpse
Your maidenheid to me?
— *Nae lass, gudeman, sin' Time began*
'S hed ony mair to gi'e.

But I can gi'e ye kindness, lad,
And a pair o' willin' hands,
And you sall ha'e my briests like stars,
My limbs like willow wands;

And on my lips ye'll heed nae mair,
And in my hair forget,
The seed o' a' the men that in
My virgin womb ha'e met.

283 *Cattle Show*

I SHALL go among red faces and virile voices,
See stylish sheep, with fine heads and well-wooled,
And great bulls mellow to the touch,
Brood mares of marvellous approach, and geldings
With sharp and flinty bones and silken hair.

And through th' enclosure draped in red and gold
I shall pass on to spheres more vivid yet
Where countesses' coque feathers gleam and glow
And, swathed in silks, the painted ladies are
Whose laughter plays like summer lightning there.

284 *The Skeleton of the Future*

(*At Lenin's Tomb*)

RED granite and black diorite, with the blue
Of the labradorite crystals gleaming like precious stones
In the light reflected from the snow; and behind them
The eternal lightning of Lenin's bones.

1892–

285 *English Girl*

I THAT lived ever about you
Never touched you, Lilian;
You came from far away
And devils with twitching faces
Had all their will of you
For gold.
But I saw your little feet in your bedroom,
Your little heathen shoes I kept so bright.
For they regarded not your feet, Lilian,
But I regarded.
Your little heathen stockings were mine to carry
And to set out and to wash.
They regarded not your feet,
But I that lived ever about you
Never touched you, Lilian.
Their faces twitch more this frosty morning;
They have put you in a heathen box
And hidden your feet and carried you out in the frosty morning.
They have passed with you over the foggy brook
And look like big blue men in the mist on the other side.
Now only the mist and the water remain.
They never regarded your feet,
But I regarded, Lilian.
Their faces ever twitched,
But for the seven years since I saw you
My face did not change.
They never regarded your warm feet,
But I regarded.

(*From the Chinese, 19th century.*)

VIVIAN DE SOLA PINTO

1895–

286 *At Piccadilly Circus*

I WANDER through a crowd of women,
Whose hair and teeth are false,
Whose lips and cheeks have artificial colours,
Whose dress is artificial silk and velvet,
Whose talk is mainly lies.

And I remember
How once I dreamed of Truth:
It was a fair green tree,
Growing in an open grassy place
Beside cool flowing water . . .

They have cut down the tree.
Its sap is dried up long ago.
Perhaps some fragment of it still remains
Embedded in an ugly garish building.

But most of it is turn'd to poisonous dust,
Blown through the stifling streets of slums.

VICTORIA SACKVILLE-WEST

1892–

287 *The Greater Cats*

THE greater cats with golden eyes
Stare out between the bars.
Deserts are there, and different skies,
And night with different stars.
They prowl the aromatic hill,
And mate as fiercely as they kill,

And hold the freedom of their will
To roam, to live, to drink their fill;
But this beyond their wit know I:
Man loves a little, and for long shall die.

Their kind across the desert range
Where tulips spring from stones,
Not knowing they will suffer change
Or vultures pick their bones.
Their strength 's eternal in their sight,
They rule the terror of the night,
They overtake the deer in flight,
And in their arrogance they smite;
But I am sage, if they are strong:
Man's love is transient as his death is long.

Yet oh what powers to deceive!
My wit is turned to faith,
And at this moment I believe
In love, and scout at death.
I came from nowhere, and shall be
Strong, steadfast, swift, eternally:
I am a lion, a stone, a tree,
And as the Polar star in me
Is fixed my constant heart on thee.
Ah, may I stay forever blind
With lions, tigers, leopards, and their kind.

288 *On the Lake*

A CANDLE lit in darkness of black waters,
A candle set in the drifting prow of a boat,
And every tree to itself a separate shape,
Now plumy, now an arch; tossed trees

Still and dishevelled; dishevelled with past growth,
Forgotten storms; left tufted, tortured, sky-rent,
Even now in stillness; stillness on the lake,
Black, reflections pooled, black mirror
Pooling a litten candle, taper of fire;
Pooling the sky, double transparency
Of sky in water, double elements,
Lying like lovers, light above, below;
Taking, from one another, light; a gleaming,
A glow reflected, fathoms deep, leagues high,
Two distances meeting at a film of surface
Thin as a membrane, sheet of surface, fine
Smooth steel; two separates, height and depth,
Able to touch, giving to one another
All their profundity, all their accidents,
— Changeable mood of clouds, permanent stars, —
Like thoughts in the mind hanging a long way off,
Revealed between lovers, friends. Peer in the water
Over the boat's edge; seek the sky's night-heart;
Are they near, are they far, those clouds, those stars
Given, reflected, pooled? are they so close
For a hand to clasp, to lift them, feel their shape,
Explore their reality, take a rough possession?
Oh no! too delicate, too shy for handling,
They tilt at a touch, quiver to other shapes,
Dance away, change, are lost, drowned, scared;
Hands break the mirror, speech's crudity
The surmise, the divining;
Such things so deeply held, so lightly held,
Subtile, imponderable, as stars in water
Or thoughts in another's thoughts.
Are they near, are they far, those stars, that knowledge?

Deep? shallow? solid? rare? The boat drifts on,
And the litten candle single in the prow,
The small, immediate candle in the prow,
Burns brighter in the water than any star.

EDWARD SHANKS

1892–

289 *Sleeping Heroes*

OLD Barbarossa
Sleeps not alone
With his beard flowing over
The gray mossy stone.

Arthur is with him
And Charlemain. The three
Wait for awaking,
Wait to be free.

When the raven calls them
They'll rise all together
And gird their three swords on
And look at the weather.

Arthur will swear it is
A very cold morning:
Charlemain says a red sunrise
Is the shepherd's warning.

Barbarossa says nothing
But feels in every bone
A pang of rheumatism
From sleeping on wet stone.

Then from the gray heaven
Comes a mist of faint rain
And the three sleeping heroes
Turn to sleep again.

290 *Drilling in Russell Square*

THE withered leaves that drift in Russell Square
Will turn to mud and dust and moulder there
And we shall moulder in the plains of France
Before these leaves have ceased from their last dance.

The hot sun triumphs through the fading trees,
The fading houses keep away the breeze
And the autumnal warmth strange dreams doth breed
As right and left the faltering columns lead.
Squad, 'shun! Form fours. . . . And once the France we knew
Was a warm distant place with sun shot through,
A happy land of gracious palaces,
And Paris! Paris! Where twice green the trees
Do twice salute the all delightful year!
(Though the sun lives, the trees are dying here.)
And Germany we thought a singing place,
Where in the hamlets dwelt a simple race,
Where th' untaught villager would still compose
Delicious things upon a girl or rose.
Well, I suppose all I shall see of France
Will be most clouded by an Uhlan's lance,
Red fields from cover glimpsed be all I see
Of innocent, singing, peasant Germany.

Form four-rs! Form two deep! We wheel and pair
And still the brown leaves drift in Russell Square.

291

Going in to Dinner

BEAT the knife on the plate and the fork on the can,
For we're going in to dinner, so make all the noise you can,
Up and down the officer wanders, looking blue,
Sing a song to cheer him up, he wants his dinner too.

March into the village-school, make the tables rattle
Like a dozen dam' machine-guns in the bloody battle,
Use your forks for drumsticks, use your plates for drums,
Make a most infernal clatter, here the dinner comes!

292

'High Germany'

NO more the English girls may go
To follow with the drum,
But still they flock together
To see the soldiers come;
For horse and foot are marching by
And the bold artillery:
They're going to the cruel wars
In Low Germany.

They're marching down by lane and town
And they are hot and dry,
But as they marched together
I heard the soldiers cry:
'O all of us, both horse and foot
And the proud artillery,
We're going to the merry wars
In Low Germany.'

RICHARD CHURCH

1893–

293 *On Hearing the First Cuckoo*

OH Menelaus,
Oh my poor friend,
You have heard the news?
I know! I know! They all betray us.
Sooner or later there comes an end
To kindness; and the winds of abuse
Nip the bud, shrivel the bloom.
Then marriage, with the promise of the bed,
Is a disgusting memory of betrayal,
Shame in the heart for words once said
With a bride now clasped to another groom.
Not the flesh, but the mind, Menelaus, is frail.

THOMAS McGREEVY

1893–

294 *Aodh Ruadh O Domhnaill*

To STIEFÁN MACENNA

JUAN de Juni the priest said,
Each J becoming H;

Berruguette, he said,
And the G was aspirate;

Ximenez, he said then
And aspirated first and last.

But he never said
And — it seemed odd — he

Never had heard
The aspirated name
Of the centuries-dead
Bright-haired young man
Whose grave I sought.

All day I passed
In greatly built gloom
From dusty gilt tomb
Marvellously wrought
To tomb
Rubbing
At mouldy inscriptions
With fingers wetted with spit
And asking
Where I might find it
And failing.
Yet when
Unhurried —
    Not as at home
    Where heroes, hanged, are buried
    With non-commissioned officers' bored
        maledictions
    Quickly in the gaol-yard —

They brought
His blackening body
Here
To rest
Princes came
Walking
Behind it

And all Valladolid knew
And out to Simancas all knew
Where they buried Red Hugh.

NOTE

Aodh Ruadh O Domhnaill

Aodh Ruadh O Domhnaill, 'Red' Hugh O'Donnell, Prince of Tirconaill, went to Spain to consult with King Philip III after the defeat of the Irish and Spanish at Kinsale in 1601. He was lodged in the castle of Simancas during the negotiations but, poisoned by a certain James Blake, a Norman-Irish creature of the Queen of England (Elizabeth Tudor), he died there. As a member of the Third Order of Saint Francis, he was buried in the church of San Francisco at Valladolid. This church was destroyed during the nineteenth century and none of the tombs that were in it seem to have been preserved.

295 *Homage to Jack Yeats*

GREYER than the tide below, the tower;
The day is grey above;
About the walls
A curlew flies, calls;
Rain threatens, west;
This hour,
Driving,
I thought how this land, so desolate,
Long, long ago, was rich in living,
More reckless, consciously, in strife,
More conscious daring-delicate
In love.

And then the tower veered
Greyly to me,
Passed . . .
I meditated,

Feared
The thought experience sent,
That the gold years
Of Limerick life
Might be but consecrated
Lie,
Heroic lives
So often merely meant
The brave stupidity of soldiers,
The proud stupidity of soldiers' wives.

ROBERT NICHOLS

1893–1944

296 *To D'Annunzio: Lines from the Sea*

LOUDENS the sea-wind, downward plunge the bows,
Glass-green she takes it, staggers, rolls and checks,
Then sheers, and as she buffets back the blows
There comes a thundering along the decks.

The surf-smoke flies, the tatter'd cloud-wings haste,
And the white sun, sheeted or glaring cold,
Whirrs a harsh sword upon the spumy waste —
Now ancient grey, now weltering dizzy gold.

This is the Adriatic; and I gaze
In vain toward the north horizon's round,
To where behind the threshes' driving haze,
Beyond the glittering wilderness's bound,

There stands that man, target of Europe's eyes,
Who in unholy honour her decree
Defied; whom now the unbending Fates chastise
With their most biting scourge: bare memory.

ROBERT NICHOLS

D'Annunzio, upon the further shore
Of this bleak Adriatic, while the brine
Whitens the tunic which the shrapnel tore,
From which you have ripped your valour's golden sign,

They say you wander, and the shrewd sun's glance
Mocks you with starving warmth, the cruel cold
Hail compasses you with its ironic dance —
You, halt, bald, blind; you, shivering, beaten, old.

Thus do they say; and that you sometimes cast
Hands that entreat towards the thunderous waves,
As if to summon from the gorgeous past,
And those black depths, such galleons and such braves

As throned your Venice, in republican state,
Regent of every sun-filled sea that stirs
Between the Sicilian's rosy sundown gate
And the Cathayan's dawn-dark ridge of firs.

But vainly, quite in vain! the breaker's crest
Shrieks as the wind stoops on the tortured seas
To tear the brown weed from its cloven breast. . . .
And suddenly you fall upon your knees,

When there is broken from your desolate heart
So loud, so bitter, long and lost a cry
That those who watch you secretly apart
For sudden pity do not dare draw nigh.

They pity — but not I! Were pity priced
So low, how spare true misery a tear?
What though you bear the cross of Antichrist,
It is in very truth a cross you bear;

And we, to whom no certain faith is given
With which in desperate act to gauge our worth,
Or, having faith, are granted not of heaven
Fierce hours to bear its crown or cross on earth,

We envy you. Whose is a happier lot
Than his, who of all contraries aware
Dares to believe, and when hell rages hot
Is given an hour for that belief to dare?

He, who in face of contradiction's spite
Has with his doubt so wrought he can aver
That he believes, has to his soul a right;
And he whom not a world's odds can deter

From making trial of belief so won
Has known his soul; but he who best and last
Fights till belief be lost or he undone
Has given the world a soul, and holds his fast.

Therefore, D'Annunzio, gazing on your sea,
I hail you, and I lift to heaven this prayer:
Mine be such faith, mine such a foe as he,
That, when my hour strikes, I, as he, may dare!

The Adriatic, a half-gale
from the NE., January, 1921.

297 From 'Sonnets to Aurelia'

(i)

WHEN the proud World does most my world despise,
  Vaunting what most my human heart must grieve,
Choosing what most I value to disprize,
  Deriding most that which I most believe —
When the proud World, I say, does most offend
  The artless passion of my patient heart,
Till I despair the morrow make amend,
  And before sunset from the sun would part:

Then in my ruin's hour remembrance brings
  Faith to my doubt, to my intention grace,
Reminding me how feebly fall such stings
  On one whose eyes dared once your eyes to face,
  And read in them, what no ill can remove,
  The love that to the lover said, '*I love*'.

298 (ii)

THOUGH to your life apparent stain attach,
  Yet to my eyes more fair shines its hid fame;
Though tongues repeat what deceived eyes may catch,
  Yet to my ears your praise grows, not your blame;
Though of yourself, yourself make ill report,
  The voice that speaks, so speaking, counters you;
Though to your heart, your heart impute false sport,
  Yet by its height I know it calm and true.

I grow love-wise that was but worldly-wise,
  My sight is healed by my own bitter tears,
My truth more proved by these disprovèd lies,
  My faith more firm for these unfounded fears;
  For now I know you never shall deceive
  Till my belief your truth shall misbelieve.

299 (*iii*)

BUT piteous things we are — when I am gone,
   Dissolved in the detritus of the pits,
And you, poor drivelling disregarded crone,
   Bide blinking at memory between drowsy fits,
Within the mouldering ball-room of your brain,
   That once was filled fantastically bright
With dancers eddying to a frantic strain,
   What ghosts will haunt the last hours of the light?

Among the mothlike shadows you will mark
   Two that most irk you, that with gesture human
Yet play out passion heedless of the dark:
   A desperate man and a distracted woman,
   And you mayhap will vaguely puzzle, 'Who
   Is she? and he? why do they what they do? '

300 (*iv*)

COME, let us sigh a requiem over love
   That we ourselves have slain in love's own bed,
Whose hearts that had courage to drink enough
   Lacked courage to forbid the taste they bred,
Which body captained soon, till, in disgust,
   These very hearts of bodily surfeit died,
Poisoned by that sweet overflow of lust
   Whose past delight our substance deified.

No courage, no, nor pleasure have we now,
   To our own frantic bodies are we tossed,
Only sometimes exhaustion will allow
   Us peace to observe the image of love's ghost,
   With torturing voice and with hid face return
   Faintly, as even now, to bid us mourn.

301 *Aurelia*

WHEN within my arms I hold you,
Motionless in long surrender,
Then what love-words can I summon,
Tender as my heart is tender?

When within your arms you hold me,
And kisses speak your love unspoken,
Then my eyes with tears run over,
And my very heart is broken.

302 *From 'The Flower of Flame'*

BEFORE I woke I knew her gone,
  Though nothing nigh had stirred;
Now by the curtain inward blown
  She stood, not seen, but heard,
Where the faint moonlight dimmed or shone . . .
  And neither spoke a word.

One hand against her mouth she pressed,
  But could not stanch its cry;
The other knocked upon her breast
  Impotently . . . while I
Glared rigid, labouring, possessed,
  And dared not ask her why.

303 *The Moon behind high tranquil Leaves*

THE moon behind high tranquil leaves
  Hides her sad head;
The dwindled water tinkles and grieves
In the stream's black bed;
  And where now, where are you sleeping?

The shadowy nightjar, hawking gnats,
Flickers or floats;
High in still air the flurrying bats
Repeat their wee notes;
And where now, where are you sleeping?

Silent lightning flutters in heaven,
Where quiet crowd
By the toil of an upper whirlwind driven
Dark legions of cloud;
In whose arms now are you sleeping?
The cloud makes, lidding the sky's wan hole,
The world a tomb;
Far out at sea long thunders roll
From gloom to dim gloom;
In whose arms now are you sleeping?

Rent clouds, like boughs, in darkness hang
Close overhead;
The foreland's bell-buoy begins to clang
As if for the dead;
Awake they where you are sleeping?
The chasms crack; the heavens revolt;
With tearing sound
Bright bolt volleys on flaring bolt,
Wave and cloud clash; through deep, through vault,
Huge thunders rebound!
But they wake not where you are sleeping.

ROBERT NICHOLS

304 *Don Juan's Address to the Sunset*

EXQUISITE stillness! What serenities
Of earth and air! How bright atop the wall
The stonecrop's fire, and beyond the precipice
How huge, how hushed the primrose evenfall!
How softly, too, the white crane voyages
Yon honeyed height of warmth and silence, whence
He can look down on islet, lake and shore
And crowding woods and voiceless promontories,
Or, further grazing, view the magnificence
Of cloud-like mountains and of mountainous cloud
Or ghostly wrack below the horizon rim
Not even his eye has vantage to explore.
Now, spirit, find out wings and mount to him,
Wheel where he wheels, where he is soaring soar,
Hang where now he hangs in the planisphere —
Evening's first star and golden as a bee
In the sun's hair — for happiness is here!

HERBERT READ

1893–

305 *The End of a War*

'In former days we used to look at life, and sometimes from a distance, at death, and still further removed from us, at eternity. To-day it is from afar that we look at life, death is near us, and perhaps nearer still is eternity.' — JEAN BOUVIER, a French subaltern, February 1916.

ARGUMENT

In the early days of November 1918, *the Allied Forces had for some days been advancing in pursuit of the retreating German Army. The advance was being carried out accord-*

ing to a schedule. Each Division was given a line to which it must attain before nightfall; and this meant that each battalion in a division had to reach a certain point by a certain time. The schedule was in general being well adhered to, but the opposition encountered varied considerably at different points.

On November 10*th, a certain English Battalion had been continuously harassed by machine-gun fire, and late in the afternoon was still far from its objective. Advancing under cover, it reached the edge of a plantation from which stretched a wide open space of cultivated land, with a village in front about* 500 *yards away. The officer in charge of the scouts was sent ahead with a corporal and two men to reconnoitre, and this little party reached the outskirts of the village without observing any signs of occupation. At the entrance of the village, propped against a tree, they found a German officer, wounded severely in the thigh. He was quite conscious and looked up calmly as Lieut. S— approached him. He spoke English, and when questioned, intimated that the village had been evacuated by the Germans two hours ago.*

Thereupon Lieut. S— signalled back to the battalion, who then advanced along the road in marching formation. It was nearly dusk when they reached the small place in front of the church, and there they were halted. Immediately from several points, but chiefly from the tower of the church, a number of machine-guns opened fire on the massed men. A wild cry went up, and the men fled in rage and terror to the shelter of the houses, leaving a hundred of their companions and five officers dead or dying on the pavement. In the houses and the church they routed out the ambushed Germans and mercilessly bayoneted them.

The corporal who had been with Lieut. S— ran to the entrance of the village, to settle with the wounded officer who had betrayed them. The German seemed to be expecting him; his face did not flinch as the bayonet descended.

When the wounded had been attended to, and the dead gathered together, the remaining men retired to the schoolhouse to rest for the night. The officers then went to the château of the village, and there in a gardener's cottage, searching for fuel, the corporal already mentioned found the naked body of a young girl. Both legs were severed, and one severed arm was found in another room. The body itself was covered with bayonet wounds. When the discovery was reported to Lieut. S.—, he went to verify the strange crime, but there was nothing to be done; he was, moreover, sick and tired. He found a bed in another cottage near the château, where some old peasants were still cowering behind a screen. He fell into a deep sleep, and did not wake until the next morning, the 11th of November, 1918.

I. MEDITATION OF THE DYING GERMAN OFFICER

ICH sterbe . . . Life ebbs with an easy flow
and I've no anguish now. This failing light
is the world's light: it dies like a lamp
flickering for want of oil. When the last jump comes
and the axe-head blackness slips through flesh
that welcomes it with open but unquivering lips
then I shall be one with the Unknown
this Nothing which Heinrich made his argument
for God's existence: a concept beyond the mind's reach.
But why embody the Unknown: why give to God

anything but essence, intangible, invisible, inert?
The world is full of solid creatures — these
are the mind's material, these we must mould
into images, idols to worship and obey:
the Father and the Flag, and the wide Empire
of our creative hands. I have seen
the heart of Europe send its beating blood
like a blush over the world's pallid sphere
calling it to one life, one order and one living.
For that dream I've given my life and to the last
fought its listless enemies. Now Chaos intervenes
and I leave not gladly but with harsh disdain
a world too strong in folly for the bliss of dreams.

I fought with gladness. When others cursed the day
this stress was loosed
and men were driven into camps, to follow
with wonder, woe, or base delirium
the voiceless yet incessant surge
then I exulted: but with not more
than a nostril's distension, an eager eye
and fast untiring step.

The first week

I crossed the Fatherland, to take my place
in the swift-winged swoop that all but ended
the assay in one wild and agile venture.
I was blooded then, but the wound
seared in the burning circlet of my spirit
served only to temper courage
with scorn of action's outcome.
Blooded but not beaten I left the ranks
to be a leader. Four years

I have lived in the ecstasy of battle.
The throbbing of guns, growing yearly,
has been drum music to my ears
the crash of shells the thrill of cymbals
bayonets fiddlers' bows and the crack of rifles
plucked harp strings. Now the silence
is unholy. Death has no deeper horror
than diminishing sound — ears that strain
for the melody of action, hear
only the empty silence of retreating life.
Darkness will be kinder.

I die —

But still I hear a distant gunfire, stirring in my ear
like a weary humming nerve. I will cling to that sound
and on its widening wave
lapse into eternity. Heinrich, are you near?
Best friend, but false to my faith.
Would you die doubtfully with so calm a gaze?
Mind above battles, does your heart resign
love of the Fatherland in this hour of woe?
No drum will beat in your dying ears, and your God
will meet you with a cold embrace.
The void is icy: your Abstraction
freezes the blood at death: no calm
bound in such a barren law. The bond between
two human hearts is richer. Love can seal
the anguished ventricles with subtle fire
and make life end in peace, in love
the love we shared in all this strife.
Heinrich, your God has not this power, or he would heal
the world's wounds and create the empire
now left in the defeated hands of men.

At Valenciennes I saw you turn
swiftly into an open church. I followed
stood in the shadow of the aisle
and watched you pray. My impulse then
was to meet you in the porch and test
my smile against your smile, my peace against yours
and from your abashment pluck a wilder hope.
But the impulse died in the act: your face was blank
drained of sorrow as of joy, and I was dumb
before renunciation's subtler calm.
I let you pass, and into the world
went to deny my sight, to seal my lips
against the witness of your humble faith.
For my faith was action: is action now!
In death I triumph with a deed
and prove my faith against your passive ghost.

Faith in self comes first, from self we build
the web of friendship, from friends to confederates
and so to the State. This web has a weft
in the land we live in, a town, a hill
all that the living eyes traverse. There are lights
given by the tongue we speak, the songs we sing,
the music and the magic of our Fatherland.
This is a tangible trust. To make it secure
against the tempests of inferior minds
to build it in our blood, to make our lives
a tribute to its beauty — there is no higher aim.
This good achieved, then to God we turn
for a crown on our perfection: God we create
in the end of action, not in dreams.

God dies in this dying light. The mists receive
my spent spirit: there is no one to hear
my last wish. Already my thoughts
rebound in a tenement whose doors
are shut: strange muscles clench my jaws
these limbs are numb. I cannot lift
a finger to my will. But the mind
rises like a crystal sphere above the rigid wreck
is poised there, perhaps to fall into the void
still dreaming of an Empire of the West.
And so still feels no fear! Mind triumphs over flesh
ordering the body's action in direst danger.
Courage is not born in men, but born of love
love of life and love of giving, love
of this hour of death, which all love seeks.

I die, but death was destined. My life was given
my death ordained when first my hand
held naked weapons in this war. The rest
has been a waiting for this final hour.
In such a glory I could not always live.

My brow falls like a shutter of lead, clashes
on the clenched jaw. The curtain of flesh
is wreathed about these rigid lines
in folds that have the easy notion of a smile.
So let them kiss earth and acid corruption:
extinction of the clod. The bubble is free
to expand to the world's confines or to break
against the pricking stars. The last lights shine
across its perfect crystal: rare ethereal glimmer
of mind's own intensity. Above the clod
all things are clear, and what is left

is petulant scorn, implanted passions,
everything not tensely ideal. Blind emotions
wreck the image with their blundering wings.
Mind must define before the heart intrigues.
Last light above the world, wavering in the darkest
void of Nothing — how still and tenuous
no music of the spheres — and so break with a sigh
against the ultimate
shores of this world
so finite
so small
Nichts

II. DIALOGUE BETWEEN THE BODY AND THE SOUL OF THE MURDERED GIRL

Body

I speak not from my pallid lips
but from these wounds.

Soul

Red lips that cannot tell
a credible tale.

Body

In a world of martyred men
these lips renounce their ravage:
The wounds of France
roused their fresh and fluid voices.

Soul

War has victims beyond the bands
bonded to slaughter. War moves with armoured wheels
across the quivering flesh and patient limbs
of all life's labile fronds.

HERBERT READ

Body

France was the garden I lived in.
Amid these trees, these fields, petals fell
flesh to flesh; I was a wilder flower.

Soul

Open and innocent. So is the heart
laid virgin to my voice. I filled
your vacant ventricles with dreams
with immortal hopes and aspirations that exalt
the flesh to passion, to love and hate.
Child-radiance then is clouded, the light
that floods the mind is hot with blood
pulse beats to the vibrant battle-cry
the limbs are burnt with action.

Body

This heart had not lost its innocence so soon
but for the coming of that day when men
speaking a strange tongue, wearing strange clothes
armed, flashing with harness and spurs
carrying rifles, lances or spears
followed by rumbling waggons, shrouded guns
passed through the village in endless procession
swift, grim, scornful, exulting.

Soul

You had not lost your innocence so soon
but for the going of men from the village
your father gone, your brother
only the old left, and the very young
the women sad, the houses shuttered

suspense of school, even of play
the eager search for news, the air
of universal doubt, and then the knowledge
that the wavering line of battle now was fixed
beyond this home. The soil was tilled
for visionary hate.

Body

Four years was time enough
for such a seedling hate to grow
sullen, close, intent;
To wait and wonder
but to abate
no fervour in the slow passage of despair.

Soul

The mind grew tense.

Body

My wild flesh was caught
in the cog and gear of hate.

Soul

I lay coiled, the spring
of all your intricate design.

Body

You served me well. But still I swear
Christ was my only King.

Soul

France was your Motherland:
To her you gave your life and limbs.

HERBERT READ

Body

I gave these hands and gave these arms
I gave my head of ravelled hair.

Soul

You gave your sweet round breasts
like Agatha who was your Saint.

Body

Mary Aegyptiaca
is the pattern of my greatest loss.

Soul

To whom in nakedness and want
God sent a holy man.
Who clothed her, shrived her, gave her peace
before her spirit left the earth.

Body

My sacrifice was made to gain
the secrets of these hostile men.

Soul

I hover round your fameless features
barred from Heaven by light electric.

Body

All men who find these mauled remains
will pray to Mary for your swift release.

Soul

The cry that left your dying lips
was heard by God.

Body

I died for France.

Soul

A bright mantle fell across your bleeding limbs.
Your face averted shone with sacred fire.
So be content. In this war
many men have perished not blessed
with faith in a cause, a country or a God
not less martyrs than Herod's Victims, Ursula's Virgins
or any massed innocents massacred.

Body

Such men give themselves not to their God but to their fate
die thinking the face of God not love but hate.

Soul

Those who die for a cause die comforted and coy;
believing their cause God's cause they die with joy.

III. MEDITATION OF THE WAKING ENGLISH OFFICER

I wake: I am alive: there is a bell
sounding with the dream's retreating surf
O catch the lacey hem dissolved in light
that creeps along the healing tendrils of a mind
still drugged with sleep. Why must my day
kill my dreams? Days of hate. But yes a bell
beats really on this air, a mad bell.
The peasants stir behind that screen.
Listen: they mutter now: they sing

in their old cracked voices, intone
a litany. There are no guns
only these voices of thanksgiving. Can it be?
Yes yes yes: it is peace, peace!
The world is very still, and I am alive!
Look: I am alive, alive, alive.
O limbs, your white radiance
no longer to stand against bloody shot
this heart secure, to live and worship
to go God's way, to grow in faith
to fight with and not against the will!
That day has come at last! Suspended life
renews its rhythmic beat. I live!
Now can I love and strive, as I have dreamt.

Lie still, and let this litany
of simple voices and the jubilant bell
ease rebirth. First there are the dead to bury
O God, the dead. How can God's bell
ring out from that unholy ambush?
That tower of death! In excess of horror
war died. The nerve was broken
frayed men fought obscenely then: there was no fair joy
no glory in the strife, no blessed wrath.
Man's mind cannot excel
mechanic might except in savage sin.
Our broken bodies oiled the engines: mind was grit.

Shall I regret my pact? Envy that friend
who risked ignominy, insult, gaol
rather than stain his hands with human blood?
And left his fellow men. Such lonely pride

was never mine. I answered no call
there was no call to answer. I felt no hate
only the anguish of an unknown fate
a shot, a cry: then armies on the move
the sudden lull in daily life
all eyes wide with wonder, past surprise:
our felt dependence on a ruling few:
the world madness: the wild plunge:
the avalanche and I myself a twig
torn from its mother soil
and to the chaos rendered.

Listless

I felt the storm about me; its force
too strong to beat against; in its swirl
I spread my sapling arms, tossed on its swell
I rose, I ran, I down the dark world sped
till death fell round me like a rain of steel
and hope and faith and love coiled in my inmost cell.

Often in the weariness of watching
warding weary men, pitched against
the unmeaning blackness of the night, the wet fog,
the enemy blanketed in mystery, often
I have questioned my life's inconstant drift;
God not real, hate not real, the hearts of men
insentient engines pumping blood
into a spongy mass that cannot move
above the indignity of inflicted death:
the only answer this: the infinite is all
and I, a finite speck, no essence even
of the life that falls like dew
from the spirit breathed on the fine edge

of matter, perhaps only that edge
a ridge between eternal death and life eternal,
a moment of time, temporal.
The universe swaying between Nothing and Being
and life faltering like a clock's tick
between a pendulum's coming and going.
The individual lost: seventy years
seventy minutes have no meaning.
Let death, I cried, come from the forward guns
let death come this moment, swift and crackling
tick-tock, tick-tock — moments that pass
not reckoned in the infinite.

Then I have said: all is that must be.
There is no volition, even prayer
dies on lips compressed in fear.
Where all must be, there is no God
for God can only be the God of prayer
an infinitely kind Father whose will
can mould the world, who can
in answer to my prayer mould me.
But whilst I cannot pray, I can't believe
but in this frame of machine necessity
must renounce not only God, but self.
For what is the self without God?
A moment not reckoned in the infinite.
My soul is less than nothing, lost,
unless in this life it can build
a bridge to life eternal.

In a warm room, by the flickering fire
in friendly debate, in some remote
sheltered existence, even in the hermit's cell

easy it is to believe in God: extend the self
to communion with the infinite, the eternal.
But haggard in the face of death
deprived of all earthly comfort, all hope of life,
the soul a distilled essence, held
in a shaking cup, spilled
by a spit of lead, saved
by chance alone
very real
in its silky bag of skin, its bond of bone,
so little and so limited,
there 's no extenuation then.
Fate is in facts: the only hope
an unknown chance.

So I have won through. What now?
Will faith rise triumphant from the wreck
despair once more evaded in a bold
assertion of the self: self to God related
self in God attained, self a segment
of the eternal circle, the wheel
of Heaven, which through the dust of days
and stagnant darkness steadily revolves?
The bells of hell ring ting-a-ling
for you but not for me — for you
whose gentian eyes stared from the cold
impassive alp of death. You betrayed us
at the last hour of the last day
playing the game to the end
your smile the only comment
on the well-done deed. What mind
have you carried over the confines?

Your fair face was noble of its kind
some visionary purpose cut the lines
clearly on that countenance.
But you are defeated: once again
the meek inherit the kingdom of God.
No might can win against this wandering
wavering grace of humble men.
You die, in all your power and pride:
I live, in my meekness justified.

When first this fury caught us, then
I vowed devotion to the rights of men
would fight for peace once it came again
from this unwilled war pass gallantly
to wars of will and justice.
That was before I had faced death
day in day out, before hope had sunk
to a little pool of bitterness.
Now I see, either the world is mechanic force
and this the last tragic act, portending
endless hate and blind reversion
back to the tents and healthy lusts
of animal men: or we act
God's purpose in an obscure way.
Evil can only to the Reason stand
in scheme or scope beyond the human mind.
God seeks the perfect man, planned
to love him as a friend: our savage fate
a fire to burn our dross
to temper us to finer stock
man emerging in some inconceivèd span
as something more than remnant of a dream.

To that end worship God, join the voices
heard by these waking ears. God is love:
in his will the meek heart rejoices
doubting till the final grace a dove
from Heaven descends and wakes the mind
in light above the light of human kind
in light celestial
infinite and still
eternal
bright

It was necessary for my poetic purpose to take an incident from the War of 1914–18 which would serve as a focus for feeling and sentiments otherwise diffuse. The incident is true, and can be vouched for by several witnesses still living. But its horrors do not accuse any particular nation; they are representative of war and of human nature in war. It is not my business as a poet to condemn war (or, to be more exact, modern warfare). I only wish to present the universal aspects of a particular event. Judgement may follow, but should never precede or become embroiled with the act of poetry. It is for this reason that Milton's attitude to his Satan has so often been misunderstood.

SYLVIA TOWNSEND WARNER

1893–

306 *The Sailor*

I HAVE a young love —
A landward lass is she —
And thus she entreated:
' O tell me of the sea
That on thy next voyage
My thoughts may follow thee.'

SYLVIA TOWNSEND WARNER

I took her up a hill
And showed her hills green,
One after other
With valleys between:
So green and gentle, I said,
Are the waves I've seen.

I led her by the hand
Down the grassy way,
And showed her the hedgerows
That were white with May:
So white and fleeting, I said,
Is the salt sea-spray.

I bade her lean her head
Down against my side,
Rising and falling
On my breath to ride:
Thus rode the vessel, I said,
On the rocking tide.

For she so young is, and tender,
I would not have her know
What it is that I go to
When to sea I must go,
Lest she should lie awake and tremble
When the great storm-winds blow.

EDMUND BLUNDEN

1896–

307

In Festubert

NOW every thing that shadowy thought
  Lets peer with bedlam eyes at me
From alley-ways and thoroughfares
  Of cynic and ill memory
Lifts a gaunt head, sullenly stares,
  Shuns me as a child has shunned
A whizzing dragon-fly that daps
  Above his mudded pond.

Now bitter frosts, muffling the morn
  In old days, crunch the grass anew;
There where the floods made fields forlorn
  The glinzy ice grows thicker through.
The pollards glower like mummies when
  Thieves break into a pyramid,
Inscrutable as those dead men
  With painted mask and balm-cloth hid;

And all the old delight is cursed
  Redoubling present undelight.
Splinter, crystal, splinter and burst;
  And sear no more with second sight.

1916

308

Forefathers

HERE they went with smock and crook,
  Toiled in the sun, lolled in the shade,
Here they mudded out the brook
  And here their hatchet cleared the glade:
Harvest-supper woke their wit,
Huntsman's moon their wooings lit.

From this church they led their brides,
  From this church themselves were led
Shoulder-high; on these waysides
  Sat to take their beer and bread.
Names are gone — what men they were
These their cottages declare.

Names are vanished, save the few
  In the old brown Bible scrawled;
These were men of pith and thew,
  Whom the city never called;
Scarce could read or hold a quill,
Built the barn, the forge, the mill.

On the green they watched their sons
  Playing till too dark to see,
As their fathers watched them once,
  As my father once watched me;
While the bat and beetle flew
On the warm air webbed with dew.

Unrecorded, unrenowned,
  Men from whom my ways begin,
Here I know you by your ground
  But I know you not within —
There is silence, there survives
Not a moment of your lives.

Like the bee that now is blown
  Honey-heavy on my hand,
From his toppling tansy-throne
  In the green tempestuous land —
I'm in clover now, nor know
Who made honey long ago.

309 *Almswomen*

AT Quincey's moat the squandering village ends,
And there in the alms-house dwell the dearest friends
Of all the village, two old dames that cling
As close as any true-loves in the spring.
Long, long ago they passed three-score-and-ten,
And in this doll's house lived together then;
All things they have in common being so poor,
And their one fear, Death's shadow at the door.
Each sundown makes them mournful, each sunrise
Brings back the brightness in their failing eyes.

How happy go the rich fair-weather days
When on the roadside folk stare in amaze
At such a honeycomb of fruit and flowers
As mellows round their threshold; what long hours
They gloat upon their steepling hollyhocks,
Bee's balsams, feathery southernwood and stocks,
Fiery dragon's-mouths, great mallow leaves
For salves, and lemon-plants in bushy sheaves,
Shagged Esau's-hands with five green finger-tips.
Such old sweet names are ever on their lips.

As pleased as little children where these grow
In cobbled pattens and worn gowns they go,
Proud of their wisdom when on gooseberry shoots
They stuck egg shells to fright from coming fruits
The brisk-billed rascals; scanning still to see
Their neighbour owls saunter from tree to tree,
Or in the hushing half-light mouse the lane
Long-winged and lordly.

But when those hours wane
Indoors they ponder, scared by the harsh storm
Whose pelting saracens on the window swarm,
And listen for the mail to clatter past
And church-clock's deep bay withering on the blast;
They feed the fire that flings its freakish light
On pictured kings and queens grotesquely bright,
Platters and pitchers, faded calendars
And graceful hour-glass trim with lavenders.

Many a time they kiss and cry and pray
That both be summoned in the selfsame day,
And wiseman linnet tinkling in his cage
End too with them the friendship of old age,
And all together leave their treasured room
Some bell-like evening when the May's in bloom.

1920

310 *Mole Catcher*

WITH coat like any mole's, as soft and black,
And hazel bows bundled beneath his arm,
With long-helved spade and rush-bag on his back,
The trapper plods alone about the farm:
And spies new mounds in the ripe pasture-land,
And where the lob-worms writhe up in alarm
And easy sinks the spade, he takes his stand
Knowing the moles' dark high-road runs below:
Then sharp and square he chops the turf, and day
Gloats on the opened turnpike through the clay.

Out from his wallet hurry pin and prong,
And trap, and noose to tie it to the bow;
And then his grand arcanum, oily and strong,
Found out by his forefather years ago

To scent the peg and witch the moles along.
The bow is earthed and arched ready to shoot
And snatch the death-knot fast round the first mole
Who comes and snuffs well pleased and tries to root
Past the sly nose peg; back again is put
The mould, and death left smirking in the hole.
The old man goes and tallies all his snares
And finds the prisoners there and takes his toll.

And moles to him are only moles; but hares
See him afield and scarcely cease to nip
Their dinners, for he harms not them; he spares
The drowning fly that of his ale would sip
And throws the ant the crumbs of comradeship.
And every time he comes into his yard
Grey linnet knows he brings the groundsel sheaf,
And clatters round the cage to be unbarred,
And on his finger whistles twice as hard.—
What his old vicar says is his belief,
In the side pew he sits and hears the truth;
And never misses once to ring his bell
On Sundays night and morn, nor once since youth
Has heard the chimes afield, but has heard tell
There 's not a peal in England sounds so well.

311 *The Survival*

TO-DAY'S house makes to-morrow's road;
I knew these heaps of stone
When they were walls of grace and might,
The country's honour, art's delight
That over fountained silence showed
Fame's final bastion.

Inheritance has found fresh work,
  Disunion union breeds;
Beauty the strong, its difference lost,
Has matter fit for flood and frost.
Here 's the true blood that will not shirk
  Life's new-commanding needs.

With curious costly zeal, O man,
  Raise orrery and ode;
How shines your tower, the only one
Of that especial site and stone!
And even the dream's confusion can
  Sustain to-morrow's road.

312 *Report on Experience*

I HAVE been young, and now am not too old;
And I have seen the righteous forsaken,
His health, his honour and his quality taken.
  This is not what we were formerly told.

I have seen a green country, useful to the race,
Knocked silly with guns and mines, its villages vanished,
Even the last rat and last kestrel banished —
  God bless us all, this was peculiar grace.

I knew Seraphina; Nature gave her hue,
Glance, sympathy, note, like one from Eden.
I saw her smile warp, heard her lyric deaden;
  She turned to harlotry; — this I took to be new.

Say what you will, our God sees how they run.
These disillusions are His curious proving
That He loves humanity and will go on loving;
  Over there are faith, life, virtue in the sun.

FREDERICK ROBERT HIGGINS

1896–

313

The Little Clan

OVER their edge of earth
They wearily tread,
Leaving the stone-grey dew —
The hungry grass;
Most proud in their own defeat,
These last men pass
This labouring grass that bears them
Little bread.

Too full their spring-tide flowed,
And ebbing then
Has left each hooker deep
Within salt grass;
All ebbs, yet lives in their song;
Song shall not pass
With these most desperate,
Most noble men!

Then, comfort your own sorrow;
Time has heard
One groping singer hold
A burning face;
You mourn no living Troy,
Then mourn no less
The living glory of
Each Gaelic word!

FREDERICK ROBERT HIGGINS

314 *Father and Son*

ONLY last week, walking the hushed fields
Of our most lovely Meath, now thinned by November,
I came to where the road from Laracor leads
To the Boyne river — that seemed more lake than river,
Stretched in uneasy light and stript of reeds.

And walking longside an old weir
Of my people's, where nothing stirs — only the shadowed
Leaden flight of a heron up the lean air —
I went unmanly with grief, knowing how my father,
Happy though captive in years, walked last with me there.

Yes, happy in Meath with me for a day
He walked, taking stock of herds hid in their own breathing;
And naming colts, gusty as wind, once steered by his hand;
Lightnings winked in the eyes that were half shy in greeting
Old friends — the wild blades, when he gallivanted the
land.

For that proud, wayward man now my heart breaks —
Breaks for that man whose mind was a secret eyrie,
Whose kind hand was sole signet of his race,
Who curbed me, scorned my green ways, yet increasingly
loved me
Till death drew its grey blind down his face.

315 *The Old Jockey*

HIS last days linger in that low attic
That barely lets out the night,
With its gabled window on Knackers' Alley,
Just hoodwinking the light.

He comes and goes by that gabled window
And then on the window-pane
He leans, as thin as a bottled shadow—
A look and he 's gone again:

Eyeing, maybe, some fine fish-women
In the best shawls of the Coombe
Or, maybe, the knife-grinder plying his treadle,
A run of sparks from his thumb!

But, O you should see him gazing, gazing,
When solemnly out on the road
The horse-drays pass overladen with grasses,
Each driver lost in his load;

Gazing until they return; and suddenly,
As galloping by they race,
From his pale eyes, like glass breaking,
Light leaps on his face.

316 *Padraic O'Conaire—Gaelic Storyteller*

(*Died in the Fall of* 1928)

THEY'VE paid the last respects in sad tobacco
And silent is this wake-house in its haze;
They've paid the last respects; and now their whisky
Flings laughing words on mouths of prayer and praise;
And so young couples huddle by the gables,
O let them grope home through the hedgy night—
Alone I'll mourn my old friend, while the cold dawn
Thins out the holy candlelight.

Respects are paid to one loved by the people;
Ah, was he not — among our mighty poor —
The sudden wealth cast on those pools of darkness,
Those bearing, just, a star's faint signature;
And so he was to me, close friend, near brother,
Dear Padraic of the wide and sea-cold eyes —
So lovable, so courteous and noble,
The very West was in his soft replies.

They'll miss his heavy stick and stride in Wicklow —
His story-talking down Winetavern Street,
Where old men sitting in the wizen daylight
Have kept an edge upon his gentle wit;
While women on the grassy streets of Galway,
Who hearken for his passing — but in vain,
Shall hardly tell his step as shadows vanish
Through archways of forgotten Spain.

Ah, they'll say: Padraic 's gone again exploring;
But now down glens of brightness, O he'll find
An ale-house overflowing with wise Gaelic
That 's braced in vigour by the bardic mind,
And there his thoughts shall find their own forefathers —
In minds to whom our heights of race belong,
In crafty men, who ribbed a ship or turned
The secret joinery of song.

Alas, death mars the parchment of his forehead;
And yet for him, I know, the earth is mild —
The windy fidgets of September grasses
Can never tease a mind that loved the wild;

So drink his peace — this grey juice of the barley
Runs with a light that ever pleased his eye —
While old flames nod and gossip on the hearthstone
And only the young winds cry.

317 *Song for the Clatter Bones*

GOD rest that Jewy woman,
Queen Jezebel, the bitch
Who peeled the clothes from her shoulder-bones
Down to her spent teats
As she stretched out of the window
Among the geraniums, where
She chaffed and laughed like one half daft
Titivating her painted hair —

King Jehu he drove to her,
She tipped him a fancy beck;
But he from his knacky side-car spoke
'Who'll break that dewlapped neck?'
And so she was thrown from the window;
Like Lucifer she fell
Beneath the feet of the horses and they beat
The light out of Jezebel.

That corpse wasn't planted in clover;
Ah, nothing of her was found
Save those grey bones that Hare-foot Mike
Gave me for their lovely sound;
And as once her dancing body
Made star-lit princes sweat
So I'll just clack: though her ghost lacks a back
There 's music in the old bones yet.

318 *The Ballad of O'Bruadir*

WHEN first I took to cutlass, blunderbuss and gun,
Rolling glory on the water;
With boarding and with broadside we made the Dutchmen run,
Rolling glory on the water;
Then down among the captains in their green skin shoes,
I sought for Hugh O'Bruadir and got but little news
Till I shook him by the hand in the bay of Santa Cruz,
Rolling glory on the water.

O'Bruadir said kindly, 'You're a fresh blade from Mayo,
Rolling glory on the water,
But come among my captains, to Achill back we go,
Rolling glory on the water;
Although those Spanish beauties are dark and not so dear,
I'd rather taste in Mayo, with April on the year,
One bracing virgin female; so swing your canvas here,
Rolling glory on the water!'

'There 's no man,' said a stranger, 'whose hand I'd sooner grip
Rolling glory on the water.'
'Well I'm your man,' said Bruadir, 'and you're aboard my ship
Rolling glory on the water.'
They drank to deeper friendship in ocean roguery;
And rolled ashore together, but between you and me
We found O'Bruadir dangling within an airy tree,
Ghosting glory from the water!

LEONARD ALFRED GEORGE STRONG

1896–

319 *Two Generations*

I TURNED and gave my strength to woman,
  Leaving untilled the stubborn field.
Sinew and soul are gone to win her,
  Slow, and most perilous, her yield.

The son I got stood up beside me,
  With fire and quiet beauty filled;
He looked upon me, then he looked
  Upon the field I had not tilled.

He kissed me, and went forth to labour.
  Where lonely tilth and moorland meet
A gull above the ploughshare hears
  The ironic song of our defeat.

320 *The Old Man at the Crossing*

I SWEEP the street and lift me hat
As persons come and persons go,
Me lady and me gentleman:
I lift me hat — but you don't know!

I've money by against I'm dead:
A hearse and mourners there will be!
And every sort of walking man
Will stop to lift his hat to me!

LEONARD ALFRED GEORGE STRONG

321 *The knowledgeable Child*

I ALWAYS see, — I don't know why, —
If any person's going to die.

That 's why nobody talks to me.
There was a man who came to tea,

And when I saw that he would die
I went to him and said ' Good-bye,

' I shall not see you any more.'
He died that evening. Then, next door,

They had a little girl: she died
Nearly as quick, and Mummy cried

And cried, and ever since that day
She 's made me promise not to say.

But folks are still afraid of me,
And, where they've children, nobody

Will let me next or nigh to them
For fear I'll say good-bye to them.

SACHEVERELL SITWELL

1897–

322 *Agamemnon's Tomb*

TOMB
A hollow hateful word
A bell, a leaden bell the dry lips mock,
Though the word is as mud or clay in its own sound;
A hollow noise that echoes its own emptiness,
Such is this awful thing, this cell to hold the box.
It is breathless, a sink of damp and mould, that 's all,

Where bones make dust and move not otherwise;
Who loves the spider or the worm, for this,
That they starve in there, but are its liveliness?
The grave-cloth, coldest and last night-gown,
That 's worn for ever till its rags are gone,
This comes at the end when every limb is straight,
When mouth and eyes are shut in mockery of sleep.
Much comes before this, for the miser hand
That clutches at an edge of wood, a chair, a table,
Must have its fingers broken, have its bones cracked back,
It 's the rigor mortis, death struggle out of life,
A wrestling at the world's edge for which way to go.

There are all other deaths, but all are sisters;
What dreams must they have who die so quiet in sleep,
What dread pursuings into arms of terror,
Feared all through life, gigantic in dark corridors,
A giant in a wood, or a swirling of deep waters;
This may be worst of all, for pain is material,
And it has lulls, or you may pray for them,
While, when the pain is worst, you pray for death,
For swift delivery from heart and lungs,
The tyrant machinery, the creaking engine,
Lungs like wheezing bellows, heart like a clock that stops;
To die frightened, with a scream that never comes
That shivers with no shape out of the dumb dry lips,
This is worse than pain, and worse than death, awake,
For with that cry you're in the tomb already,
There 's its arch above you, there 's its hand upon your
    mouth,
Knock, knock, knock, these are the nails of the coffin,
They go in easy, but must be wrenched out,

For no strength can break them from the walled night
within;
They are little shining points, they are cloves that have no
scent,
But the dead are kept in prison by such little things,
Though little does it help them when that guard is gone.
It is night, endless night, with not a chink of day,
And if the coffin breaks there is no hope in that,
The bones tumble out and only dogs will steal them;
There is no escape, no tunnel back to life,
And, soon, no person digging at the other end,
For the living soon forget, but soon will join you there;
The dead are but dead, there is no use for them,
But who can realize that it ends with breath,
That the heart is not a clock and will not wind once more?
There is something in mortality that will not touch on death,
That keeps the mind from it, that hides the coffin;
And, if this were not so, there would be nought else,
No other thing to think of; the skull would be the altar,
There could be no prayer save rest for the skeleton
That has jagged bones and cannot lie at comfort;
The sweetest flowers soon wither there, they love it not.
Who pondered too much on this would lie among the bones
And sleep and wake by little contrast there,
Finding them no different but always cold;
The hermit's only plaything was the death's head in his cell,
That he was long used to, that never stared at night
Through eyes without lids, kissed away by something,
With a mouth below that, bare and lipless,
Eaten by the dust, quite burned away;
But the hermit was not frightened, he had grown accus-
tomed,

For it is one sort of logic to be living with the dead,
It's so slight a difference, a stone dropped from the hand
Picked up not long ago, now dropped again;
This is one remedy, to know the dead from near,
But it ends at nothing, there 's no more than that,
The fright of death goes, but not the dreading of its dullness;
It is endless, dull, and comfortless, it never stops
There is no term to it, no first nor last,
There is no mercy in that dark land of death.
Think of death's companions, the owl, the bat, the spider,
And they can only enter when the tomb is broken,
They live in that darkness, in that lair of treachery,
And crawl, and spin their webs, and shake their speckled wings,
And come out in the double night, the night that 's dark outside,
So they bring no light back on their fattened bodies.
The spider, with its eight legs, runs and crawls,
With dreadful stomach, hairy paunch in air,
While the bat hangs, asleep, with gripping claws above
Holding to the stone ledge fouled by it;
He'll wake, when it 's night outside, and wave his skinny wings,
And fly out through the crevice where the spider weaves anew,
Her silk will choke and fill it when the bat comes back,
And the bat, more clumsy, rends the webs asunder.
Such are death's companions and their twilit lives,
They keep by dry bones and yet they profit by them,
Living on death's bounties, on his dying portion,
Paid like marriage money, or the fees for school;

This, in stone or marble, is the home of others,
For they share it, but too soon, and it is theirs no more.
There is nothing at the other end, no door at which to listen,
There is nothing, nothing, not a breath beyond,
Give up your hopes of it, you'll wake no more.
The poor are fast forgotten,
They outnumber the living, but where are all their bones?
For every man alive there are a million dead,
Has their dust gone into earth that it is never seen?
There should be no air to breathe, with it so thick,
No space for wind to blow, or rain to fall;
Earth should be a cloud of dust, a soil of bones,
With no room, even, for our skeletons;
It is wasted time to think of it, to count its grains,
When all are alike and there 's no difference in them;
They wait in the dark corridors, in earth's black galleries,
But the doors never open; they are dead, dead, dead.
Ah! Seek not the difference in king or beggar:
The King has his gold with him, that will not buy,
It is better to have starved and to be used to it.
Is there no comfort down the long dead years,
No warmth in prison, no love left for dead bones;
Does no one come to kiss them? Answer, none, none, none.
Yet that was their longing, to be held and given,
To be handed to death while held in arms that loved them,
For his greater care, who saw that they were loved
And would take note of it and favour them in prison;
But, instead, he stood more near to them, his chill was in
them,
And the living were warm, the last of love was warm;
Oh! One more ray of it, one beam before the winter,
Before they were unborn, beyond the blind, unborn,

More blind and puny, carried back into the dark,
But without rumour, with no fate to come,
Nothing but waiting, waiting long for nothing.
It was too late to weep, this was the last of time,
The light flickered, but tears would dim it more:
It was better to be calm and keep the taste of life;
But a sip or two of life, and then, for ever, death.
Oh! The cold, the sinking cold, the falling from the edge
Where love was no help and could not hold one back,
Falling, falling, falling into blackest dark,
Falling while hands touched one, while the lips felt warm,
If one was loved, and was not left alone.

Now it was so little that a babe was more,
No more of self, a little feeble thing
That love could not help,
That none could love for what it was;
It looked, and love saw it, but it could not answer:
Life's mystery was finished, only death was clear,
It was sorry for the living, it was glad to die,
Death was its master, it belonged to death.

O kiss it no more, it is so cold and pale,
It is not of this world, it is no part of us;
Not the soul we loved, but something pitiful
The hands should not touch. Oh! Leave it where it lies;
Let the dead where they die; come out among the living;
Weep not over dead bones; your tears are wasted.

There 's no escape, there is no subterfuge,
Death is decay; nor was it any better,
The mummied dead body, with brain pulled through the
nose,

With entrails cut out, and all the mutilation
Wrapped in sweet bandages, bound up with herbs:
Death is not aromatic, it is false with flowers,
It has no ferment, it is always bitter;
The Egyptians live for ever, but not like themselves,
They are clenched, tortured, stifled, not the portrait on the
    lid;
They'd be better as old bones, and then might lie at peace.

All is degradation in the chambers of dead bones,
Nor marble, nor porphyry, but make it worse
For the mind sees, inside it, to the stained wet shroud
Where all else is dry, and only that is fluid,
So are carven tombs in the core to their cool marble,
The hollowed out heart of it, the inner cell,
All is degradation in the halls of the dead;
I never thought other things of death, until
The climb to Mycenae, when the wind and rain
Stormed at the tombs, where the rocks were as clouds
Struck still in the hurricane, driven to the hillside,
And rain poured in torrents, all the air was water.
The wet grey Argolide wept below,
The winds wailed and tore their hair,
The plain of Argos mourned and was in mist,
In mist tossed and shaken, in a sea of wrack;
This was the place of weeping, the day of tears,
As if all the dead were here, in all their pain,
Not stilled, nor assuaged, but aching to the bone:
It was their hell, they had no other hope than this,
But not alone, it was not nothingness:
The wind shrieked, the rain poured, the steep wet stones
Were a cliff in a whirlwind, by a raging sea,

Hidden by the rain-storm pelting down from heaven
To that hollow valley loud with melancholy;
But the dark hill opened. And it was the tomb.
A passage led unto it, cut through the hill,
Echoing, rebounding with the million-ringing rain,
With walls, ever higher, till the giant lintel
Of huge stone, jagged and immense, rough-hewn
That held up the mountain: it was night within:
Silence and peace, nor sound of wind nor rain,
But a huge dome, glowing with the day from out
Let in by the narrow door, diffused by that,
More like some cavern under ocean's lips,
Fine and incredible, diminished in its stones,
For the hand of man had fitted them, of dwindling size,
Row after row, round all the hollow dome,
As scales of fish, as of the ocean's fins,
Pinned with bronze flowers that were, now, all fallen,
But the stones kept their symmetry, their separate shape
To the dome's high cupola of giant stone:
All was high and solemn in the cavern tomb:
If this was death, then death was poetry,
First architecture of the man-made years,
This was peace for the accursed Atridae:
Here lay Agamemnon in a cell beyond,
A little room of death, behind the solemn dome
Not burnt, nor coffined, but laid upon the soil
With a golden mask upon his dead man's face
For a little realm of light within that shadowed room:
And ever the sun came, every day of life,
Though less than star-point in that starry sky,
To the shadowed meridian, and sloped again,
Nor lit his armour, nor the mask upon his face,

For they burned in eternal night, they smouldered in it;
Season followed season, there was summer in the tomb,
Through hidden crevice, down that point of light,
Summer of loud wings and of the ghosts of blossom;
One by one, as harvesters, all heavy laden,
The bees sought their corridor into the dome
With honey of the asphodel, the flower of death,
Or thyme, rain-sodden, and more sweet for that;
Here was their honeycomb, high in the roof,
I heard sweet summer from their drumming wings,
Though it wept and rained and was the time of tears;
They made low music, they murmured in the tomb,
As droning nuns through all a shuttered noon,
Who prayed in this place of death, and knew it not.

How sweet such death, with honey from the flowers,
A little air, a little light, and drone of wings,
To long monotony, to prison of the tomb!
But he did not know it. His bones, picked clean,
Were any other bones. The trick is in our mind:
They love not a bed, nor raiment for their bones,
They are happy on cold stone or in the aching water,
And neither care, nor care not, they are only dead.
It once was Agamemnon, and we think him happy:
O false, false hope! How empty his happiness,
All for a fine cavern and the hum of bees.

I went again to him, another year,
And still it stormed, the corn-ripe Argolide
Rattled in dust, in burning grain of sand,
Earth lay in fever by the tombed Atridae.
O happy, happy death, and only happiness of that,
There is none other, where it ever weeps

In the ripened corn and round the silent cavern,
First, and best building of the man-made years.
O happy Agamemnon, who was luckless, living,
Happy in death, in the hollow haunted room,
Your very name is the treading of a spectre:
O speak to us of death, tell us of its mysteries,
Not here, not here, not in the hollow tomb,
But at the Muse's fountain, the Castalian spring,
By the plane-trees you planted, in the sacred shade;
The leaves speak in syllables, the live-long hours,
Their leaves are your leaves, and their shade is yours;
Listen, listen, listen to the voice of water
Alive and living, more than Agamemnon,
Whose name is sound of footsteps on the shaking boards,
A tragedian's ghost, a shadow on the rocks.
You are dead, you are dead, and all the dead are nothing to us,
There 's nothing, nothing, nothing, not a breath beyond:
O give up every hope of it, we'll wake no more,
We are the world and it will end with us:
The heart is not a clock, it will not wind again,
The dead are but dead, there is no use for them,
They neither care, nor care not, they are only dead.

EDWARD DAVISON

1898–

323 *In this Dark House*

I SHALL come back to die
From a far place at last,
After my life's carouse
In the old bed to lie
Remembering the past
In this dark house.

EDWARD DAVISON

Because of a clock's chime
In the long waste of night
I shall awake and wait
At that calm, lonely time
Each sound and smell and sight
Mysterious and innate:

Some shadow on the wall
When curtains by the door
Move in a draught of wind;
Or else a light footfall
In a near corridor;
Even to feel the kind
Caress of a cool hand
Smoothing the draggled hair
Back from my shrunken brow,
And strive to understand
The woman's presence there,
And whence she came, and how.

What gust of wind that night
Will mutter her lost name
Through windows open wide,
And twist the flickering light
Of a sole candle's flame
Smoking from side to side,
Till the last spark it blows
Sets a moth's wings aflare
As the faint flame goes out?

Some distant door may close;
Perhaps a heavy chair
On bare floors dragged about

O'er the low ceiling sound,
And the thin twig of a tree
Knock on my window-pane
Till all the night around
Is listening with me,
While like a noise of rain
Leaves rustle in the wind.

Then from the inner gloom
The scratching of a mouse
May echo down my mind
And sound around the room
In this dark house.

The vague scent of a flower,
Smelt then in that warm air
From gardens drifting in,
May slowly overpower
The vapid lavender,
Till feebly I begin
To count the scents I knew
And name them one by one,
And search the names for this.

Dreams will be swift and few
Ere that last night be done,
And gradual silences
In each long interim
Of halting time awake
All conscious sense confuse;
Shadows will grow more dim,
And sound and scent forsake
The dark, ere dawn ensues.

In the new morning then,
So fixed the stare and fast,
The calm unseeing eye
Will never close again.

I shall come back at last
In this dark house to die.

RICHARD HUGHES

1900–

324 *The Sermon*

LIKE gript stick
Still I sit:
Eyes fixed on far small eyes,
Full of it:
On the old, broad face,
The hung chin;
Heavy arms, surplice
Worn through and worn thin.
Probe I the hid mind
Under the gross flesh:
Clutch at poetic words,
Follow their mesh
Scarce heaving breath.
Clutch, marvel, wonder,
Till the words end.

Stilled is the muttered thunder:
The hard few people wake,
Gather their books, and go.
— Whether their hearts could break
How can I know?

325

Felo de Se

IF I were stone dead and buried under,
Is there a part of me would still wander,
Shiver, mourn, and cry Alack,
With no body to its back?

When brain grew mealy, turned to dust,
Would lissom Mind, too, suffer rust?
Immortal Soul grow imbecile,
Having no brain to think and feel?

— Or grant it be as priests say,
And growth come on my death-day:
Suppose Growth came: would Certainty?
Or would Mind still a quester be,

Frame deeper mysteries, not find them out,
And wander in a larger doubt?
— Alas! If to mind's petty stir
Death prove so poor a silencer:

Through veins when emptied a few hours
Of this hot blood, might suckle flowers:
From spiritual flames that scorch me
Never, never were I free!

Then back, Death, till I call thee!
Hast come too soon!
— Thou silly worm, gnaw not
Yet thine intricate cocoon.

326

Old Cat Care

Outside the Cottage

GREEN–EYED Care
May prowl and glare
And poke his snub, be-whiskered nose:
But Door fits tight
Against the Night:
Through criss-cross cracks no evil goes.

Window is small:
No room at all
For Worry and Money, his shoulder-bones:
Chimney is wide,
But Smoke 's inside
And happy Smoke would smother his moans.

Be-whiskered Care
May prowl out there:
But I never heard
He caught the Blue Bird.

327

Glaucopis

JOHN FANE DINGLE
By Rumney Brook
Shot a crop-eared owl,
For pigeon mistook:

Caught her by the lax wing.
— She, as she dies,
Thrills his warm soul through
With her deep eyes.

Corpse-eyes are eerie:
  Tiger-eyes fierce:
John Fane Dingle found
  Owl-eyes worse.

Owl-eyes on night-clouds,
  Constant as Fate:
Owl-eyes in baby's face:
  On dish and plate:

Owl-eyes, without sound.
  — Pale of hue
John died, of no complaint,
  With owl-eyes too.

328 *The Walking Road*

THE World is all orange-round:
  The sea smells salt between:
The strong hills climb on their own backs,
Coloured and damascene,
Cloud-flecked and sunny-green;
Knotted and straining up,
Up, with still hands and cold:
Grip at the slipping sky,
Yet cannot hold:
Round twists old Earth, and round,
Stillness not yet found.

Plains like a flat dish, too,
Shudder and spin:
Roads in a pattern crawl
Scratched with a pin

Across the fields' dim shagreen:
— Dusty their load:
But over the craggy hills
Wanders the walking road.

Broad as the hill 's broad,
Rough as the world 's rough, too:
Long as the Age is long,
Ancient and true,
Swinging, and broad, and long,
Craggy, strong.

Gods sit like milestones
On the edge of the Road, by the Moon's sill;
Man has feet, feet that swing, pound the high hill
Above and above, until
He stumble and widely spill
His dusty bones.

Round twists old Earth, and round,
Stillness not yet found.

329 *The Image*

DIM the light in your faces: be passionless in the room.
Snuffed are the tapers, and bitterly hang on the flowerless air:
See: and this is the image of her they will lay in the tomb;
Clear, and waxen, and cooled in the mass of her hair.

Quiet the tears in your voices: feel lightly, finger, for finger
In love: then see how like is the image, but lifelessly fashioned
And sightless, calm, unloving. Who is the Artist? Linger
And ponder whither has flitted his sitter impassioned.

330 *Winter*

SNOW wind-whipt to ice
  Under a hard sun:
Stream-runnels curdled hoar
  Crackle, cannot run.

Robin stark dead on twig,
  Song stiffened in it:
Fluffed feathers may not warm
  Bone-thin linnet:

Big-eyed rabbit, lost,
  Scrabbles the snow,
Searching for long-dead grass
  With frost-bit toe:

Mad-tired on the road
  Old Kelly goes;
Through crookt fingers snuffs the air
  Knife-cold in his nose.

Hunger-weak, snow-dazzled,
  Old Thomas Kelly
Thrusts his bit hands, for warmth,
  'Twixt waistcoat and belly.

331 *The Ruin*

GONE are the coloured princes, gone echo, gone laughter:
  Drips the blank roof: and the moss creeps after.

Dead is the crumbled chimney: all mellowed to rotting
The wall-tints, and the floor-tints, from the spotting
Of the rain, from the wind and slow appetite
Of patient mould: and of the worms that bite
At beauty all their innumerable lives.

— But the sudden nip of knives,
The lady aching for her stiffening lord,
The passionate-fearful bride,
And beaded Pallor clamped to the torment-board,
Leave they no ghosts, no memories by the stairs?
No sheeted glimmer treading floorless ways?
No haunting melody of lovers' airs,
Nor stealthy chill upon the noon of days?

No: for the dead and senseless walls have long forgotten
What passionate hearts beneath the grass lie rotten.

Only from roofs and chimneys pleasantly sliding
Tumbles the rain in the early hours:
Patters its thousand feet on the flowers,
Cools its small grey feet in the grasses.

ROY CAMPBELL

1902–

332 *The Serf*

HIS naked skin clothed in the torrid mist
That puffs in smoke around the patient hooves,
The ploughman drives, a slow somnambulist,
And through the green his crimson furrow grooves.
His heart, more deeply than he wounds the plain,
Long by the rasping share of insult torn,
Red clod, to which the war-cry once was rain
And tribal spears the fatal sheaves of corn,
Lies fallow now. But as the turf divides
I see in the slow progress of his strides
Over the toppled clods and falling flowers,
The timeless, surly patience of the serf
That moves the nearest to the naked earth
And ploughs down palaces, and thrones, and towers.

333 *The Zulu Girl*

When in the sun the hot red acres smoulder,
Down where the sweating gang its labour plies,
A girl flings down her hoe, and from her shoulder
Unslings her child tormented by the flies.

She takes him to a ring of shadow pooled
By thorn-trees: purpled with the blood of ticks,
While her sharp nails, in slow caresses ruled,
Prowl through his hair with sharp electric clicks,

His sleepy mouth, plugged by the heavy nipple,
Tugs like a puppy, grunting as he feeds:
Through his frail nerves her own deep languors ripple
Like a broad river sighing through its reeds.

Yet in that drowsy stream his flesh imbibes
An old unquenched unsmotherable heat —
The curbed ferocity of beaten tribes,
The sullen dignity of their defeat.

Her body looms above him like a hill
Within whose shade a village lies at rest,
Or the first cloud so terrible and still
That bears the coming harvest in its breast.

334 *The Sisters*

After hot loveless nights, when cold winds stream
Sprinkling the frost and dew, before the light,
Bored with the foolish things that girls must dream
Because their beds are empty of delight,

Two sisters rise and strip. Out from the night
Their horses run to their low-whistled pleas —
Vast phantom shapes with eyeballs rolling white
That sneeze a fiery steam about their knees:

Through the crisp manes their stealthy prowling hands,
Stronger than curbs, in slow caresses rove,
They gallop down across the milk-white sands
And wade far out into the sleeping cove:

The frost stings sweetly with a burning kiss
As intimate as love, as cold as death:
Their lips, whereon delicious tremors hiss,
Fume with the ghostly pollen of their breath.

Far out on the grey silence of the flood
They watch the dawn in smouldering gyres expand
Beyond them: and the day burns through their blood
Like a white candle through a shuttered hand.

335 *Autumn*

I LOVE to see, when leaves depart,
The clear anatomy arrive,
Winter, the paragon of art,
That kills all forms of life and feeling
Save what is pure and will survive.

Already now the clanging chains
Of geese are harnessed to the moon:
Stripped are the great sun-clouding planes:
And the dark pines, their own revealing,
Let in the needles of the noon.

Strained by the gale the olives whiten
Like hoary wrestlers bent with toil
And, with the vines, their branches lighten
To brim our vats where summer lingers
In the red froth and sun-gold oil.

Soon on our hearth's reviving pyre
Their rotted stems will crumble up:
And like a ruby, panting fire,
The grape will redden on your fingers
Through the lit crystal of the cup.

MICHAEL ROBERTS

1902–

336 *Les Planches-en-Montagnes*

WHERE I go are flowers blooming
And the foaming waters fuming
Where in defiles stubborn boulders
Set in rubble hunch their shoulders.

At each crevice root and branches
Grip the gully's weathered haunches,
Though I go where bluebells ringing
Swell cicadas' ceaseless singing.

Far above, the insulators,
Hiss and spark like commutators,
For I go where bees are humming
And dynamic turbines drumming.

Rocks and boulders are abolished
Under engines brightly polished;
Angular detritus is
Crushed to concrete terraces.

Roses bloom in pillared gardens;
Spindrift blown to rainbow hardens
Cool cement in fashioned fountains;
Sunlit pools reflect the mountains.

Here untended roar machines
In mastery of black ravines.

337

Midnight

I HAVE thrown wide my window
  And looked upon the night,
And seen Arcturus burning
  In chaos, proudly bright.

The powdered stars above me
  Have littered heaven's floor —
A thousand I remember;
  I saw a myriad more.

I have forgotten thousands,
  For deep and deep between,
My mind built up the darkness
  Of space, unheard, unseen.

I held my hands to heaven
  To hold perfection there,
But through my fingers streaming
  Went time, as thin as air;

And I must close my window
  And draw a decent blind
To screen from outer darkness
  The chaos of the mind.

FRANK O'CONNOR

1903–

338 *The Old Woman of Beare regrets Lost Youth*

(i)

I, THE old woman of Beare,
Once a shining shift would wear,
Now and since my beauty's fall
I have scarce a shift at all.

Plump no more I sigh for these,
Bones bare beyond belief.
Ebbtide is all my grief;
I am ebbing like the seas.

It is pay
And not men ye love to-day,
But when we were young, ah then
We gave all our hearts to men.

Men most dear,
Horseman, huntsman, charioteer.
We gave them love with all our will
But the measure did not fill;

When to-day men ask you fair,
And get little for their care,
And the mite they get from you
Leaves their bodies bent in two.

And long since the foaming steed,
And the chariot with its speed,
And the charioteer went by —
God be with them all, say I.

Luck has left me, I go late
To the dark house where they wait,
When the Son of God thinks fit
Let Him call me home to it.

Oh, my hands when they are seen
Are so bony and so thin
That a boy might start in dread
Feeling them about his head.

(ii)

Girls are gay
When the year draws on to May,
But for me, so poor am I,
Sun will never light the day.

Though I care
Nothing now to bind my hair;
I had headgear bright enough
When the kings for love went bare.

'Tis not age that makes my pain
But the eye that sees so plain
That when all I love decays
Femon's ways are gold again.

Femon, Bregon, sacring stone,
Sacring stone and Ronan's throne
Storms have sacked so long that now
Tomb and sacring stone are one.

Where are they? Ah! well I know
Old and toiling bones that row
Alma's flood, or by its deep
Sleep in cold that slept not so.

Welladay
Every child outlives its play,
Year on year has worn my flesh
Since my fresh sweet strength went grey.

And, my God
Once again for ill or good
Spring will come and I shall see
Everything but me renewed.

Summer sun and autumn sun,
These I knew and these are gone,
And the winter time of men
Comes and these come not again.

(iii)

And ' Amen! ' I cry and ' Woe '
That the boughs are shaken bare,
And that candle-light and feast
Leave me to the dark and prayer.

I that had my day with kings,
And drank deep of mead and wine
Drink whey-water with old hags,
Sitting in their rags, and pine.

' That my cups be cups of whey! '
' That Thy will be done,' I pray,
But the prayer Oh Living God,
Stirs up madness in my blood.

And I shout ' Thy locks are grey! '
At the mantle that I stroke,
Then I grieve and murmur ' Nay
I am grey and not my cloak.'

And of eyes that loved the sun
Age my grief has taken one,
And the other too will take
Soon for good proportion's sake.

Floodtide!
Flood or ebb upon the strand?
What to thee the flood had brought
Ebbtide sweeps from out thy hand.

Floodtide!
And the swifter tides that fall,
All have reached me ebb and flow,
Ay, and now I know them all.

Happy Island of the sea,
Tide on tide shall come to thee,
But to me no waters fare
Though the beach is stark and bare.

Passing I can hardly say
'Here is such a place.' To-day
What was water far and wide
Changes with the ebbing tide.
Ebbtide.

(*From the Irish.*)

339

Autumn

WOMAN full of wile,
Take your hand away,
Nothing tempts me now,
Sick for love you pray?

See this hair how grey,
  See this flesh how weak,
See this blood gone cold —
  Tell me what you seek.

Think me not perverse,
  Never bow your head;
Let love last as now,
  Slender witch, instead.

Take your mouth from mine,
  Kissing 's bitterer still;
Flesh from flesh must part
  Lest of warmth come will.

Your twined branching hair,
  Your grey eye dew-bright,
Your rich rounded breast
  Turn to lust the sight.

All but fill the bed
  Now that grey hairs fall,
Woman full of wile
  I would give you all!

(*From the Irish.*)

340 *A Learned Mistress*

TELL him the tale is a lie!
  I love him as much as my life,
So why be jealous of me?
  I love him and loathe his wife.

If he kill me through jealousy now
His wife will perish of spite,
He will die of grief for his wife,
So three shall die in a night.

All blessings from heaven to earth
On the head of the woman I hate,
And the man I love as my life,
Sudden death be his fate!

(*From the Irish.*)

341 *Prayer for the Speedy End of Three Great Misfortunes*

THERE be three things seeking my death,
All at my heels run wild —
Hang them, oh God, all three! —
Devil, maggot and child.

So much does each of them crave
The morsel that falls to his share
He cares not a thraneen what
Falls to the other pair.

If the devil, that crafty man,
Can capture my sprightly soul,
My money may go to my children,
My flesh to the worm in the hole.

My children think more of the money
That falls to them when I die,
Than a soul that they could not spend,
A body that none would buy.

And how would the maggots fare
  On a soul too thin to eat
And money too tough to chew?
  They must have my body for meat.

Christ, speared by a fool that was blind,
  Christ, nailed to a naked tree,
Since these three are waiting my end,
  Hang them, oh Christ, all three!

(*From the Irish.*)

342 *The Student*

THE student's life is pleasant,
  And pleasant is his labour,
Search all Ireland over
  You'll find no better neighbour.

Nor lords nor petty princes
  Dispute the student's pleasure,
Nor chapter stints his purse
  Nor stewardship his leisure.

None orders early rising,
  Calf-rearing or cow-tending,
Nor nights of toilsome vigil,
  His time is his for spending.

He takes a hand at draughts,
  And plucks a harp-string bravely,
And fills his nights with courting
  Some golden-haired light lady.

And when spring-time is come,
 The ploughshaft 's there to follow,
A fistful of goosequills,
 And a straight deep furrow!

(*From the Irish.*)

343 *A Grey Eye weeping*

'*Having gone with a poem to Sir Valentine Brown and gotten from him nothing but denial, rejection and flat refusal, the poet made these lines extempore.*'

THAT my old mournful heart was pierced in this black doom,
That foreign devils have made our land a tomb,
That the sun that was Munster's glory has gone down,
Has made me travel to seek you, Valentine Brown.

That royal Cashel is bare of house and guest,
That Brian's turreted home is the otter's nest,
That the kings of the land have neither land nor crown,
Has made me travel to seek you, Valentine Brown.

That the wild deer wanders afar, that it perishes now,
That alien ravens croak on the topmost bough,
That fish are no more in stream or streamlet lit by the sun,
Has made me travel to seek you, Valentine Brown.

Dernish away in the west — and her master banned;
Hamburg the refuge of him that has lost his land;
Two old grey eyes that weep; great verse that lacks renown,
Have made me travel to seek you, Valentine Brown.

(*From the Irish of Egan O'Rahilly.*)

344 *Kilcash*

WHAT shall we do for timber?
The last of the woods is down,
Kilcash and the house of its glory
And the bell of the house are gone;
The spot where her lady waited
That shamed all women for grace
When earls came sailing to greet her
And Mass was said in that place.

My cross and my affliction
Your gates are taken away,
Your avenue needs attention,
Goats in the garden stray;
Your courtyard's filled with water
And the great earls where are they?
The earls, the lady, the people
Beaten into the clay.

Nor sound of duck or of geese there
Hawk's cry or eagle's call,
Nor humming of the bees there
That brought honey and wax for all,
Nor the sweet gentle song of the birds there
When the sun has gone down to the West
Nor a cuckoo atop of the boughs there
Singing the world to rest.

There 's a mist there tumbling from branches
Unstirred by night and by day,
And a darkness falling from heaven,
And our fortunes have ebbed away;

There 's no holly nor hazel nor ash there
But pastures of rock and stone,
The crown of the forest is withered
And the last of its game is gone.

I beseech of Mary and Jesus
That the great come home again
With long dances danced in the garden
Fiddle music and mirth among men,
That Kilcash the home of our fathers
Be lifted on high again
And from that to the deluge of waters
In bounty and peace remain.

(*From the Irish.*)

WILLIAM PLOMER

1903–

345

The Scorpion

LIMPOPO and Tugela churned
In flood for brown and angry miles
Melons, maize, domestic thatch,
The trunks of trees and crocodiles;

The swollen estuaries were thick
With flotsam, in the sun one saw
The corpse of a young negress bruised
By rocks, and rolling on the shore,

Pushed by the waves of morning, rolled
Impersonally among shells,
With lolling breasts and bleeding eyes,
And round her neck were beads and bells.

That was the Africa we knew,
Where, wandering alone,
We saw, heraldic in the heat,
A scorpion on a stone.

346 *A Levantine*

A MOUTH like old silk soft with use,
The weak chin of a dying race,
Eyes that know all and look at naught —
Disease, depravity, disgrace
Are all united in that face.

And yet the triumph of decay
Outbraves the pride of bouncing fools —
As an old craftsman smiles to hear
His name respected in the schools
And sees the rust upon his tools;

Through shades of truth and memory
He burrows, secret as a mole,
And smiles with loose and withered lips
Because the workings of his soul
Will, when he 's low, stay sound and whole.

With Socrates as ancestor,
And rich Byzantium in his veins,
What if this weakling does not work?
He never takes the slightest pains
To exercise his drowsy brains,

But drinks his coffee, smokes and yawns
While new-rich empires rise and fall:
His blood is bluer than their heaven,
  Poor, but no poorer than them all,
  He has no principles at all.

CECIL DAY LEWIS

1905–

347 *Come up, Methuselah*

COME up, Methuselah,
  You doddering superman!
Give me an instant realized
And I'll outdo your span.

In that one moment of evening
When roses are most red
I can fold back the firmament,
I can put time to bed.

Abraham, stint your tally
Of concubines and cattle!
Give place to me — capitalist
In more intrinsic metal.

I have a lover of flesh
And a lover that is a sprite:
To-day I lie down with finite,
To-morrow with infinite.

That one is a constant
And suffers no eclipse,
Though I feel sun and moon burning
Together on her lips.

This one is a constant,
But she 's not kind at all;
She raddles her gown with my despairs
And paints her lip with gall.

My lover of flesh is wild,
And willing to kiss again;
She is the potency of earth
When woods exhale the rain.

My lover of air, like Artemis
Spectrally embraced,
Shuns the daylight that twists her smile
To mineral distaste.

Twin poles energic, they
Stand fast and generate
This spark that crackles in the void
As between fate and fate.

348 *Few Things can more inflame*

FEW things can more inflame
This far too combative heart
Than the intellectual Quixotes of the age
Prattling of abstract art.

No one would deny it —
But for a blind man's passion
Cassandra had been no more than a draggle-skirt,
Helen a ten-year fashion.
Yet had there not been one hostess
Ever whose arms waylaid
Like the tough bramble a princeling's journey, or
At the least no peasant maid

Redressing with rude heat
Nature's primeval wrong,
Epic had slumbered on beneath his blindness
And Helen lacked her song.

(So the antique balloon
Wobbles with no defence
Against the void but a grapnel that hops and ploughs
Through the landscape of sense.)

Phrase-making, dress-making —
Distinction 's hard to find;
For thought must play the mannequin, strut in phrase,
Or gape with the ruck: and mind,
Like body, from covering gets
Most adequate display.
Yet time trundles this one to the rag-and-bone man,
While that other may
Reverberate all along
Man's craggy circumstance —
Naked enough to keep its dignity
Though it eye God askance.

349 *Can the Mole take*

CAN the mole take
A census of the stars?
Our firmament will never
Give him headache.

The man who nuzzles
In a woman's lap
Burrows toward a night
Too deep for puzzles:

While he, whose prayer
Holds up the starry system
In a God's train, sees nothing
Difficult there.

So I, perhaps,
Am neither mole nor mantis;
I see the constellations,
But by their gaps.

350 *With me my Lover makes*

WITH me, my lover makes
The clock assert its chime:
But when she goes, she takes
The mainspring out of time.

Yet this time-wrecking charm
Were better than love dead
And its hollow alarum
Hammered out on lead.

Why should I fear that Time
Will superannuate
These workmen of my rhyme —
Love, despair and hate?

Fleeing the herd, I came
To a graveyard on a hill,
And felt its mould proclaim
The bone gregarious still.

Boredoms and agonies
Work out the rhythm of bone: —
No peace till creature his
Creator has outgrown.

Passion dies from the heart
  But to infect the marrow;
Holds dream and act apart
  Till the man discard his narrow

Sapience and folly
  Here, where the graves slumber
In a green melancholy
  Of overblown summer.

351 *Rest from Loving*

REST from loving and be living.
Fallen is fallen past retrieving
The unique flyer dawn's dove
Arrowing down feathered with fire.

Cease denying, begin knowing.
Comes peace this way here comes renewing
With dower of bird and bud knocks
Loud on winter wall on death's door.

Here 's no meaning but of morning.
Naught soon of night but stars remaining,
Sink lower, fade, as dark womb
Recedes creation will step clear.

352 *Tempt me no more*

TEMPT me no more; for I
Have known the lightning's hour,
The poet's inward pride,
The certainty of power.

Bayonets are closing round.
I shrink; yet I must wring
A living from despair
And out of steel a song.

Though song, though breath be short,
I'll share not the disgrace
Of those that ran away
Or never left the base.

Comrades, my tongue can speak
No comfortable words,
Calls to a forlorn hope,
Gives work and not rewards.

Oh keep the sickle sharp
And follow still the plough:
Others may reap, though some
See not the winter through.

Father, who endest all,
Pity our broken sleep;
For we lie down with tears
And waken but to weep.

And if our blood alone
Will melt this iron earth,
Take it. It is well spent
Easing a saviour's birth.

353 *I've heard them lilting at Loom and Belting*

I'VE heard them lilting at loom and belting,
Lasses lilting before dawn of day:
But now they are silent, not gamesome and gallant —
The flowers of the town are rotting away.

There was laughter and loving in the lanes at evening;
Handsome were the boys then, and girls were gay.
But lost in Flanders by medalled commanders
The lads of the village are vanished away.

Cursed be the promise that takes our men from us —
All will be champion if you choose to obey:
They fight against hunger but still it is stronger —
The prime of our land grows cold as the clay.

The women are weary, once lilted so merry,
Waiting to marry for a year and a day:
From wooing and winning, from owning or earning
The flowers of the town are all turned away.

354 *Come live with me and be my Love*

COME, live with me and be my love,
And we will all the pleasures prove
Of peace and plenty, bed and board,
That chance employment may afford.

I'll handle dainties on the docks
And thou shalt read of summer frocks:
At evening by the sour canals
We'll hope to hear some madrigals.

Care on thy maiden brow shall put
A wreath of wrinkles, and thy foot
Be shod with pain: not silken dress
But toil shall tire thy loveliness.

Hunger shall make thy modest zone
And cheat fond death of all but bone —
If these delights thy mind may move,
Then live with me and be my love.

WILLIAM EMPSON

1906–

355 *Arachne*

'TWIXT devil and deep sea, man hacks his caves;
Birth, death; one, many; what is true, and seems;
Earth's vast hot iron, cold space's empty waves:

King spider, walks the velvet roof to streams:
Must bird and fish, must god and beast avoid:
Dance, like nine angels, on pin-point extremes.

His gleaming bubble between void and void,
Tribe-membrane, that by mutual tension stands,
Earth's surface film, is at a breath destroyed.

Bubbles gleam brightest with least depth of lands
But two is least can with full tension strain,
Two molecules; one, and the film disbands.

We two suffice. But oh beware, whose vain
Hydroptic soap my meagre water saves.
Male spiders must not be too early slain.

MARGOT RUDDOCK

1907–

356 *The Child Compassion*

UNWELCOME child
Compassion come
Into my heart
As to the womb,

How heavily
It laboureth
In anguish to
Bring thee to birth,

O puny babe
With thy frail cry
Too weak to live
Too strong to die.

Unwilling mother
I confessed
Do suckle thee
Upon my breast.

357 *Spirit, Silken Thread*

SPIRIT, silken thread,
Lightly wind
Through the fingers
Of my soul
She is blind. . . .

358 *Take Away*

TAKE away, take away, all that
I have seen,
Fold and wrap it away,
Lock and bar away all that I know. . . .

For I cannot drink
For the shrieking, blinding,
Tearing wrench of thought —

Cannot drink from the pool
That is waiting
Waiting. . . .
Surging, sweetening, shaking,
Lapping.

359

I take thee Life

I TAKE thee, Life,
Because I need,
A wanton love
My flesh to feed.

But still my soul
Insatiate
Cries out, cries out
For its true mate.

360

O Holy Water

O HOLY water
Love, I learn
I may not take thee
Though I burn.

O frustrate passion,
Supple vine,
I tear thy tendrils
Waste thy wine.

O jagged path
Reality
I weep and bleed
To follow thee.

361

Love Song

THOUGH to think
Rejoiceth me,
Love I will
Not think of Thee,

MARGOT RUDDOCK

Though thy heart's
My resting place
Yet I will
Not seek embrace,

Not till soul
Has shed her pain
Will I come
To Thee again.

And then when
My heart is free
I will give
It back to Thee.

362 *Autumn, crystal Eye*

AUTUMN, crystal eye
Look on me,
Passion chilled am I
Like to thee,

Seeking sterner truth,
Even now
Longing for the white
Frozen bough.

LOUIS MacNEICE

1907–

363 *The Individualist speaks*

WE with our Fair pitched among the feathery clover
Are always cowardly and never sober
Drunk with steam-organs thigh-rub and cream-soda
— We cannot remember enemies in this valley.

As chestnut candles turn to conkers, so we
Knock our brains together extravagantly
Instead of planting them to make more trees
— Who have not as yet sampled God's malice.

But to us urchins playing with paint and filth
A prophet scanning the road on the hither hills
Might utter the old warning of the old sin
— Avenging youth threatening an old war.

Crawling down like lava or termites
Nothing seduces nothing dissolves nothing affrights
You who scale off masks and smash the purple lights
— But I will escape, with my dog, on the far side of the Fair.

364 *Circe*

'. . . *vitreamque Circen*'

SOMETHING of glass about her, of dead water,
Chills and holds us,
Far more fatal than painted flesh or the lodestone of live hair
This despair of crystal brilliance.
Narcissus' error
Enfolds and kills us —
Dazed with gazing on that unfertile beauty
Which is our own heart's thought.
Fled away to the beasts
One cannot stop thinking; Timon
Kept on finding gold.
In parrot-ridden forest or barren coast
A more importunate voice than bird or wave
Escutcheoned on the air with ice letters
Seeks and, of course, finds us
(Of course, being our echo).

Be brave, my ego, look into your glass
And realize that that never-to-be-touched
Vision is your mistress.

365 *Turf-stacks*

AMONG these turf-stacks graze no iron horses
Such as stalk, such as champ in towns and the soul of crowds,
Here is no mass-production of neat thoughts
No canvas shrouds for the mind nor any black hearses:
The peasant shambles on his boots like hooves
Without thinking at all or wanting to run in grooves.

But those who lack the peasant's conspirators,
The tawny mountain, the unregarded buttress,
Will feel the need of a fortress against ideas and against the
Shuddering insidious shock of the theory-vendors,
The little sardine men crammed in a monster toy
Who tilt their aggregate beast against our crumbling Troy.

For we are obsolete who like the lesser things
Who play in corners with looking-glasses and beads;
It is better we should go quickly, go into Asia
Or any other tunnel where the world recedes,
Or turn blind wantons like the gulls who scream
And rip the edge off any ideal or dream.

366 *An Eclogue for Christmas*

A. I meet you in an evil time.
B. The evil bells
Put out of our heads, I think, the thought of everything else.

A. The jaded calendar revolves,
Its nuts need oil, carbon chokes the valves,
The excess sugar of a diabetic culture
Rotting the nerve of life and literature;
Therefore when we bring out the old tinsel and frills
To announce that Christ is born among the barbarous hills
I turn to you whom a morose routine
Saves from the mad vertigo of being what has been.

B. Analogue of me, you are wrong to turn to me,
My country will not yield you any sanctuary,
There is no pinpoint in any of the ordnance maps
To save you when your towns and town-bred thoughts collapse,
It is better to die *in situ* as I shall,
One place is as bad as another. Go back where your instincts call
And listen to the crying of the town-cats and the taxis again,
Or wind your gramophone and eavesdrop on great men.

A. Jazz-weary of years of drums and Hawaiian guitar,
Pivoting on the parquet I seem to have moved far
From bombs and mud and gas, have stuttered on my feet
Clinched to the streamlined and butter-smooth trulls of the élite,
The lights irritating and gyrating and rotating in gauze —
Pomade-dazzle, a slick beauty of gewgaws —
I who was Harlequin in the childhood of the century,
Posed by Picasso beside an endless opaque sea,
Have seen myself sifted and splintered in broken facets,
Tentative pencillings, endless liabilities, no assets,
Abstractions scalpelled with a palette-knife
Without reference to this particular life.

And so it has gone on; I have not been allowed to be
Myself in flesh or face, but abstracting and dissecting
me
They have made of me pure form, a symbol or a
pastiche,
Stylized profile, anything but soul and flesh:
And that is why I turn this jaded music on
To forswear thought and become an automaton.

B. There are in the country also of whom I am afraid —
Men who put beer into a belly that is dead,
Women in the forties with terrier and setter who whistle
and swank
Over down and plough and Roman road and daisied bank,
Half-conscious that these barriers over which they stride
Are nothing to the barbed wire that has grown round
their pride.

A. And two there are, as I drive in the city, who suddenly
perturb —
The one sirening me to draw up by the kerb
The other, as I lean back, my right leg stretched
creating speed,
Making me catch and stamp, the brakes shrieking, pull
up dead:
She wears silk stockings taunting the winter wind,
He carries a white stick to mark that he is blind.

B. In the country they are still hunting, in the heavy shires
Greyness is on the fields and sunset like a line of pyres
Of barbarous heroes smoulders through the ancient air
Hazed with factory dust and, orange opposite, the
moon's glare,
Goggling yokel-stubborn through the iron trees,
Jeers at the end of us, our bland ancestral ease;

We shall go down like palaeolithic man
Before some new Ice Age or Genghiz Khan.

A. It is time for some new coinage, people have got so old,
Hacked and handled and shiny from pocketing they have made bold
To think that each is himself through these accidents, being blind
To the fact that they are merely the counters of an unknown Mind.

B. A Mind that does not think, if such a thing can be,
Mechanical Reason, capricious Identity.
That I could be able to face this domination nor flinch —

A. The tin toys of the hawker move on the pavement inch by inch
Not knowing that they are wound up; it is better to be so
Than to be, like us, wound up and while running down to know —

B. But everywhere the pretence of individuality recurs —

A. Old faces frosted with powder and choked in furs.

B. The jutlipped farmer gazing over the humpbacked wall.

A. The commercial traveller joking in the urinal.

B. I think things draw to an end, the soil is stale.

A. And over-elaboration will nothing now avail,
The street is up again, gas, electricity or drains,
Ever-changing conveniences, nothing comfortable remains
Un-improved, as flagging Rome improved villa and sewer
(A sound-proof library and a stable temperature).
Our street is up, red lights sullenly mark
The long trench of pipes, iron guts in the dark,

And not till the Goths again come swarming down the
hill
Will cease the clangour of the electric drill.
But yet there is beauty narcotic and deciduous
In this vast organism grown out of us:
On all the traffic-islands stand white globes like moons,
The city's haze is clouded amber that purrs and croons,
And tilting by the noble curve bus after tall bus comes
With an osculation of yellow light, with a glory like
chrysanthemums.

B. The country gentry cannot change, they will die in their
shoes
From angry circumstance and moral self-abuse,
Dying with a paltry fizzle they will prove their lives to be
An ever-diluted drug, a spiritual tautology.
They cannot live once their idols are turned out,
None of them can endure, for how could they, possibly,
without
The flotsam of private property, pekingese and polyanthus,
The good things which in the end turn to poison and pus,
Without the bandy chairs and the sugar in the silver tongs
And the inter-ripple and resonance of years of dinner-
gongs?
Or if they could find no more that cumulative proof
In the rain dripping off the conservatory roof?
What will happen when the only sanction the country-
dweller has —

A. What will happen to us, planked and panelled with jazz?
Who go to the theatre where a black man dances like an
eel,
Where pink thighs flash like the spokes of a wheel,
where we feel

That we know in advance all the jogtrot and the cake-
walk jokes,
All the bumfun and the gags of the comedians in boaters
and toques,
All the tricks of the virtuosos who invert the usual —
B. What will happen to us when the State takes down the
manor wall,
When there is no more private shooting or fishing, when
the trees are all cut down,
When faces are all dials and cannot smile or frown —
A. What will happen when the sniggering machine-guns in
the hands of the young men
Are trained on every flat and club and beauty parlour
and Father's den?
What will happen when our civilization like a long pent
balloon —
B. What will happen will happen; the whore and the buffoon
Will come off best; no dreamers, they cannot lose their
dream
And are at least likely to be reinstated in the new régime.
But one thing is not likely —
A. Do not gloat over yourself
Do not be your own vulture, high on some mountain shelf
Huddle the pitiless abstractions bald about the neck
Who will descend when you crumple in the plains a wreck.
Over the randy of the theatre and cinema I hear songs
Unlike anything —
B. The lady of the house poises the silver tongs
And picks a lump of sugar, ' ne plus ultra ' she says
' I cannot do otherwise, even to prolong my days ' —
A. I cannot do otherwise either, to-night I will book my seat—
B. I will walk about the farm-yard which is replete

It says, 'You've often done this before.'
Here am I, here are you:
But what does it mean? What are we going to do?

A bird used to visit this shore:
It isn't going to come any more.
I've come a very long way to prove
No land, no water, and no love.
Here am I, here are you:
But what does it mean? What are we going to do?

368 *This Lunar Beauty*

THIS lunar beauty
Has no history
Is complete and early;
If beauty later
Bear any feature
It had a lover
And is another.

This like a dream
Keeps other time
And daytime is
The loss of this;
For time is inches
And the heart's changes
Where ghost has haunted
Lost and wanted.

But this was never
A ghost's endeavour
Nor finished this,
Was ghost at ease;
And till it pass
Love shall not near

The sweetness here
Nor sorrow take
His endless look.
Before this loved one
Was that one and that one
A family
And history
And ghost's adversity
Whose pleasing name
Was neighbourly shame.
Before this last one
Was much to be done,
Frontiers to cross
As clothes grew worse
And coins to pass
In a cheaper house
Before this last one
Before this loved one.

Face that the sun
Is supple on
May stir but here
Is no new year;
This gratitude for gifts is less
Than the old loss;
Touching is shaking hands
On mortgaged lands;
And smiling of
This gracious greeting
'Good day. Good luck'
Is no real meeting
But instinctive look
A backward love.

369

The Silly Fool

THE silly fool, the silly fool
Was sillier in school
But beat the bully as a rule.

The youngest son, the youngest son
Was certainly no wise one
Yet could surprise one.

Or rather, or rather
To be posh, we gather,
One should have no father.

Simple to prove
That deeds indeed
In life succeed
But love in love
And tales in tales
Where no one fails.

JULIAN BELL

1908–

370

The Redshanks

DRIVE on, sharp wings, and cry above
Not contemplating life or love
Or war or death: a winter flight
Impartial to our human plight.

I below shall still remain
On solid earth, with fear and pain,
Doubt, and act, and nervous strive,
As best I may, to keep alive.

What useless dream, a hope to sail
Down the wide, transparent gale,
Until, insentient, I shall be
As gaseous a transparency.

What useless dream, a hope to wring
Comfort from a migrant wing:
Human or beast, before us set
The incommunicable net.

Parallel, yet separate,
The languages we mistranslate,
And knowledge seems no less absurd
If of a mistress, or a bird.

STEPHEN SPENDER

1909–

371 *The Shapes of Death*

SHAPES of death haunt life,
Neurosis eclipsing each in special shadow:
Unrequited love not solving
One's need to become another's body
Wears black invisibility:
The greed for property
Heaps a skyscraper over the breathing ribs:
The speedlines of dictators
Cut their own stalks:
From afar, we watch the best of us —
Whose adored desire was to die for the world.

Ambition is my death. That flat thin flame
I feed, that plants my shadow. This prevents love
And offers love of being loved or loving.
The humorous self-forgetful drunkenness

It hates, demands the slavish pyramids
Be built. Who can prevent
His death's industry, which when he sleeps
Throws up its towers? And conceals in slackness
The dreams of revolution, the birth of death?

Also the swallows by autumnal instinct
Comfort us with their effortless exhaustion
In great unguided flight to their complete South.
There on my fancied pyramids they lodge
But for delight, their whole compulsion.
Not teaching me to love, but soothing my eyes;
Not saving me from death, but saving me for speech.

372 *An 'I' can never be Great Man*

AN 'I' can never be great man.
This known great one has weakness
To friends is most remarkable for weakness
His ill-temper at meals, his dislike of being contradicted,
His only real pleasure fishing in ponds,
His only real desire — forgetting.

To advance from friends to the composite self
Central 'I' is surrounded by 'I eating',
'I loving', 'I angry', 'I excreting',
And the 'great I' planted in him
Has nothing to do with all these.

It can never claim its true place
Resting in the forehead, and secure in his gaze.
The 'great I' is an unfortunate intruder
Quarrelling with 'I tiring' and 'I sleeping'
And all those other 'I's who long for 'We dying'.

CHARLES MADGE

1912–

373 *The Times*

TIME wasted and time spent
Daytime with used up wit
Time to stand, time to sit
Or wait and see if it
Happens, happy event

For war is eating now.

Waking, shaking off death
Leaving the white sheets
And dull-head who repeats
The dream of his defeats
And drawing colder breath

For war is eating now.

Growing older, going
Where the water runs
Black as death, and guns
Explode the sinking suns,
Blowing like hell, snowing

For war is eating now.

374 *Solar Creation*

THE Sun, of whose terrain we creatures are,
Is the director of all human love,
Unit of time, and circle round the earth,

And we are the commotion born of love
And slanted rays of that illustrious star,
Peregrine of the crowded fields of birth,

The crowded lane, the market and the tower.
Like sight in pictures, real at remove,
Such is our motion on dimensional earth.

Down by the river, where the ragged are,
Continuous the cries and noise of birth,
While to the muddy edge dark fishes move,

And over all, like death, or sloping hill,
Is nature, which is larger and more still.

GEORGE BARKER

1913–

375 *The Wraith-friend*

FOLLOWING forbidden streets
Towards unreal retreats,
Returning, lost again,
Encircling in vain:
No lunar eye, no star
Beckoning from the far
Wastes the trackless feet
Leading their beaten beat
Back on to the broad
And multitudinous road.
In what unearthly land
I fugitively stand,
Between what frenzied seas
Gaze, with my burning miseries
Miming the stars?

O angel in me hidden
Rise from the laden
Sorrow of this dark hand!
Companion and wraith-friend
From the rib's narrow prison
Step, in miraculous person!
Touch into these exhausted limbs
The alacrity of the birds
Which over the greatest ranges
Widely and eagerly range!

Though to wings those dark limbs
Spread, and that deep breast climbs
Eagerly the heights of the skies, or
Of the earliest lark's soar,
Until brushing against cold heaven
Like bluebirds in storms, even
Then that known flesh must fall.
Soon, within this prison's wider wall
Lie with those giant arms, that form,
For there is no upward egress from
This earthly, this unearthly land
Upon whose dust may stand
None, though heavenly high can fly,
But in whose dust all brighter dust must lie.

376 *The leaping Laughers*

WHEN will men again
Lift irresistible fists
Not bend from ends
But each man lift men
Nearer again.

Many men mean
Well: but tall walls
Impede, their hands bleed and
They fall, their seed the
Seed of the fallen.

See here the fallen
Stooping over stones, over their
Own bones: but all
Stooping doom beaten.

Whom the noonday washes
Whole, whom the heavens compel,
And to whom pass immaculate messages,
When will men again
Lift irresistible fists
Impede impediments
Leap mountains laugh at walls?

377

The Crystal

WITH burning fervour
I am forever
Turning in my hand
The crystal, this moment

Whose spatial glitter
Travelling erratically
Forward

Touches with permanent
Disturbance the pavements
The faked walls the crevices
Of futurity.

Sooner than darken
This crystal miracle
With a hand's
Vagary

One would dissever
This wrist this hand,
Or remove the eyelid
To see the end.

378 *He comes among*

HE comes among
The summer throngs of the young
Rose, and in his long
Hands flowers, fingers, carries;
Dreamed of like aviaries
In which many phoenixes sing,
Promising touch soon
In summer, never to come:

Or, the scarce falls
Of unearthly streams, calls
And recalls the call,
Tempting in echoes the aspatial
Glooms of the empty
Heart, till the senses, need inebriate,
Turning and burning through slow leaves of vague
Urge, shall, until age.

INDEX OF AUTHORS

References are to the numbers of the poems

INDEX OF AUTHORS

INDEX OF FIRST LINES

References are to pages

INDEX OF FIRST LINES

INDEX OF FIRST LINES

INDEX OF FIRST LINES

INDEX OF FIRST LINES

INDEX OF FIRST LINES

INDEX OF FIRST LINES

INDEX OF FIRST LINES

INDEX OF FIRST LINES

INDEX OF FIRST LINES

INDEX OF FIRST LINES